PACIFIC TEMPO

T. JEFFERSON PARKER

T. JEFFERSON PARKER

PACIFIC TEMPO

TRADUIT DE L'AMÉRICAIN
PAR ANNA BURESI

ÉDITIONS J'AI LU

A Catherine Anne

Titre original :

PACIFIC BEAT
St. Martin's Press

1

Ici, ce qui compte, c'est le Pacifique. A longue échéance, la terre et les gens qu'elle porte ne dépendent que de ça. A brève échéance, beaucoup de choses peuvent arriver.

Les Franciscains ont mené les Indiens à la ruine, les Mexicains ont viré les Espagnols, les Américains blancs ont foutu les Mexicains à la porte et baptisé la ville Newport Beach. On a creusé le port à la drague et les gens se sont nourris de la mer. Il y a eu une flotte marchande, une fabrique de conserves, des hommes et des femmes pour faire tourner le tout. Ils étaient vigoureux, indépendants, dénués d'instruction mais futés. Le thon a disparu, les filets ont pourri, et les pêcheurs ont succombé à l'alcool et à la lassitude. Deux guerres ont eu lieu. Les touristes ont débarqué sans crier gare, John Wayne s'est installé là, et les valeurs immobilières ont grimpé en flèche. Aujourd'hui, il a y plus de Porsche à Newport Beach que partout ailleurs, et plus de chirurgiens esthétiques qu'à Beverly Hills. La ville est un concentré de Californie du Sud. Elle abrite 66 453 habitants et, comme partout ailleurs, la plupart sont de braves gens.

Jim Weir grandit à Balboa, la péninsule de Newport, dans une maison du bord de mer qui appartenait à sa famille depuis quatre-vingt-dix ans. Le premier Weir parti pour le Nouveau Monde s'était noyé en tombant du *Mayflower* au large de la future Princetown. Les descendants de son épouse enceinte participèrent plus tard à la ruée vers l'or. L'arrière-grand-père de Jim travailla dans la flotte thonière de Newport Beach et mourut confortablement, si l'on peut dire. La petite fortune familiale s'était racornie au moment où elle échut à la mère de Jim, Virginia, qui, avec une efficacité opiniâtre, dirigeait le café *Poon's Locker*. Le père de Weir — Poon en personne — était mort dix ans plus tôt d'une attaque. Son frère aîné avait été abattu d'une balle en plein cœur par un tireur isolé, à Nhuan Duc. Sa sœur, Ann, dirigeait une garderie à deux pas de la maison où les gosses Weir avaient grandi et servi des cocktails le soir.

Jim était un récupérateur d'épaves, un plongeur de fond. Il avait travaillé dix ans pour le shérif : un à la taule, deux dans la rue, cinq à la mer avec la police maritime, deux à la Criminelle. Puis il avait démissionné pour faire de la récupération et avait localisé un vaisseau pirate anglais, le *Black Pearl*, coulé par les vaisseaux de guerre espagnols au large du Mexique en 1781. L'affaire s'était soldée par un échec complet. Il avait passé presque toute sa vie d'adulte à bord du *Lady Luck*, sur la cale B-420 de Newport Harbor.

Il tenait de son père son front haut, ses cheveux bruns, son expression sans humour, et un calme imperturbable qui pouvait passer — à tort — pour un manque de vivacité d'esprit. Il avait les yeux bleu pâle de sa mère, de grandes mains qui avaient toujours affiché dix ans de plus que le reste de son corps, et un caractère tourmenté sous son apparente placidité. Il possédait cette réserve propre aux Californiens de souche — cette sorte de réticence entendue qui amuse les gens de la côte Est et n'a guère de rapport avec les spots publicitaires — bière fraîche, mecs cool et bronzés — et autres parodies de la décontraction californienne. Jim avait trente-sept ans, était solidement bâti, ne s'était jamais marié et travaillait de façon intermittente. En fait, il attendait toujours son premier vrai coup de chance.

Il était debout sur le ferry qui faisait la navette de Balboa Island à la péninsule. Des lumières oscillaient sur l'eau noire et la baie résonnait du cliquètement des rides de hauban. Une brise de mai venue du large pressait ses mains fraîches contre son visage. L'hélicoptère de la police de Newport Beach bourdonna dans le ciel puis s'éloigna en virant, traquant le crime avec le faisceau de ses projecteurs. Jim regarda au loin les maisons agglomérées sur l'autre rive et réprima un sourire : le bon vieux quartier. Rudement bon d'être à nouveau chez soi.

Weir venait de passer six mois au Mexique, en plongée à la recherche du *Black Pearl*, et pour les trente-quatre derniers jours, comme hôte spécial de la police mexicaine de Zihuatanejo. Il avait marqué d'une encoche le mur de la cellule, à l'aube, chaque fois que les coqs, au-dehors, l'avaient réveillé dans les ténèbres malodorantes. Il avait perdu sept kilos, deux mille dollars en liquide, de l'excellent matériel de plongée et de récupération, et son home, le *Lady Luck*. Les accusations, qui avaient trait à la drogue, étaient mensongères et avaient été abandonnées pour de mystérieuses raisons. Les employés de la *policia* l'avaient relâché avec sa montre-bracelet, les vêtements dans lesquels on l'avait arrêté, et le prix du billet de car jusqu'à San Diego.

Le ferry grogna, ralentit, puis se stabilisa contre le quai. Jim descendit d'un pas vacillant : les fayots et une mauvaise mer prennent leur péage sur le tonus musculaire. Il gagna le trottoir et serpenta parmi les touristes, aspirant à fond l'air salin, les gaz d'échappement des voitures dans la file d'attente du ferry, l'odeur des algues échouées. La fête foraine projetait des lumières roses sur le trottoir, quelqu'un cria du haut de la grande roue. Les touristes semblaient plus jolies que jamais. Elles rajeunissaient toutes, ou quoi ? Jim écouta le bruit de ses boots sur le ciment, perçut la discordance de son pas affaibli et, de nouveau, il faillit sourire : m'man serait au *Whale's Tale*, pour prendre un verre de vin blanc, et Ann y serait aussi, occupée à la servir. Raymond devait être en patrouille, dans l'équipe de nuit. La maison, mec, la maison.

Il avait vu juste. Sa sœur, affublée d'une ridicule tenue de marinière qui dévoilait ses jambes, se tenait debout devant un box et jacassait avec Virginia. Sa mère était blottie dans le coupe-vent jaune pâle qui s'harmonisait avec ses cheveux. Ann avait le dos tourné. Jim s'avança rapidement, passa ses bras autour de sa taille, enfouit le museau dans ses jolies boucles blondes et renifla comme un chien. Elle le repoussa vivement du coude, se retourna, et se jeta à son cou. Il l'étreignit puis regarda Virginia, qui sirotait son vin, et lui adressa un de ses rares sourires. Ann lui fit faire volte-face et le poussa sur une chaise.

— Deux mois, et pas une carte postale ? Est-ce que tu l'as trouvé ? Pourquoi tu n'as pas écrit ? Mon Dieu, ce que tu es maigre ! Tu vas bien ? Ray sait que tu es rentré ?

— Oui, non, taule, oui, non. La vache, j'ai une de ces faims !

— Taule ? Mon Dieu, Jim !

Ann lui tâta le front comme la mère qu'elle ne serait jamais. Jim vit dans le bleu de son œil gauche ces trois taches brunes qu'il avait toujours assimilées à des îles sur une mer. Elle avait deux ans de plus que lui mais en paraissait cinq de moins.

Virginia plaça une de ses grandes mains noueuses sur le torse de Jim.

— Que s'est-il passé, fils ?

— Je peux bouffer, d'abord ?

Ann eut une moue faussement scandalisée.

— J'ai passé six mois à me faire un sang d'encre à ton sujet, et tu veux *bouffer !* (Elle lui flanqua la serviette bleu outremer sous le nez :) Tiens, avale ça.

— On est d'humeur badine, ce soir, hein ?

— Ah ouais ? Allons, laisse-moi donc faire mon boulot et te dénicher de la *bouffe !*

— Tu as bonne mine, Annie. Ta peau est rose.

Jim remarqua qu'elle avait perdu du poids, que les petits plis d'anxiété s'étaient accentués entre ses yeux.

— Les miracles du maquillage. Mais merci quand même. Excuse-moi, on s'impatiente là-bas au fond.

Jim mangea du pain et de la soupe de palourdes, encore du pain, de l'espadon grillé, du cheesecake au dessert, et vida presque un litre de rouge maison. Il raconta sa mésaventure mexicaine par épisodes, chaque fois qu'Ann pouvait venir à la table. Il omit le passage à tabac qu'on lui avait infligé le soir de son arrestation : il avait découvert depuis longtemps que les mots aggravent certaines choses, que le silence embrouille le diable, que déverser des malheurs sur ceux qu'on aime revient à aller aux chiottes sans fermer la porte. Le plus dur, pour Jim, ce n'était pas de n'avoir pu retrouver le *Black Pearl*, ni le passage à tabac, ni la maladie dans la taule de Zihuat. C'était d'avoir perdu son bateau — sa *maison* — et tout ce qui s'y trouvait. C'était seulement maintenant, de retour au pays, qu'il prenait conscience de la perte que cela représentait pour lui. Jusqu'alors, la peur avait occulté toutes ses autres émotions mais à présent, la rancœur et la fureur remontaient à la surface. Fuentes avait raison : un gringo au Mexique, c'est de l'euthanasie. Lorsque Jim eut fini son histoire, il s'était défoulé en imaginant toutes sortes de vengeances, mais il était si las qu'il pouvait à peine garder les yeux ouverts.

— Tu as besoin de dormir un peu, fils. Reste avec moi dans la grande maison. Ton lit est toujours prêt et j'ai fait rouler ta camionnette une fois par semaine comme tu le désirais. Becky serait contente que tu passes la voir.

Ann se pencha et l'étreignit.

— Tu ne bouges pas d'ici tant que ma surprise n'est pas arrivée. Et tu sais quoi ? Ray et moi, on donne une soirée vendredi. Si tu es sage, je t'invite.

Jim la questionna sur la raison de ces festivités, mais elle fut évasive et coquette, comme souvent. Levant les yeux après avoir avalé sa tasse de café, il vit venir le mari d'Ann, son meilleur et plus vieil ami. Le lieutenant Raymond Cruz, de la police de Newport Beach, avança avec sa nonchalance habituelle, son arme, sa matraque, sa radio et son équipement bien rangés autour de sa taille, toute la quincaillerie du flic de patrouille ordinaire. Jim éprouva un élan de joie auquel il ne s'attendait pas. Ray eut un large sourire, ouvrit les bras et l'étreignit à l'étouffer. Une étreinte reconnaissante. Raymond la rompit le premier et regarda Weir :

— T'as l'air lessivé.

Jim acquiesça.

— Tu avais raison. Ils ont tout piqué.

Une ombre passa dans les yeux de Raymond : son premier mouvement était de retourner là-bas pour tout reprendre illico. Il embrassa Ann, se pencha pour faire la bise à Virginia, puis se tourna à nouveau vers Jim avec un regard d'incompréhension.

— J'ai essayé de te faire piger ça combien de fois ?

— Trop. Je ne veux plus rien entendre.

— Pas foutu d'écouter qui que ce soit ! Tu es plus têtu qu'une bourrique, mon pote. Comment ça se fait que je sois aussi content de te voir ?

Il scruta un instant le visage de Weir de son regard clair et intelligent puis reporta son attention sur Ann. Elle était tout simplement rayonnante.

— Dis-lui, fit-elle.

— Dis-le-lui, toi.

Elle s'avança, prit la main de Jim et la posa sur son ventre.

— Tu trouves que ça sonne bien, « tonton Jim » ?

Weir resta sans voix. Ann ne pouvait pas avoir d'enfants. Une ribambelle de médecins le lui avaient dit, vingt ans de mariage leur avaient donné raison. Et voilà que tout à coup, l'impossible avait lieu — la simplicité du miracle se lisait sur son visage.

Puis elle livra les détails avec volubilité, employant les mots qui l'avaient autrefois glacée de jalousie : naissance dans sept mois, un enfant de décembre ; un malaise ce matin ; maison à préparer ; pas encore choisi le prénom. Jim vit qu'elle était déjà dans l'univers où aucun homme n'avait accès, le monde parallèle de la maternité. Il ne lui avait jamais vu une joie aussi profonde. Virginia elle-même paraissait un peu grisée. Le port de Raymond avait changé — tête un peu plus haute, cou un peu plus droit — et ses traits latins accusés semblaient s'être adoucis.

— Annie, dit Jim, tu seras la meilleure... euh, la deuxième meilleure maman du monde. Ça valait le coup de se faire rétamer au Mexique, si c'était pour rentrer entendre ça !

D'aussi loin qu'il s'en souvenait, elle avait toujours voulu avoir un enfant. Elle avait gardé la foi. Ann sourit de nouveau, comme si elle réalisait une nouvelle fois son bonheur. Elle se reprit, contint sa joie, et proposa un breakfast le lendemain à la grande maison, où Jim pourrait « dire ce qui s'est réellement passé » au Mexique. Là-dessus, Raymond lui donna un baiser léger, puis consulta sa montre.

— Le devoir m'appelle dans les rues mal famées de Newport ! dit-il. Content que tu sois revenu, Jim. A demain.

Il s'éloigna, non sans se retourner une dernière fois, avec un sourire destiné à Jim, qui dévia rapidement vers sa femme.

Cinq minutes plus tard, l'épuisement terrassa Weir. Il engloutit un dernier demi-verre et se leva.

— Défense de me tirer du pieu avant midi.

Weir descendit les marches et s'avança dans les ténèbres humides de la péninsule. Le brouillard s'amassait, bas dans le ciel. Il ne se rendit pas chez sa mère. Il dépassa la maison, au contraire, longeant les petites demeures du front de mer et les ruelles qui étaient la géographie de sa jeunesse. Le voisinage était paisible. Des cottages de plain-pied s'abritaient derrière des haies envahissantes de lauriers-roses et de bougainvillées ; des jardinets affichaient un état d'abandon calculé. *Poon's Locker,* l'affaire familiale qui avait rapporté assez d'argent à Poon et Virginia pour élever trois enfants, était un peu plus loin, solide et sombre. Jim s'arrêta un instant pour regarder à travers un des O de l'enseigne au néon accrochée devant la fenêtre depuis 1963. Il entrevoyait les rangées nues de chaises et de tables, le tourniquet de cartes postales près de la porte — *Jetez l'ancre à Balboa!* —, le trophée de pêche suspendu au mur, le comptoir et la caisse enregistreuse. Pour un peu, il aurait cru voir Jake, courant à travers la salle dans l'accomplissement de quelque mission obsédante, poursuivi par les imprécations de Poon.

Quelques maisons plus loin, il parvint devant *Ann's Kids,* la garderie que dirigeait sa sœur — et dont les enfants remplaçaient ceux qu'elle n'avait pas eus, avait-il conclu depuis longtemps. La fermerait-elle en décembre ? C'était une petite bâtisse ancienne, dont le périmètre était enclos d'un treillis grillagé de près de deux mètres de haut pour empêcher les mômes de vagabonder. Dans la cour en ciment, on pouvait voir les tricycles et les cubes de construction soigneusement rangés près de l'entrée.

Puis venait la maison de Ann et de Raymond — un mignon bungalow avec un porche en bois. La véranda était pavoisée de filets ornés d'étoiles de mer, d'haliotides, d'oursins plats et de flotteurs en liège. Depuis le trottoir, les objets paraissaient suspendus en l'air, sans attache. Ann, la collectionneuse de petits trésors, pensa-t-il.

Il alla trois maisons plus loin, là où une haute haie de lauriers-roses emmurait la propriété qui se trouvait derrière. Il s'immobilisa un instant, prit une profonde inspiration, trouva la grille dissimulée dans le feuillage. Il se hissa au sommet, assourdit la clochette de cuivre avec la main et ouvrit doucement. Il resta juste au-delà du seuil.

Le jardin était petit et bien entretenu, embaumé par l'odeur douceâtre de l'oranger qui fleurissait en son centre. Des plantes annuelles de printemps s'inclinaient paresseusement dans leurs pots. Les pierres égales de l'allée étaient balayées. On voyait un cottage à l'autre bout, avec de la lumière à l'intérieur.

La porte de bois était ouverte, mais pas la porte à moustiquaire, et il pouvait la voir, assise dans le séjour, le dos tourné, la tête inclinée contre sa main gauche, tenant dans la main droite un stylo pointé sur un bloc-notes. Ses boucles châtain clair captèrent la lumière lorsqu'elle se détourna dans sa direction, mais le reste de son visage demeura dans l'ombre. Jim se dissimula derrière le laurier. Il la regarda se lever et marcher dans sa direction, jolie femme aux formes pleines dans une robe de chambre en soie verte. Elle se tint devant la porte à moustiquaire, mains campées sur les hanches, regardant au-dehors.

Weir aurait voulu s'avancer et lui dire quelque chose, mais il ne savait quoi, et ses jambes refusaient de le porter. Il poussa un soupir de soulagement venu du tréfonds de lui-même, le soupir qu'il n'avait pu expulser pendant les mois passés au Mexique, le soupir qu'il avait eu l'envie éperdue de pousser tout au long des trente-quatre jours de cellule qu'il avait passés à imaginer cette femme dans la prison de Zihuat. La lumière du porche s'éteignit, la porte en bois se referma, et il entendit coulisser le verrou.

Le premier coup de téléphone l'éveilla à une heure du matin. Il était dans son ancienne chambre, s'agitant dans les ténèbres du demi-sommeil, en nage, l'estomac noué. Un instant, il se demanda où il se trouvait. C'était Ray qui téléphonait.

— Jim, tu as vu Ann ?

— Non.

— Tu es parti avant elle ?

— Oui. Vers dix heures. Qu'est-ce qu'il y a ?

— Elle n'est pas à la maison. Elle est toujours là quand je rentre. Je suis repassé au restau et ils m'ont dit qu'elle était sortie à 22 h 30. Une demi-heure plus tôt que d'habitude. Comme elle n'est pas ici, j'ai cru que...

— Elle est peut-être au *Locker,* à moins qu'elle ne soit allée faire un tour, grommela Jim, l'estomac en révolte.

Raymond se faisait toujours trop de bile. On aurait dit que c'était un besoin chez lui.

— Deux heures de balade dans la péninsule et avec la tenue qu'ils lui font porter ? Dans ce brouillard, en plus ? Je vais essayer le *Locker.*

— Je ne sais pas trop, Ray.

Ce qu'il savait, en revanche, c'était que le jour où Becky n'était pas rentrée le rejoindre à la maison, elle se trouvait en compagnie d'un autre homme. En fait, après leur rupture, elle avait fini par épouser un troisième larron, mais Weir n'avait jamais pu décider si c'était une consolation ou pas. Il ne dit mot, se maudissant en silence de projeter ses désillusions sentimentales sur sa sœur et son ami.

Il y eut un silence, pourtant, et il sentit que Raymond songeait à la même chose.

— Eh bien, c'est la première fois que ça lui arrive.

— Essaie le *Locker,* Ray.

Selon Jim, Raymond refusait de voir lui échapper personnes et situations. Il n'aimait pas laisser de marge de manœuvre — y compris à sa femme. Typique d'un flic, et compréhensible.

— Excuse-moi. Tâche de dormir.

— 'Nuit, Ray.

Raymond rappela une heure plus tard, à 2 h 05.

— Jim, elle n'est toujours pas rentrée. Elle n'est pas non plus au *Locker*. La bagnole n'est pas là. Tu es sûr qu'elle n'est pas avec Virginia, ou... ?

Weir venait de rêver de sa cellule de Zihuatanejo. Un rêve si intense qu'il avait senti l'odeur des murs pourrissants, senti les cafards courir sur ses pieds.

— Attends, je vais voir.

L'ancienne chambre d'Annie était vide. Tout comme le séjour, le salon, la chambre qui avait été celle de Jake. Virginia dormait d'un sommeil lourd dans la chambre des parents, où un rectangle de lumière douce projeté par les lampadaires de la rue se dessinait sur le sol. Un bref instant, il songea aux jours d'autrefois, lorsque Jake et son père vivaient encore, et que la maison semblait toujours si animée, débordante de vie.

Il alla même regarder dans le garage, mais n'y vit que sa camionnette, la vieille Volkswagen de Virginia, le fouillis qu'elle conservait. Son estomac gargouilla alors qu'il remontait l'escalier jusqu'à sa chambre.

— Non. Pas là.

— Il est 2 heures passées, Jim.

— Tu alertes la ronde ?

— Oui, enfin, je peux aller patrouiller moi-même.

— Reste près du téléphone, Ray. Elle sait où te trouver. Elle appellera.

— J'ai un mauvais pressentiment.

Un pressentiment identique assaillit Weir, puis se dissipa.

— Oublie-le. Elle va rentrer.

— Excuse-moi.

Weir ne put trouver le sommeil. A 3 h 25, le téléphone sonna encore.

— Elle est toujours pas là, Jim.

— J'arrive.

Weir s'habilla dans l'obscurité et descendit au rez-de-chaussée. Sa mère était dans le séjour, assise dans son fauteuil favori, les deux bras posés sur les accoudoirs, le dos droit, la tête dressée. Lincoln tout craché. Elle demanda ce qui n'allait pas et il lui apprit qu'Ann n'était toujours pas rentrée.

— Téléphone au *Whale's Tale* et au *Locker,* dit-elle.

— Ray l'a déjà fait.

— Essaie chez Sherry, la fille du restaurant.

— Elle aurait prévenu, si elle était chez une copine.

— Alors, appelle l'officier de garde.

— Il l'a fait aussi.

Virginia resta un instant silencieuse.

— Je n'aime pas ça. Ce genre de truc, c'était le style de ton père. Annie lui ressemble bien plus que Jake ou que toi, alors, s'il y a une chose que je lui ai apprise, c'est bien de veiller sur elle-même.

— C'est pas ça qui la ramènera à la maison, m'man.

— Vas-y. Je vais essayer chez Becky.

Jim referma silencieusement la porte derrière lui et marcha vers le nord, longeant le front de mer. En passant devant *Ann's Kids,* il remarqua que la porte était entrouverte. Il s'immobilisa et regarda sa montre : 3 h 37, mardi 16. Il essaya de franchir la grille cadenassée, puis l'escalada et atterrit lourdement de l'autre côté. Le treillis eut une vibration sonore puis s'immobilisa. Six pas jusqu'à la porte, bruit de talons sur le ciment, pas de lumière. Il poussa le battant du doigt : il pivota sur ses gonds, aisément et en silence.

Weir entra et alluma. Il se trouvait dans la salle de jeux, au parquet de bois net. On voyait toutes sortes de jouets disposés contre un pan de mur : pelles et seaux en plastique, poupées et maisons de poupées, gros cubes avec des lettres inscrites dessus. Un cheval de bois patientait sur ses ressorts, dans un galop figé. Contre un autre mur, il y avait une bibliothèque basse remplie de livres d'images. Il y avait aussi une corbeille bourrée de toupies, yo-yos et cordes à sauter, et une autre plus grande, pleine de ces balles de caoutchouc rouge qui résonnent magnifiquement quand on les fait rebondir.

La seconde pièce était destinée à la sieste et aux vidéos. La cuisine était nette. Jim ouvrit la porte du bureau d'Ann de la pointe du pied : un bureau, trois sièges pliants, une machine à écrire, un téléphone, un répondeur. Un vase à demi rempli d'eau se trouvait près du téléphone. Il en huma l'odeur — l'eau était fraîche.

En examinant la cour de derrière à travers la fenêtre, il vit les profils sombres d'une maisonnette de jeux, d'une cage à lapins, d'un bac à sable.

Il éteignit les lumières, ferma la porte d'entrée. En escaladant à nouveau la grille, il se demanda pourquoi la porte était restée ouverte et pourquoi il y avait, sur le bureau d'Ann, un vase à demi rempli d'eau fraîche et sans fleurs dedans.

Quatre maisons plus loin, il franchit une grille de fer forgé, longea une courte allée et un quai de bois suintant d'humidité. Ray ouvrit la porte avant même que Jim eût sonné.

— La porte de la garderie était ouverte, Ray.

— Je sais. J'y suis allé d'abord, j'ai jeté un coup d'œil et laissé les choses en l'état. Tu as fermé ?

Jim acquiesça. Raymond lui lança un regard aigu. Son front était baigné de sueur et, autour de ses oreilles, ses cheveux paraissaient humides.

— J'espère que tu n'as pas effacé les empreintes.

Jim comprit alors qu'il était gagné par la panique.

— Ce n'est pas le lieu d'un meurtre.

— Il y a quelque chose qui cloche. Je le sens. Quand on est marié depuis vingt ans et que quelque chose cloche, on le sait.

Jim resta debout dans le séjour pendant que Ray leur servait du café. La maison était basse de plafond, avec des murs de pin noueux presque aussi sombres que du noyer. Ann et Ray en étaient locataires depuis dix ans, et elle était un peu mieux que leur ancien appartement. Ils tenaient à rester dans le quartier et les loyers avaient cessé d'être modiques. La seconde chambre constituait la bibliothèque, où Raymond potassait ses ouvrages de droit. Dans la lumière en veilleuse, Jim distinguait les épais volumes empilés sur une table, le bloc-notes, la douzaine de stylos émergeant d'une boîte à café verte.

Ray faisait son droit à temps partiel depuis que Jim avait démissionné de l'équipe du shérif, deux ans auparavant. Il avait dit à Weir que, par comparaison, la rue était une sinécure — il était plus à l'aise avec les escrocs qu'avec les bouquins. Pour Jim, Ann et Ray ressemblaient à beaucoup d'autres gens du voisinage : cols-bleus, travaillant dur, et ça ne se sentait guère dans leur train de vie. Le doctorat en droit de Ray serait son laissez-passer pour l'ascension sociale. Virginia payait les frais de scolarité.

Weir comprenait la tentative d'évasion de Raymond — il tenait en main son propre laissez-passer. Tout le monde, dans le voisinage, semblait l'approuver d'avoir quitté son boulot d'enquêteur pour la chasse au trésor, mais il avait toujours eu le sentiment que cette approbation était teintée de mépris, qu'aux souhaits de réussite se mêlait l'insinuation qu'il avait trahi. En un sens, c'était ce qu'il avait fait, mais ce n'était pas le fric qu'il voulait, c'était la liberté. Adieu les flics, les horaires, les bureaucrates tyranniques, les interminables heures d'attente dans les couloirs des tribunaux pour coffrer les mêmes individus pour les mêmes crimes sinistres, haineux, stupides. Il devait y avoir autre chose, dans la vie.

Raymond avait compris. Il avait toujours compris, et c'était cela, notamment, qui l'avait rapproché de Jim. Mais surtout, il y avait entre eux une amitié de trente ans, la confiance que seul le temps peut bâtir, les années de compétition et de loyauté, d'aveux honnêtes et de trahisons mineures, les années d'enfance ensemble et d'existence adulte chacun de son côté, les années où Ann avait été l'ancrage commun de leurs existences. Jim avait compris depuis longtemps — avec effroi — que Raymond aurait donné sa vie pour lui, s'il l'avait fallu. Il avait d'abord attribué cela au fait qu'ils étaient coéquipiers dans un boulot où l'on peut se faire descendre à tout moment ; plus tard, il avait pensé que Raymond poussait le sens du devoir jusqu'au sacrifice. Finalement, il avait compris que c'était une question d'amour, tout simplement. Weir se croyait capable d'offrir le même don en retour, le moment venu, tout en sachant que ce n'était pas une question à laquelle on pouvait répondre par avance.

Le téléphone sonna dans la cuisine. Jim scruta le visage de son beau-frère alors qu'il décrochait. Ray le regarda fixement, sans prononcer un seul mot pendant la communication. Puis il inspira profondément :

— Ils ont trouvé Ann.

2

Le brouillard poudrait les vitres de la bagnole de Raymond alors qu'il roulait sur le Pacific Coast Highway en direction du pont. La chaussée était luisante et de menues particules d'humidité fusaient dans le faisceau des phares. Le bateau à aubes du Mississippi, le *Reuben E. Lee,* était à quai et des chapelets de lumière ébauchaient son profil sur les eaux noires de la baie. Un chantier de construction roussi par les balises halogènes réduisait le trafic à une seule voie.

Raymond gardait le silence. Jim risqua plusieurs fois un coup d'œil vers lui, remarquant son visage moite, son regard fixe. Il avait suffisamment vu d'expressions comme celle-là pour reconnaître le masque de la tragédie. Il eut soudain très froid.

Raymond tourna dans Dover, prit Westcliff, vers Morning Star Lane. Back Bay, songea Jim : des baraques à plusieurs millions de dollars et personne dehors à une heure aussi tardive ; un monde livré aux poivrots et aux pêcheurs. Une incursion peu profonde de la mer, qui s'aventurait entre deux falaises distantes d'environ deux kilomètres, formait l'estuaire. Les marais noirâtres avaient autrefois produit du sel. Cette activité mineure avait été délaissée des décennies plus tôt et Back Bay abandonnée aux joggeurs, aux oiseaux de mer craintifs, aux poissons amenés et emportés par la marée, et aux gens qui, comme Virginia, disputaient aux promoteurs le droit de décider du sort de tout cela. Weir avait toujours trouvé l'endroit étrange — ni mer, ni terre ferme, ni marais salant ni eau douce, ni liquide ni solide, ni beau ni laid.

— C'est bon, Ray. Qu'est-ce qui se passe ?

Raymond se tourna vers lui et tout fut lisible dans son regard. Jim crut sentir la chevelure d'Ann, son coude au creux de ses côtes, comme il y avait six heures à peine. Un sentiment d'irréalité brouilla les contours de ses pensées. Le plus dur, quand il avait su pour Jake, avait été de garder l'esprit clair. C'était une sensation qu'il détestait plus que tout, forte et lancinante, une dose d'héroïne qui s'infiltrait dans son âme. Le brouillard ondoya, les heurta, passa.

Deux voitures de patrouille étaient déjà garées dans Morning Star Lane, au bout du cul-de-sac. Un gyrophare clignotait de façon obscène. La portière de l'autre bagnole était ouverte et un flic parlait dans son émetteur-récepteur. Jim leva les yeux sur les grands immeubles, vit en hauteur une fenêtre jaune de lumière, et les silhouettes parfaites qui s'y découpaient — M. et Mme Citoyen, braves gens apeurés scrutant au-dehors.

Le flic se leva en hâte dès qu'il aperçut Raymond, reposa le combiné et les guida sur la piste étroite menant à la berge. De chaque côté du chemin, les ficoïnes luisaient ; les eaux déferlaient vers le rivage en ondulations noires et rapides ; le brouillard glissait par plaques, qui fusaient vers le haut à chaque rafale de vent et s'évanouissaient.

— Elle est là-bas, dit le flic avec douceur.

Ils franchirent une cinquantaine de mètres, à travers le carré herbeux et sablonneux qui bordait la crique. Jim sentit le sol détrempé céder sous ses pas, dérapa sur les roseaux. Loin devant, deux silhouettes se mouvaient lentement derrière deux triangles de lumière. Une boule d'amertume remonta dans la gorge de Weir.

Le flic qui les conduisait — un dénommé Bristol — s'approcha du rivage et s'immobilisa à quelques mètres de l'eau. Le faisceau de sa torche parcourut la couverture vert sombre qui recouvrait un corps sur le sol. On n'avait pas encore délimité d'enceinte interdite.

— Coup de fil d'un pêcheur à 3 h 50. Il l'a ramenée sur la berge. Il nous a dit ce qu'il savait et on l'a laissé filer. Je l'ai reconnue. J'ai téléphoné aussi vite que j'ai pu, monsieur.

Jim et Raymond s'avancèrent ensemble jusqu'à la couverture, s'agenouillèrent et la soulevèrent en la saisissant chacun par un coin. Le visage d'Ann était pâle et paisible, sa chevelure blonde retombait sur la terre humide. Son regard terne semblait fixé sur une chose énorme, droit devant elle. Elle portait une courte jupe rouge qui lui collait aux jambes, un chemisier blanc à manches longues et, au pied gauche, une espadrille de même couleur que sa jupe. Ses bras reposaient souplement contre ses flancs, elle avait les paumes levées, les doigts repliés. Ses jambes étaient un peu écartées, et ses orteils pointaient dans deux directions presque opposées. Un bouquet de roses pourpres était enfoncé dans la ceinture de sa jupe, les tiges se perdant à l'intérieur, les fleurs noyées molles et alourdies collant à son torse. Une autre tige pointait sous l'ourlet, et Jim sut d'après son inclinaison où la fleur était logée. Son chemisier blanc baigné de rouge pâle adhérait à sa poitrine. On devinait tant d'entailles sur son corps que Jim sentit la respiration lui manquer ; il s'accroupit et ferma les yeux.

Non, ce n'était pas Ann. Ann n'avait jamais été destinée à être cette chose gisant sur le sol. Il entendait le clapotis des eaux et la respiration hachée de Raymond. Quand il rouvrit les yeux, Ray était à genoux, abritant la tête d'Ann entre ses bras, le visage contre le sien, la berçant sans mot dire. Jim vit les roses battre légèrement contre sa poitrine. L'agent Bristol s'attardait à l'arrière-plan, par égard. Les faisceaux lointains œuvraient toujours dans leur direction. Raymond émettait à présent les bruits sourds, hantés, de la souffrance. Il leva une fois les yeux vers Jim — visage d'ombre et de larmes.

Weir glissa une main sous les doigts repliés d'Ann et se cramponna à elle éperdument.

Jim se tenait auprès de l'agent Bristol, debout à dix mètres d'Ann et de Raymond. Il ne savait même plus comment il était arrivé là.

— Dites-moi ce que vous savez, demanda-t-il d'une voix qu'il entendit à peine.

Bristol débita les choses d'une voix monocorde, comme s'il était sur une ligne de communication à longue distance. Un appel du bureau à 4 heures moins 10 : un pêcheur l'avait aperçue dérivant à cinquante mètres du rivage. Il était en route avec sa femme et son fils, désireux de rejoindre Catalina au lever du soleil. Il s'était servi d'une gaffe pour la ramener vers le rivage, avait ensuite manœuvré jusqu'au pont, gagné à pied la cabine payante de la station Mobil et téléphoné. Ils avaient pris sa déposition mais, la femme du gars ayant dégueulé deux fois, ils les avaient laissés partir. Ils en savaient autant que le type. Voisinage pas encore interrogé. Aucun appel pour tapage nocturne.

Bristol regarda Raymond et Ann.

— Je suis vraiment navré, monsieur Weir.

— Est-ce que la gaffe a pu provoquer ces... marques ?

Il faut que je sache ces choses, Annie.

— Il dit qu'il l'a accrochée par le poignet, ramenée en bordure de son bateau aussi doucement qu'il a pu. Non.

— Etait-elle sur le ventre ?

Il est important que nous le sachions, Annie.

— Oui, monsieur. Il a essayé de la bouger le moins possible.

— Et vous autres, vous l'avez touchée ?

Ils ne devraient pas t'avoir touchée, petite sœur.

— J'ai tâté son pouls, et placé la couverture.

— Et l'autre chaussure ?

Ça ne te dérange pas, dis, Ann ?

— Nous la cherchons, monsieur. Je sais que vous avez été enquêteur chez le shérif, ici dans le port. Un corps dériverait à quelle vitesse, à cette heure du jour ?

Weir écouta sa propre réponse : dépend du point d'immersion près du rivage, avec la marée descendante, soixante mètres à l'heure... loin du rivage, plus vite.

On l'a tuée. Quelqu'un a tué ma sœur Ann. Ferme les yeux, efface ça comme un mauvais rêve. Tu es toujours au Mexique. Ce sont les hallucinations de la fièvre. Recommence la nuit de zéro.

— Aurait-elle échoué sur le rivage, si on l'avait jetée loin d'ici ?

— Pas aussi vite.

— Alors, nous devrions rechercher le lieu du crime un peu plus à l'est ?

Weir écouta sa propre réponse, mais en pensée, il s'était rapproché d'Ann. Elle paraissait si profanée, si irrémédiablement privée de vie.

— Monsieur... s'il l'a tuée ici, il est peu probable

qu'il l'ait emmenée en amont pour la jeter, n'est-ce pas ?

— Fermez-la, bordel de merde !

Dwight Innelman et Roger Deak, deux inspecteurs de la police de Newport Beach, émergèrent du brouillard dix minutes plus tard. Innelman était un grand type dégingandé de cinquante ans, que Weir avait connu au département du shérif des années auparavant. Petit et replet, la tignasse en bataille, Deak paraissait vingt-deux ans au plus. Il trimbalait une lourde mallette dans chaque main. Ils écartèrent doucement Raymond et se mirent au boulot avec les appareils photo et vidéo.

Jim resta près de son beau-frère, en bas, sur la grève. Raymond tremblait violemment et, dans les toutes premières lueurs de l'aube, son visage était livide. Sa respiration était rapide, heurtée. Jim connaissait les symptômes.

— Retournons nous asseoir dans la bagnole, Ray.

— Je reste ici.

— On retourne à la voiture.

Raymond fit trois pas, ses genoux le lâchèrent, il se recroquevilla et s'assit dans la terre meuble, les jambes allongées, comme un petit enfant. Son visage était un masque de glace. Jim alla se procurer une couverture auprès de Bristol et lui dit d'alerter l'assistance médicale. Raymond était pratiquement en état de choc lorsque Weir revint auprès de lui. Il ne put que l'allonger, le couvrir, et lui parler pour essayer de l'aider à surmonter sa douleur.

Il lui parla de Zihuatanejo, des eaux bleues et du sable blanc, des plongées paresseuses par quatre-vingts pieds de fond, des premiers et dangereux fous rires dus à la griserie des profondeurs, des plongées infructueuses où il n'avait pas entrevu le moindre atome du *Black Pearl*, du coup fourré avec la drogue, de ses journées de taule. Weir lui-même dérivait vers le Mexique, parce que se trouver ici était un enfer dont il n'avait jamais soupçonné l'existence jusqu'à cet instant.

Raymond claquait des dents et son corps était pris par intermittence de mouvements convulsifs, comme sous l'effet d'une décharge électrique. Ses yeux étaient dilatés et fixes. Jim continuait à parler, havre de mots dans la tourmente, tout en regardant, là-bas, le corps d'Ann et les lumières stroboscopiques qui éclairaient fugitivement son corps pâle, comme un minable artifice de disco. L'espace d'un instant, il eut la sensation d'être debout sur la proue d'un bateau, faisant route d'un rivage de ténèbres à un autre rivage de ténèbres. *Je te fais le serment, Ann, au nom de cet instant, de trouver ce type.* C'était l'engagement le plus lugubre de son existence, et il le savait.

Lorsque les toubibs arrivèrent enfin et emmenèrent Raymond, le brouillard avait établi contre le soleil une toile grisâtre. Jim s'assit sur la grève, les bras croisés sur les genoux, et regarda Ann Cruz, trente-neuf ans, emportée sur une civière par deux hommes qu'elle n'avait jamais vus de sa vie, en route vers le premier des postes de contrôle qu'il lui faudrait franchir avant de traverser l'ultime frontière qui la mènerait à son tombeau.

De retour à la voiture de Raymond, il prit le cric dans le coffre, fit une centaine de mètres sur la plage et trouva une pancarte d'interdiction de se baigner. Lorsqu'il fut trop épuisé, ses mains trop ensanglantées et pleines d'ampoules pour continuer à frapper, la pancarte n'était plus guère que de la ferraille et du bois brisé. Il hurla des malédictions en direction du ciel béant, droit à la face de Dieu. Il hurla des choses qui l'épouvantèrent.

Puis il revint jusqu'à la voiture et y jeta le cric. Il s'approcha de la camionnette du coroner.

— Je vais avec elle, dit-il.

— Pas de problème, dit le conducteur.

3

Raymond se trouvait déjà dans le bureau du chef de la police lorsque Weir y fit son entrée en début d'après-midi, trois jours plus tard. Non rasé et toujours aussi livide, il leva les yeux vers lui sans mot dire.

Assis sur le bord du vaste bureau métallique, il y avait là un type que Weir n'avait jamais vu. Il croisait les jambes de façon guindée, se tenait le dos bien droit ; ses cheveux noirs raides ramenés en arrière et lissés au gel révélaient une implantation en V accusée. Abrupt, aigu, péremptoire, son nez était la version élargie de cette pointe. Il arborait un costume de coupe européenne. Il dévisagea Jim à travers ses lunettes rondes à monture invisible, puis se mit debout.

Brian Dennison, le chef de la police de Newport Beach, se leva lui aussi, tendit la main à Jim et dit :

— Je suis navré. Vraiment navré, Jim.

Weir avait à peine dormi et mangé. En fait, il avait seulement survécu depuis qu'il avait vu le corps sans vie de sa sœur sur la terre sombre de la baie. Il n'avait effectué que quelques actes : répondre aux questions de plusieurs flics, se faire ramener à la bagnole de Ray, apprendre à Virginia ce qui s'était passé, l'emprisonnant dans une longue étreinte qui, bien sûr, ne réussit pas à la réconforter. Il lui était impossible de s'évader de lui-même. Il ne pouvait s'adapter à ce nouvel ordre des choses, survenu si brutalement.

La grande maison avait été le point d'ancrage du chagrin familial, dans les jours qui avaient suivi. Le frère de Virginia, venu pour un après-midi, était resté deux jours ; la sœur de Poon l'avait imité ; un vaste contingent de Cruz s'était lui aussi matérialisé, passant les nuits dans les sacs de couchage étalés dans la *Eight Peso Cantina* — le bar des parents de Raymond, fermé pour le deuil. On avait pris des dispositions pour l'enterrement, en attendant l'autopsie. Les odeurs des fleurs et celles des membres de la famille avaient empli la maison, formant pour Weir une cage invisible et suffocante. Au moment où il était sur le point de craquer, Virginia avait repris les choses en main et flanqué tout ce monde à la porte, ramassé la plupart des fleurs pour les jeter à la poubelle, puis s'était retranchée dans l'efficacité sévère qui était dans sa nature. Jim avait passé de longues heures auprès d'elle, assis au salon — plages de temps muettes se déroulant avec une lenteur paralysante. Virginia paraissait sur le point de parler, puis changeait d'avis et se repliait à nouveau sur elle-même pour mener un combat solitaire contre ses démons. Souvent, dans ses moments de solitude, alors qu'il guettait un sommeil libérateur, Jim répandait des larmes qui, au lieu d'apaiser son chagrin, révélaient d'autres blessures. Dans ces moments-là, il avait la sensation qu'on l'avait écorché vif et que chaque nerf, chaque organe de son corps était exposé aux agressions d'un univers corrosif. Deux fois, Raymond l'avait supplié de l'emmener en mer, et deux fois, ils avaient revêtu leurs combinaisons à Diver's Cove, pour plonger dans un monde de silence et de créatures marines sans mémoire qui, en un certain sens, soulignait l'étendue de la vie qui continuerait, avec ou sans Ann.

« Merci » fut tout ce que Jim put dire à Brian Dennison.

Dennison — un torse comme une barrique surmonté d'un visage animé — avait le goût du décorum et des formules ampoulées. Il avait encore engraissé, depuis la dernière fois que Jim l'avait vu. Il présenta Costard-Chic — le lieutenant Mike Perokee. Perokee était officier des relations publiques, un boulot réservé aux éclopés ou aux administratifs dans l'âme. Il hocha la tête et serra la main de Weir avec une sorte d'intimité, celle qu'on réserve aux membres d'un club privé.

— Le département vous présente ses condoléances.

Weir s'assit près de Raymond et lui adressa un regard — communication muette entre deux êtres qui partageaient le même enfer.

Dennison passa derrière son bureau, s'y assit, dévisagea les trois hommes qui lui faisaient face, puis se leva et gagna la fenêtre. Il se tourna vers Jim.

— Nous avons...

La phrase resta en suspens. Il émit une expiration sonore, puis regarda de nouveau par la fenêtre, se ressaisissant.

Jim avait parfois rencontré Brian Dennison au cours des dix années qu'il avait passées au service du shérif, essentiellement aux soirées et symposiums de la police. C'était un type à l'agressivité doucereuse, capable de buter un mec dans la rue ou de faire de la lèche au poste avec un égal aplomb. Weir l'avait toujours assimilé à l'archétype du flic de Newport Beach. Dennison était populaire parmi les puissants parce que ses hommes patrouillaient dans leurs quartiers en laissant libre cours à leur brutalité. Les gens ordinaires pensaient qu'à l'instar de son prédécesseur, le chef Dennison était arrogant et dépourvu de tact, et une longue liste de plaintes pour harcèlement et brutalités étayait leur point de vue. La plupart de ces accrocs avaient lieu dans la péninsule — le quartier de Jim —, où les cols-bleus épanchent leur bile et où les touristes se comportent comme des sagouins.

Le titre officiel de Dennison était chef de la police par intérim, parce que le chef précédent était mort brutalement d'une crise cardiaque sept mois plus tôt — quelques semaines avant le départ de Jim pour le Mexique. Weir avait suivi l'affaire dans les journaux : le capitaine Dennison avait été promu à titre temporaire. Les élections municipales étant prévues pour le mois suivant, on avait repoussé la désignation d'un nouveau chef lorsque Dennison — brusquement, sans les rumeurs et spéculations habituelles — avait annoncé sa candidature à la Mairie.

Weir avait observé le déroulement des événements avec intérêt et avait été impressionné par l'opportunisme de Dennison. L'obscur capitaine était devenu chef par intérim pratiquement du jour au lendemain, et s'était servi de cette promotion pour faire ses débuts dans la politique — le tout avec une aisance qui faisait paraître la transition naturelle. Weir avait vu le visage de Dennison sur un énorme panneau, à l'arrière d'un car de transit, et, inexplicablement, il y paraissait parfaitement à sa place.

Il remarqua la présence d'une grande affiche OUI À L'EXPANSION ! sur le mur du bureau et comprit aisément pourquoi un flic-maire aurait l'appui des promoteurs : assiette de l'impôt plus élevée, budgets plus gras, pouvoirs élargis. Ils finançaient probablement sa campagne.

Il songea au dernier cheval de bataille de Virginia, la « Proposition A », qui visait à freiner l'expansion sauvage, qu'elle avait réussi à présenter aux élections de juin. Jim se demanda si la mort d'Ann mettrait un point d'arrêt au militantisme de sa mère. Il crut entrevoir son expression lorsqu'elle lui annoncerait son « abdication ». Il tenta de revenir à la réalité. Accroche-toi, songea-t-il. Reste présent.

Il essaya d'imaginer l'adversaire de Dennison, l'avocate Becky Flynn, une beauté locale qui avait grandi dans le même quartier que Jim. Il avait suivi sa carrière, essentiellement dans la presse, depuis qu'il avait quitté l'équipe du shérif, deux ans plus tôt, pour rechercher le *Black Pearl*. C'était aussi l'époque où il avait plaqué Becky, et où elle l'avait plaqué. Ses coups de téléphone occasionnels avaient eu depuis le caractère d'une procédure de communication de dossier. Il la visualisait à présent sans effort, debout dans un peignoir vert, sous la lumière du porche de son bungalow. Becky avait été le grand amour de Jim Weir.

Le chef par intérim jeta un coup d'œil rapide à son affiche OUI À L'EXPANSION ! Les sourcils mobiles de Dennison démentaient le calme de son regard placide. Ils se haussaient en cet instant, en un mélange d'inquiétude et d'impuissance.

— Jim, nous sommes dans... euh, une situation très intéressante. J'en ai parlé à Mike et à Raymond et nous sommes tombés d'accord pour essayer quelque chose. Une chose que, euh... eh bien, nous n'avons encore jamais tentée. Parce que ça n'a encore jamais été nécessaire.

Weir attendit, tout en remarquant que Dennison s'efforçait d'adopter la langue de bois des politiciens.

— Jim, nous avons un témoin.

Weir se redressa sur sa chaise.

— Enfin, plus ou moins. Il s'appelle Malachi Ruff. Ça te dit quelque chose ?

— Un des clodos de la baie.

— Exact. Malachi dormait dans Galaxy Park cette nuit-là — en gros à deux cents mètres à l'est de l'endroit où nous avons trouvé... Ann.

— Qu'est-ce qu'il a vu ?

Dennison s'approcha lentement de la machine à café.

— Je t'en offre, Jim ?

— Il a vu quoi ?

Dennison mélangea un peu de crème à son café avec un bâtonnet en plastique, tout en relatant le récit de Malachi Ruff.

Ruff était endormi et fin saoul. Mackie est toujours bourré, bien sûr, sauf lorsqu'il est au trou. Il s'est réveillé en entendant un cri de femme. Il a regardé au-dessus des buissons où il se trouvait, n'a rien pu voir à cause du brouillard. Il a cru qu'il avait rêvé. Il s'est recouché. Et puis il a entendu un bruit de pas près du rivage — à environ cent mètres —, alors il s'est relevé et a regardé. C'était le pas de quelqu'un qui courait avec régularité, comme un joggeur. Il n'y avait pas grande visibilité à cause du brouillard, mais il a entrevu un type qui filait en direction de la rue. Ensuite il a entendu s'ouvrir et se refermer une portière de voiture. Le moteur a démarré et une seconde plus tard — selon Mackie — il a vu une bagnole rouler dans Galaxy, en direction du Pacific Coast Highway.

Dennison sirota son café, regarda Perokee, revint à son bureau, rectifia la position d'un dossier, puis se tourna de nouveau vers Perokee.

— Mackie prétend que c'était une bagnole de flic, lâcha le chef. Une des nôtres : blanche, quatre portes, blason sur le côté.

Raymond fixait l'ongle de son pouce. Weir remarqua que le visage épais et lourd de Dennison s'était empourpré. Perokee se tenait immobile, assis, jambes croisées.

Le genre de truc qui fait tache sur la plate-forme électorale d'un candidat, conclut Weir. Il ne pipa mot.

Dennison se rassit et regarda Raymond. Jim sentit qu'une sorte de transfert venait d'avoir lieu. Raymond parla ensuite, d'une voix douce, peu expressive.

— Tu sais, et nous savons, que Mackie Ruff est le moins fiable des témoins. Mais pour le moment, c'est le seul. On ne peut plus fonctionner en tant que département si un flic de Newport Beach a tué Ann il y a trois jours au cours d'une ronde. Nous pensons que Mackie se goure. Mais ici, personne ne prend à la légère une déposition comme celle-là, même si elle vient d'un poivrot.

Mike Perokee cueillit le coup d'œil de Dennison, décroisa les jambes et regarda Weir.

— D'un autre côté, enchaîna-t-il, on est plutôt coincés, Jim. On ne veut pas que ça se sache, et on ne veut pas se retrouver avec la police des polices sur le dos tant qu'on n'a rien d'autre que les déclarations d'un ivrogne. Les médias, les soupçons... tu imagines le bordel ! Si un des nôtres a fait le coup, alors, on lui réglera son compte. D'ici là, nous ne voulons aucune spéculation, ni de la presse, ni du public, ni de qui que ce soit d'autre. C'est mon boulot de faire en sorte que les choses se déroulent sans heurt à l'extérieur *et* à l'intérieur. Notre position, c'est que Mackie Ruff est un sale con, et que nous refusons qu'on vienne foutre le bordel chez nous.

Raymond se leva et gagna la fenêtre.

— On pourrait faire appel à un mec de l'extérieur, un type qui connaît les ficelles, sait travailler à partir d'indices, et a une raison à demi plausible de traîner dans les parages, de vérifier les faits. J'ai pensé à toi.

— Et la suggestion me paraît bonne, déclara Dennison. Tu as de l'expérience, tu as fait deux ans à la Criminelle chez le shérif, et tu peux poser des questions sur la mort de ta sœur sans trop provoquer de soupçons.

La mort de ta sœur. Les mots firent un drôle d'effet à Jim, comme si, d'être de chair et de sang, Ann était passée au rang de dossier criminel en moins d'un battement de cœur. C'était le cas, en fait.

— Ce que je rapporterais ne tiendrait pas devant un tribunal, dit-il. Je suis un simple civil. C'est impossible.

— Si vous dénichez quoi que ce soit qui nous *rapproche* d'un tribunal, tout ce département s'y mettra, dit Perokee.

— Voilà l'affaire, dit Dennison. Dès que tu dégotes quelque chose de louche, on reprend le flambeau. Tu serais notre éclaireur pendant un jour ou deux, c'est tout.

Weir regarda Raymond, avachi contre la fenêtre.

— On a besoin de toi, Jim, dit son ami.

Weir resta silencieux. Si un flic de Newport avait tué Ann, ce serait la guerre. Si ce n'était pas le cas, il s'attirerait tout de même pas mal d'emmerdes. Et vite. Mais, tout bien réfléchi, il n'avait guère le choix.

— Je marche, dit-il.

Dennison hocha la tête, fixant sur lui son regard gris placide.

— Trois choses à préciser avant que tu t'y mettes. Primo, pas un mot à qui que ce soit au sujet de ton enquête. A la première rumeur, on te largue aussi sec. Deuzio, on te paie cent dollars de l'heure, au noir. Pas de trace, pas de fisc, personne ne sait que tu émarges. Tertio... Cruz, tu te charges de ça ?

Raymond s'assit de nouveau à côté de Jim et se pencha en avant sur sa chaise.

— Nous sommes conscients, Brian et moi, d'être tout aussi suspects que n'importe quel autre flic du département. Nous te suggérons de commencer le contrôle par le chef et par moi, étant donné que c'est à nous que tu feras ton rapport et...

— Nous ne le suggérons pas, dit Perokee, s'adressant davantage à Dennison qu'à Jim. Nous l'exigeons.

— Nous l'exigeons, répéta le chef. Nous devons partir sur des bases nettes, Jim. Nettes... du sommet à la base. Quand tu seras certain que ce n'était pas moi qui conduisais la bagnole que Mackie Ruff a vue cette nuit-là, et que ce n'était pas Raymond, alors, je serai ton contact dans le département. En mon absence, tu feras ton rapport à Mike ici présent. Jusque-là, nous ne savons pas qui tu es. J'ai parlé à Ken Robbins, du labo de la Criminelle. Il sera à ta disposition pour toutes les informations d'ordre médico-légal dont tu pourrais avoir besoin. Robbins personnellement. Ses gars ignorent tout de tes activités. Bien entendu, mes hommes continuent à mener l'enquête, en ce moment. Innelman et Deak. J'ai moi-même réveillé la femme de Dwight quand j'ai téléphoné ce matin, et il était en train de ronfler près d'elle. Il a une banalisée, de toute façon. Donc, Dwight est hors du coup, on le sait.

— Qui a pris la déposition de Ruff ?

— Innelman. Je l'ai encouragé à la traiter comme la connerie d'alcoolo que c'est probablement, et donc à l'ignorer. Et je lui ai ordonné de fermer son clapet. Dwight pige vite.

Weir se tourna à nouveau vers Raymond, qui fixait maintenant au-delà de la fenêtre un regard sombre et lointain.

— Ray, tu te mets un peu au vert ?

Raymond hocha légèrement la tête.

— Trois semaines, dit Dennison. Et pas question qu'il touche à cette enquête. C'est le règlement — et il est bon. (Il referma le gros dossier qui se trouvait devant lui et le tapota de son index grassouillet.) La déposition de Ruff, le rapport d'Innelman sur le lieu du crime, et quelques photographies... d'Ann. Plus essentiel, le planning des gars de mon département sur ces trois dernières semaines. Il y avait trente-deux policiers dans la rue la nuit où Ann a été assassinée. Selon Robbins, l'heure de la mort se situe entre minuit et 1 heure. Il y a donc deux équipes à contrôler : soirée, et nuit. Il y avait vingt-quatre unités dehors — huit duos, seize solos.

— La ronde de soirée s'achève à minuit ?

— C'est échelonné. On a des photocopies des cartes de pointage, alors tu sauras qui est sorti ou rentré, et quand. Il y a aussi une transcription des appels et une copie de la bande — on enregistre tout maintenant, étant donné que les gens entament des poursuites pour un oui, pour un non. Ça nous aide à couvrir nos arrières.

— La transcription est minutée ?

— Par intervalles d'un quart d'heure, indiqués au crayon rouge par Carol Clark. Elle prend son service à 22 heures.

Dennison se pencha en avant et dévisagea Weir. Il tapota de nouveau le dossier.

— *Voici* ton job, Jim. Ton boulot n'est pas de résoudre l'affaire. Ton boulot, c'est d'innocenter mes hommes. Si tu lèves une piste, j'entre en scène. Tu ne rends compte qu'à moi. Tu gardes le silence. Tu es seul. (Le téléphone sonna ; il décrocha, écouta et remercia.) C'était Robbins. Il a terminé l'autopsie et il est prêt à te parler dès que tu le seras, Jim.

Weir se leva.

— Autant te dire tout de suite que j'ai utilisé une voiture de service moi aussi, cette nuit-là. (Le visage de Dennison vira au pourpre, ce qui accentua encore la placidité de ses yeux gris pâle.) Ma vieille Jag ne voulait pas démarrer, alors je suis rentré chez moi avec une de nos bagnoles qui avait une radio défectueuse. Dobson, le type de la maintenance te dirait la même chose, aussi je t'épargne cette peine. Là, voilà.

Dennison logea l'épais dossier dans un porte-documents neuf et le ferma avec un déclic. Il y avait deux autocollants sur le rabat : « VOTEZ DENNISON » et « OUI À L'EXPANSION ! ». Weir le prit.

— Combien de temps avez-vous utilisé la bagnole de patrouille, cette nuit-là ?

— Juste pour rentrer à la maison. Et pour revenir ici. Compare l'odomètre avec le relevé des registres de Dobson. Je demanderai à ma femme de te téléphoner — j'ai passé toute la nuit avec elle.

— Et vous, Perokee, où étiez-vous ? demanda Jim.

— Je n'étais pas en service. Je n'ai pas fait de ronde depuis 85 — fracture du dos au cours d'une poursuite.

Weir étudia le visage carnassier de Perokee, série d'angles aigus tous dirigés vers le bas.

— Vous avez trouvé la voiture d'Ann ?

Dennison hocha la tête.

— Non. Mais les plongeurs ont remonté l'arme du crime mardi après-midi — un couteau de cuisine ordinaire avec une lame de quinze centimètres. Et Innelman a découvert une pièce de joaillerie en or sur le lieu du crime. Le fermoir d'une boucle d'oreille, ou d'une épingle à cravate. On enquête chez les bijoutiers du coin, mais ça sera dur. Tout est dans les rapports que je t'ai donnés. Tu as tout ce que nous avons, Weir. Pas de secrets.

Weir sortit et Raymond le suivit au-dehors. Le brouillard s'était effiloché, laissant derrière lui un après-midi frais et voilé. Weir regarda les autocollants OUI À L'EXPANSION ! et VOTEZ DENNISON que les policiers avaient placés sur leurs pare-chocs. Il se demanda si Becky avait une chance.

Et il comprenait pleinement, à présent, pourquoi Dennison l'avait engagé pour enquêter sur son propre département : un ami, un ex-amant même, de l'adversaire Becky Flynn était maintenant payé pour la convaincre que l'enquête en question n'avait pas lieu.

Raymond s'essuya les yeux et chaussa des lunettes de soleil. Ils traversèrent le parking en silence et s'arrêtèrent près du vieux break de Ray. Ann et lui l'avaient acheté il y avait près de vingt ans, pour y caser les enfants qu'ils comptaient avoir.

— Fais-moi un topo sur Perokee, demanda Jim.

— Rien de plus qu'un attaché de presse, mais Dennison s'en remet beaucoup à lui. On l'appelle Perroquet parce qu'il est capable d'imiter la voix de n'importe qui. Il fait des imitations épatantes de Brian quand il a le dos tourné. C'est un type réglo.

Ray dirigeait la clef vers la serrure, sans parvenir à l'y faire pénétrer. Elle s'inséra finalement dans la fente et la portière s'ouvrit avec un couinement métallique. Ray se tourna vers Jim, inspira profondément, et se redressa. Il prit appui sur la portière pour se maintenir droit. Son regard restait invisible derrière les verres sombres.

— Jim, j'ai quelque chose à te dire. Dans peu de temps, on trouvera le type qui a fait ça. Et tu dois savoir que je vais le buter. C'est comme ça que ça va finir. Ça te pose un problème ?

Weir fut surpris par sa propre réponse, non à cause de ses implications sinistres, mais parce que, pour la première fois depuis le moment où il avait aperçu, là-bas, sur la plage, la forme inerte sous la couverture, il entrevoyait quelque chose qu'il pourrait substituer au désespoir.

— Réserve-moi un battement de cœur, dit-il.

Raymond acquiesça.

— Nous devons encore plonger, Jim. Aller tout au fond et lessiver tout ça.

— Bien sûr, Ray. Tout ce que tu voudras.

4

Ken Robbins, chef du département médico-légal du comté d'Orange, retrouva Weir sur le parking de l'immeuble du coroner. C'était un type vigoureux d'un peu plus de cinquante ans, avec des cheveux gris qui débordaient sur son col et des yeux brun-roux. Weir s'était bien entendu avec lui à l'époque où il travaillait pour le shérif. Robbins manquait apparemment d'ambition et accomplissait donc sa tâche avec une dévotion scrupuleuse que l'on trouve rarement dans les services publics. Il était toujours concentré. Il trimbalait une serviette qu'il posa sur ses genoux en s'asseyant auprès de Weir dans la camionnette.

— Je t'aurais bien dit de monter, mais ça ferait jaser.

— C'est mieux comme ça.

— Tu ne veux pas l'examiner, hein ?

L'examiner.

— Non.

— Content de te revoir, Jim. Tu as maigri.

— Qu'est-ce que tu as pour moi, Ken ?

Robbins sortit un dossier et le posa sur sa serviette pendant que Jim sortait du parking.

— Bon. C'est Glen Yee qui a effectué le travail ; c'est le meilleur de mes hommes. Il y a des éléments préliminaires et du concret. Yee l'a eue après l'autre travail labo — cheveux et fibres, empreintes, sang et sperme.

— On l'a violée ?

— J'y viendrai. D'abord, heure de la mort entre minuit et 1 heure. Nourriture dans l'organisme, perte de sang, lividité, rigidité cadavérique, les choses habituelles. Elle a été poignardée avec un couteau effilé, mince, un seul tranchant, lame de quinze centimètres et pas de garde. Un Kentucky Homestead, made in Japan ; tu trouveras une photo dans ce dossier. Les trois premiers coups ont été portés quand elle était debout — les vingt-quatre autres quand elle était à terre. Treize d'entre eux étaient mortels. Pas de signe de résistance donc, apparemment, le type s'est lassé ou a pris peur — à toi de décider. Vingt-sept coups en tout. Par ailleurs, il n'y avait pas la plus petite coupure sur ses bras et ses mains, donc nous en concluons qu'elle a perdu conscience presque aussitôt, avant de pouvoir se défendre. Aucune ecchymose qui indiquerait une lutte avant que le couteau l'ait frappée. Huit des coups mortels ont pénétré le cœur ; les autres, l'aorte, l'artère pulmonaire, ou les deux. Ce type est costaud, Jim. Très.

Weir abaissa sa vitre, offrant son visage à la gifle du vent.

— Désolé.

— Continue.

Robbins tourna la page et la replia sous le dossier.

— La présence de sperme dans le vagin et des contusions mineures du mont de Vénus et de la symphyse suggèrent qu'elle a été violée avant d'être assassinée. Nous avons constaté une certaine abrasion du canal vaginal, mais légère, donc elle a lubrifié vite. Il y avait du sperme dans l'utérus, sur les grandes et petites lèvres, et aussi sur les sous-vêtements — là, une trace seulement. Si on l'avait trouvée en terrain sec, nous pourrions évaluer le laps de temps qui s'est écoulé entre le viol et la mort, mais l'eau de mer a pu emporter beaucoup de sperme, si bien que nous sommes coincés. Nous estimons qu'il s'est écoulé entre cinq minutes et une demi-heure. Au moins cinq minutes — ça, on en est sûrs. Les roses ne nous apprennent pas grand-chose. Nous sommes en train d'essayer d'identifier la variété et le fournisseur. Dix dans la ceinture de sa jupe, une enfoncée avec une certaine force dans le vagin... après la mort, à notre avis. L'autre a dû être emportée par le courant, ou bien il l'a gardée.

La route devint floue sous le regard de Weir ; il mit la climatisation à plein régime et dirigea le flux d'air frais vers son visage. Il roulait dans une rue latérale du barrio — laquelle, il n'en savait rien, et ça n'avait franchement aucune importance.

— Gare-toi, Jim.

— Je crois que ça vaut mieux.

Il trouva un coin d'ombre sous un gros olivier. Le trottoir était maculé de taches pourpres — pulpe de fruits écrasée. Il inspira à fond et lâcha le volant. Robbins lui offrit une cigarette. Ils se renversèrent tous deux sur leur siège et fumèrent. Weir regarda le panache de fumée hésiter au niveau de la vitre, puis s'élancer vers l'extérieur.

— Ce que je vais te dire maintenant ne va pas te rendre les choses plus faciles, Jim. Elle était enceinte.

— Je sais.

Weir tira une bouffée, sentit le sang monter à sa tête, la chaleur se répandre jusque dans ses pieds. Il savait aussi une autre chose que Robbins ne comprendrait pas, que même lui, en tant qu'homme, ne pouvait pleinement comprendre : Ann avait voulu un enfant plus que tout au monde.

— De sept semaines, Jim. Bon sang, c'est dur de te faire subir ça !

Jim regarda au-delà du pare-brise, en silence. Ses tempes bourdonnaient et ses mains s'étaient mises à trembler.

— Continue, Ken. J'aimerais en finir.

— Tu veux lire le rapport ?

— J'ai dit « continue ».

— O.K. L'assassin. Sécréteur de type B, ce qui signifie...

— Je sais ce que ça signifie.

— D'autre part, il est droitier. D'après les angles de pénétration, Yee estime qu'il mesure entre un mètre soixante-quinze et un mètre quatre-vingts, en supposant qu'ils étaient sur un terrain plat. Les trois premiers coups ont été portés quand elle était debout, comme je l'ai déjà dit. Yee est bon dans les angles et les estimations. Nous avons trouvé un cheveu sur son chemisier, faufilé dans le tissu. Cinq centimètres de long, brun foncé, ondulé. Selon les premières estimations, il appartient à un mâle caucasien, âgé de trente-cinq à quarante-cinq ans. On n'a pas obtenu grand-chose par le relevé d'empreintes — à cause de l'eau de mer. Nous avons trouvé des empreintes partielles sur les bras et le visage, rien qu'on puisse transmettre à Sacramento. Nous l'avons peignée, et ça nous a fourni quelques éléments, mais il faudra du temps pour examiner tous les échantillons. (Robbins resta silencieux un long moment.) Il va aussi falloir pas mal de temps pour l'examen du sperme. Nous n'avons jamais fait de test après contamination par l'eau de mer. Je n'en attends pas grand-chose. Voilà, Jim.

Weir regarda au loin, acheva sa cigarette. Une petite fille en robe rose poussait un ballon le long du trottoir. Weir regarda ses chaussures noires louvoyer entre les taches de fruits.

— Rejoue-moi ça, Ken. Point par point.

— Eh bien, voilà comment je vois les choses. D'abord, que savons-nous ? Qu'elle a été violée, frappée vingt-sept fois avec un couteau, que onze roses ont été... disposées sur son corps, qu'on l'a mise à l'eau dans Back Bay. Tout ça et *aucun signe de lutte,* exception faite des contusions sur le mont de Vénus.

Nous savons qu'on l'a tuée à une centaine de mètres en amont de l'endroit où on l'a trouvée — par une nuit sombre, dans un secteur isolé, le genre d'endroit où elle ne serait jamais allée sans raison. Donc, quelle est la raison ? Il la menaçait avec un revolver, peut-être avec le couteau. Elle avait peur et n'a pas pu résister avant qu'il ne soit trop tard. Mais elle est parvenue à se relever après le viol, c'est ce que nous apprennent les angles de pénétration. Le premier coup pourrait l'avoir tuée, n'importe lequel des trois coups qu'il lui a portés quand elle était encore debout. Après qu'elle s'est écroulée, il a continué.

La scène se déroulait dans le cerveau de Jim avec une clarté obscène.

— Ton avis ?

— Continue.

— Donc, il a sorti une arme, ou montré le couteau tout de suite, l'a forcée à monter en bagnole. Il a pu aussi se montrer plus doux que ça. Il existe un tas de façons d'amener une femme à monter dans une voiture. L'an dernier, j'ai travaillé sur une affaire où un type s'était servi de sa propre petite fille pour attirer une femme à l'intérieur — en lui disant qu'il ne comprenait pas pourquoi le bébé pleurait. Il l'a violée sur le siège arrière. Quoi qu'il en soit, Ann s'est laissé conduire jusqu'à la baie, a peut-être même... accepté le bouquet de roses. Elle s'était aperçue qu'elle avait affaire à un cinglé. Elle a joué le jeu, elle a essayé de ne pas le contrarier.

— On n'a aucune preuve qu'il ait eu un revolver.

— Il l'a violée et elle ne lui a même pas donné un coup d'ongle. Il l'a menacée avec une arme, peut-être avec le couteau. Peut-être uniquement avec des mots, mais la nature de la menace était telle *que le viol lui a paru préférable.* Elle portait encore ses vêtements quand on l'a trouvée. Ils n'étaient pas déchirés, ils n'étaient même pas vraiment en désordre. La jupe était assez courte, il a pu se contenter de la relever. Elle avait son slip. Cela nous apprend quoi ?

Qu'il l'a laissée le remettre après en avoir fini. Ça faisait partie du marché : tu t'allonges, tu me laisses faire, et tu t'en vas. Etant donné qu'il avait un couteau — ou un revolver —, Ann a soupesé l'offre et l'a acceptée. Aucune résistance, même si les contusions génitales indiquent un traitement plutôt brutal. Elle l'a accepté, dans l'espoir qu'elle s'en tirerait. Elle s'est levée, s'est rajustée, et il l'a tuée. Bon, bien sûr, il aurait pu la rhabiller après l'avoir tuée, mais pourquoi se donner cette peine ?

Les mains de Jim tremblaient. Il croisa les doigts pour en stopper les mouvements convulsifs. En vain.

— Et comment expliques-tu les cinq minutes entre le viol et le moment de sa mort ?

— C'était *au moins* cinq minutes. Et n'oublie pas qu'elle était encore à terre. Bon, imagine : elle le croit parti. Elle est étendue là, l'a entendu partir, *croit* l'avoir entendu partir. Elle est sonnée, en état de choc. Elle reste allongée longtemps — ou du moins c'est ce qu'il lui semble — puis elle se rhabille. Elle se lève, se met à marcher, mais il n'est pas parti. Il attendait, et il la frappe avant qu'elle puisse faire un geste.

De nouveau, Weir vit se dérouler la scène, avec une précision terrifiante. Il serra les poings et ses oreilles se mirent à bourdonner comme une sirène approchant à vive allure. Quand il cligna des paupières pour chasser cette vision, la rue du barrio reprit corps devant lui. Il fit redémarrer la camionnette.

— Qui sont les types que Brian a mis sur l'enquête ?

— Dwight Innelman et Roger Deak.

— Dwight est un bon.

Weir revint à l'immeuble du coroner en silence. Ils se trouvèrent pris derrière un car arborant le poster à l'effigie de Brian Dennison. Les gaz d'échappement avaient maculé de noir le chef par intérim. Ken Robbins glissa le dossier dans une chemise et la posa sur le siège, à côté de Weir.

— Je n'ai sans doute pas besoin de te le rappeler, mais je le dirai quand même. Vingt-sept coups de couteau ! De la folie furieuse. Pourtant, le type a eu assez de sang-froid pour apporter une douzaine de roses pourpres.

Weir pensa au vase vide sur le bureau d'Ann.

— Peut-être qu'elle les avait avec elle quand il l'a emmenée. Peut-être qu'il ne les a pas apportées du tout.

— C'est possible.

— Il les lui avait peut-être envoyées plus tôt.

— Ça serait inespéré ! Je suppose que la police de Newport Beach a émis la même hypothèse. Les fleuristes du coin pourraient te dire s'il a été stupide à ce point-là.

Robbins descendit de voiture et claqua la portière.

— Si je peux faire quelque chose d'autre, fais-le-moi savoir. J'aurai le rapport de Yee pour toi demain à la même heure. Je suis navré. Comment ça s'est passé, au Mexique ?

— Mieux qu'ici.

Weir s'arrêta dans un bar trois blocs plus loin, engloutit deux scotches et fit passer le tout avec un verre d'eau. Il téléphona chez Raymond et n'obtint pas de réponse. Il essaya la *Eight Peso Cantina* dans Balboa et obtint la mère de Raymond, Irena. Irena et Ernesto, le père de Ray, tenaient la *Eight Peso* — une cantina de voisinage qui proposait de la bonne cuisine et des boissons bon marché depuis quarante ans. Elle lui dit entre deux sanglots que son fils était à l'hôpital.

— Il s'est évanoui. Tout ça est trop dur pour lui, ne cessait-elle de répéter.

Ernesto — Nesto pour la famille et les amis — était allé lui tenir compagnie, mais Irena faisait tourner le bar, pour les affaires.

— Voilà ta mère, Jim. *Vaya con Dios.*

Virginia avait une voix ferme mais faible. Quand

Jim lui dit qu'il avait besoin de son aide, elle garda le silence. Son concours allait de soi.

— Rentre à la maison, installe-toi à la table de la cuisine et sors l'annuaire. Appelle tous les fleuristes de Newport Beach et trouve qui a vendu une douzaine de roses pourpres, ou bien les a livrées chez *Ann's Kids.* Si tu fais chou blanc, essaie Laguna, Corona del Mar, Costa Mesa. Essaie tous les numéros de l'annuaire. Jusqu'à ce que tu aies trouvé.

— Il lui a envoyé ces fleurs ? Celles qui étaient sur son bureau ?

— C'est une opération parallèle. C'est notre secret, m'man. Rien qu'à nous pour l'instant, compris ?

— La police aurait dû penser à ça.

— Elle l'a fait. Je veux seulement que tu aies la réponse avant elle.

Virginia assura qu'elle s'y mettrait dès son arrivée. Jim lui rappela ce qu'il lui avait dit au tout début de la matinée, qu'ils surmonteraient l'épreuve, que la douleur s'atténuerait avec le temps. Il ne savait toujours pas s'il croyait à ces affirmations. Un instant, il n'y eut entre eux que du silence, un silence qui fit naître en lui de terribles visions des jours à venir.

— Je t'aime, m'man.

— Moi aussi je t'aime, Jim. Et celui qui s'imagine que je vais renoncer à défendre la « Proposition A » à cause de ça ne sait pas ce qui l'attend.

Virginia raccrocha avec bruit, proclamant par le claquement sonore du récepteur qu'elle restait investie de sa mission.

Weir téléphona au Hoag Hospital. Une infirmière lui dit que le lieutenant Cruz était épuisé et en état de choc. Il était sous sédatifs et dormait profondément.

5

Une voiture de la police de Newport Beach le suivait sur le Pacific Coast Highway depuis quelques kilomètres. Jim examina les deux flics dans son rétroviseur. Ils étaient jeunes, fringants, vifs. Quand ils le dépassèrent, celui qui était à côté du conducteur leva les yeux et posa sur lui un regard dénué d'expression. Des mômes, songea Weir, comme nous l'avons été Raymond et moi.

Il se gara dans Morning Star Lane, traversa le parc à pied jusqu'au rivage et regarda vers l'est. Le ciel, sous un dais marine, était d'un blanc anémique. La marée montait et la mer se soulevait en rouleaux gris abrasés par la brise de mai. Un gros Glastron traversait lentement la baie, creusant une entaille blanche qui se cicatrisait derrière lui.

Au loin, Jim apercevait la courbe de la côte, la plage étroite, les plaques de ficoïnes et les herbes qui poussaient plus dru à proximité des collines où se perchaient les grandes maisons. Au-delà des eaux, les constructions de pisé s'étendaient, noires et odorantes, mouchetées d'oiseaux de mer immaculés.

Il songea à l'époque où il faisait équipe avec Ray à la police maritime, aux matinées sereines, à l'air chargé d'iode, qui vous draine les poumons et vous grise, au sentiment de liberté qu'ils partageaient tous deux, fendant les eaux dans leur bateau, traquant les gangsters avec enthousiasme. Jamais deux gosses du voisinage n'avaient eu la part aussi belle. Puis Jim était parti à la Criminelle — meilleure paie, une promo. Raymond avait rejoint les rangs de la police de Newport pour gagner ses galons de sergent.

Il s'arrêta un moment, songeant à l'endroit où il avait vu Ann pour la dernière fois. Quelque part au-dessus de sa tête, le bang d'un jet invisible troubla le silence. Dans ce monde sans absolu, on peut tout négocier, sauf la mort, pensa-t-il. Et on peut tout recommencer, sauf sa vie. Cela s'apparentait davantage à un rapport d'expert-comptable qu'à l'œuvre d'un Dieu éternel. Mais il y avait cette tristesse qui grandissait en lui, et il lui semblait que lorsqu'elle l'aurait envahi, son corps se dissoudrait et qu'il n'en resterait plus rien. Et avec la tristesse venait la culpabilité, la conviction profonde qu'il aurait pu, aurait dû, faire quelque chose. La vengeance semblait l'antidote tout indiqué. *Ann était enceinte.*

Il continua d'arpenter le rivage d'une démarche incertaine, de plus en plus chancelante. Soudain il s'immobilisa, prit une profonde inspiration. L'espace d'une seconde, il eut la sensation de planer au-dessus de lui-même, et ce qu'il vit, ce fut un frêle vieillard au visage livide et aux cheveux blancs, debout et seul, courbé comme un jonc au bord d'un vaste marais, éphémère comme la brise qui effleurait ses joues creuses.

Le lieu du crime n'était pas délimité, mais il le retrouva grâce au rapport d'Innelman et à la terre brunâtre, tachée de sang. Il y avait là deux gamins du voisinage, immobiles, l'air morose ; deux autres, juchés sur des vélos tout-terrain, décrivaient des cercles autour d'eux. Un couple d'amoureux, bras dessus, bras dessous, contemplait l'océan.

Debout sur ce sol profané, Jim lut le rapport d'Innelman. Il correspondait aux conclusions de Robbins : Ann contrainte à se rendre sur ce rivage nocturne, le viol, l'attente, l'agression ultime. Pas de marques sur Ann indiquant qu'elle se fût défendue. Pas de signe de lutte. Les voisins n'avaient rien vu, rien entendu. Porte-à-porte infructueux. Un couteau de cuisine. Le fermoir d'une épingle de cravate ou d'une boucle d'oreille. Onze roses, disposées de façon précise. Il revit Ann vivante, près de la table de Virginia, la veille.

Pourquoi cette absence de lutte ? Ann mesurait près d'un mètre soixante-quinze, pesait soixante kilos, était en bonne condition physique. S'était-elle sacrifiée pour sauver sa vie, et la vie qu'elle portait en elle ? Il avait côtoyé Ann pendant plus de trente ans, et il avait toujours vu en elle la plus douce des créatures. Oui, elle était capable d'accomplir cette chose simple : offrir son corps pour sauver sa vie. Et celle de son enfant.

Jim regarda de l'autre côté de la baie, là où le rivage se fondait dans un voile de brume. Une mouette passa tout près de lui dans un criaillement et un bruissement d'ailes. A l'ouest, le soleil donnait son ultime spectacle : une explosion de splendeur orange vouée à disparaître.

Debout, immobile, Jim se posait, pour la énième fois, la question la plus essentielle de toutes : pourquoi ? En d'autres termes, quel était le mobile ? Pas plus que les jours précédents, Jim ne trouva la réponse. Ann n'était pas riche. Il ne lui connaissait pas d'ennemis. Ses contacts avec le monde du pouvoir n'étaient que le fait du hasard. Elle n'avait pas d'ambitions secrètes qui auraient pu la conduire au chantage, à la trahison, au trafic d'influence, aux connivences, à la manipulation. Elle n'était le symbole d'aucune cause, l'adepte d'aucune révolution. Ann, songea-t-il, n'était qu'une grande fille toute simple. *Pourquoi ?* Tout cela n'avait-il eu lieu que pour les quelques minutes de plaisir que son supplice avait procurées à un autre ? Ou bien les ramifications de sa vie s'étendaient-elles jusqu'à des gens, jusqu'à des mondes dont il n'avait jamais rien su ? Quelqu'un avait-il voulu atteindre Virginia à travers Ann ? Atteindre Becky, Raymond, lui-même ? Weir savait qu'il avait snobé la vie de flic — et donc les flics eux-mêmes — en donnant sa démission ; mais comment un flic, de Newport Beach ou d'ailleurs, aurait-il pu se venger d'une aussi monstrueuse façon ? Rien ne collait.

Ce qu'il ressentait le plus profondément, en cet instant — outre le chagrin, la culpabilité et la colère qui grandissaient silencieusement en lui —, c'était que Robbins et Innelman s'efforçaient de faire coller ce qui ne collait pas. Une pensée s'ébaucha en lui, trop informe pour être formulée. Mais plus il contemplait les eaux grises de la baie, plus elle se précisait et prenait corps. Elle se déroba, s'évanouit, fut soudain de retour. Weir la saisit au vol.

Ann le connaissait, songea-t-il. Elle était venue jusque-là sans se défendre parce qu'elle avait confiance. Toutes les statistiques criminelles de la planète auraient corroboré cette probabilité.

Weir refit défiler les éléments dans sa tête : les amis d'Ann, ses collègues, connaissances, parents — tous les mâles auxquels elle aurait fait suffisamment confiance pour les suivre jusque-là par une nuit noyée de brume. La liste était réduite et s'imposait d'elle-même. Raymond, Nesto, Jim lui-même, un ou deux des vieux amis délabrés de Poon qui avaient été presque aussi entichés d'elle que Poon lui-même. Ann ne se serait pas laissé entraîner là par n'importe qui. Ann était secrète. Ann était prudente. Par ailleurs, elle connaissait tout le monde, des commis de l'épicerie de Balboa aux gars qui exploitaient le ferry — elle avait vécu ici trente-neuf ans, avait fréquenté le collège et l'université, exercé deux boulots qui la mettaient en contact avec le public. Elle était intelligente, amicale, sympathique, jolie. Jim repensa à la soirée que Raymond avait donnée en son honneur l'année précédente. Près de deux cents personnes s'étaient entassées dans la *Eight Peso,* dont une bonne moitié d'hommes, et beaucoup d'entre eux la connaissaient assez pour l'embrasser, lui offrir un cadeau, l'inviter à danser. Aurait-elle accepté de suivre l'un d'eux jusqu'ici, dans Back Bay, par une nuit de brouillard ? Non. Sauf s'ils étaient amants. Avait-elle une liaison ? Cela ne ressemblait pas à Ann, mais le corps sans vie qu'il avait vu sur la terre humide ne lui ressemblait pas non plus.

Elle n'avait même pas de manteau, pensa-t-il.

Elle s'était changée après le travail, mais elle n'avait pas mis de manteau. Parce qu'elle n'avait pas l'intention de rester dehors. Se rendre à Back Bay était peut-être la dernière chose à laquelle elle eût songé. Peut-être avait-il mis le couteau sur sa gorge, sous ses beaux cheveux longs. Ou braqué un revolver dans son dos, comme l'avait dit Robbins.

Il examina la photo de l'arme du crime — un couteau de cuisine très ordinaire avec un manche de bois et une lame à un seul tranchant, légèrement incurvée. Le manche était en bon état et la marque, KENTUCKY HOMESTEAD, y était gravée, ainsi qu'un logo représentant une bouilloire dans une cheminée. Les mots made in Japan étaient gravés sur l'acier, juste au-dessous du manche. La ligne de jonction entre la lame et le bois était noircie — par du sang, de la vase, l'oxydation ? Il referma le dossier.

Alors qu'il escaladait le talus en direction de Morning Star Lane, une évidence le frappa : s'il y avait si peu d'indices, c'était que quelqu'un les avait fait disparaître.

Comme l'aurait fait un flic. Celui que Mackie Ruff déclarait avoir vu.

Voilà ce qu'il faisait pendant les minutes où Ann était restée allongée sur le sol, pleine de la semence d'une brute, le regard fixé sur le brouillard et priant pour qu'il parte — faites qu'il parte, qu'il disparaisse dans la nuit pour toujours et me permette de garder vivant au-dedans de moi le miracle auquel je croyais ne jamais avoir droit.

Il effaçait ses traces.

6

Debout sur le trottoir, Jim regardait le cottage de Becky Flynn à travers la haie de lauriers-roses qui l'isolait du reste du monde. Il franchit la grille, accompagné par le tintement de la sonnette. Marcher vers la maison de Becky, c'était comme pénétrer dans le passé, mais en sachant comment finiraient les jours à venir. Chaque pas réveillait le souvenir de tous ceux qui l'avaient précédé, la mémoire des milliers de nuits péninsulaires qu'ils avaient passées ici, de l'amour, qui peu à peu avait fait place au désenchantement, puis à l'abandon. Il eut un battement de cœur en s'approchant de la porte grillagée.

Elle était assise sur le divan, la tête penchée de côté pour maintenir le téléphone, un bloc-notes posé sur ses jambes croisées. Becky était toujours en train de prendre des notes. Il la vit hocher la tête, porter un crayon jaune à sa bouche, effleurer ses lèvres avec la gomme. Elle s'était coupé les cheveux, et la chute floue de boucles châtaines s'achevait abruptement au-dessus de ses épaules. Sa chevelure avait toujours été une vanité première — plus ils étaient longs, mieux cela valait — et cette innovation exprimait une rectification des priorités. On vieillit, songea Weir, le poing en suspens, prêt à cogner à la porte. Il l'observa encore quelques secondes, caressant du regard les courbes de la cuisse et du mollet alors qu'elle posait ses pieds nus sur la table basse et crayonnait quelque chose sur le bloc. Elle hocha la tête, prit une profonde inspiration et reposa le récepteur. Un instant, elle resta immobile, les yeux dans le vague, et de petites fossettes se dessinèrent aux commissures de ses lèvres.

Elle se leva, vint à la porte et l'ouvrit toute grande.

Elle l'accueillit avec un regard scrutateur, vite remplacé par une étreinte. L'odeur de ses cheveux était restée la même depuis trente ans qu'il la connaissait. Par-dessus son épaule, il contempla le lieu familier pour la première fois en... bientôt deux ans ? Il y avait quelques nouveautés : une affiche de Pegge Hopper sur la cloison lambrissée au-dessus de la cheminée, un grand lampadaire gris dans l'angle le plus éloigné, un tapis persan sur le parquet de bois devant le foyer, une nouvelle couche de peinture. Le reste n'avait pas changé. Ni la vieille et lourde table du séjour qui occupait trop de place à l'extrémité de la pièce, ni le sofa profond et moelleux, ni les rideaux que Becky avait faits tant d'années auparavant dans un chintz aujourd'hui délavé par le soleil, ni le bouquet de fleurs qu'elle achetait chaque vendredi chez le petit marchand des quatre-saisons près du *Poon's Locker*. Il y avait une banderole VOTEZ FLYNN — vert sur blanc — tendue en travers d'un mur, une affiche plus petite, HALTE À L'EXPANSION, sur un autre, des boîtes de prospectus électoraux et d'enveloppes sur le sol, près de la cheminée.

Becky avait un peu changé, elle aussi : son teint était plus pâle, ses hanches et sa poitrine un peu plus larges, et le réseau de fines rides s'était accentué au coin de ses yeux marron foncé. L'âge commençait à se faire sentir, et n'était pas toujours tendre. Mais pour Weir, elle était tout simplement belle. Il s'était raccroché à son image, tout au long des heures passées dans la prison de Zihuat, à la fois réconforté par son souvenir et tourmenté par son éloignement, par le fait qu'ils avaient si lamentablement tout gâché.

— Bon sang, Jim ! Je ne sais pas quoi te dire.

— Non ?

— J'ai été si inquiète pour toi. *Bon sang*, je suis navrée.

Elle l'étreignit à nouveau et soupira. Ils restèrent silencieux un moment, puis Becky se détourna et se rendit dans la cuisine. Weir la suivit, prit deux grands verres et les remplit de glace. Becky y versa du gin, une larme de vermouth, préleva un zeste de citron, et en mit dans chaque verre après avoir frotté les bords avec. Par la fenêtre, Jim regarda le brouillard qui tombait comme une couverture qu'on rabat. Ses mains tremblèrent à nouveau quand il saisit le verre. Il avait l'impression d'avoir un cœur en bois, qui battait lentement et de mauvaise grâce, et finirait par s'arrêter.

— C'est bon de te voir, dit-elle. Je t'ai laissé des messages.

— Merci. Ça a été dur.

Ils s'installèrent sur le divan, aux places habituelles, et Weir brûlait déjà d'envie d'ôter ses boots, de se réchauffer auprès du feu. Le répondeur enregistra un appel : le correcteur des épreuves de la « Proposition A », à l'imprimerie, venait de découvrir des brochures où le mot *urnes* avait été imprimé *burnes* par erreur.

— Je l'ai vue en début de soirée au *Whale,* ce jour-là, dit Jim. Ray est passé, et m'man était là. Elle avait l'air en forme — un peu amaigrie, peut-être.

— Je ne l'avais pas vue depuis quelques jours.

— Comment allait-elle, Becky ?

— Je ne cesse de me poser la question, depuis que j'ai appris la nouvelle. Et la réponse n'est pas aussi évidente que je le croyais. Bon, d'accord, Ann et moi, nous étions amies depuis plus de trente ans. On avait toujours tout partagé, fait du patin ensemble à l'âge où on porte encore des queues-de-cheval, échangé les vêtements de nos poupées et nos journaux intimes, suivi les mêmes cours, rêvé des mêmes garçons. Tout, quoi. On a été des gamines, et puis des femmes, et tout ça ensemble. Exception faite des quelques mois qu'elle a passés en France — quand elle avait quinze ou seize ans —, nous avons été comme deux doigts de la main. Mais en novembre dernier, il y a eu un changement. C'était juste avant ton départ pour le Mexique.

— Je ne m'en suis pas aperçu.

Weir perçut la note accusatrice dans le silence de Becky : si tu t'étais intéressé à ta famille, au lieu de bâtir des châteaux en Espagne, *tu t'en serais rendu compte.*

— Ça s'est fait subtilement, Jim. J'ai cru que c'était juste entre nous, alors je ne me suis pas trop inquiétée. Mais maintenant, eh bien, après ce qui s'est passé, tout ça prend une résonance terrible. (Elle but, reposa le verre sur la table basse.) Ann se repliait sur elle-même. Elle mettait une distance entre elle et moi et ça m'embêtait.

— Ça se manifestait comment ?

— Par des sourires, essentiellement. Quelquefois, elle était si... polie. On aurait dit que ses sourires étaient destinés à détourner mon attention. Elle se montrait si épanouie, si sûre d'elle, si... évasive.

— A propos de quoi ?

— De tout. Je lui téléphonais pour lui demander comment elle allait, et on aurait cru entendre un discours tout préparé. Tu connaissais Ann. On pouvait se fier à elle pour avoir des réponses franches, des conversations sans détour. Si elle trouvait tes actes répréhensibles, elle le disait. Si elle n'allait pas très bien un jour, elle ne s'en cachait pas. Elle ne se défilait jamais. Mais en janvier dernier, c'est l'impression qu'elle m'a donnée. Un soir très tard, vers onze heures, je suis tombée sur elle au supermarché — elle était occupée à faire ses provisions pour la semaine. On était devant le rayon des potages, et pendant un instant, elle a vraiment eu l'air ailleurs. Et puis elle est revenue à la réalité — paf, un grand sourire, cette espèce de grimace forcée qu'elle essayait de faire passer pour un sourire. Je lui ai demandé ce qui n'allait pas et elle m'a répondu : « Mais rien du tout ! Je suis juste un peu fatiguée, ce soir. C'est pour ça que je suis sortie faire mes courses sans me maquiller ! » Elle a attrapé une boîte et toute la rangée a dégringolé par terre. J'ai fait semblant de la croire, mais j'ai pris note. Je l'ai appelée un ou deux soirs plus tard, elle était en pleine forme et même plutôt fofolle. Je te jure, Jim, que je me suis même demandé si elle n'avait pas pris des cachets ou je ne sais quoi. On a déjeuné ensemble le dimanche suivant et elle avait l'air... absent. Elle a participé à la conversation du bout des lèvres. Elle n'a presque rien mangé. Elle avait l'esprit ailleurs.

— Tu lui as demandé ce qu'il y avait ?

— Bien entendu. Annie m'a ri au nez comme si je me faisais des idées et a mis ça sur le compte de mon côté névrotique. J'ai failli gober le truc. Je suis *toujours* prête à gober cette explication-là. On venait juste de présenter la « Proposition A » au scrutin, il y avait la marche à Laguna Canyon à organiser, j'essayais de boucler le dépôt de ma candidature. Disons que tu avais ton trésor, et que j'avais le mien. Mais elle n'était plus la même. Je l'ai beaucoup vue cet hiver, je l'ai rencontrée ici ou là, je suis allée déjeuner au *Whale* pendant son tour de service. Quelquefois, c'était bien l'amie que je connaissais. Les autres fois — et il y en a eu plusieurs — elle était dans un autre monde.

Jim revint en pensée au mois de novembre, cherchant à corroborer l'histoire de Becky, mais en vain. Ann avait ressemblé à Ann. Il avait été absorbé par ses préparatifs sur le *Black Pearl* au large de Zihuat : matériel de plongée, compresseur, drague, treuils, câbles, rabans de ferlage, balises flottantes, modification du moteur... Je n'ai pas fait attention, pensa-t-il. Tout simplement.

— Tu en as parlé à quelqu'un ? A Ray ? A m'man ?

Becky hocha la tête.

— Avec Ann, j'allais toujours directement à la source. Comme je te l'ai dit, j'ai cru que ça se jouait seulement entre elle et moi. Les amis, ça se brouille et ça se rabiboche. Quelquefois, il faut que le pont se fissure pour qu'on se rappelle combien le lien qu'il établit est fort et nécessaire.

Ils échangèrent un regard, reconnaissance mutuelle du fait que de telles fissures avaient eu lieu — trop souvent — sur leur propre pont. Mais le résultat, c'était justement l'effondrement, et non une affirmation du lien qui les unissait.

Becky vida son verre.

— Tu peux me donner des informations ?

— Qu'est-ce que tu veux savoir ?

— J'ai une copie du rapport de Bristol, donc je sais l'essentiel.

— Les nouvelles vont vite !

— Ça n'a pas été difficile — une ex-avocate de l'assistance judiciaire a ses entrées.

— Je n'ai pas grand-chose à ajouter. J'ai vu l'endroit où ils l'ont repêchée, et je suis allé sur le lieu du crime, cet après-midi.

— Innelman et Deak ?

Jim acquiesça.

— Innelman est un type bien. Je ne connais pas Deak.

— Il est jeune et plein de morgue, mais consciencieux.

— Si tu as vu le rapport, tu en sais autant que moi.

— Vraiment ? (Becky lui décocha un regard aigu, puis sourit.) Dennison doit être sur des charbons ardents. Si les choses se déroulent bien, ça pourrait avoir une influence déterminante sur les élections. Maintenant, il va vraiment éviter le débat.

Becky plissa ses yeux sombres et arbora un petit sourire satisfait. Une expression infiniment plus rusée qu'espiègle. Weir l'avait toujours eue en horreur.

— Pourquoi Dennison a-t-il demandé à vous voir aujourd'hui, Raymond et toi ? s'enquit-elle.

Jim improvisa une histoire : on voulait lui confier le travail de plongée pour une nouvelle exploration de la baie. Pour un mensonge improvisé, ça tenait la route, Poon aurait été fier de lui.

— C'est du ressort du shérif.

— C'est ce que j'ai essayé d'expliquer à Brian. Quoi qu'il en soit, les plongeurs ont trouvé un couteau de cuisine à une centaine de pieds de l'endroit où Ann est morte. Lame de quinze centimètres, pas de garde, banal.

— Alors, pourquoi Brian voulait-il que tu plonges encore ?

— Pure précaution de sa part.

— Une marque de fabrique sur le couteau ?

— J'ai pas remarqué, mentit-il à nouveau.

— Tu te rouilles, Weir. Et tes mains tremblent.

— Je sais.

Le téléphone sonna de nouveau, on invitait Becky à s'exprimer, devant le Club des femmes d'affaires de Newport, cette fois. Elle nota le rendez-vous sur son bloc.

— Elles vont essayer de me faire la peau. Tu sais quoi ? Je préférais la vie lorsqu'elle était simple.

Jim garda un moment le silence. Cette dernière déclaration lui faisait l'effet d'une boîte de conserve pleine de vers, sur le point de s'ouvrir. C'est peut-être ce qu'il nous aurait fallu dès le début, songea-t-il — mettre cartes sur table et régler ce qui n'allait pas. L'une des erreurs primordiales de Becky — qu'elle était la première à admettre — c'était sa propension à faire quantité de choses en même temps, mais pas forcément bien.

— Bon, on dirait que ta campagne te donne beaucoup de boulot, dit-il en s'efforçant de ne pas paraître accusateur.

Elle le regarda, puis détourna les yeux.

— Ça m'a paru... opportun. Il y a quelque temps, j'ai décidé qu'être satisfait de son existence ne suffisait pas. Il faut apporter quelque chose à la communauté, participer... Ça paraît peut-être naïf, mais j'avais le sentiment que je devais donner, et pas seulement prendre. De toute façon, j'étais toujours impatiente quand j'étais avec toi, vers la fin. On se lasse vite d'être avocate à l'assistance judiciaire. Je suis comme ça, c'est tout, j'aime le changement. Ailleurs, l'herbe est toujours plus verte... c'est peut-être ça.

— Comme tu disais, chacun son trésor.

Elle lui lança un regard dur.

— Tu ne cherchais pas seulement un trésor, tu cherchais à t'échapper... de tout.

Encore le même disque rayé, pensa-t-il. Becky n'avait jamais compris pourquoi il avait quitté l'équipe du shérif. Pour la jeune femme ambitieuse et travailleuse qu'elle était, abandonner un boulot rémunéré pour l'activité hasardeuse de chasseur de trésors représentait le summum du caprice et de l'infantilisme. Becky était d'une famille pauvre sans cesse menacée par les coupures de courant, les avis d'impayés et leur cohorte de créanciers. Le premier marché que Becky avait passé avec elle-même, une fois adulte, avait été de se prémunir contre ça. Plus Jim lui avait parlé de liberté et de temps de vivre, plus elle avait pincé les lèvres. Elle l'avait fait douter de lui-même, lorsque le doute était un luxe qu'il ne pouvait s'offrir. Pour elle, le doute était une pâture quotidienne, une voix qu'on écoutait avec respect — la pierre angulaire de la conscience. Mais son mariage avec un as du barreau de Newport avait duré moins d'un an. Becky était un animal plus complexe qu'il n'y paraissait.

— Je recherchais la même chose que toi, dit-il finalement. Tu avais tort de penser le contraire, et tu as toujours tort. Tu auras beau essayer, tu ne me connaîtras jamais mieux que moi-même, Becky.

Elle l'examina, adoptant insensiblement une attitude de repli. Son regard disait : « J'en doute. » Mais sa réponse fut :

— Je crois que nous avons déjà parlé de tout ça.

— J'ai beaucoup pensé à toi, au Mexique.

Il plaça ses mains tremblantes sur ses genoux et contempla la cheminée.

— Moi aussi, j'ai pensé à toi, dit-elle.

— As-tu trouvé des réponses ?

— Non. Juste des questions. Quelquefois, je crois que tout est derrière nous, et puis je repense à quelque chose, et j'ai l'impression que ça n'a jamais fini. C'est comme si on retournait sur un champ de bataille en se demandant si on a encore des munitions pour remettre ça. Cela dit, si, tout de même, j'ai trouvé une réponse : je veux quelqu'un qui restera, qui tiendra bon.

Jim hocha la tête, tout en réalisant à quel point la description lui correspondait peu.

— Parle-moi du Mexique, dit-elle.

Ce qu'il fit, racontant les plongées prometteuses dans les eaux bleues, la frustration d'avoir à couvrir tant de fonds en solitaire, la surprise de se faire piéger avec de la marijuana qui ne lui appartenait pas, fourrée bien en évidence dans le compartiment moteur du *Lady Luck*. Et, pour finir, ses trente-quatre jours d'enfer dans la prison de Zihuatanejo, puis sa libération soudaine et inexpliquée.

Pendant un moment, ils parlèrent de la candidature de Becky à la mairie de Newport Beach, du métier d'avocat, de son programme pour les élections de juin. Une revue générale. Becky soupira, but une longue gorgée et contempla l'âtre noirci.

Weir se leva, regarda une fois encore la grande bannière VOTEZ FLYNN sur le mur opposé.

Elle le raccompagna sur le seuil.

— Je veux quand même te donner une information, dit-elle. J'ai vu Ann aux environs de 17 h 30, le... dernier jour. Je marchais sur le front de mer, pour me détendre un peu entre deux expéditions de courrier, et elle a traversé l'allée en voiture. Elle partait au boulot. Pourquoi prendre la bagnole alors qu'elle pouvait s'y rendre à pied ?

Weir s'était lui-même posé la question. Il n'avait

trouvé qu'une seule raison plausible pour expliquer qu'Ann eût pris son vieux tacot afin de franchir les trois cents mètres qui la séparaient de son lieu de travail, quitte à tournicoter dix bonnes minutes avant de trouver à se garer, alors qu'elle en avait pour deux minutes à pied. Elle portait des vêtements de ville, lorsqu'ils l'avaient découverte. Des vêtements provocants. S'était-elle changée au travail ? En voiture ? Quelque part ailleurs ?

— Parce qu'elle n'avait pas l'intention de rentrer à la maison après le boulot, dit-il.

— C'est ce que j'ai pensé aussi.

Weir se souvint que Becky avait précisément découché une fois, des années auparavant — acte qui avait déclenché le long déclin angoissé de leur liaison.

— Elle t'a parlé d'un autre homme ?

— Non. Je ne crois pas qu'elle me l'aurait dit, s'il y en avait eu un. Elle avait un côté secret — la marque de fabrique Weir. Mais il est possible qu'il y en ait eu un. Elle était séduisante, vivante... oh, tu sais très bien tout ça.

Becky essuya une larme, et son regard se porta avec une sorte de violence farouche au-delà de la fenêtre, en direction du continent.

Weir s'adossa au chambranle. Il se sentait vulnérable, incapable de feindre.

— Je ne sais pas quoi faire, Becky.

Elle l'étreignit longuement, puis lui redressa les épaules, repoussa la mèche qui avait glissé sur son front.

— Lutte, Jim. Cramponne-toi, bagarre-toi. Ne sois pas trop dur avec toi-même.

Jim s'avança sur le porche, laissant se rabattre la porte à moustiquaire. Etrange, comme les anciens antagonismes pouvaient resurgir, mêlés au désir de prendre à nouveau Becky dans ses bras, de presser son visage contre sa nuque douce et parfumée, de se perdre en elle.

Alors qu'il descendait les marches du perron, il eut à nouveau la sensation d'être isolé sur la proue d'un grand vaisseau, le visage fouetté par le vent, glissant d'un rivage de ténèbres à un autre, en quête d'une chose encore mal identifiée. Il commençait à en avoir assez d'être seul, jusque dans ses propres visions.

La chambre d'hôpital de Raymond donnait sur le nord de Newport et un coin de Pacifique. Weir trouva son ami profondément endormi, les mains croisées sur le ventre, la bouche entrouverte. Il portait une blouse bleu clair nouée dans le dos et un bracelet de plastique où figuraient son nom et des indications chiffrées. Il y avait des fleurs sur la table de nuit et, scotchées aux murs, une ribambelle de cartes de vœux de prompt rétablissement coloriées par ses jeunes cousins.

Weir tira une chaise, versa un peu d'eau dans un verre, pour Ray. Un moment, il contempla l'horizon gris et morne et la mer miroitante. Alors qu'il regardait dormir son ami, il lui vint à l'idée qu'il ne s'en remettrait peut-être jamais. Ray était fort, mais sans souplesse. Il était marié à la routine, aux lois, aux procédures, aux délimitations nettes entre le bien et le mal. Elles le maintenaient dans une existence bien réglée, et Jim comprenait pourquoi. Il avait remarqué, à l'Ecole de Police, que certains individus étaient attirés par le maintien de l'ordre — des gens qui avaient besoin d'une appartenance, d'un schéma directeur. Plutôt que d'essayer de se faire leur propre idée des choses, ils attendaient qu'on réponde aux questions à leur place. L'uniforme qu'ils revêtaient, l'arme qu'ils portaient, le code pénal dont ils se réclameraient un jour constituaient un cadre rassurant et leur évitaient l'angoisse des nuances. Et bien qu'il n'eût jamais compté Raymond au nombre de ces gens-là, il s'était souvent demandé s'il n'adhérait pas de façon trop étroite au boulot qu'il avait choisi, si sa vision des choses ne se réduisait pas à la photographie simpliste en noir et blanc suggérée par les mots *culpabilité* et *innocence.* Rien à redire à ça. Mais il y avait un hic : que se passait-il lorsque la vie vous trahissait et que la loi n'y pouvait rien ? Que se passait-il lorsque les fondations s'écroulaient ? La foi détruite, qu'est-ce qui se présentait pour la remplacer ? Jim dit une brève prière pour Raymond, lui souhaitant d'avoir la capacité de se rebâtir une nouvelle foi, et assez d'amour pour conquérir une force nouvelle.

Il se rendit dans le box des infirmières où l'une d'elles lui confirma que Raymond n'avait apparemment ni mangé ni dormi pendant trois jours, et avait tout simplement fini par tomber dans les pommes. Il se nourrissait, à présent, et dormait le reste du temps. Rien de bien exceptionnel pour quelqu'un qui avait eu un malheur, dit-elle. Il ne tarderait pas à sortir. « Je suis vraiment navrée, pour votre sœur. »

7

Le col relevé, la tête rentrée dans les épaules, Jim Weir marchait vers la maison d'Ann. Il était pas loin de 21 heures. Il avait à nouveau la sensation d'avoir des articulations de vieillard et ses doigts se crispaient sur la poignée de la serviette remise par Brian Dennison. Il n'était pas allé chez Ann depuis la nuit fatale, et il se faisait un devoir de pénétrer dans la maison, de se prouver que dans sa mémoire, il restait de sa sœur autre chose que l'horreur de sa mort.

En déambulant lentement dans la maison, il remarqua les signes du passage d'Innelman et Deak. Il y avait des traces de poudre à empreintes sur la poignée de la porte et sur les deux verres à dents, dans la salle de bains. Dans la cuisine, le procès-verbal de saisie placé sur le plan de travail indiquait que les trois verres à vin trouvés là étaient à présent au labo de la Criminelle du comté. Trois verres. Trois buveurs ? Il vit que le carnet d'adresses d'Ann, toujours suspendu à un ruban près du téléphone de la cuisine, avait été lui aussi emporté au labo. Ainsi que la bande enregistrée du répondeur. Il y avait aussi de la poudre sur le sol, devant le frigo, dont ils avaient saupoudré la poignée de plastique blanc. Il suivit leur raisonnement : Ann était rentrée à la maison, s'était changée, s'était retrouvée en présence de son agresseur et avait été contrainte à partir en voiture. Peu vraisemblable, pensa-t-il.

Dans la chambre, deux tiroirs de la commode et la porte de l'armoire étaient entrouverts. Il s'attarda un moment dans la pièce où flottait le parfum d'Ann, ayant la sensation de sa présence, s'attendant à demi à l'entendre parler. Une telle profanation... pensa-t-il. Pardon. Il frissonna dans sa veste.

Encore de la poudre à relever les empreintes près de la lampe du bureau de Raymond, et des placards ouverts, une enveloppe de film Polaroïd sur le sommet de la corbeille à papiers. Preuves fantômes, pensa-t-il, Ann n'est jamais revenue ici. Elle est montée en voiture et partie pour une destination connue d'elle seule. Dennison cherche désespérément une piste. Combien de fois Raymond avait-il été confronté à un tel spectacle ? Avait-il jamais imaginé que tous ces accessoires de tragédie feraient un jour irruption dans sa propre vie ?

Il revint dans la cuisine, tira la déposition de Malachi Ruff de la serviette et la posa devant lui sur la petite table branlante du coin-repas. C'était Innelman qui avait effectué l'interrogatoire, le mardi 16 mai au matin. Il était rédigé dans le jargon de police habituel et ne contenait rien d'important que Dennison ne lui eût déjà dit. Pour l'essentiel, un poivrot du nom de Mackie Ruff avait entendu un cri, vu quelqu'un courir le long de la baie, vu filer une bagnole de flic, puis s'était rendormi. Brouillard épais, obscurité, litrons de pinard dans l'estomac. Innelman indiquait sur le rapport : « Ruff a une antipathie manifeste pour les représentants de l'ordre » ; et : « Le témoin était en état d'ébriété au moment du prétendu incident. A cause du brouillard dense et de l'absorption d'une grande quantité d'alcool, Ruff a été incapable de déterminer l'âge, la race, la tenue vestimentaire ou l'attitude de l'éventuel suspect. Le suspect a disparu en direction du nord. Approximativement trente secondes plus tard, Ruff a entendu s'ouvrir et se fermer une portière de voiture, puis démarrer un moteur. Il serait remonté jusqu'à Galaxy Drive pour observer une quatre-portes blanche roulant en direction du sud. Ruff déclare que "c'était une bagnole de flic". Après plus ample interrogatoire, il a précisé que le blason sur le côté de la voiture indiquait que c'était une unité de patrouille de la police. Ruff n'était pas assez près pour déterminer des détails concernant ce blason. »

Innelman notait également que Ruff était sans domicile fixe, mais qu'il avait établi ses quartiers chez *Frankie's Place*, au *Porthole*, ou à la *Eight Peso Cantina*, tous situés près de l'arrêt du ferry sur la péninsule de Balboa.

Weir se souvint d'avoir trouvé Mackie Ruff enfoncé jusqu'aux genoux dans l'eau glaciale de Back Bay, un jour d'hiver, tirant derrière lui un caddie à provisions. Le caddie contenait un vieux pneu et un énorme amas de fil à pêche enchevêtré. Mackie avait déclaré qu'il pêchait le homard. Jim l'avait ramené sur la terre ferme après que Ray lui eut filé cinq dollars pour s'acheter à manger. Jusqu'à quel point Ruff était-il un témoin valable ? Jim remarqua qu'on l'avait placé en garde à vue mais qu'on ne l'avait pas inculpé. Et pour cause, songea-t-il : si le District Attorney venait à avoir besoin de lui, autant éviter de le coffrer et d'admettre qu'il était bourré.

Weir eut un sourire dénué d'humour, rangea l'interrogatoire et sortit les informations personnelles du chef : la bande enregistrée du standard et sa transcription, ainsi que le petit lecteur de cassettes que Dennison avait eu la prévoyance de joindre.

Tâche numéro un : s'occuper du chef de la police et du lieutenant Cruz, pensa-t-il.

Dennison dépassait de vingt bons kilos l'estimation effectuée à la fois par Robbins et par Innelman. Son groupe sanguin était O positif ; celui du meurtrier d'Ann, B. Dennison avait des cheveux courts et bouclés, brun-roux ; le cheveu trouvé sur le chemisier d'Ann était raide, châtain, d'environ cinq centimètres de long — celui d'un mâle caucasien de trente-cinq à quarante-cinq ans. Dennison en avait cinquante et un. Brian avait déclaré qu'il dormait à côté de sa femme entre minuit et 1 heure du matin, et Marlene Dennison s'était portée garante pour lui. Il écrivit : HEURE À VÉRIFIER, souligné deux fois.

Les caractéristiques de Raymond étaient encore plus en contradiction avec les indices : groupe sanguin A, cheveux noirs ondulés de Latino-Américain. Il était gaucher. Il pesait quatre kilos de moins que le criminel, selon l'estimation du labo de la Criminelle, et Weir savait pour lui avoir acheté une fois à Noël une paire de palmes que sa pointure était inférieure d'une taille à celle de leur assassin. Curieux comme certains détails restaient gravés dans votre esprit. Il introduisit la cassette du standard dans le lecteur. Prétendre un moment que Ray correspond à la description physique. Voir s'il a un alibi. Il mit la bande sur avance rapide jusqu'aux alentours de minuit, ralentit, trouva le passage correspondant à la transcription, et écouta l'intégralité de l'heure à vérifier.

Raymond avait communiqué douze fois avec le standard. Il faisait sa ronde dans le secteur de Corona del Mar, à près de cinq kilomètres — et en plein brouillard — de l'endroit où l'on avait vraisemblablement pris Ann en voiture. Le ferry qui faisait la navette entre Balboa Island et le bon vieux quartier — une possibilité de raccourci — fermait à minuit. Raymond avait effectué trois interrogatoires entre minuit et 1 heure ; rédigé deux contraventions — toutes deux pour excès de vitesse dans Corona del Mar — et n'avait effectué aucune arrestation. Les copies carbone du registre et du carnet de verbalisation incluses par Dennison faisaient ressortir que Ray avait rédigé les P.V. à 0 h 10 et 0 h 50. Il avait effectué les interrogatoires sur le terrain à minuit, 0 h 20 et 0 h 35. Jim vérifia avec la photocopie de la carte de pointage de Raymond. Il était rentré au poste à 1 heure, pile à l'heure. C'était bien son style. Et le laps de temps pendant lequel il n'avait ni pris contact avec le standard, ni consigné une opération de routine sur les registres n'excédait pas six minutes d'affilée.

Difficile de croire, songea-t-il en feuilletant le dossier, que Ray est déjà un vétéran. Quinze ans d'ancienneté ! La carrière de Raymond défila devant lui : huit félicitations par deux chefs différents ; six citations de la ville pour conduite exceptionnelle ; d'autres du Lions Club, de l'association Kiwanis, de la chambre de commerce, du Département d'études latino-américaines. Il avait été nommé trois fois policier de l'année. Il avait reçu un certificat pour conduite méritoire parce qu'il avait pris un cambrioleur au collet dans la demeure d'une ex-conseillère municipale âgée de quatre-vingt-douze ans, et une médaille du Mérite civique pour avoir aidé à mettre un bébé au monde dans sa voiture de patrouille. Il avait ranimé un jeune garçon victime d'une noyade sur la plage de la 12e Rue, un soir d'été, pratiquant la réanimation cardio-pulmonaire en attendant l'arrivée des auxiliaires médicaux pris dans les embouteillages. Le môme s'en était tiré. Jim se rappelait encore les titres des journaux. Alors qu'il lisait le dossier, il s'avisa que Raymond avait remarquablement bien réussi, pour un gosse d'origine modeste — passant une licence de sociologie avant d'opter pour le maintien de l'ordre, achevant brillamment l'Ecole de Police pour être ensuite nommé sergent à trente ans, et lieutenant à trente-cinq. Il s'était inscrit en fac de droit juste après cette promotion — l'année même où Weir avait quitté l'équipe du shérif pour chercher fortune — et n'avait plus maintenant que deux semestres à faire. Chacun son trésor, avait dit Becky.

Il songea qu'à présent, Raymond était à la dérive, et livré à lui-même. S'il était vraiment résolu à tuer le meurtrier d'Ann, ainsi qu'il l'avait dit, alors, ce n'était pas uniquement sa carrière qu'il mettait en jeu. Il risquait aussi sa vie. Et peut-être la mienne, pensa Jim, si le type que nous cherchons est un flic.

La dernière page du dossier de Raymond livrait un fait intéressant, que Jim ignorait du tout au tout. La ligue des droits civiques avait voulu intenter un procès contre la police de Newport Beach, pendant l'été 1988, prétendant qu'on engageait trop peu de membres des minorités ou qu'on ne leur accordait pas de postes assez élevés. Mais Ray avait refusé de coopérer, et s'était même prononcé contre cette action dans une lettre interservices adressée au chef d'alors, Lawrence Hiller. La réponse de Hiller, incluse dans le dossier de Raymond, indiquait : « Nous louons la discrétion avec laquelle le Lt Cruz a mené cette affaire potentiellement délicate, et nous y voyons une très forte recommandation pour une éventuelle promotion au grade de capitaine. » L'action en justice avait été abandonnée. Ray, songea Weir, évoluait en solo. Il avait d'autres ambitions : la fac de droit, le diplôme, l'accession au barreau, le prétoire. Raymond, c'était à prévoir, voulait représenter un jour le ministère public.

Et en réalité, qui aurait pu le faire mieux que lui ? De tous les flics de Newport Beach, Raymond Cruz était celui qui y avait vécu le plus longtemps, et son trisaïeul avait été flic avant même que le mot *flic* fût inventé. Il y avait des générations de cela, la famille de Ray avait possédé Rancho Boca de la Mar, sept mille arpents qui englobaient la future Newport Beach. Le patriarche, Francisco Cruz, avait dirigé le ranch à l'époque glorieuse des *vaqueros*. Et comme Raymond l'avait si souvent dit à Jim dans leur enfance, il avait été juge de paix, nommé par le gouverneur mexicain. *Juge de paix* : l'expression était sortie avec fierté des lèvres enfantines de Raymond.

Assis dans la petite cuisine d'Ann, Weir se rappelait à présent la tragique histoire, qui ne manquait pas d'ironie. Francisco Cruz avait épousé Lisbeth, une belle germano-irlandaise, qui avait été enlevée en vue d'une demande de rançon par le bandit Joaquin La Perla au cours d'un audacieux raid diurne. On l'avait surnommé La Perla à cause de ses revolvers dont la crosse était ornée de perles (ils furent exposés dans les foires régionales des années durant, après sa capture et sa pendaison). Dans la version que Raymond lui avait racontée au lycée, Francisco avait traqué La Perla, l'avait abattu comme un chien, et avait ramené sa femme à cheval jusqu'à Rancho Boca de la Mar, où il avait célébré l'événement en organisant la plus grande fiesta de l'histoire locale. Weir se souvenait encore des revolvers factices et des menottes en plastique que Ray avait exhibés comme des accessoires de théâtre pendant son récit. Mais en réalité, les hommes de Francisco l'avaient lâché à la onzième heure et il avait continué seul à traquer La Perla. Il l'avait finalement rattrapé dans ce qui est aujourd'hui Silverado Canyon, où le hors-la-loi l'avait criblé de balles et avait pendu son cadavre à un chêne qui existe toujours aujourd'hui. On n'avait jamais retrouvé Lisbeth. Weir se souvenait qu'un camarade de classe impitoyable avait souligné la contradiction entre l'histoire de Ray et celle qui figurait dans une histoire du comté d'Orange, livre qu'il avait, pour preuve, apporté le lendemain en classe. Raymond avait déclaré catégoriquement que l'auteur était un menteur, qu'il n'avait certainement pas assisté aux événements, puis s'était retranché dans un sombre silence qui avait duré plusieurs jours.

Et aujourd'hui, ça, pensa Jim. Si l'histoire ne se répète pas, elle resurgit d'une autre manière. Il médita sur le sort de la famille Cruz. En cent vingt ans, ces gros propriétaires terriens étaient devenus des locataires de maisons ou d'appartements modestes, des employés, des patrons de petits commerces. Criblés de dettes, les fils de Francisco avaient fini par vendre le Rancho. A présent, tout cela appartenait à d'autres — la *Eight Peso Cantina* elle-même occupait un terrain loué à bail par la PacifiCo Development Society.

Weir fut frappé par le fait que Raymond ne s'était jamais plaint de ce piètre héritage, n'avait jamais joué les aristocrates déchus, n'avait jamais tiré orgueil de son sang ou de sa race. En silence, à sa manière, il avait tenté d'inverser le cours des choses. S'il exécute ce type, songea Jim, il tuera aussi une part de lui-même. Sinon, il risque de rejoindre Francisco à la porte du paradis avec une histoire similaire à raconter.

Ensuite, il tria les cartes de pointage des trente-deux policiers des deux équipes de nuit. Il mit les partenaires de côté. Il lui restait ainsi huit officiers opérant en solo pour chaque tour de ronde. Il vérifia les groupes sanguins dans les dossiers individuels, et trouva cinq flics du groupe B. Quatre d'entre eux étaient droitiers. Sur ces quatre, deux étaient rentrés respectivement à 0 h 02 et 0 h 18.

Il inscrivit les deux noms restants sur son bloc : Philip Kearns et Dale Blodgett. Kearns avait trente-quatre ans, était célibataire. Il était devenu sergent à trente-deux ans. Sans être remarquable, son dossier était bon. Il avait aidé une femme à accoucher alors qu'il était le coéquipier de Raymond Cruz, pendant l'été 87. Il avait eu un avertissement en septembre de la même année pour avoir garé sa voiture de patrouille dans une allée et l'y avoir abandonnée pendant vingt minutes — un voisin irascible s'était plaint du bruit fait par la radio. Une appréciation portée par le capitaine Chris Saunders louait sa « facilité de contact avec le public » et son attitude modérée. Kearns était tireur d'élite.

Jim se demanda si Ann le connaissait suffisamment pour accepter de monter dans sa voiture.

La transcription du standard indiquait que Kearns s'était arrêté pour boire un café chez un marchand de beignets de Balboa entre 23 h 15 et 23 h 35. Il avait donc effectué sa ronde dans la péninsule, là où Ann vivait et travaillait, là où on l'avait aperçue pour la dernière fois. Il n'y avait eu aucune communication entre Kearns et le standard entre 0 h 30 et 0 h 50. Rien ne figurait non plus sur son registre d'activité et son carnet de verbalisation. Un trou de vingt minutes au beau milieu de l'heure critique. Weir écrivit sur son bloc : KEARNS HORS CONTACT PENDANT VINGT MINUTES ENTRE MINUIT ET 1 HEURE. Il examina la photo du sergent : visage mince aux traits réguliers, fine moustache, yeux vivants, beau comme le sont parfois les flics. Cheveux châtains et longs coiffés en arrière. Y avait-il correspondance avec le cheveu trouvé sur le chemisier d'Ann ?

Jim se carra sur sa chaise inconfortable et regarda la cuisine des Cruz. Nette, mais pas trop : habitée. Un réveil en forme de chat dont les yeux et la queue remuaient à chaque tic-tac était suspendu au-dessus du frigo. Ann aimait les chats. Ann était aussi femme à traîner à la maison en survêt' et chaussettes. Pourquoi avait-elle pris sa voiture pour aller au boulot, et avait-elle ensuite enfilé une tenue légère et flatteuse ? PARCE QUE TU N'AVAIS PAS L'INTENTION DE RENTRER À LA MAISON, écrivit Weir sur son bloc. Pourquoi pas de manteau ? PARCE QUE TU NE COMPTAIS PAS RESTER DEHORS. OÙ DEVAIS-TU TE RENDRE, SŒUR CHÉRIE ? OÙ AS-TU CHANGÉ DE VÊTEMENTS ?

Il téléphona au *Whale's Tale* et demanda à parler à Sherry, la collègue favorite d'Ann. Elle confirma qu'Ann avait quitté le restaurant dans son uniforme de serveuse, et non en vêtements de ville.

Weir la remercia et raccrocha. Annie s'était-elle changée dans sa voiture ? Pourquoi les flics n'avaient-ils pas encore retrouvé sa bagnole ?

Il prit le dossier de Dale Blodgett. Blodgett était sergent, comme Kearns. Il avait quarante-huit ans, et sa photo d'identité révélait un visage lourd, une expression dure et dénuée d'humour. Marié, trois enfants, dossier moyen. Les appréciations soulignaient toujours la même chose : « Blodgett manifeste peu d'intérêt pour la promotion ou les tâches administratives. Il préfère le boulot sur le terrain, travaille bien seul. Officier capable. Nous recommandons avancement en rapport avec expérience. »

Il y avait un addendum intéressant. Blodgett et Raymond Cruz s'étaient fait engueuler dans le bureau du chef, deux ans plus tôt, à la suite d'une bagarre au vestiaire. Ils avaient échangé des insultes racistes et en étaient venus aux poings, avaient été séparés par trois collègues. On avait distribué des avertissements. Une note indiquait que Raymond avait trouvé un soir une « bonne quantité de haricots à la mexicaine réchauffés » dans ses chaussures de ville. Il avait accusé Blodgett, qui avait nié. On ne revenait plus ensuite sur le sujet dans le dossier de Blodgett.

Jim le rangea et écouta une deuxième fois la bande du standard. Il écouta les communications précises et régulières de Raymond à partir de la voiture 8, les messages moins fréquents de Kearns à partir de la voiture 12, les dépêches sèches de Blodgett à partir de la voiture 6. Weir suivait la transcription écrite. Blodgett avait pointé en partant à 0 h 10 et était rentré un peu avant 1 heure. Il avait dit à Carol Clark qu'il s'était arrêté pour prendre un café, mais avait négligé de préciser où. Cinquante minutes pour boire un café ? Il vérifia la carte de pointage de Blodgett, mais le sergent ne s'était pas donné la peine de pointer à l'arrivée. Il écrivit sur le bloc : BLODGETT HOSTILE À RAY — 50 MINUTES HORS CONTACT — PAS TRACE DE POINTAGE À LA SORTIE — À QUELLE HEURE EST-IL RENTRÉ AU POSTE ?

Il croisa les bras et regarda la queue oscillante de l'horloge en forme de chat. Malachi Ruff avait peut-être vu une bagnole de flic, cette nuit-là, dans Back Bay. Mais Dennison ne se trouvait pas là-bas. Ni Ray Cruz. En revanche, Philip Kearns et Dale Blodgett totalisaient à eux deux un « trou » supérieur à soixante minutes.

A minuit, debout sur la jetée de Balboa, Jim regardait les eaux noires du Pacifique déferler contre les pilotis. Les lampadaires projetaient dans les ténèbres des triangles de lumière lugubres. Le brouillard dérivait au-dessus des eaux, comme un nuage trop lourd happé vers la terre. C'était à cette heure, songeait-il, qu'Ann avait effectué ses derniers pas sur le rivage de Back Bay, il y avait exactement trois jours.

Weir la voyait se déplacer le long de la piste à travers les ficoïnes, la voyait se renverser en arrière et lever les coudes pour garder son équilibre, voyait ses espadrilles rouges, et l'éclat persistant, malgré la brume, de ses longs cheveux dorés. Et l'homme qui la suivait ?

Jim ne voyait qu'une ombre, une silhouette à peine perceptible. Ensemble, Ann et lui marchaient vers l'ouest le long du rivage, et leurs pas, sans hâte, un à un, les conduisaient vers leur destin.

L'air alentour vibrait, lourd de ce qui s'était produit. Des gosses passèrent en planche à roulettes. Un Japonais ajouta deux maquereaux frétillants dans son seau. Le brouillard emprisonna la lune dans une toile blanche et l'y retint. Jim se retourna vers la ville, baissa la tête et pleura.

Il se rassit à la table de la cuisine, contempla la queue oscillante de l'horloge. Une faim dévorante le tarauda et il alla ouvrir le frigo. Il se versa du lait et fit l'inventaire des vivres, dont la plupart étaient sans doute en train de pourrir. Il y avait des cuisses de poulet dans un sachet en plastique, du riz sauté dans un bol, plusieurs petits paquets de papier alu sur l'étagère à condiments. Il jeta les anchois que contenait l'un d'eux, découvrit dans un autre un gros brownie qu'il avala séance tenante. Les trois derniers enveloppaient trois tubes de verre, tous à demi remplis d'un liquide clair et fermés par un bouchon de liège. Il crut d'abord qu'ils se rapportaient à un test de grossesse. Mais pourquoi les mettre là ?

Il les éleva dans sa main et déchiffra les étiquettes : PONT PCH 12/4 ; B. ISLAND 28/4 ; BACK BAY 7/5. L'écriture de Virginia.

Qu'est-ce que c'était que ça ?

Il les posa sur le plan de travail de la cuisine et les examina un instant, notant la présence d'un dépôt au fond de chaque tube. Il ôta le bouchon de l'un d'eux et en renifla le contenu, en versa une goutte sur son doigt et goûta. De l'eau de mer, sans aucun doute. Il consulta le procès-verbal de saisie, en quête d'une explication, et n'y trouva rien.

Des échantillons prélevés dans la baie. De l'eau de mer. Dissimulés parmi des choses destinées à être jetées.

Il les réenveloppa dans l'alu, remit le tout en place, et alla s'allonger sur le divan du séjour. L'horloge en forme de chat tictaquait dans la cuisine. A l'extérieur, les lignes à haute tension bourdonnaient. Les eaux clapotaient paresseusement sur le rivage.

Il s'endormit là, environné par ces murs qui avaient enclos l'existence d'Ann, et dans les profondeurs de la nuit, rêva d'une main d'homme élevant une rose pourpre vers le visage souriant et radieux de sa sœur.

8

A 6 heures, le lendemain matin, Jim entrait au *Poon's Locker* par la porte de derrière, suivi par Dennison. Virginia avait fermé pour quelques jours. Jim souleva les rideaux qui masquaient un pâle lever de soleil. Il regarda de l'autre côté de la baie, mais on ne distinguait pas l'autre rive. Le mât d'un grand yacht avait percé la brume, tel un vestige d'un autre monde. Jim versa de l'eau dans le percolateur.

— Tu as été plus rapide que je ne croyais, dit Dennison.

Il haussa les sourcils avec curiosité, mais le reste de son visage trahissait de l'appréhension.

— Je suis motivé. J'ai vu Ray, hier soir. Ça va aller. Il sort aujourd'hui — j'espère.

— Comment ta mère prend-elle la chose ?

— Elle est effondrée, Brian. Asseyez-vous donc.

Dennison tira une chaise en plastique bleu et s'y installa. Le percolateur siffla et gargouilla. Jim regarda en direction du trottoir, songeant aux fois innombrables où, adolescent, il avait préparé le café pour les clients du breakfast, taraudé par l'impatience de quitter le *Locker* pour monter à bord d'un des bateaux de Poon en route vers la haute mer. Ann s'occupait toujours de la table : remplir les salières et les poivrières, disposer les pots de crème, regarnir les distributeurs de serviettes en papier. Jake, leur aîné, aidait Poon sur les bateaux. Virginia régnait sur la cuisine et la resserre, faisait chauffer le gril, sortait les œufs et le pain, coupait les tranches de bacon à l'avance, parce que pendant l'affluence, personne n'avait de temps à gaspiller. Poon entrait et sortait trois ou quatre fois par matinée, faisant le va-et-vient du café aux bateaux, lançant des ordres, maudissant le temps, qu'il fût bon ou mauvais, maudissant les terriens grâce auxquels il gagnait sa vie. Virginia et lui se houspillaient comme de vieux Italiens. Jim regardait souvent, à travers ces fenêtres, Jake à bord d'un des bateaux, torse nu, la peau brunie par le soleil, vérifiant scrupuleusement le niveau d'huile ou la batterie, ou alignant les cannes dans les râteliers à l'arrière des cabines. Jake savait tout faire. Il était le meilleur.

— Je venais souvent ici pour affréter les bateaux de ton père, dit Brian.

— M'man les a vendus il y a un moment, sauf le *Sweetheart Deal*.

— Oui, ça on peut dire que je le connais, celui-là.

Jim se souvint qu'Ann avait braillé sans discontinuer lorsque Virginia avait voulu vendre aux enchères le *Sweetheart Deal*, le dernier vestige de la flotte. Amarré à cinquante pieds à peine au large de la grande maison, entretenu par Poon comme une pièce de musée, le petit voilier avait toujours été le préféré d'Ann. Au cours des dix années qui avaient suivi la mort de Poon, il n'avait pris la mer qu'une fois. Il s'était écaillé, affaissé, s'était rempli de nids d'oiseaux, et était maintenant ancré en vue du *Locker*, témoin immobile de l'absence de Poon. Chaque année, la ville envoyait un rappel à l'ordre pour « abandon d'épave » à Virginia, et chaque année, Ann faisait un brin de toilette cosmétique au *Sweetheart Deal*, puis le livrait à l'incurie une saison de plus.

Jim versa du café pour Dennison et lui, puis s'assit. Si Brian veut que le *Sweetheart Deal* quitte le port, songea-t-il, il devra le demander à Virginia en personne.

Dennison leva sa tasse et scruta Jim par-dessus le rebord, les sourcils en accent circonflexe.

— Qu'est-ce que tu m'apportes ?

— Kearns et Blodgett. Leurs caractéristiques

physiques cadrent plutôt bien, et ils ont pris tous les deux pas mal de temps libre entre minuit et l'heure de leur retour.

— Combien ?

— Kearns, vingt minutes — une pause café, paraît-il. Blodgett, presque toute l'heure. Cinquante minutes, aucun contact.

— Cinquante foutues minutes ? Quels secteurs ?

— Pour Kearns, la péninsule, là où travaillait Ann. Le secteur nord pour Blodgett.

Dennison se renversa en arrière et croisa les bras. Son regard s'était durci et ses sourcils formaient maintenant une barre horizontale. En cet instant, il avait plutôt l'air d'un flic coriace que d'un maire.

Il tressaillit en entendant claquer la porte, derrière eux. Virginia entra au pas de charge, cuirassée dans son coupe-vent jaune. Elle jeta un regard sur Dennison, sur Jim, puis dévisagea le chef avec une incrédulité non dissimulée.

— Bonjour, Mrs Weir, dit tranquillement Dennison.

— Qu'est-ce qu'il a de bon, je vous le demande ?

— C'est juste une expression. Je suis sincèrement désolé, pour Ann.

— Oui, enfin... moi aussi, Brian. Ça a été très dur.

Quand Virginia posa ses yeux bleu délavé sur Jim, son regard disait : Qu'est-ce qui te prend, bordel, d'amener ce candidat maire facho *dans mon café ?* Elle annonça à Jim qu'il avait un appel urgent.

— Qui ça ?

— Je ne vois pas la nécessité de claironner ça en public.

Brian haussa les épaules et fit mine de se lever, mais Jim saisit sa mère par le bras et l'emmena dans la resserre. Là, il leva un doigt dans sa direction en hochant la tête. Il expliqua que Dennison était venu pour parler d'Ann, pour trouver son assassin. Il fallait oublier la politique, les luttes électorales et les rivalités de voisinage. La tête haute, Virginia le toisait, l'air de dire : « Cause toujours. »

— Gold, annonça-t-elle. Le Dr Robert Gold. Il a dit que c'était important. Il est toujours en ligne.

— Je le rappellerai.

— Son nom me dit quelque chose.

— C'est un de mes anciens profs de fac, m'man.

— Il a peut-être des renseignements ?

— Dis-lui que je le rappelle d'ici quelques minutes. Prends son numéro. Tu peux faire ça ?

Le regard dur de Virginia s'abaissa vers le sol.

— Ce que je n'arrive pas à faire, c'est un progrès avec les fleurs. Le dimanche... avant Ann... c'était la Fête des Mères — le jour le plus chargé de l'année. J'ai finalement épuisé toute la liste de Newport Beach. Personne n'a vendu ni livré de roses à Annie.

— Eh bien continue ! Au fait, c'est quoi, ces éprouvettes dans le frigo d'Ann ? Il y a ton écriture dessus.

Elle croisa les bras, jeta un coup d'œil en direction de la salle à manger et baissa la voix.

— On aura le temps de parler de ça plus tard. Retourne auprès de ton *ami*, maintenant.

— Crois-le ou pas, il aimerait nous aider.

Virginia se raidit.

— Je ne veux pas de ce type dans mon café. C'est un larbin de C. David Cantrell, de la PacifiCo, et il défend toutes les causes que je combats. Il ne veut même pas accepter un débat public avec Becky. A partir de maintenant, tu le rencontreras autre part.

— Il cherche des réponses, tout comme nous.

— Sans blague ! Téléphone à Gold. Il dit que c'est important. Quand tu en auras fini avec ce gros lard, je pourrai te parler des tubes.

Elle lança un regard méprisant en direction de la salle à manger puis se dirigea vers la porte de service. Il y avait au dos de son coupe-vent jaune un espadon bondissant avec, brodée au-dessus au fil rouge, l'inscription CLUB DE PÊCHE FÉMININ DE NEWPORT. Virginia en était la présidente depuis dix ans.

Ses deux mains autour de sa tasse de café, Dennison semblait maintenant inquiet.

— Tu ne lui as pas dit ce que...

— Bien sûr que non. Inutile de vous faire de la bile.

— Cette femme me fiche une trouille bleue.

— Je reconnais bien là l'effet qu'elle produit sur les gens.

Dennison pouffa, les sourcils levés dans une expression de doute.

— Ce qui me terrifie le plus, c'est qu'elle s'imagine être la seule à prendre à cœur les intérêts de cette ville. Elle pense que les gens comme Dave Cantrell et moi veulent tout transformer mais, crois-moi, le danger vient d'ailleurs.

Jim attendit la révélation. Elle ne vint pas. Dennison s'affala à nouveau sur sa chaise avec un soupir qui semblait dire : Ah ! si ces gens se doutaient du fardeau que je porte ! Jim attendit de nouveau, se demandant si le silence l'amènerait à livrer sa pensée. La réplique suivante le surprit.

— J'espère que Virginia sait qu'elle peut faire appel à moi quand elle veut. Je sais qu'elle pense que ma Section de lutte antipollution est une fumisterie.

— Elle m'a jamais rien dit de tel, fit Jim.

Ce qu'elle lui avait dit, c'était que Dennison se préoccupait davantage d'acheter un hélico neuf que de lutter contre la pollution du port.

— La dernière chose dont nous ayons besoin dans cette ville, c'est de nous retrouver envahis par les fédéraux. J'espère que Virginia est assez intelligente pour saisir ce danger. Il faut que nous nous occupions de Newport Beach nous-mêmes. Nous... les gens qui vivent ici.

Alors, nous y voilà, songea Weir. Voilà une des raisons pour lesquelles Dennison m'a mis sur l'affaire : je peux parler à Virginia en sa faveur parce que je suis son fils. Cela, tout en veillant à ce que Becky n'apprenne pas que les flics surveillent les flics, puisque je suis son ami, son ex-compagnon, son examant. Dennison lui parut soudain moins fantaisiste et totalement hypocrite. Puis il se demanda s'il n'avait pas hérité de sa mère la manie de la conspiration.

— Je suis sûr qu'elle serait d'accord.

— Elle ne resterait pas assise assez longtemps pour vous écouter.

Weir devina le corollaire : Amène Virginia à la table des négociations. Dennison l'examina un instant, apparemment convaincu de son efficacité.

— Très bien, Blodgett et Kearns, soixante-dix minutes sans alibi. Quoi d'autre ?

— Blodgett et Ray ont eu des prises de bec. Insultes raciales.

— Ça date de deux ans.

— C'est un élément à examiner.

Dennison hocha lentement la tête, le regard perdu au-delà de la fenêtre. Weir suivit sa ligne de mire jusqu'à la baie, où la lumière matinale s'était élevée de plusieurs tons contre le brouillard. Il sentit que le chef regrettait déjà de lui avoir livré ses dossiers.

— Kearns et Blodgett, reprit Dennison. Que puis-je t'apporter d'autre ?

— Tout ce que vous avez.

— C'est déjà fait, et tu as une entrée chez Robbins. Sers-t'en.

— J'envisagerais le détecteur de mensonges, si j'étais vous. Soumettez-y toutes les unités de patrouille. Demandez à l'opérateur d'axer les questions sur quelque chose d'autre — drogue, harcèlement sexuel, ce que vous voudrez. Demandez à vos hommes de se prêter au test, mais sans insister. Ce qu'il nous faut, c'est une justification de l'emploi du temps de Kearns et de Blodgett. S'ils parlent, très bien. Sinon, il faudra se demander ce que ça cache.

— Non. Le syndicat aurait ma peau. C'est exactement le genre de truc que je ne veux pas faire. C'est justement pour ça que j'ai fait appel à toi.

Dennison leva ses yeux pâles vers Jim, et tressaillit

de nouveau quand Virginia fit irruption par la porte de derrière.

— Il a rappelé, dit-elle. Il paraît que c'est important.

— Je le rappelle dans cinq minutes.

— Il est en ligne.

— *Je le rappellerai, m'man.*

La porte se referma en claquant.

— Je veux que tu parles à Kearns et à Blodgett. Si leurs réponses ne collent pas, je soumettrai le dossier à la police des polices. Je préférerais éviter ça, mais s'il le faut, je le ferai. Ne mentionne pas l'enregistrement du standard, ou je suis foutu.

Weir réfléchit.

— Pourriez-vous m'introduire dans les vestiaires, quand ils sont vides ?

Dans le regard de Dennison s'alluma un éclair de curiosité.

— Le cheveu sur le chemisier d'Ann ?

Jim acquiesça. Dennison réfléchit un moment puis secoua la tête.

— Trop risqué. Tâche de leur parler d'abord. Vérifie leurs alibis. Nous prélèverons des échantillons de cheveux si ça s'avère nécessaire.

— Kearns et Blodgett savent ce que Mackie a vu ?

— Pas exactement. Ce rapport n'est destiné qu'à moi, Perokee et un ou deux capitaines. Et à toi.

— Je pourrais broder. Gardez les interrogatoires sous le coude, si vous pouvez.

— C'est ce que je fais. S'il y a une fuite, je saurai d'où ça vient. (Dennison tendit une enveloppe.) Voilà pour hier et aujourd'hui, et trois de plus. Après ça on rediscutera. Quatre mille dollars, Jim. Motus. Ne me fais pas le coup de tout déballer.

Jim empocha le fric. Cent dollars de l'heure pour découvrir qui avait tué Ann. Il se sentit sale.

— On a retrouvé la voiture d'Ann. Les nôtres l'ont repérée il y a deux heures. Innelman a effectué les premières constatations, et on l'a placée sous scellés à la fourrière.

Un instant, le cœur de Jim se mit à battre plus vite, puis reprit son rythme.

— Ils l'ont trouvée où ?

— A un mille d'ici, du côté du Wedge.

— Et ?

— Portière forcée, donc on suppose qu'il la guettait de l'intérieur quand elle a quitté le boulot. La bagnole était garée dans une petite rue, comme beaucoup d'autres. Innelman a dit qu'elle est couverte d'empreintes — autres que celles d'Ann, j'espère. J'en suis venu à penser qu'elle comptait se rendre quelque part, ce soir-là — sinon, elle serait allée au boulot à pied, pas vrai ? Alors, où ?

— Si je le savais, on ne serait pas assis là. Et la pièce de joaillerie que Deak a dénichée ? Des empreintes, une marque, quelque chose ?

— Un ou deux joailliers ont dit à Innelman qu'il s'agit sans doute de la fermeture d'une épingle de cravate. Un modèle réalisé sur commande — un truc cher, du vingt-quatre carats.

Ils se levèrent et échangèrent une poignée de main.

— Le monde est un drôle d'endroit, Jim. Tu es en train d'enquêter sur mes gars, et moi, je vais faire un discours à midi devant l'association Kiwanis, pour les persuader que je ferais un bon maire.

— Je suis sûr que ce sera le cas.

— J'aurais pensé que tu voterais pour Becky.

— On a pris nos distances.

— C'est une bonne avocate, dit Dennison. (Il se leva puis hésita, lorgnant du côté de la porte de derrière.) Tu sais, Jim, tu pourrais me rendre un service. Il est évident que ta mère ne m'aime pas et qu'elle fera tout ce qu'elle peut pour Becky dans cette campagne. C'est très bien. C'est ce qui fait que ce pays est formidable. Mais dis-lui quelque chose de ma part. Dis-lui que si elle a des raisons de s'inquiéter à propos des eaux de notre baie, elle peut venir me trouver. Elle n'a aucune raison de se précipiter vers l'Etat. Si elle a mis le doigt sur quelque chose, j'aimerais le savoir. Cette ville compte pour moi, quoi qu'elle en dise.

— Et que croyez-vous qu'elle ait trouvé ?

Dennison haussa les épaules.

— Elle ne m'en dira foutre rien. Peut-être que tu peux arriver à le savoir, toi.

Jim prit le numéro du Dr Robert Gold et monta dans son ancienne chambre. Gold était un homme à la voix douce qui même quinze ans plus tôt, à l'époque où Jim suivait ses cours de psychologie criminelle, semblait vieilli et usé par l'étude du crime. C'était un statisticien dans l'âme, un collectionneur de données, un théoricien qui fondait ses idées sur l'immuabilité de certains faits et l'imprévisibilité des comportements. Il devait friser les quatre-vingts ans, maintenant.

Mrs Gold annonça à Jim que son mari le prenait tout de suite, mais il dut attendre deux bonnes minutes avant de l'avoir en ligne.

— Ça fait longtemps, Jim, dit le médecin en guise d'accueil.

Il avait la voix tonitruante d'un homme dont l'ouïe est désormais déficiente.

— Trop longtemps, docteur.

— Pourriez-vous parler plus fort ? Désolé de vous avoir fait attendre. Je suis cloué dans un fauteuil roulant, désormais, et ça prend un temps incroyablement long de le conduire à travers une pièce. C'est parce que mon bras droit ne répond plus, et ma jambe droite non plus. Alors, bien entendu, ça me ralentit considérablement. Une attaque, pendant l'été 89.

— J'en suis navré, docteur.

— Pardon ?

— *J'en suis navré, docteur.*

— Merci, mais que voulez-vous, quatre-vingt-quatre ans, c'est quatre-vingt-quatre ans. Au moins, le côté droit de mon cerveau fonctionne encore.

— Vous êtes à la retraite ?

— Oh, oui, depuis dix ans ! Aujourd'hui, je passe le temps en m'occupant de ma volière, et en lisant les journaux. Il m'est devenu trop difficile d'écrire, alors je lis pour le... ma foi, plaisir n'est peut-être pas le mot approprié, n'est-ce pas ?

Le rire mugissant de Gold résonna sur la ligne et Weir crut y déceler quelque chose de désespéré.

— Qu'est-ce que vous avez pour moi, docteur ?

Gold s'éclaircit la gorge.

— Jim, je tiens d'abord à vous dire combien je suis désolé pour votre sœur. J'ai beaucoup de peine pour vous, et aussi pour Raymond.

— Ça va aller, docteur.

— Excusez-moi, je n'ai pas bien compris ce que...

— *Ça va aller.*

Le silence régna soudain au bout de la ligne. Jim pouvait entendre la respiration de Gold. Dix secondes s'écoulèrent.

— Me revoilà, dit Gold, d'une voix très douce, cette fois. Excusez-moi. De temps en temps, j'ai une toute petite crise, et je n'arrive pas à avoir les idées nettes pendant un moment. Accordez-moi encore quelques secondes... c'est bien Jim ?

— Oui, docteur, c'est Jim Weir.

— Oh la la, c'est... ne quittez pas. Une seconde.

Une minute plus tard, Gold parla de nouveau. La vigueur était revenue dans sa voix, mais Weir mesurait à présent combien il dépensait d'énergie rien que pour parler.

— Bon, Jim. La raison de mon appel, c'est que je passais en revue les dossiers des cas d'agressions sexuelles sur les trois mois écoulés. Je les revois trimestriellement, histoire de glaner des chiffres. Est-ce que le nom de Horton Goins vous dit quelque chose ?

— Non.

— Eh bien, il a violé et poignardé une jeune femme dans l'Ohio, il y a neuf ans. Elle n'est pas morte, mais elle a multiplié les séjours dans les hôpitaux, depuis, et elle est terriblement perturbée. Goins est un schizophrène. Vous n'avez pas pu entendre parler de lui. Il n'en a pas été question dans les journaux, par chez vous. Mais son cas m'intéressait pour plusieurs raisons. Il n'avait que quinze ans. Il avait connu plusieurs familles adoptives. Il avait eu une enfance mouvementée, et son QI était étrangement variable. Il avait aussi un métabolisme schizophrénique parfaitement lisible.

— Lisible ?

— Tomodensitométrie — plus connu sous le nom d'examen au scanner. Le Dr Field, de l'université de Californie, a eu la bonté de me laisser travailler un peu par-dessus son épaule sur ce cas. On avait amené Goins en avion de Dayton, très très discrètement, escorté par la police d'Etat et son gardien à l'hôpital. Vous imaginez d'ici les ficelles qu'il a fallu tirer. Mais quel sujet ! On voyait le thalamus hyperactif — jaune vif et rouge, ainsi que l'activité frontale correspondante, inexistante chez les gens normaux. La scanographie de Goins était la carte routière virtuelle de la schizophrénie — son relevé chimique. Le *National Geographic* a publié une photo de son cerveau dans son numéro de janvier 87. Quoi qu'il en soit, Goins était un des cas dont je me servais dans mes cours, et ses... propensions sont restées gravées dans mon esprit. Jim, pourriez-vous me confier le groupe sanguin du suspect ?

— Groupe B plus.

— Intéressant. Goins aussi. Les détails de l'affaire sont très similaires à ce que j'ai appris à propos d'Ann. Il a emmené sa victime dans une zone marécageuse pas très éloignée de la ville. C'était tard dans la nuit. Il l'observait depuis des semaines, d'après ce qu'on a découvert au cours des interrogatoires. Elle était serveuse. Goins a été interné dans un hôpital de l'Etat comme mineur délinquant sexuel souffrant de troubles mentaux. Ils l'y ont gardé pendant presque neuf ans, lui ont administré les médicaments habituels et fait suivre une psychothérapie, avec des résultats remarquables, semble-t-il. La scanographie réalisée par le Dr Fields les a aidés à établir des prescriptions plus efficaces — ce n'est pas comme s'ils utilisaient ces gens-là comme cobayes, pour les larguer ensuite.

— Non.

Jim entendit le Dr Gold reprendre son souffle.

— En janvier dernier, ils ont renvoyé Horton chez ses parents — ses tuteurs légaux, en fait. L'histoire habituelle. L'Etat ne pouvait plus le garder, son médecin traitant avait donné un avis favorable, et le District Attorney avait les mains liées puisque Horton était en captivité depuis presque neuf ans. A la fin janvier, Horton Goins et ses parents adoptifs ont déménagé pour s'installer à Costa Mesa. C'est à... quoi ? trois kilomètres de l'endroit où on a trouvé Ann ?

Weir sentit sa gorge se nouer.

— Vous avez une adresse ?

Gold donna à Jim l'adresse et le numéro de téléphone d'Emmett et Edith Goins, les parents adoptifs de Horton.

— D'après vos études, docteur, Goins est-il susceptible de récidive ?

— Oh là là, attendez...

De nouveau, le silence sur la ligne. Jim percevait la respiration régulière de Gold. L'attaque dura une demi-minute.

— Allô ?

Sa voix était très faible, à présent.

— Allô, docteur... c'est Jim Weir.

— C'est si dur... si dur de sortir de derrière ce nuage. Sans parler des médicaments qu'ils me donnent pour que ceux du traitement ne me bouffent pas l'estomac. C'est comme... si je me regardais dans un rêve. Où en étions-nous ?

— Je vous demandais si Goins était susceptible de récidiver ?

— Impossible de répondre directement à une telle question. Tant de facteurs, tant d'inconnues. Mais, ma foi, Jim, je vous ai téléphoné, n'est-ce pas ?

— Merci, docteur. Y a-t-il quelque chose que je puisse faire pour vous ?

— Eh bien... (La voix de Gold était flûtée et ténue, maintenant, comme si le souffle qui passait sur les cordes n'était pas suffisant pour les faire vibrer.) Vous savez, Jim, il y a seulement quelques mois, je vous aurais demandé de glisser un mot pour moi, d'arranger une entrevue, au cas où vous appréhenderiez Goins. Mais maintenant... maintenant, je crois que je désire seulement me reposer. J'ai mes oiseaux.

— Que Dieu vous bénisse, docteur.

9

Emmett et Edith Goins vivaient dans la partie est de Costa Mesa, dans Heather Street. C'était un quartier dont les immeubles avaient été bâtis dans les années 50 : rectangles uniformes, toits plats, escaliers de ciment avec rambardes en fer forgé menant aux étages supérieurs. La résidence des Goins s'appelait Island Gardens, et ne se différenciait pas de celles qui l'entouraient, exception faite de l'immense paradisier et de la tête en pierre de six pieds de haut qui se dressaient à l'écart du passage pour piétons. La statue était de style polynésien par ses traits, et couverte de graffitis. La pancarte qui se dressait derrière ce « jardin exotique » était si décolorée par le soleil que Weir parvint à peine à la déchiffrer.

Les Goins habitaient au rez-de-chaussée, au 1-C. Weir dépassa trois bacs à ordures puants et grouillant de chats, un escalier, traversa un passage envahi de mauvaises herbes et parsemé d'étrons, longeant les fenêtres ouvertes des appartements, d'où venaient des bruits de télé et des odeurs de graillon. Les moustiquaires étaient constellées de mouches qui brillaient sous le soleil morne du matin.

Il frappa à la porte et recula d'un pas. On entendait un jeu télévisé — un rire effroyable, suivi d'une musique de foire et d'applaudissements.

— Qui c'est ?

Voix de femme, basse et âpre.

— Je m'appelle Jim Weir.

— On reçoit personne.

— Je suis venu voir Horton.

— Il est pas là.

— Pourrais-je vous parler un instant, s'il vous plaît ?

La porte s'entrebâilla alors et une femme rousse leva les yeux sur lui. Elle portait un peignoir en tissu-éponge bleu, avec de la cendre de cigarette sur le revers. Ses yeux marron étaient injectés de sang.

— Z'êtes de la police ?

— Non. Mais j'aimerais vous poser quelques questions.

— Encore un docteur ?

— Non, m'dame, juste un type ordinaire.

— Personne d'ordinaire s'intéresse à Horton.

— Puis-je entrer ?

Edith Goins lui ferma la porte au nez. Jim entendit des voix, des questions, un acquiescement encourageant. La femme rouvrit la porte un instant plus tard et fit volte-face. Jim la suivit. Elle était petite, lourde, grassouillette.

— Voici Emmett, dit-elle. Em, voici Mr Weird[1].

L'homme était emprisonné dans l'ombre, enve-

1. Weird signifie « bizarre » en anglais. *(N.d.T.)*

loppé dans une robe de chambre noire ornée d'une grande ancre argentée sur la poitrine. Il avait une tête étroite, des cheveux courts, ses oreilles étaient plaquées contre son crâne. Il portait une fine moustache, mais paraissait presque efféminé. Son visage, rouge sous la lueur de la télé, vira au bleu dans un crépitement d'applaudissements. Il regarda Jim et lui tendit la main.

— Horton est pas là, dit-il enfin.

Jim lui serra la main, puis s'assit à l'autre bout du divan où se tenait Edith. Il posa sa serviette.

— Merci de m'avoir laissé entrer. Vous avez un joli petit appartement.

— Ça devrait être huit cent cinquante par mois, fit Emmett. Et si ce truc-là, « Halte à l'expansion », passe aux élections, alors ils arrêteront de construire et le loyer sera encore plus cher.

Jim jeta un coup d'œil sur la télé, où un jeune couple saisi de frénésie se ridiculisait pour gagner un micro-ondes.

— J'ai eu une conversation avec le Dr Robert Gold. C'est un homme qui suit les gens quand ils sortent de l'hôpital. Il m'a dit que vous aviez emménagé ici avec Horton en janvier dernier.

— Le 28 exactement, dit Edith. Pourquoi que vous vous intéressez tellement à Horton ? La femme qui a été assassinée ?

La question désarçonna Weir. La visite promettait d'être étrange.

— Oui. Une jeune femme. Il y a cinq nuits de ça, dans la Back Bay de Newport, à trois kilomètres d'ici. Nous étions... très proches. Horton était-il à la maison, ce soir-là ?

Edith et Emmett échangèrent un regard furtif. Emmett adressa un hochement de tête à sa femme.

— C'était lundi, dit-elle. Horton était dehors, dans la nuit de lundi. Il va et vient comme ça lui chante, maintenant, même si les gens qui se sont occupés de sa libération lui ont dit de rester vissé ici.

Jim acquiesça, attendant la suite, dans le caquètement stupide du jeu télévisé. Il sentait qu'on lui taisait des choses importantes, des choses qui nécessitaient peut-être une introduction.

— Ça ne vous ennuierait pas de me parler de Horton ? Je ne suis ni flic ni médecin. Je n'ai aucun rang officiel. J'ai juste perdu quelqu'un de cher, et j'essaie d'être utile.

Emmett regarda Edith, puis hocha de nouveau la tête, mais aucun des deux ne parla. Leur silence prolongé sous-entendait que les révélations à venir étaient d'une extrême importance, mais il n'y avait rien de théâtral dans leurs expressions. Edith tira une bouteille de bourbon de sous le divan et en versa une petite quantité dans une tasse à café. Weir comprit que sa présence lui fournissait une excuse pour boire. Elle fit tourner un instant l'alcool dans sa bouche puis l'avala.

— Horton est pas notre fils, dit-elle. On l'a eu par l'agence quand il avait quatre ans.

— Il en avait pas quatre, il en avait presque six, intervint Emmett. (Quand il regardait Jim en face, l'un de ses yeux errait ailleurs, et l'autre restait fixé sur sa cible avec une sombre intensité.) L'agence nous a menti là-dessus, et sur plein d'autres choses aussi.

— On faisait pas la différence entre quatre et six, de toute façon, reprit Edith. Vu qu'on pouvait pas en avoir un à nous. Vous comprenez, Emmett avait une mauvaise...

— Ça r'garde personne, Edith.

— ... alors, on en a eu un par l'agence.

— De quelle agence s'agissait-il ?

— L'agence d'adoption de Hardin County. Hardin County, c'est dans l'Ohio.

— Oh, fit Jim.

Il avait soudain de la peine pour ces gens. Ils avaient tout l'air d'attirer le désastre comme un paratonnerre attire la foudre. Et il percevait aussi en eux le désir irrépressible de parler, commun aux enfants et aux poivrots.

Edith se versa un autre bourbon, qu'elle examina d'un air circonspect.

— On était heureux de l'avoir. Vous comprenez, d'habitude, il faut attendre longtemps, mais Horton, on l'a obtenu très vite. Y nous ont juste fait signer un tas de paperasses et on l'a emmené.

— Ça aurait dû nous mettre la puce à l'oreille, qu'ils nous l'aient donné si rapidement, dit Emmett. Mais non.

Edith haussa les épaules.

On lui avait acheté une petite chemise de cow-boy marron, et le pantalon pour aller avec. Je me rappelle, quand on l'a emmené jusqu'à la Buick en le tenant chacun par une main, c'était comme si j'avais enfin une famille. Je crois que ce trajet de l'agence jusqu'à la voiture, eh bien, ça a été la première fois de ma vie où j'aie été heureuse. Ça faisait exactement vingt-quatre pas. Je m'en rappelle encore, j'sais pas pourquoi.

— Commence pas à pleurnicher, Edith, intervint son mari.

— Moi aussi, il m'arrive de compter les pas, dit Jim.

Enhardie, Edith avala encore une gorgée et poursuivit :

— C'est bizarre, les trucs qu'on retient quand on est heureux. Alors comme ça, on a emmené Horton à la maison, et il disait rien. Il nous a ni regardés ni parlé pendant cinq jours. Il mangeait beaucoup. On nous avait parlé de la période d'adaptation, que le gosse devait s'habituer à nous et se sentir en sécurité pour être heureux. L'agence nous avait dit d'essayer un animal familier. On lui a ramené deux hamsters, mais ils ont disparu, et Horton, il savait pas où. Après, on lui a acheté un chien, et il en raffolait. Mais le clebs s'est sauvé au bout d'une ou deux semaines. Un mois plus tard, des chiens de la ferme ont trouvé les cadavres du chien et des hamsters de Horton dans le marécage au-dessous du pont, et y les ont rapportés en paradant dans notre jardin. Horton, il avait pas l'air trop surpris.

Un long silence s'ensuivit. Emmett fixait la télé.

— J'ai parlé de lui à l'agence. Y m'ont dit que c'était normal, que Horton avait pas un passé de mauvaise conduite, et qu'on devait être patients. Ce qui nous chiffonnait le plus, c'était qu'il parlait jamais. Un jour, il s'est levé de sa chaise en plein milieu du repas et il a fait pipi sur le jambon. Je l'ai corrigé à coups de ceinture, mais il m'a mordu si profondément la jambe qu'on a dû me faire dix-huit points de suture, et le vaccin antitétanique. Ça a cicatrisé noir, j'sais pas pourquoi.

— C'est là qu'on a ramené Horton à l'agence, reprit Edith. Ils arrivaient pas à comprendre pourquoi qu'il était si méchant, et y nous ont assuré que ses antécédents du dossier étaient bons. Ils ont eu l'air de dire comme quoi on faisait pas ce qu'il fallait et on était pas bien pour lui. On leur a dit qu'on essaierait d'être plus affectueux et compréhensifs, vu que c'était ce dont un enfant avait besoin, d'après eux. On avait honte.

— Pas moi, dit Emmett. Rien qu'à voir le regard de cette femme, je savais qu'elle mentait à son sujet. Je me rappelle que sur le trajet du retour, Horton était assis à l'arrière de la Buick, et il a brûlé une luciole sur un des allume-cigares qu'il y avait à l'arrière de ces vieux modèles.

Le silence se prolongea de nouveau.

— Un gosse bien difficile, dit Jim pour le combler.

Edith hocha la tête.

— Alors, on a fait appel à un privé pour qu'il se procure les dossiers de l'agence. C'était pile comme on pensait. Il avait mis le feu à sa propre maison quand il avait quatre ans. En fait, il en avait six quand ils nous l'avaient donné, comme j'ai dit, ils avaient essayé de nous rouler. C'est pour ça qu'ils nous l'avaient donné si vite. C'était un vaurien. Alors, on a essayé de le leur faire reprendre, mais y z'ont refusé. Finalement, il a fourré le cadavre d'un mocassin d'eau dans les sous-vêtements de Pammy Fritzie, et on l'a remis au juge pour enfants. Il avait sept ans. Ils l'ont gardé deux ans. Ils lui ont fait un tas de tests, et ils nous ont dit qu'il pouvait s'agir d'un problème chimique. Je crois que ça a été la deuxième période heureuse de ma vie. Quand on a été débarrassés de Horton.

Emmett tendit sa tasse à café, et sa femme lui versa du bourbon.

— Quelques mois après son entrée à la maison de redressement, Horton s'est mis à nous écrire. C'étaient des lettres vraiment bien écrites, et l'orthographe était bonne. Il avait vraiment du vocabulaire, pour un gamin de sept ans. Il était intelligent. Il nous a écrit qu'il regrettait beaucoup ce qu'il avait fait, et que la ferme lui manquait. Je peux vous dire, on était assis à la table de la cuisine, et on a pleuré parce qu'il avait l'air d'avoir tellement de chagrin et qu'on avait tout plein d'amour au-dedans de nous qui demandait qu'à sortir. On aurait dit que le Horton de la lettre, c'était le fils qu'on avait toujours désiré.

— Alors, dit Edith, on a fait une demande, et on l'a récupéré.

Emmett soupira et regarda Jim. De nouveau, son visage vira au bleu sous la lumière de l'écran télé.

— Quand je regarde en arrière, monsieur Weird, je peux dire honnêtement que c'est la plus grande connerie que j'aie jamais faite.

— Moi aussi, ajouta solennellement Edith. Après ça, Horton s'est bien comporté pendant quelques années. Disons, entre neuf et douze ans. Il passait beaucoup de temps dans les champs et les marais, il attrapait des serpents et des bestioles, qu'il ramenait à la maison. Il faisait sa part du ménage, gagnait un peu d'argent, et achetait des bouquins sur les animaux. A l'école, ma foi, il se faisait pas tellement d'amis. On le battait beaucoup vu qu'il était pas costaud et puis vous savez comment ils sont, ils en choisissent toujours un qu'ils embêtent tout le temps. Ils avaient jeté leur dévolu sur Horton et ils l'ont rendu bien malheureux. Mais ces notes qu'il avait ! Quand Horton est entré en quatrième — ça fait à peu près treize ans, comme âge — il avait des A partout et seulement un D. Le D, c'était en expression orale. Il osait pas se lever devant tout le monde pour parler.

Weir resta silencieux alors que des vagues invisibles de souvenirs envahissaient la pièce. Il comprenait que ce qu'on venait de lui raconter représentait l'acmé du bonheur dans la cellule familiale Goins.

— Si je comprends bien, la maison de redressement lui avait été plutôt bénéfique ?

Edith hocha la tête et but à nouveau.

— Quand Horton est revenu chez nous, il avait appris à se maîtriser. Il était très poli. Il était tranquille. Il aimait installer des choses dans sa chambre pour pas avoir à sortir beaucoup. Il voulait y manger, mais on le lui a jamais permis. Mais vous savez, Horton nous a pas dit une seule fois qu'il nous aimait. Il pensait jamais à notre anniversaire et il nous a jamais rien offert pour Noël. Il vivait dans son monde. Y avait le Horton poli qui faisait la vaisselle, et y avait le Horton qui passait des heures enfermé dans sa chambre, ou des journées entières dans les champs et les marais. Il y avait deux Horton. J'en suis convaincue.

Les Goins redevinrent silencieux, perdus chacun de son côté dans leurs souvenirs. Edith se tourna vers Jim.

— Vous avez des enfants ?

— Non, m'dame.

— Alors, vous pensez sûrement qu'on est deux idiots de fermiers, mais c'est pas vrai. On a de l'amour dans le cœur — ou du moins, on en avait il y a longtemps — et on a fait de notre mieux pour le donner à quelqu'un. Communiquer avec ce petit, on le désirait plus que tout au monde. Après la première année, on a commencé à se dire que ça venait de nous, et plus il se comportait mal, plus on pensait que c'était notre faute. A l'époque où on l'a placé en maison de redressement, on était devenus dingues nous-mêmes. On a offert notre amour à Horton. Personne peut dire le contraire. On le soutenait. On le fait toujours.

Emmett tendit de nouveau sa tasse. Il regarda Jim, et à la lueur de la télé, son regard eut un éclat de surprenante tendresse.

— Entre douze et quinze ans, Horton était plutôt distant. Toujours poli avec nous, ne rouspétant jamais. Pendant une courte période, il a eu une petite amie, une fille de son âge qui habitait deux fermes plus loin. Elle s'appelait Lucy Galen, et on les a aperçus ensemble une fois ou deux, quand ils rentraient de l'école. Rien qu'à voir la façon dont Horton la regardait, on comprenait qu'il était... fasciné par cette fille. Il allait au bar où elle travaillait. On n'a jamais su ce qui s'était exactement passé, mais un soir, les parents de Lucy nous ont téléphoné pour nous dire de tenir Horton à l'écart de leur fille, sinon ils alerteraient la police. Une histoire à propos de leur fille et lui derrière le hangar de fumage. Alors, on lui a interdit de la voir, et à ce qu'on sait, il nous a obéi. Il a passé plus de temps qu'avant dans sa chambre, après ça.

Emmett éteignit le poste avec la télécommande. L'appartement parut soudain plus petit et plus sombre.

— En mai de la même année — Horton avait quinze ans —, on a trouvé Lucy dans le marais, poignardée et violée. Ils ont mis Horton en taule mais ils ont conclu qu'il était fou et ils l'ont interné. Lucy est pas morte, mais elle s'est jamais remise non plus, à ce que qu'on a entendu dire. Après ça, Horton a passé neuf ans à l'hôpital. Ils ont fini par prendre une photo de ce qui le rendait fou, et ils lui ont donné un tas de bons médicaments. Il allait déjà mieux avant ça, mais les nouveaux médicaments l'ont guéri. En janvier dernier, ils l'ont laissé rentrer chez nous. Guéri.

Jim observa un instant de silence, pour Lucy et pour Horton, mais surtout pour Emmett et Edith Goins. L'appartement semblait vibrer de leur chagrin.

— Et vous êtes venus en Californie ?

— Oui.

— Pourquoi ?

Ils échangèrent un regard, un regard de résignation infinie.

— Horton nous l'a demandé, dit sa mère. Et puis, on y était prêts. Em arrivait pas à trouver de boulot dans l'Ohio — on s'était installés à Lima — alors, on a pensé qu'on pourrait repartir du bon pied en Californie.

— Horton vous a-t-il dit pourquoi il voulait venir ici ?

Edith but une nouvelle gorgée.

— Non. Mais il nous a dit qu'il y aurait un tas de possibilités pour Emmett, ici, que c'était un pays où on pourrait repartir de zéro, et que le climat était agréable. Il a fait de longues recherches, et il a conclu que Costa Mesa était le meilleur endroit où nous installer. Assez près de la mer pour le bon air, et assez près des autoroutes pour le travail. Horton a trouvé un job dans un PhotoStop dès notre arrivée. Vous comprenez, pendant son internement, il s'était pris d'intérêt pour la photo. Il a pris des photos vraiment bien des autres patients, même si je dois admettre que ce sont des gens plutôt terrifiants.

— Quel PhotoStop ?

— Juste là-dehors, dans Harbor Boulevard. Pour être honnête, Horton leur a menti un tout petit peu pour pouvoir être engagé.

— Comment s'est-il comporté depuis sa sortie ?

Emmett reposa sa tasse.

— Vous allez avoir du mal à le croire, parce qu'on a eu du mal à le croire nous aussi. Horton a totalement changé.

— Comment ça ?

— Il est propre et net. Il lui arrive de sourire. Il aime son travail et le prend — enfin, le *prenait* — très au sérieux. En voyant tout le monde si soigné et si bronzé, par ici, il s'est mis à faire des exercices dans sa chambre. Il aime bien ces couleurs que vous avez par ici — les chemises hawaiiennes, les pantalons larges resserrés aux revers, et ces chaussures de jogging qui ont l'air si compliquées. Il se met du gel ou un truc comme ça sur les cheveux pour qu'ils tiennent.

Edith alluma une cigarette et exhala la fumée par le nez.

— Mais vous savez, c'est pas juste sa façon de s'habiller, ou d'agir. Nous avons durement appris comment quelqu'un peut se comporter d'une manière et être quelqu'un d'autre. C'est dans sa façon de nous regarder, de regarder le monde. Il y a une lumière dans ses yeux, maintenant. Il y a de la... joie dedans.

Jim regarda la fumée s'évader à travers la pièce, en direction de la fenêtre.

— Et vous dites qu'il a quitté son travail ?

Edith et Emmett se dévisagèrent à nouveau et hochèrent la tête. Edith soupira.

— Au début de février — juste quelques semaines après notre arrivée ici — Horton s'est mis à passer de moins en moins de temps à la maison. Il nous a dit qu'il faisait des heures supplémentaires, mais quand on faisait un saut en voiture pour passer le voir, il était pas là, y avait quelqu'un d'autre à son comptoir. Les conditions de sa libération spécifiaient qu'il devait vivre avec nous, alors on lui a dit de pas bouger comme ça. Il a souri et il nous a embrassés — ça a l'air d'être une manie, par ici — et il nous a dit que tout était « cool » et qu'on devait pas s'inquiéter. Et puis, bon, il y a deux mois aujourd'hui, Horton a déménagé. Il a pris les trois quarts de ses affaires, ses appareils et ses vêtements, et il a disparu. Il s'est pas représenté à son travail, à ce qu'ils nous ont dit. Il revient deux fois par semaine et dort ici — pour respecter les conditions. Il nous téléphone tous les deux ou trois jours pour nous dire qu'il va bien, et on a reçu trois cartes postales. Mais il dit pas où il est. Une fois par mois, ils le convoquent, et il se présente toujours. Le reste du temps, sauf une nuit ou deux, il est pas là. Il a pris notre Chevy et nous a laissé la camionnette. En fait, il se débrouille très bien pour changer l'huile — il l'a fait quand on a quitté l'Ohio et à notre arrivée ici.

— Où croyez-vous qu'il soit allé ?

— J'en ai franchement aucune idée.

Edith et Emmett le regardaient, à présent. Elle se pencha en avant.

— Qu'est-ce que vous voulez exactement, monsieur Weird ?

— La femme qui a été tuée était ma sœur, Ann.

— Seigneur ! dit Edith.

Elle se versa avec soin un autre verre. Emmett se pencha en avant lui aussi, les coudes sur les genoux.

— Monsieur Weird, on a été honnêtes avec vous jusqu'ici parce qu'après tout ce qu'on a traversé avec Horton, on a appris que c'est la meilleure attitude. On pense pas avoir quoi que ce soit à cacher. On a répondu à vos questions bien que vous soyez un étranger, et on continuera à répondre si vous en avez d'autres. On a passé la majeure partie de notre existence à répondre à des questions au sujet de Horton. Mais je vous dis tout de suite qu'il est pas coupable. C'est un tout autre homme. Je parierais tout ce que j'ai là-dessus.

— Je suis sûr que vous avez raison, monsieur Goins.

— Si vous en étiez sûr, vous seriez pas là, vrai ?

Jim acquiesça.

— On a confiance en lui, dit Edith.

Non, vous n'avez pas vraiment confiance, songea Jim, même si vous essayez de toutes vos forces. Alors moi, comment le pourrais-je ?

— Je peux jeter un coup d'œil dans sa chambre ?

De nouveau, les Goins se dévisagèrent. Puis ils regardèrent Jim, haussant simultanément les épaules.

— Y a pas grand-chose à voir, dit Emmett. Mais faites comme chez vous. On a pas la moindre chose à cacher, et Horton non plus.

Il se leva, resserra la ceinture de sa robe de chambre d'un geste martial, puis précéda Weir dans un petit couloir, en direction de la chambre de Horton.

Emmett ouvrit la deuxième porte à droite, et précéda Jim à l'intérieur. C'était une petite pièce aux murs nets et blancs, avec des lits jumeaux, un bureau recouvert d'un buvard, une armoire à portes coulissantes face au lit, et un mince tapis vert. Il y avait sur un mur un poster représentant un coucher de soleil sur un champ de blé ondoyant. Sur un autre, deux affiches publicitaires pour un fabricant d'appareils photo japonais, où figuraient des blondes à longues jambes en maillot de bain, drapées de pellicules. Entre les deux, la représentation colorée d'un cerveau humain. Les couleurs allaient du jaune pâle au rouge sang.

— C'est un cliché au scanner du cerveau de Horton, dit Emmett. Ils les font pour voir les endroits qui les rendent fous. Celui de Horton, c'est cette petite zone rouge, là, juste au milieu. Au cours de ces deux dernières années, elle est devenue de plus en plus petite grâce aux médicaments.

— Il est encore sous traitement ?

— Et comment ! Ça nous coûte neuf cents dollars par mois. Il prend ses médicaments bien comme il faut — il a une petite boîte à pilules électronique qui bippe quand c'est l'heure de prendre un truc.

Jim hocha la tête, les nerfs à vif, dévoré du besoin

grandissant de fouiller les lieux de fond en comble pour voir ce qu'il pourrait y dénicher.

— Pas grand-chose à voir, fit Emmett. Même quand il passait beaucoup de temps ici, la pièce était toujours nette. Ils lui ont appris à l'hôpital.

— Est-ce que je peux ouvrir les tiroirs ? Regarder dans le placard ?

— Ne vous gênez pas.

— Et puis, je me demandais si vous aviez une photo récente de lui ?

— Je vais voir ce que j'ai, dit Emmett en se dirigeant vers le seuil.

Weir fit coulisser la porte du placard et regarda à l'intérieur : quelques chemises et vestes suspendues à des cintres, des pantalons pliés sur une étagère supérieure, des boîtes en carton empilées au fond. Il souleva le couvercle de l'une d'elles et aperçut une collection bien rangée de photos de magazines, des planches-contact, du matériel de développement. Il prit l'une des planches et l'inclina vers la faible lumière qui provenait de la fenêtre. Des photos de groupe dans un décor institutionnel, des visages hébétés, rarement attentifs. Les compagnons de Horton à l'hôpital d'Etat, sans doute. La dernière rangée était constituée de gros plans d'une main d'homme tenant un crayon au-dessus d'une feuille vierge. C'était une belle main — des lignes profondes, de belles proportions. Weir regarda la date du premier magazine : juin 89. Il entendit revenir Emmett derrière lui.

— En voilà une ou deux, dit celui-ci. (Jim s'écarta de l'armoire ouverte et prit les deux clichés qu'il lui tendait.) Elles datent juste d'il y a un mois.

C'étaient des photos de Horton avec Edith. Horton était beau : visage plein, yeux bleus et calmes, front haut, cheveux bruns ondulés, mâchoire puissante mais mince, au menton ferme. Son sourire — un peu contraint, un peu calculé — révélait de grandes dents blanches. Il y avait quelque chose de dissimulé, dans ce sourire, que Jim ne parvenait pas à saisir. Il ressemble à n'importe quel Californien de son âge, songea-t-il. Pendant une fraction de seconde, il éprouva une sensation de déjà-vu, mais son esprit, survolant rapidement les années écoulées, ne trouva pas où se poser.

— Vous pouvez en prendre une, si vous voulez, dit Emmett.

— Volontiers, merci.

Jim ouvrit le tiroir du haut de la commode : deux loupes, un rouleau de papier-cache adhésif, des crayons et des stylos. Les autres tiroirs ne contenaient que quelques clichés en vrac et des boîtes de diapos.

— Horton a des photos de tout. Il les a presque toutes emportées.

— Monsieur Goins, avez-vous une idée de l'endroit où il se trouve ? Un indice quelconque ?

— Ma foi, je devine qu'il ne doit pas être très loin d'ici.

— Pas d'adresse ?

— Tout ce qu'il nous a dit, c'est que c'est bon marché. Vous pouvez lire la carte postale qu'il nous a envoyée, si vous voulez.

Ils revinrent dans le séjour, où Edith suivait un feuilleton. Elle baissa le volume et regarda Weir d'un air d'attente.

— Pas grand-chose à voir, n'est-ce pas ?

— Non, pas vraiment.

Emmett prit une carte sur le frigo et la tendit à Jim. L'écriture était petite et nette, la plume pointue. Le cachet de la poste était daté du 26 avril.

Chers maman et papa,

Les choses se passent bien ici dans mon « refuge » et le but de ma vie commence à m'apparaître avec clarté. Je reviendrai vous voir dans quelques jours, et nous serons réunis. Mon adresse permanente est toujours chez vous — alors, ne laissez pas le Dr Wick l'oublier! La Chevy roule bien et je vis de mes économies.

Je vous embrasse,

Joseph

— Joseph ?

— Horton a changé de prénom, expliqua Edith. Les tribunaux ne l'ont pas accepté à cause de son casier, mais il s'appelle lui-même comme ça, de toute façon. On n'arrive pas à s'habituer.

Quand Jim retourna la carte, le sang lui monta au visage. C'était celle du *Poon's Locker*, une photo du café avec les mots *Jetez l'ancre à Balboa!* écrits en travers.

— Vous savez où se trouve Balboa, monsieur Weird ?

— J'y ai grandi, dit Jim, et son cœur battait maintenant la chamade.

— Nous sommes navrés pour votre sœur, dit Edith, mais nous savons que Horton est innocent, alors ça ne nous dérange pas de parler.

— Pouvez-vous m'indiquer quelle voiture il a ?

— Une Chevrolet Caprice de 87. Blanche, quatre portes, intérieur bleu.

Weir décida de mettre les hommes de Dennison sur le coup. Avec le numéro de la plaque minéralogique, la carte postale du *Poon's Locker* et un échantillon capillaire pour le comparer au cheveu trouvé sur le chemisier d'Ann, allez savoir ce qu'ils dénicheraient d'autre...

— Merci beaucoup encore une fois. A tous les deux. Vous n'êtes pas obligés de parler de cette visite à Horton. Inutile de le bouleverser.

— Bonne chance. Nous n'avons rien à cacher, et Horton non plus, maintenant.

— C'est ce que je comprends.

— Bonne chance, pour votre sœur. A en juger par vous, ça a dû être une chic fille.

— Elle était formidable.

Jim s'arrêta à la première cabine qu'il put trouver. Il composa le numéro direct de Dennison et la secrétaire lui dit que Brian le prenait tout de suite. Debout, englouti par le brouillard nébuleux de Harbor Boulevard, Weir attendit, crispé d'impatience. Quand Brian fut en ligne, il débita rapidement l'histoire — Dr Gold, Horton Goins à Hardin County, déménagement brusque et inexpliqué en Californie du Sud, Edith et Emmett, la carte postale.

— La fille que Goins a agressée dans l'Ohio était elle aussi serveuse. Il s'est lié d'amitié avec elle, a gagné sa confiance, et l'a emmenée dans un marais.

— Bonté divine, Weir !

— C'est exactement ce que j'ai pensé.

— O.K., j'envoie Innelman et Deak là-bas dès que possible — ils peuvent poser quelques questions, et embarquer le barda. Un risque que Goins se pointe là-bas et subtilise quelque chose ?

— Pas si je monte la garde.

— Bien. Où en es-tu pour... ce dont on a parlé ce matin ?

— Je pense que Blodgett et Kearns ont des réponses à fournir. Ce n'est sûrement pas Horton Goins qui conduisait une bagnole de flic du côté de Back Bay.

Dennison resta un instant silencieux.

— C'est à toi de jouer, pas à moi. Blodgett n'est pas de service de nuit, ces jours-ci. C'est peut-être le bon moment pour passer le voir chez lui.

— Qu'est-ce que vous avez tiré de la bagnole d'Annie ?

— Beaucoup de cheveux et d'empreintes — les siennes. Robbins est en train de tout revoir en ce moment même.

Weir raccrocha, le cœur battant toujours la chamade. Il passa ensuite quarante-cinq minutes embusqué dans sa voiture en vue de la résidence, guettant une Caprice blanche de 87. Il ne vit qu'une Chevrolet neuve. Dwight Innelman et Roger Deak en sortirent, suivis, à son étonnement, par Brian Dennison et Mike Perokee.

Il se sourit à lui-même en démarrant. L'arrestation d'un agresseur sexuel souffrant de troubles mentaux serait une bonne affaire. Une bonne affaire pour la ville. Pour les médias. Et une bonne affaire pour un candidat à la mairie : qui ne désirerait pas que ce coffreur d'assassin soit élu ? Il vit Dennison se pencher vers le rétro extérieur de la banalisée pour vérifier sa coiffure, avant de précéder ses hommes vers l'immeuble.

10

La maison familiale des Weir se trouvait à deux blocs au sud de l'arrêt du ferry, dans Balboa. La première habitation avait été bâtie par l'arrière-grand-père de Jim en 1891, sur un terrain concédé en location pour cent ans par la future PacifiCo Development Society. L'édifice d'origine fut détruit par une inondation. Le grand-père de Jim le rebâtit en 1922, mais le Pacifique réclama l'homme et la maison lors de la tempête de 1939. Poon édifia une troisième demeure juste après la guerre. C'était aujourd'hui un cottage battu par les intempéries, une construction de deux étages entourée d'un mur, lui-même noyé dans les bougainvillées. Il fallait connaître, pour trouver la grille.

Jim la franchit, la referma silencieusement derrière lui. Les frondaisons débordaient sur la cour, étouffant les bruits du dehors, et les pavés étaient noyés sous les bractées sèches des bougainvillées. La fontaine était bouchée, inutilisable. Jim songea que sa mère était une femme d'affaires capable, mais que depuis la mort de Poon, dix ans plus tôt, la maison n'avait cessé de se dégrader. Elle n'avait pas fait grand-chose pour freiner ce déclin. Il avait fini par comprendre qu'elle avait le réel besoin de conserver au moins une chose dans son état d'autrefois. Il s'avisa soudain qu'avec la mort d'Ann, cette maison et lui-même restaient les deux seuls corps fixes dans la galaxie de Virginia. Il savait aussi que si la PacifiCo et le cartel pour le développement d'Orange County l'emportaient, cette maison, ainsi que le *Poon's Locker,* la propriété de Becky, *Ann's Kids,* la *Eight Peso Cantina* et quantité d'autres demeures à loyer modéré et petites affaires familiales seraient engloutis par la gueule carnivore du progrès. Weir comprenait la véhémence avec laquelle Virginia et ses pareils s'opposaient au développement programmé du quartier. Même s'ils paraissaient égoïstes et provinciaux, ils luttaient pour leur survie.

Sa mère était installée dans le séjour, bien droite sur un vieux fauteuil pivotant, quatre tables de jeu branlantes disposées devant elle. C'était son « bureau ». Il y avait sur les tables de hautes piles de prospectus électoraux et d'enveloppes, des dépliants soutenant la candidature de Becky, des invitations au Bal de la Démolition, des rapports de la Commission pour l'Environnement, des codes de l'Etat de Californie, des tasses à café, des blocs-notes, des crayons vert et blanc marqués de l'inscription SAUVEZ LA PÉNINSULE — FLYNN À LA MAIRIE. Punaisée au mur, devant elle, une liste de numéros de téléphone — l'armée de bénévoles. Virginia lui tournait le dos et penchait la tête pour maintenir le téléphone au creux de son cou. Elle remplissait des enveloppes tout en parlant.

— Je me moque de ce que dit le *Times,* nous étions près de sept mille à cette marche de protestation. Ils ne sont même pas fichus de me livrer leur canard sur mon porche, et vous voulez qu'ils arrivent à compter sept mille personnes... eh bien, faites la différence et dites qu'on était six mille, je m'en moque !

Elle pivota soudain pour faire face à Jim, lâchant une enveloppe dans la corbeille du courrier à poster.

— Le gouverneur est sur l'autre ligne. Je vous rappelle.

Elle raccrocha et hocha la tête en direction de son fils. Ses yeux bleu pâle étaient comme voilés par l'épuisement.

— J'ai essayé tous les fleuristes de Newport, Laguna et Costa Mesa. Rien. Alors, j'ai pris l'alphabétique et j'ai réussi à aller jusqu'aux numéros d'El Modena avant l'heure de fermeture. Il y en a cent quarante-six dans le comté, et il m'en reste cent vingt-huit. Où étais-tu passé ?

— Chez Ann. Par là...

Virginia l'examina d'un air soupçonneux.

— Qu'est-ce que c'était que cette réunion avec Brian Dennison ?

Jim expliqua qu'il contribuait à l'enquête — officieusement, par la tangente, à titre de citoyen et de frère. Virginia accepta l'explication, mais insinua que tout ça dissimulait sans doute un complot pour infiltrer les rangs des partisans de Flynn. Weir décida de la laisser cultiver sa parano : elle adorait ça. Jim, pour sa part, n'avait jamais constaté le moindre retard dans la livraison du *Los Angeles Times*.

— De toute façon, dit Virginia, je veux te parler d'Annie et de la façon dont il faudrait mener les choses. Je pense que les hommes de Dennison ne font rien comme il faut.

Jim s'installa sur une chaise à côté de sa mère, qui poussa aussitôt vers lui une pile de brochures « Flynn à la Mairie » et une pile d'enveloppes. Il regarda le visage de Becky en couverture, un cliché sur papier glacé qui la faisait paraître plus âgée et digne de confiance qu'elle ne l'était en réalité. Il se demanda combien de fois il avait embrassé cette bouche, enfoui les doigts dans ces magnifiques boucles brunes. Certains souvenirs ne s'effacent jamais, surtout lorsqu'ils vous ont servi de bouée de sauvetage pendant trente-quatre jours de fièvre dans une geôle mexicaine puante.

— On m'a dit que tu es finalement passé voir Becky, dit Virginia.

Jim acquiesça. C'est peut-être l'une des raisons qui nous ont amenés à nous séparer, songea-t-il ; chaque fois qu'on se prenait la main ou qu'on avait une dispute, tout le voisinage était au courant. Des années plus tôt, Weir avait caressé l'idée de s'offrir une escapade romanesque avec Becky. *Partir ailleurs, ensemble...* trois mots fascinants. Mais elle était plongée jusqu'au cou dans son boulot à l'Assistance judiciaire, et lui dans ses quarante heures hebdomadaires d'apprenti shérif. Et puis, il n'avait jamais pu découvrir chez Becky la moindre fibre sentimentale. Par exemple, elle avait une fois trouvé comique une rediffusion du *Roméo et Juliette* de Zeffirelli — et pourtant, elle lui avait ensuite fait l'amour avec une émotion et une intensité bouleversantes. Qui aurait pu s'y retrouver ?

— C'était bon de la voir, dit-il.

— Donne-lui une chance, énonça Virginia.

Ils se dévisagèrent longuement, et Weir lut la souffrance dans son regard. Vient un moment où un fils peut regarder sa mère vieillissante et voir en elle la jeune fille qu'elle a été, la jeune fille qui a accepté l'effrayante responsabilité de la maternité, a sacrifié sa jeunesse et son cœur pour lui donner la vie. Etait-il possible de comprendre l'immensité d'un tel acte ? Jim se leva et l'enveloppa de ses bras. Alors qu'il l'étreignait et caressait son dos osseux et crispé, il contempla le vieux séjour et y retrouva des souvenirs — images persistantes et traumatismes vieux de plusieurs décennies, mais en un sens toujours présents.

— Merci, dit-il.

— Pourquoi ?

— Tout.

— Ma foi...

— Je commence à comprendre ce que tu as fait.

— Ne commence pas à avoir de la peine pour moi, dit Virginia d'une voix devenue hésitante. Parce que je commencerais à en avoir pour moi-même, et je m'effondrerais. Or, c'est un luxe que je ne peux pas m'offrir.

Tellement Weir, songea-t-il. Il s'écarta d'elle, lui adressa un sourire et se rassit. Le sourire indiquait que, si stupide qu'ait pu être le comportement de celui qui l'adressait, il avait repris son sang-froid. Virginia souriait elle aussi. Encore une marque de fabrique des Weir.

— Deux authentiques stoïques, pas vrai ? ironisa Jim.

— J'en ai fait un mode de vie. Bien... Maintenant, je...

Et tout à coup, le visage de Virginia se décomposa et elle essuya une grosse larme.

— Saloperie, Jim, murmura-t-elle.

— Je sais.

Elle y a mis le temps, pensa-t-il.

— Poon, Jake et maintenant ça. Une femme doit en encaisser combien, des trucs pareils ? Annie...

Elle sanglotait, à présent, et ses grandes mains noueuses tentaient en vain d'essuyer les larmes.

— Annie me manque, et je pense à elle à chaque seconde et elle... *n'est plus là.* Enfin, même quand ton père a eu sa crise cardiaque, on s'y attendait, et même pour Jake, pendant la guerre, c'est une chose qu'on peut arriver à comprendre... mais Annie, là, dans le froid, dans cet horrible marécage boueux et... cette *bête sauvage* qui la poignarde avec un *couteau de cuisine,* toutes ces fois... Ô mon Dieu, ça change tout ce que je pense de tout ! Ce n'était donc pas assez, Jim, la façon dont j'ai essayé de vivre ? Ce n'était donc pas assez, de penser que si on ne trichait pas et qu'on prenait soin des siens, lorsque tout serait... dit et fait, il y aurait plus de bon que de mauvais et qu'on pourrait tirer un peu de réconfort du fait qu'il y avait réellement une sorte de... *de justice... ?*

Elle s'essuya d'un revers de manche, mais les larmes continuaient à venir. Elle inspirait par petites bouffées saccadées.

— Est-ce que c'était ma faute, Jim ?

— Non, maman, tout ce que tu as fait était bien.

— Alors, *pourquoi* ?

— Dieu est peut-être le seul à savoir.

Ses pâles yeux bleus s'immobilisèrent sur lui, à travers les larmes.

— J'ai une nouvelle théorie à propos de Dieu. Ma théorie, c'est qu'il ne nous aide pas beaucoup ici-bas. Quand je dis mes prières, je ne demande plus le pardon. Je ne demande plus la miséricorde. Je ne demande plus la paix. Ce que je demande, c'est d'être traitée avec un peu de respect. C'est tout. Rien qu'un peu de respect.

Le téléphone sonna. A la surprise de Jim, Virginia souleva le récepteur et énonça son nom avec un semblant de contrôle. Elle hocha la tête et regarda Jim avec une expression presque incrédule.

— Je comprends votre confusion, madame Simpson, et je vais vous résumer la chose en deux mots. Le programme de ralentissement de l'expansion permettra aux gens de ce pays d'exercer un certain contrôle sur une industrie immobilière qui veut rafler le moindre cent qu'elle pourra tirer de cette terre avant de faire ses bagages pour s'en aller recommencer ailleurs. « Halte à l'expansion ! », c'est notre chance de freiner ces gens-là. De préserver ce qui fait de cet endroit un havre de paix. C'est aussi simple que ça. (Elle écouta et regarda Jim de nouveau.) Non, madame Simpson, malgré ce que la propagande a dit hier soir à la télé, ça ne tuera pas notre économie et n'aggravera pas les problèmes de circulation. Ce n'est pas un programme présenté par de riches yuppies vivant dans des résidences luxueuses en bord de mer. Il n'est pas seulement conçu pour le comté du sud, aux frais du comté du nord. Ce sont des mensonges répandus par les promoteurs, qui s'imaginent que les gens sont assez stupides pour les croire. Si vous ne comprenez pas ça, madame Simpson, je ne peux rien pour vous. Les billets pour le Bal de la Démolition coûtent cinquante dollars. C'est une collecte de fonds et, croyez-moi, nous avons besoin de cet argent. Il a lieu mardi.

Elle raccrocha. Dans la plage de silence qui suivit, Jim regarda sa mère — la jeune fille que sa mère avait été autrefois — tirer d'une boîte une poignée de mouchoirs en papier et s'éponger le visage.

— La bagarre me permet de garder la raison, dit-elle.

— Nous avons tous besoin d'un combat.

— Bien... laisse-moi te parler d'Annie, maintenant.

— D'abord, elle pensait que quelqu'un la suivait.

— Quand t'a-t-elle dit ça ?

— Deux fois. La première fois, c'était il y a des mois — vers la fin février, disons. Tu sais qu'Ann aimait se promener dans la péninsule, souvent tard le soir, comme ça, pour regarder autour d'elle. Eh bien, elle s'était arrêtée au *Locker* avant d'aller à la garderie. Je m'en souviens très nettement, elle s'est versé une tasse de café, y a ajouté un peu de lait, et m'a dit que le ciel était magnifique, plein d'étoiles. C'était après un orage, et il soufflait un vent glacial. Et elle m'a dit que lorsqu'elle marchait dans le voisinage, elle avait le sentiment qu'on la suivait. Mais lorsqu'elle se retournait, elle ne voyait personne.

Jim réfléchit. Ann n'était pas du genre à imaginer des choses, ou à parler à la légère. Elle n'aurait pas dit qu'on la suivait si elle n'en avait pas été convaincue.

— Et la seconde fois, m'man ?

— C'était il y a trois semaines. J'étais allée l'aider pour le casse-croûte des gosses. Quand je suis arrivée, elle était debout dans la cour, entourée de tous les marmots. Elle restait immobile, le regard fixé vers le large, alors que le vent fouettait l'air autour d'elle. Elle était drôlement pâle. On aurait dit qu'elle était en transe, ou un truc comme ça, jusqu'au moment où je me suis trouvée près d'elle et qu'elle m'a souri. Et elle m'a dit : « M'man, c'est vraiment bizarre, mais j'ai l'impression que quelqu'un m'observe. » Elle n'avait rien vu ni entendu — c'était juste une sensation, cette fois. Je n'en aurais pas fait grand cas, mais Annie n'était pas du genre à se faire des idées. La parano de la famille, c'est *moi*. Et puis... il m'arrivait la même chose.

— D'être suivie ?

Virginia hocha la tête. Une mèche de cheveux blonds, presque de la même couleur que sa veste ornée d'un espadon dans le dos, glissa en travers de son visage. Elle souffla dessus, puis la fit glisser derrière son oreille avec ses doigts.

— Je vais à pied au *Locker* tous les matins, non ? L'allée qui mène à la porte de derrière fait quoi, une dizaine de mètres ? Trois fois au cours de ces deux derniers mois, j'ai vu quelqu'un debout là au coin, qui me regardait aller au café. Il faisait encore sombre, alors je ne distinguais pas grand-chose. Au début, j'ai cru que c'était Mackie Ruff ou un type comme ça. Il était immobile, comme quelqu'un qui attend. Et puis, il y a deux semaines, j'ai fait une sortie en bateau au crépuscule avec le club de pêche féminin. Au moment où on levait l'ancre, j'ai jeté un regard en direction du *Locker*, et il était là. Même silhouette. Même attitude. C'était lui.

— Est-ce que tu l'as reconnu ?

Virginia secoua la tête.

— Je suis convaincue qu'il s'agit d'un des hommes de Dennison.

— Pourquoi ça ?

— Ne bouge pas.

Elle se leva et disparut dans la cuisine. Il entendit claquer la porte du dehors, puis le silence s'installa. Elle va au *Locker*, pensa-t-il. Quelques minutes plus tard, elle était de retour, chargée d'un cageot en carton, l'un des cageots dans lesquels on leur livrait les hamburgers surgelés. Elle le posa sur le sol, prit de nouveau un siège, et ouvrit le carton. Il y avait à l'intérieur des rangées de tubes, tous étiquetés de sa main, et plantés dans de la mousse pour les maintenir droits.

— Notre baie, annonça-t-elle. J'ai ici des échantillons qui ont été pris trois mois d'affilée — à partir du mois de février.

— Quand Ann se sentait suivie ?

— Précisément.

— Qu'est-ce que c'est ?

— Eau de mer, mais avec un coup de théâtre — trichloréthylène. C'est un solvant qui tue quand on le rejette dans la mer. J'ai prélevé tous ceux-là moi-même. Annie m'a aidée pour quelques-uns. La plupart sont dans la resserre du *Locker,* mais j'en ai un certain nombre ici, à la maison, et Annie en avait trois aussi. On les a éparpillés pour éviter que quelqu'un les vole tous à la fois.

— L'un des hommes de Dennison ?

— Exact. Celui qui nous suivait, ta sœur et moi. Quel qu'il soit. Laisse-moi t'expliquer ce qui se passe ici, Jim. Cette ville est en passe de vivre l'élection la plus importante de son histoire. Le résultat aura de graves répercussions. D'un côté, il y a les gens qui veulent vendre et exploiter chaque mètre carré de ce que nous avons ici ; de l'autre, les gens qui pensent que ce qui est précieux devrait être protégé. La candidature de Brian Dennison est financée par les promoteurs — essentiellement par David Cantrell de la PacifiCo. Ce n'est pas un secret ; on le dit dans les journaux. Eh bien, l'une des choses que veut Cantrell, c'est « redévelopper » toute cette péninsule. Ça dépasse largement notre quartier. La ville pourra acquérir la propriété de celui qui refuse de vendre — moi, par exemple, ou Becky — en exerçant son droit d'expropriation. En tant que maire, Dennison exercerait ce droit. Légalement, il est tenu d'interdire toutes les plages publiques lorsque le taux de trichloréthylène dépasse la limite autorisée. Si les plages ferment, et restent fermées assez longtemps, les gens seront prêts à céder et à partir. Ici, l'océan est le gagne-pain de chacun, directement ou indirectement. Je suis convaincue que Dennison veut laisser monter le degré de toxicité jusqu'à ce que la ville soit contrainte de fermer toutes les plages, ce qui condamnera la péninsule. Ce cher maire expliquera alors à tout le monde que le coin n'est plus qu'un immonde bourbier pollué. A ce moment-là, le conseil municipal trouvera génial le plan de redéveloppement de Dave Cantrell, surtout avec la dégringolade de la valeur des terrains. Pour résumer, ils dégueulassent notre baie pour pouvoir l'acheter à bas prix.

Encore le syndrome de la conspiration ! songea Weir. Celle-ci prenait rang dans une longue liste qui s'allongeait aussi loin que remontaient ses souvenirs. Sa préférée avait toujours été la théorie selon laquelle Moscou utilisait la musique des Beatles pour décerveler la jeunesse américaine. Virginia avait acheté et distribué aux parents d'élèves une petite brochure intitulée *Communisme, hypnotisme et les Beatles,* au début des années 60. Il y avait aussi eu le traitement au fluor de l'eau potable, le gouvernement pourvoyeur de LSD, et un truc sur l'UNICEF comme moyen de drainer les dollars américains dans le bloc communiste. Croyances qui avaient toujours conduit Jim, même lorsqu'il était jeune garçon, à s'inquiéter davantage des théories de sa mère que des conspirations qu'elle dénonçait.

— Alors, Dennison fait appel à ses hommes pour te prendre en filature, et Ann aussi ? Pour t'inquiéter au sujet du prélèvement des échantillons ?

— Exactement. Et peut-être même pour s'emparer des échantillons, ou essayer de les falsifier. Tu comprends, tant que la pollution de la baie reste dans les normes autorisées, elle ne sert pas ses projets. Il ne peut pas en faire un thème électoral. Ça l'obligerait à essayer de la juguler, au contraire.

Jim se rappela la réaction de Brian à propos des fédés.

— Et il a peur que tu tires la sonnette d'alarme trop tôt.

— Oui.

— Pourquoi ne l'as-tu pas fait ?

Virginia remit en place le couvercle de la boîte.

— Nous n'avons trouvé que des traces.

— Bon sang, m'man, soupira Jim, tu soupçonnes qu'il y a pollution et tu n'en trouves pas. Et te voilà avec des flics qui te cavalent après pour t'empêcher de rassembler des preuves que tu as déjà et qui ne prouvent rien.

Elle le regarda et attendit, ce qui était une façon de lui dire qu'il s'arrêtait un peu vite en chemin. Il ne tarda pas à piger.

— Dennison ignore que tu n'as trouvé que des traces ? Il pense que tu as mieux que ça. (Elle hocha la tête.) Et comment le sait-il ?

— J'ai un ami dans son service — l'agent qui s'occupe de la lutte antipollution. C'est un chic type et il... eh bien, il a laissé entendre que je prélevais des échantillons.

— Tout ça pour détourner Dennison de la campagne.

Le regard de Virginia se teinta de colère.

— Tout ça *pour sauver la ville où je vis.*

Il y avait mieux à faire que discutailler. Jim se leva, regarda la photo de Becky Flynn sur les brochures, puis gagna la fenêtre et contempla le soir naissant.

— Qui est le flic avec lequel tu es si amie ?

— Le sergent Dale Blodgett.

Jim resta songeur, laissant les implications se préciser d'elles-mêmes dans son esprit.

— Est-ce qu'il connaissait Ann, ton Blodgett ?

Virginia le suivit du regard alors qu'il revenait vers la table.

— Nous avons fait quelques prélèvements ensemble. Nous avons passé un certain temps à patrouiller sur son bateau, tous les trois. *Pourquoi ?*

— Simple curiosité, m'man. C'est tout.

Le silence de Virginia se fit accusateur. Weir laissa courir, ainsi qu'il l'avait fait si souvent dans sa vie. Le problème, avec sa mère, c'était qu'elle perdait des gens à chérir, pour les remplacer par des gens à haïr. Poon, lui, avait toujours été un fantaisiste. Comment avaient-ils fait pour se supporter ?

— Je me demande pourquoi elle n'a pas dit à Raymond qu'elle était suivie.

Virginia hocha la tête, puis émit un profond soupir.

— Je ne crois pas que Ray et elle se parlaient beaucoup, Jim. Annie était beaucoup trop secrète pour me confier une chose de ce genre, mais je pense qu'il devait y avoir une certaine... tension. Il y a un détail intéressant : une nuit où je n'arrivais pas à dormir, j'ai vu de la lumière à la garderie. Ça remonte au mois d'avril. Il était minuit — l'heure où Annie en avait fini avec son boulot mais où Ray n'était pas encore rentré. Alors, je suis allée là-bas, et je l'ai trouvée dans son bureau, occupée à écrire dans un carnet. Un beau carnet relié de cuir. Elle a paru gênée, et m'a demandé de ne pas dire à Ray qu'elle perdait un temps précieux à tenir un journal. Et je me souviens que j'ai pensé : Mais qu'est-ce que ma fille peut bien écrire qu'elle ne veuille pas montrer à Ray ?

Jim n'avait vu aucun journal dans la maison d'Ann, et il n'en était pas non plus fait mention sur le procès-verbal de saisie. Vérifier avec Innelman, pensa-t-il, et fouiller le bureau d'Ann.

— Bien sûr, elle a toujours aimé écrire des trucs, fit Virginia.

— Ouais, j'ai pas oublié ça.

Jim se rappela un des écrits favoris de sa sœur, une nouvelle intitulée *Les Poings de Mohammed,* où une adolescente rêvait d'avoir les poings de Mohammed Ali pour rosser son arrogant jeune frère — plus costaud qu'elle. Elle l'avait tapée à la machine sur la vieille Royal de Virginia et punaisée à la porte de sa chambre à lui. Ann.

— Becky m'a dit qu'elle n'avait pas l'air en forme, ces derniers temps.

Virginia inspira profondément et contempla ses grandes mains rugueuses.

— Je me demande si elle était encore heureuse, Jim. L'hiver a été très mauvais, mais tu ne peux pas le savoir puisque tu étais parti. Un froid à geler mes vieilles conduites d'eau chaude, celles qui passent sur le toit, du vent toute la journée, et aucun radoucissement en vue. Tu connais la maison de Ray et d'Annie — rien qu'une coquille avec de la moquette dedans. Je leur ai apporté une bonne couverture chauffante et un de ces radiateurs qui bouffent pour cent dollars par jour d'électricité. Quoi qu'il en soit, Annie était abattue, renfermée, elle souriait tout le temps sans en avoir envie. Elle était difficile à cerner, mais quand on connaissait sa façon d'être, on savait déceler le manque de sincérité chez elle. Et puis, voilà qu'elle se remet. Il faisait un temps insolite à ce moment-là, sec et clair. J'ai pensé qu'elle s'était peut-être dégelée avec le soleil. Elle a été bien pendant une semaine. En forme, un peu engraissée, le teint rose. Enceinte, pas vrai ? Eclatante de vie. Et puis, la deuxième ou la troisième semaine d'avril, elle a replongé, pire qu'avant. Et elle s'est encore plus efforcée de le cacher... typiquement Weir. Ça a duré jusqu'à il y a environ une semaine. Et puis elle a retrouvé le moral, comme si rien ne s'était jamais passé.

Virginia resta un moment silencieuse. A mesure que le silence se prolongeait, Weir sentait les fantômes de Poon, de Jake, et d'Ann aussi, tapis auprès d'eux, les envelopper, tenter de les atteindre et de leur murmurer la vérité. Les rideaux oscillèrent, et peut-être une ombre traversa-t-elle la surface réfléchissante de la porte vitrée.

— Est-ce que tu l'as vue ce jour-là, m'man ? Avant d'aller prendre un verre au *Whale* ?

Virginia acquiesça.

— Je suis passée à la garderie à 14 heures, pour l'aider à distribuer les casse-croûte. C'est Scotty qui tient le bar, quand je suis absente. Elle n'était pas du tout à ce qu'elle faisait, Jim. Ça se voyait à de petites choses. Par exemple, elle a tendu du lait à Danny, alors qu'il est allergique au lait et prend toujours un jus d'orange. Elle s'est reprise, mais j'ai bien cru qu'elle allait fondre en larmes pour ça. Il y avait quelque chose qui n'allait pas, mais elle a refusé de dire quoi. Les hormones, voilà ce qu'elle a dit. Bon sang !

— Es-tu allée dans son bureau ?

— Oui.

— C'est là que tu as vu les roses sur sa table ?

Virginia acquiesça.

— Pourpres. Très jolies. Dis-le, Jim. Quel est le lien ?

— Il y avait onze roses... là-bas. Sur le corps d'Annie.

— Mon Dieu !

Jim tenta de tracer la courbe des crises de déprime et d'optimisme d'Ann au cours des derniers mois, les mois où il avait été absent. Il manquait tant d'éléments au tableau.

— Quand Annie n'allait pas bien, l'hiver dernier, tu l'as interrogée ?

— Bien sûr. Elle a reconnu que des choses lui tapaient sur le système. Il faut que tu comprennes bien qu'ils bossaient très dur, elle et Ray. Regarde un peu la vie d'Annie : lever à 7 heures pour préparer un déjeuner à Ray, ensuite départ pour la garderie. Retour à la maison à 16 heures pour le ménage et les courses, ensuite, re-départ à 18 h 30 pour le coup de feu au *Whale*. Retour à la maison à 23 heures pour préparer le dîner de Ray. L'attendre jusqu'à minuit ou 1 heure. Regarde la vie de Ray. Debout à 7 heures, étude pendant une heure ou deux, prendre la bagnole pour se rendre aux cours du matin, rentrer tôt à la maison pour faire une petite sieste, et puis départ au boulot à 17 heures. Il ne rentre jamais à la maison avant minuit et sa journée n'est pas terminée : il étudie encore avant d'aller se coucher. De toute mon existence, je n'ai jamais vu deux personnes travailler aussi dur. Je crois qu'ils s'étaient tellement habitués à cette routine infernale qu'ils n'auraient pas su quoi faire s'ils en avaient été délivrés. Quelquefois, quand je les observais, j'avais le sentiment que leur seul lien, c'était la lutte.

— C'est ce qu'Annie t'a dit ?

— C'est ce qu'elle m'a dit. Je l'ai attendue à la sortie du *Whale*, une fois, pour la raccompagner à la maison. Une pluie torrentielle, un air glacial, polaire. On est entrées chez elle pour prendre un thé, et on a attendu, pelotonnées dans nos manteaux, que ces satanés radiateurs se décident à chauffer. On a bavardé un moment. Elle m'a dit que tout ça aurait pu valoir la peine si elle avait eu des enfants autour d'elle. Elle aurait tellement voulu en avoir un, mais... Elle semblait si perdue, enveloppée dans sa grande parka. Trente-neuf ans, deux boulots pour nourrir une famille qu'elle pensait ne jamais avoir. Je ne veux pas recommencer à pleurer.

— M'man, tu crois qu'elle voyait un autre homme ?

Virginia hocha la tête, en le regardant avec une sorte de violence.

— Peut-être bien. Elle tenait assez de Poon pour ça. Et toi, tu le crois ?

Jim réfléchit un instant, bien qu'il se fût posé cette question depuis le moment où il avait reçu le premier appel téléphonique de Raymond, annonçant qu'Ann n'était pas rentrée. La vérité était que sa sœur ne lui aurait jamais fait de confidences de cette nature. Pas seulement à cause de Ray, mais à cause d'elle-même.

Jusqu'à quel point l'avait-il vraiment connue ? Il y avait toujours eu entre eux une sorte d'accord tacite : qu'ils ne devaient pas se perturber ou s'avilir mutuellement avec des choses situées au-dessous d'un certain niveau de dignité qu'aucun d'eux n'avait défini mais que chacun savait reconnaître. Il y avait toujours eu la conviction informulée que les bonnes barrières font les bonnes fratries. A présent, Weir pensait : quelle connerie !

— Je n'en ai aucune idée, dit-il enfin. Et maintenant je m'en veux. J'aurais dû chercher à savoir.

— Ce n'est pas ta faute, Jim.

— Est-ce que tu as vu traîner des amis flics de Ray, au cours de ces derniers mois ?

— Au café, tu veux dire ?

— Je veux dire avec Ray et Ann.

Virginia réfléchit un instant, pivotant lentement sur son fauteuil.

— Le mois dernier, un samedi soir, Annie, Ray et un jeune type — un certain Kearns, je crois — sont passés dire bonjour. Kearns est un des collègues de Ray. Ils étaient tous les trois sur leur trente et un, en route pour la tournée des grands-ducs. Quand ils sont partis, Ann était entre eux deux, les tenant chacun par un bras, tu vois. Ça m'a rappelé le lendemain de la guerre, quand les hommes sont rentrés. Pourquoi ?

— J'essaie de me faire une idée des gens avec qui elle sortait.

— J'ai pas dit qu'elle sortait avec lui.

— Avec Blodgett, peut-être.

Virginia eut un regard féroce et glacial.

— Juste pendant nos virées dans la baie. Je peux t'affirmer catégoriquement qu'il n'y avait rien entre Annie et lui. Rien.

— Personne d'autre ? Quelqu'un que tu n'aurais jamais vu auparavant ?

— Non.

— Et lui ?

Jim sortit la photo de Horton et Edith Goins. Virginia l'étudia longuement, à bout de bras d'abord, puis de plus près.

— Non. Pourtant, son visage me dit quelque chose.

Virginia continua d'étudier le cliché, le plaçant à la lumière sous différents angles.

— Qui est-ce ?

— Un maniaque sexuel remis en liberté. Il a fait quelque chose de comparable à ce qu'on a fait à Annie, il y a des années de ça, dans l'Ohio.

— C'est sa mère ?

Jim acquiesça.

— Il lui a envoyé une carte postale du *Locker*, m'man — celle avec « *Jetez l'ancre* ».

— Mais je l'ai vu ! (Virginia posa un regard écarquillé sur Jim, puis sur la photo, puis de nouveau sur Jim.) Il est venu trois ou quatre fois. Il portait une de ces chemises hawaiiennes et un pantalon voyant. Il avait l'air d'un type qui s'efforçait de s'intégrer ici. Je suis sûre que c'est lui. On devrait l'arrêter séance tenante.

— La police essaie de récolter des indices dans l'appartement de ses parents. Ils ne vont certainement pas tarder à mettre la main sur lui et à l'interroger.

Virginia regarda à nouveau le cliché.

— Je suis certaine de l'avoir vu au *Locker*. J'en témoignerais sous serment.

— Commençons par le début, m'man. Je n'ai pas besoin de te dire ce qu'il faut faire si tu le revois.

— Pour ça non ! Je le braquerai avec le .45 de Poon.

— Il suffira que tu me téléphones. Ou à Brian Dennison.

Virginia voulut dire quelque chose sur Dennison, se ravisa. Elle se remit à ses expéditions de courrier.

— Quelle est la dernière fois où Dale Blodgett a vu Ann, selon toi ?

— Ecoute, je vais te dire pour Blodgett. C'est un

flic. C'est un homme renfermé, qui ne parle pas beaucoup. Je l'aime bien. C'est le seul flic qui a le cran de prendre parti pour Becky et son programme. C'est le seul flic dont dispose Newport Beach pour s'occuper du rejet des déchets toxiques dans la baie, et il le fait en heures sup. Je suis ahurie que Dennison ne l'ait pas encore viré.

— A part Kearns, il y a d'autres flics qui se sont montrés avec Ray et Annie ?

— Pourquoi es-tu si intéressé par les amis flics de Ray ?

— J'ai pensé qu'ils pourraient accepter d'enquêter à titre bénévole, pour Ann, mentit Weir.

— A mon avis, on devrait tous les considérer comme suspects. Annie était parfaitement au courant de la pollution au trichlo.

— Mais il n'y a *pas* de pollution, m'man. Tu l'as dit toi-même. Rien que des traces.

Virginia le dévisagea de l'air soupçonneux qui lui était coutumier. Si elle savait ce que Mackie Ruff a vu ! songea-t-il. Le téléphone sonna de nouveau. Weir déposa un baiser sur la joue de sa mère et monta à l'étage relever l'adresse de Blodgett dans son dossier. Lorsque la ligne téléphonique fut libre, il appela Dennison pour savoir si Innelman avait déposé au bureau des pièces à conviction un journal intime appartenant à Ann. Ce n'était pas le cas. Il téléphona à Blodgett, mais la ligne était occupée. Il se faufila alors au rez-de-chaussée et, pendant que Virginia remplissait les enveloppes, s'empara de son double de la clef de la garderie.

Jim fut surpris d'apercevoir une faible lumière à l'intérieur. La barrière grillagée était ouverte et quelqu'un était assis devant le bureau d'Ann. On voyait la silhouette immobile, soulignée par la fluorescence douce de la lampe. Son pouls s'accéléra alors qu'il poussait la grille, traversait la petite cour et franchissait le porche. Il s'immobilisa un instant dans la pièce de devant. La personne qui se tenait dans le bureau ne parla ni ne bougea. Jim avança dans le petit couloir, vers la lumière. Une fois sur le seuil, il se pencha et regarda.

— Ne te lance surtout pas dans une carrière de cambrioleur, fit Raymond, assis devant le bureau d'Ann. Laisse-moi deviner. Virginia t'a parlé du journal, et tu voulais aussi revoir ce vase rempli d'eau fraîche mais sans fleurs dedans.

Jim pénétra dans la pièce, examinant le visage de Raymond sous la lueur de la lampe. Il lut dans ses yeux noirs la présence indubitable de la douleur. En d'autres temps, songea-t-il, Raymond se serait levé pour m'étreindre dans ses grandes pattes d'ours. En d'autres temps, nous n'aurions même pas été là.

— Ça va ?

— Merci pour les coups de fil et la visite. Je crois que je me suis réfugié dans le sommeil. J'en avais besoin.

— Comment tu te sens, maintenant ?

— Je m'en tirerai, dit Ray. Et toi ?

— Je m'en tirerai aussi.

Raymond prit une profonde inspiration et se pencha en avant.

— Innelman est passé et a embarqué le vase pour les empreintes, mais tout ce que Robbins a trouvé dessus, ce sont celles d'Ann et de mains de gosses. J'ai fouillé ce bureau trois fois pour essayer de trouver son journal. Il n'est pas à la maison. Il n'est pas ici. Je commence à en avoir ma claque.

Weir regarda le sandwich à demi entamé et le carton de lait posés sur le bureau, sous la lumière pâle.

— Regarde ça, dit Raymond en tapotant le buvard. Là, dans le coin en haut à droite — Rita, Renata, Renée. Ann aimait les noms en *R* pour les filles. Pour moi c'était Mary. Typiquement catholique.

Leurs regards se croisèrent, puis se fuirent très vite, tels des poissons d'aquarium. Jim songea aux terribles caprices de la vie, à la façon dont elle s'offrait pour mieux se dérober ensuite. La vie, c'était un peu de paradis, un peu d'enfer, et une forte dose de ce qui n'était ni l'un ni l'autre.

— Je voudrais pouvoir oublier, ne serait-ce que pendant dix minutes, dit Ray. Rien que dix minutes, être... eh bien, être quelqu'un d'autre.

— Faisons un tour de quartier.

Ray éteignit la lampe.

— D'accord.

Ils prirent la direction du nord le long de l'océan, au-delà de la maison de Becky, vers le yacht-club. Les petits docks et appontements privés saillaient à leur droite, noyés dans le brouillard. On ne voyait pas le ciel, juste une couche de bleu pâle. Et l'après-midi semblait mécontent de capituler devant le soir. Weir fut ramené loin en arrière, à l'époque des longs étés où Ray et lui se déchaînaient là — planche à roulettes, luttes dans la vase, courses au plongeon ; la tempête de 67, lorsqu'ils avaient renforcé la digue avec des sacs de sable ; les sorties en mer avec Poon et Jake. On dit qu'on garde nos souvenirs, songea Jim, mais en fait, ce sont eux qui nous tiennent.

Raymond marchait à une demi-foulée derrière lui, de ce pas lent et égal qui était le sien depuis l'adolescence.

— Que penses-tu des Lakers ? demanda-t-il soudain.

Jim comprit que, pendant les quelques minutes à venir, Ray allait vivre sans Ann.

— Detroit est trop fort. Portland aussi.

Ray dribbla un ballon imaginaire, s'arrêta, bondit et l'envoya dans un panier qu'il était seul à voir.

— Il leur faudrait un arrière un peu casse-cou. Un mec qui sache provoquer l'événement. Qu'est-ce que tu dirais de moi ?

— Tu es trop petit, trop vieux, et trop lent.

Jim regardait le Raymond d'aujourd'hui, mais ce qu'il voyait, c'était Raymond à l'âge de seize ans, sur le terrain de basket du lycée de Newport Harbor.

Il n'était pas grand, alors, et n'avait pas encore perdu ses rondeurs adolescentes. Raymond n'était pas rapide. Mais ses résultats étaient stupéfiants, surtout en défense. Un arrière du camp adverse traversait le terrain, obliquait à droite ou à gauche, effectuait sa première passe... et voilà que Raymond était là, happant le ballon de sa main tendue et le dirigeant vers son propre camp. S'il y avait une balle en touche, c'était lui qui la récupérait. Il ne savait pas sauter, mais il savait *quand* sauter. Son jeu de passe était si rusé et il anticipait si bien qu'il lançait de magnifiques balles d'attaque au-delà de ses équipiers trop lents pour saisir l'occasion. Raymond semblait jouer la partie dans quelque dimension du futur proche, alors que tous les autres piétinaient désespérément dans un présent de lutte acharnée.

Ray marqua un panier imaginaire.

— Je jouerai peut-être dans le championnat italien. Ils aiment les Américains, là-bas.

— C'est pas ça qui te rendra plus grand, plus jeune, ou plus rapide, Ray. Je pense que tu leur plairais mieux comme flic.

Jim intercepta une passe imaginaire, relança. Le sens de l'anticipation de Ray se manifestait aussi dans son boulot de flic. Jim songea aux innombrables fois où ils avaient patrouillé ensemble, à ces moments où Ray semblait tout simplement *savoir*. Ils répondaient, par exemple, à deux appels d'urgence dans la même heure. Dans un cas, Ray descendait de voiture en soupirant et allait couper le signal d'alarme qui vous mettait les nerfs en pelote. Dans l'autre, il examinait l'immeuble depuis la bagnole, avait son regard brillant et avide, et suggérait à Jim de passer par l'entrée principale pendant qu'il se faufilait jusqu'à la porte de derrière. Et il ne tardait pas à faire son apparition avec un infortuné junkie menotté, ou avec quelque gamin terrifié découvrant soudain que le crime ne paie pas. Il souriait comme un pêcheur qui vient de faire une grosse prise.

— Ou bien le Mexique, dit Raymond. Oublier le basket-ball. Partir dans un village, me faire pêcheur, et épouser une Mexicaine qui me donnera dix enfants. (Il s'immobilisa, fit une génuflexion, se redressa et inspira profondément.) C'est bizarre, Jim, on passe sa vie dans la routine et le jour où ça s'arrête et qu'on peut enfin faire ce qu'on veut, tout ce qui vous vient, ce sont les vieux clichés à la con. Je n'ai pas vraiment envie de vivre dans un patelin du Mexique. Avec les cochons et la volaille en liberté, et tout le monde réuni devant la télé de l'auberge pour voir le match de foot et *Starsky et Hutch* en espagnol.

— Je trouve qu'il y a pire.

— Tu sais pourquoi ça te tente ? Parce qu'au fond, tu es flemmard. Qui d'autre que toi aurait quitté l'équipe du shérif pour s'en aller courir le Pacifique à la recherche des trésors des autres ?

— Si je vous écoutais, toi et Becky, je passerais huit heures par jour enfermé dans un cagibi roulant, à essayer de piéger des gangsters dont je me fous pas mal. Je serais encore en train de m'enfiler un pack de six par nuit pour tuer l'ennui. Merci bien.

— Exact. Tu serais un véritable adulte.

— Ça fait un effet tout ce qu'il y a de plus adulte, d'avoir les fesses en taule.

— Je suis peut-être con, mais j'aimerais mieux flanquer des toxicos au trou que d'y croupir moi-même.

— Je ne choisis ni l'un ni l'autre.

Raymond sourit.

— Cool, Raoul ! Je te file de la came, mais c'est moi qui sniffe à ta place. Seulement, n'oublie pas qu'on est parfois obligé de se colleter aux problèmes.

— Noté.

— Tu as beaucoup manqué à Becky, je crois.

— Moi aussi, elle m'a manqué. Ça m'a surpris.

Jim avait toujours un peu jalousé Ray et Ann. Il s'était autrefois surpris à envier la simplicité de leur union, mais il y avait dans le mariage quelque chose qui le terrifiait de façon primitive. Ses instincts les plus profonds lui soufflaient que rien n'était jamais simple entre deux êtres, surtout lorsque l'un d'entre eux était un Weir. Le fond de l'affaire, c'est que les gens changent, songeait-il. Est-ce une bonne ou une mauvaise chose ?

Raymond l'attendait maintenant à quelques pas, figé, le regard perdu. Un héron blanc se tenait à moins de trois mètres de lui et le fixait de son œil brun intense et immobile. Le vent ébouriffa ses plumes. L'oiseau s'avança vers l'eau, hautain, beau et grotesque à la fois.

— Je n'y suis pas arrivé, dit Raymond.

— A quoi, Ray ?

— A oublier Ann pendant dix minutes.

Weir connaissait la passion de sa sœur pour les hérons. Elle en avait saisi un, une fois, lorsqu'elle était petite fille, payant son audace de quelques points de suture, et avait plus tard monté en collier la plume qu'elle avait emprisonnée dans sa main potelée.

— Annie, dit Ray.

— Je sais.

— Partout où je regarde, mec. Elle est partout où je vais.

11

Le vent de fin de soirée prit de la vitesse, chassant les nuages vers l'ouest sur la ligne d'horizon alors que le soleil mauve sombrait dans le Pacifique. Jim se gara sous un palmier en face de la maison de Dale

Blodgett, au nord de Newport. Il était dans la haute péninsule, 60e Rue, non loin de l'endroit où l'embouchure de la Santa Ana River constituait la lisière nord de la ville. Pendant son court trajet, il avait croisé trois unités de la police de Newport Beach. C'était à se demander comment les gangsters se démerdaient dans cette ville. Pourtant, le type qui avait enlevé Ann s'en était tiré sans problème.

Jim éteignit ses phares et compara le cliché d'identité avec le visage de l'homme qu'il voyait courbé dans l'allée d'accès, amenant un chris-craft en bonne place derrière une camionnette Ford neuve. C'était bien Blodgett, dont le visage était illuminé de façon théâtrale par la lanterne accrochée au plat-bord avant du bateau. Jim vit que le chris-craft, le *Duty Free,* était équipé comme un bateau pour la pêche sportive — cuve d'appâts pour la pêche au vif, deux fauteuils de combat, une planche à harpon s'étirant depuis le gaillard d'avant. Soixante mille dollars d'équipement, songea-t-il. Pas mal, pour un sergent nanti d'une famille et qui aimait travailler en solo.

Jim descendit de sa voiture, traversa la rue et s'engagea dans l'allée. Il n'avait pas fait deux pas qu'un halètement ponctué d'une plainte retentit dans l'air, et une forme noire et luisante jaillit vers lui. Il s'accroupit et leva les mains. La voix de Blodgett gronda comme un tonnerre.

— KNIGHT... *COUCHÉ !*

La fusée noire s'écroula, comme foudroyée par un coup de feu. Elle resta allongée, grondant à l'adresse de Weir, collage hallucinant de crocs, de babines, de pupilles enragées, d'oreilles aplaties.

Jim avait le cœur dans les chaussettes. Il ne percevait plus que le tremblement de ses jambes, le flux glacial de la panique lui montant au visage.

Dale Blodgett le regarda par-dessous la lanterne. C'était un homme grand et lourd, avec un cou épais, des cheveux plaqués sur le sommet du crâne et longs sur les côtés, comme les gangsters des années 50. Il portait les stigmates du vétéran : une fine cicatrice courait sur son menton ; un amas de chair s'accrochait à chaque arcade sourcilière. Sa paupière gauche était plus tombante que la droite, lui donnant une expression indécise, entre l'ensommeillement et l'humour sous-jacent. Il avait un torse de taureau et un large ventre qui ne semblait guère mou.

— Qu'est-ce qui t'amène, mec ?

— Je suis Jim Weir. Le frère d'Ann Cruz.

— Knight, dit Blodgett avec douceur. *Ami.*

Le changement fut instantané : les muscles de Knight se relâchèrent ; sa queue s'abattit avec un bruit sourd contre le ciment, sa gueule grondante se referma, et il regarda Weir et puis son maître d'un air honteux.

— Là, tout doux, Knight, c'est bien, dit Blodgett. Remis, Jim ?

— Il va me falloir une minute ou deux !

— Un type s'est évanoui, une fois. Cela dit, la chaîne n'a que trois mètres de long. Si vous étiez resté à votre place, il se serait étranglé, l'imbécile.

— Je me souviendrai de ça.

— J'ai été cambriolé trois fois. J'ai dans l'idée que certains types du coin savent que je suis flic, et veulent se payer ma tête. Depuis que Knight est devenu mon alarme antivol, j'ai plus eu un seul visiteur.

Blodgett sourit, révélant de grandes dents irrégulières. Son œil gauche à la paupière tombante avait une lueur presque gaie. Décrivant un large arc de cercle, Jim contourna Knight, qui le suivit du regard avec un intérêt manifeste. Il semblait dire que, ami ou pas, ça l'aurait bien amusé de sauter à la gorge du nouveau venu. Jim n'avait jamais raffolé des dobermans.

Blodgett se porta à sa rencontre et ils échangèrent une poignée de main.

— Navré, pour Ann. Je ne la connaissais pas très bien, mais j'avais vraiment de la sympathie pour elle.

— Merci. C'était une femme bien.

Blodgett lui adressa un regard « de flic à flic », mélange de compassion sincère et de révolte sous-jacente. Les salauds, signifiait-il, on les aura.

— J'ai du café dans mon thermos. Vous en voulez ?

— Volontiers.

— En quoi puis-je vous aider ?

— J'essaie de me rendre utile de mon côté, pour l'enquête. Si je le fais, c'est sans doute autant pour moi-même que pour Ann, ou Ray.

Blodgett hocha la tête, tout en tendant à Weir une tasse en plastique remplie de liquide fumant.

— Je ne suis pas un ami de Ray Cruz, mais je compatis de tout cœur. Je comprends ce que vous voulez dire.

Il attendit, le jaugeant du regard, l'œil gauche à demi masqué, indéchiffrable.

— On peut parler ici ?

— Pourquoi pas ?

— On soupçonne un flic d'avoir fait le coup.

Blodgett acquiesça.

— J'ai lu le témoignage de Ruff. Tout le monde l'a lu, même si le chef a essayé de le garder sous le boisseau. Difficile de cacher un truc pareil à tout un département de flics.

— Oui, dit Weir. Si c'est arrivé jusqu'à moi, je me doute bien que vous étiez déjà au courant. Qu'est-ce que vous en pensez ?

Blodgett hocha la tête, s'adossa à son bateau.

— J'arrive pas à accorder le moindre crédit à cette histoire. Mackie nous a toujours mené la vie dure. Il est toujours trop bourré pour y voir clair. On a tous bien rigolé sur ce « témoignage », pour être franc.

— Et s'il avait raison ?

Blodgett regarda Knight, qui regarda Weir.

— Alors, c'était un sale jour de merde pour les flics de Newport.

— Pas autant qu'il l'a été pour Ann.

— Oui, bien sûr. Jim, j'espère que vous n'êtes pas venu dans l'espoir de me faire parler sur les types avec lesquels je bosse. Je ferais pas un truc pareil, ni avec vous, ni avec qui que ce soit de l'extérieur.

— Nous pourrions peut-être nous en tenir à des hypothèses.

— Il n'a jamais été question d'autre chose.

— Très bien, essayons ça : disons qu'un gars du détachement a été engagé pour tuer Ann. Elle en savait trop sur le déversement de substances toxiques dans la baie. On a tendu une grosse somme d'argent ; un flic pourri l'a prise. Mettons que Mackie Ruff ait bien vu ce qu'il a dit. Mettons que vous soyez à ma place. Comment le débusqueriez-vous ?

Blodgett réfléchit, fixant Jim. Puis il hocha la tête, se tourna vers le crochet d'attelage et se pencha pour arrimer le câble.

— D'abord, il faudrait que vous sachiez qui était de service. Ensuite, qui patrouillait en solo. Rien n'indique qu'il y avait deux types, hein ?

— C'est exact.

— Donc, vous dénichez les solos dont le physique correspond aux estimations du labo. Si Robbins a trouvé des éléments probants, et s'il y a correspondance, ça vous permet de tenter quelque chose.

— Et si les éléments sont insuffisants ?

Blodgett acheva l'opération d'arrimage et se redressa.

— Alors, l'enquêteur hypothétique que vous êtes en déduit qu'il n'a pas de suspect hypothétique.

— Mais n'oubliez pas que si c'était un flic, il aurait nettoyé le lieu du crime. Il aurait su quoi faire, comment effacer les traces compromettantes.

Blodgett sourit de nouveau. Il sortit une clope d'un paquet, l'alluma.

— Personne ne peut tout effacer.

— Mettons qu'il ait laissé de quoi réduire le nombre de suspects. Deux solos — selon les éléments recueillis.

— Alors, vous vous procurez l'enregistrement du standard, vous contrôlez les carnets de verbalisation et les registres d'activité, pour savoir où ils se trouvaient, et quand.

— Et vous découvrez que chacun d'eux a, mettons, un trou dans son emploi du temps. Une demi-heure hors contact au moment où on l'a tuée.

Blodgett parut interloqué. Son œil gauche se ferma presque totalement et l'autre fixa Jim, soupçonneux.

— Il y a un ou deux trucs qui me plaisent pas des masses dans votre histoire, Weir. Primo, c'est que Dennison, ou votre ami Raymond, a eu la stupidité de communiquer l'enregistrement du standard et les rapports du labo de la Criminelle. Deuzio, c'est que vous avez bouclé votre boulot d'enquêteur hypothétique, et que vous avez atterri sur moi.

— J'ai peut-être atterri sur un ou deux autres types que vous. C'est peut-être pour ça que je suis venu vous trouver d'abord.

— Vous êtes prêt à citer des noms ?

— Possible.

Blodgett avança alors sur Weir, les bras collés aux flancs. Pour un gros, il avait de l'aisance. A si courte distance, son visage couturé paraissait encore plus rude. Le genre de type, songea Weir, qui est beaucoup plus menaçant à cinquante ans qu'il n'a dû l'être à vingt. L'épais index de Blodgett lui heurta légèrement la poitrine.

— N'en faites rien. Ne me donnez aucun nom. Si vous êtes vraiment arrivé jusque-là, allez trouver Dennison, ou le D.A., ou le juge. Moi, je ne veux rien savoir. Je travaille avec certains de ces mecs depuis seize ans et personne ne viendra m'en balancer un. On se tient les coudes, Weir. C'est eux ou nous. En ce moment, vous êtes « eux ».

Un curieux sourire, ni gai, ni acerbe, traversa le visage de Blodgett. Il poussa un lourd soupir.

— Mais, je vais vous filer un tuyau, parce que

j'aime bien votre mère et que j'aimais bien Ann, et que vous m'avez l'air d'être vous aussi un type bien. La nuit où on a tué Ann, je prenais un café chez *PCH*, le bar juste au sud du pont. Le brouillard était épais, et la nuit était longue. Les deux autres unités du secteur nord étaient là aussi — Sims et Lansing, Blakemore et Nolan. A minuit, une voiture de patrouille est sortie du pont, en direction du sud, vers Back Bay. C'était forcément quelqu'un qui était hors de son secteur, parce qu'on était au grand complet dans le troquet — Lansing, Sims, Blake, Noley et moi. J'ai pas bien vu à cause du brouillard, mais il m'a semblé que c'était un des nôtres.

— A minuit pile ?

— Minuit pile. C'était peut-être une bagnole de la Sûreté, c'est possible. Ou une bagnole d'un autre département. Mais elle venait de la péninsule, où travaillait Ann, et se dirigeait vers la baie, où elle est morte. Elle n'allait ni vite, ni lentement : juste au rythme de la circulation. C'est pas une invention, Weir, c'est un fait. Et je ne vous dirai rien de plus. Je me trouve déjà plutôt moche d'avoir moufté.

— Merci, dit Jim en posant la tasse sur l'avant de la Ford.

— Ne venez plus ici. Ça n'a rien à voir avec vous.

— J'ai cru comprendre que vous aviez patrouillé dans la baie quelquefois, vous, maman et Annie.

— C'est exact.

— Vous a-t-elle jamais dit qu'on la suivait ?

Blodgett dévisagea Weir un long moment.

— Non. Je ne la connaissais pas très bien. Pendant les patrouilles, on parlait de la marée, des poissons, et on se demandait qui était le sale con qui polluait la baie. Il n'a jamais été question de filature.

— Avez-vous déniché quelque chose qui aurait pu forcer quelqu'un à faire taire Annie ?

— Je ne crois pas. Nous avons trouvé des traces de solvant. Mais Ann n'était pas la seule à être au courant. Il y a Virginia, moi, et Dennison.

— M'man pense que Dennison s'inquiétait de vos rondes — de ce que vous pourriez dénicher.

— Et il aurait fait appel à un flic pour la buter ? Et nous autres, alors ? Ann était la moins impliquée.

— Et la plus vulnérable.

— On ne me fera pas avaler ça. Si quelqu'un y arrive, je vous le ferai savoir.

— Merci encore, sergent. Salut, Knight.

— Bonne chance, lâcha Blodgett.

Jim revenait par de larges détours vers la maison de Blodgett. Les maisons jumelées se pelotonnaient les unes contre les autres comme pour résister à la nuit glaciale et les vagues se brisaient sur le rivage avec un clapotis sec. On apercevait des croissants de sable, ombre et lumière mêlées, disparaissant dans les ténèbres au voisinage de l'eau. Les pare-brise embués des voitures à l'arrêt brillaient. Il arriva en vue de la maison de Blodgett par la direction opposée, se gara cinq baraques plus bas et éteignit ses phares. Enfoncé sur son siège, il apercevait la lueur de la lanterne et le profil du bateau entre l'arc supérieur du volant et le tableau de bord.

Une heure et demie plus tard, l'allée d'accès de Blodgett se retrouva plongée dans le noir. Vingt minutes après, les feux arrière brillèrent à travers le brouillard et la semi-remorque recula en douceur dans la rue. Blodgett prit le virage à la perfection, se dirigea vers Ocean Boulevard. Weir démarra et s'engagea à sa suite avec prudence, laissant entre eux une bonne longueur de ténèbres.

Il espérait que le chris-craft était assez grand pour occulter la vision de Blodgett dans les rétros extérieurs. Blodgett remonta Pacific Coast Highway, traversa Superior, et se dirigea vers la zone industrielle qui sépare Newport de Costa Mesa. Weir laissa une ou deux voitures entre eux. Les ateliers de carrosserie, les ateliers d'usinage, les chantiers de construction navale défilaient — grillages, baraquements modulaires, remorques, veilleuses, chiens de garde.

Blodgett tourna à gauche dans Placentia, puis à droite dans Haylard. Jim poursuivit son chemin, et fit demi-tour à temps pour voir disparaître le bateau au-delà d'une barrière grillagée surmontée de trois rangs de barbelés. Deux hommes refermèrent les battants de la grille lorsque la remorque l'eut franchie en oscillant, puis battirent en retraite dans les ténèbres. Weir se gara au-delà de l'entrée, de l'autre côté de la route.

L'enceinte était clôturée de treillis et de barbelés. Derrière un bâtiment bas d'un seul étage avec de petites fenêtres, deux « bureaux » modulaires d'aspect neuf, et un grand parking encombré de camions, génératrices, chariots élévateurs, pompes auxiliaires mobiles à grande puissance et quelques camionnettes. Une simple pancarte en noir et blanc surmontant la bâtisse indiquait CHEVERTON SEWER & SEPTIC — FOND. 1959[1]. Une Corvette neuve était garée devant l'un des bureaux. Weir perdit de vue le bateau de Blodgett alors qu'il dépassait ces équipements lourds et que le brouillard se refermait sur lui.

Dix minutes s'écoulèrent, puis vingt, puis trente. Jim écouta de nouveau la radio. Cinq minutes plus tard, les deux hommes rouvrirent la grille et la remorque de Blodgett sortit. Elle semblait peser un peu plus lourdement sur sa suspension. Le pont du bateau était recouvert d'une bâche bleue. De hautes formes se dessinaient sous la toile. Lorsque Blodgett eut effectué un lourd virage à gauche pour s'engager à nouveau dans Placentia, Jim démarra et le suivit.

Ils quittèrent la zone industrielle, s'engagèrent dans Newport Boulevard à l'ouest, puis passèrent le pont qui donnait accès à Coast Highway, vers le sud. Le pont qu'avait emprunté la voiture-radio fantôme

1. Sewer & Septic : construction d'égouts et assainissement. *(N.d.T.)*

de Blodgett, songea Weir, le pont qu'avaient emprunté Ann et l'homme, cette nuit-là.

Le bateau descendait Pacific Coast Highway, maintenant, dépassant les courtiers maritimes, les bars, les restaurants, les clubs ; empruntait le Bay Bridge. A droite, le scintillement immobile des lumières des maisons dans le brouillard ; à gauche, les eaux de la baie, s'élargissant, se faisant plus profondes, s'infiltrant dans la boue détrempée, stagnant autour des herbes, avançant avec les mulets et les poissons-chats qui rôdent dans ses fonds instables en quête de nourriture, se déplaçant plus loin vers l'est pour finalement s'échouer et crever au soleil.

A Jamboree, Blodgett tourna à gauche, puis reprit Back Bay Drive, poursuivant au-delà de la plage et du golf. Jim le suivit pendant encore un quart de mille vers l'est le long du sombre estuaire, jusqu'au moment où la camionnette vira à gauche, et fit halte. Blodgett sortit, déverrouilla une grille, puis remonta en voiture et engagea sa remorque dans un vaste espace qui s'achevait en quai.

Weir quitta la route, gravit une butte et se gara. A travers la brume, le bateau de Blodgett se dessina distinctement, puis s'évanouit. Il entendit des portières s'ouvrir et se refermer, des éclats de voix que le vent renvoyait vers lui. Il est venu chercher un compagnon de pêche chez Cheverton Sewer & Septic pour une virée nocturne ? se demanda-t-il. Il sortit de voiture, referma silencieusement sa portière, et se dirigea vers la haie de lauriers-roses qui abritait l'entrée du dock. Accroupi dans le feuillage vénéneux, il put voir le *Duty Free* s'engager sur la rampe. Blodgett était au volant de la camionnette, son pote — un petit mec en chemise de flanelle coiffé d'une casquette de base-ball — à bord du bateau. Un instant plus tard, le chris-craft était à flot, et son hélice le propulsait à reculons dans la baie. Blodgett quitta la camionnette, grimpa sur le quai et courut à son extrémité. Le *Duty Free* avança pour le prendre à son bord, accéléra bruyamment. Quelques secondes plus tard, il s'était fondu dans le brouillard, et Weir n'entendait plus que le grondement déclinant d'un moteur essoufflé.

Il revint vers la camionnette de Blodgett, escalada la barrière et scruta l'intérieur : une tasse à café vide sur le tableau de bord, quelques CD éparpillés sur le siège, une radio de flic installée au-dessous de la platine CD. Un moment, il se tint debout sur le quai, regardant vers l'autre rive, mais le brouillard limitait la visibilité à une centaine de mètres. C'est là-bas, songea-t-il, à un demi-mille, qu'Ann est allée. Un oiseau de mer invisible passa dans un bruissement d'ailes, juste au-dessus de lui.

Quarante minutes plus tard — à 23 h 55 — le *Duty Free* apparut au milieu de la baie, dans l'horrible cliquètement métallique du moteur, crachant derrière lui une fumée qui se mêlait rapidement au brouillard. Il vint à quai. Les événements se répétèrent en sens inverse : Blodgett descendit au bout du dock, Casquette-de-Base-Ball, flanqué de Knight, manœuvra le bateau pour le hisser jusqu'à la semi-remorque, pendant que Blodgett, dans l'eau jusqu'aux genoux, le guidait. Cinq minutes plus tard, ils étaient remontés en voiture et la poupe du *Duty Free* libérait la baie. Le chargement sous la bâche était toujours là. Jim regarda la lueur des feux arrière s'engloutir dans l'eau alors que Blodgett décrivait la boucle qui l'amènerait à la grille, puis sur la route. Weir descendit au point mort jusqu'au bas de la butte, passa la seconde, embraya, et s'élança, devançant le *Duty Free*.

Il s'arrêta sur une route de traverse près du golf et attendit. Deux minutes plus tard, Blodgett passa, roulant plus vite maintenant, le bateau oscillant lourdement sur sa remorque. Ainsi, pensa Weir, nous voilà avec un bateau sans le moindre matériel de pêche. Et avec deux pêcheurs qui ne ramènent pas une seule prise. Une virée qui a demandé deux heures de préparation, et quarante minutes d'exécution. Dans quel but, puisque ce n'était pas pour pêcher ?

Il suivit du regard la remorque qui se déplaçait le long du front de mer, en direction de Jamboree Road.

12

Pendant que Jim Weir regardait le véhicule de Blodgett s'éloigner et se fondre dans le brouillard, Joseph Goins, assis dans la kitchenette de l'appartement qu'il occupait au motel *El Mar*, s'efforçait d'oublier la musique tonitruante qui résonnait à travers le mur, dans la pièce voisine. Il se leva et s'approcha du petit four à gaz, prit le journal sur l'étagère qui le surmontait. Il était minuit passé : l'heure d'Ann. Il contempla un instant les photos d'elle qu'il avait accrochées au mur et qui lui apportaient l'illusion de sa présence. Puis il se rassit. Dans un mélange de chagrin et de plaisir, il commença sa lecture.

24 MARS

Ce qui s'est produit la nuit dernière change tout, et j'éprouve le besoin de raconter l'événement par écrit. C'est sans doute parce que je ne peux me confier à personne. Cher Ange, tu ne liras jamais ces lignes, mais c'est à toi qu'elles s'adressent. Depuis que je sens ta présence, tout est changé.

Ça a commencé — recommencé, devrais-je dire — lors d'une réception sur ce grand yacht, le *Lady of the Bay*. C'était le 10 janvier. On donnait une soirée en vue de rassembler des fonds pour Brian Dennison, qui se présentait à la mairie de Newport. J'avais accepté un travail de serveuse pour sortir un peu du

Whale's Tale et crois-moi, tu en aurais fait autant. Dix ans dans un pareil endroit, c'est longuet ! Et puis, je savais qu'il y aurait de bons pourboires et que ce serait une soirée agréable, si la tempête ne se levait pas. Il faisait un froid glacial et le vent agitait violemment les lanternes de papier suspendues sur le pont. Ce vent-là me frigorifiait les jambes, si mal protégées par la minijupe que je portais.

Trente-neuf ans, de jolies jambes, un mari, pas d'enfant, voilà tout mon bilan à ce jour.

La fin du siècle approche, et je réalise que la majeure partie de ma vie est déjà derrière moi. Cher Ange, si jamais tu as de telles pensées à mon âge, sache que tant de choses peuvent encore nous être réservées !

Oui, songea Joseph Goins, tu avais de jolies jambes. Mais tu avais beaucoup plus que ça, chère Ann. Seulement, tu ne le sauras jamais.

Je suis arrivée là-bas en retard, à l'instant où le *Lady of the Bay* allait lever l'ancre, car j'avais dû lessiver un énorme tas de linge. Le bateau était déjà plein. Tous les Puissants étaient là, parce qu'ils voulaient que Brian soit élu maire. Brian était un Futur Puissant. Il portait un costume bleu sombre qui avait dû lui coûter au moins mille dollars, mais dont les revers rebiquaient sur son large torse. Ses yeux furetaient de côté et d'autre avec vivacité. Il y avait là notre député au Congrès, Cox, tout juste revenu d'Europe, ainsi qu'Eleanor, Mme le maire sortant, qui clopinait à travers la salle. La pauvre femme a d'effroyables varices, qu'elle tente de cacher sous des collants de compression. Tous les représentants habituels du Pouvoir étaient présents : Bren de la Irvine Company, James Roosevelt, les Heinz — ceux qui ont accueilli le Dalaï-Lama quand il a eu le prix Nobel — Argyros, le patron de la compagnie d'aviation, les Segerstrom, les Tappan, Kathryn Thompson, Pilar Wayne et Buddy Ebsen. John Dean, le type du Watergate, était là, ainsi que Mr Blackwell, Buzz et Lois Aldrin, et même Charlton Heston ! Ces gens seront morts depuis belle lurette lorsque tu auras mon âge, Cher Ange, mais sache qu'ils étaient les puissances agissantes de notre petite cité. Ceux qui faisaient les événements, pour le meilleur et pour le pire. Je *voudrais* que tu saches un jour tout cela. Je sais qu'il n'en sera jamais rien.

Je circulais à travers la foule, en présentant aux invités un plateau d'amuse-gueule. Je ne faisais pas attention à eux. Selon moi, la différence entre les Puissants et nous, c'est que nous travaillons pour eux, et qu'ils empochent presque tout l'argent. Raymond, lui, affirme que l'homme le plus fortuné tremble devant la Loi ; que la Loi représente le véritable pouvoir alors que l'argent apporte seulement la sécurité. J'ai eu une petite conversation avec Buddy Ebsen — c'est un si charmant vieux monsieur. Je suppose que tu as dû voir des rediffusions de ses films. Ensuite, je me suis résolue à monter sur le pont et à braver les éléments pour faire mon travail. Il n'y avait qu'un petit groupe de gens là-haut, à cause du vent et du froid. Pourtant, le spectacle était superbe. Les étoiles paraissaient presque à portée de main, et les lumières des maisons scintillaient comme des joyaux. Des lampions rouges et verts — un souvenir de Noël — cliquetaient sous le vent. Toutes les drisses et les rides vibraient contre les mâts ; quand le vent soufflait dans le port, à cette époque, on aurait dit qu'il faisait de la musique. Est-ce que c'est toujours pareil, aujourd'hui ?

Je me suis approchée du groupe. Il n'y avait que quatre hommes. A gauche, Harvey Wright, un élu local, fumant un cigare, comme à son habitude. A côté de lui, Brian Dennison. Puis Francis Messenger, le millionnaire du pétrole et, près de lui, un homme que je connaissais depuis vingt-cinq ans — David Cantrell. Je ne l'avais pas revu depuis son retour à

Newport, cinq ans auparavant. Je savais que je finirais par le rencontrer tôt ou tard, mais honnêtement, j'ignorais comment je réagirais alors. A cet instant précis, je me sentis nerveuse.

Harvey me dit : Tu es bien belle à voir, par cette froide nuit d'hiver.

Par n'importe quelle nuit, rectifia Francis en me souriant, et en prenant un canapé au saumon sur mon plateau.

Si vous aviez le moindre bon sens, messieurs, vous descendriez vous mettre au chaud, leur dis-je.

Dennison me demanda si j'avais démissionné du *Whale* et je lui expliquai que j'avais accepté ce job occasionnel pour me changer un peu.

David m'adressa un regard très chaleureux et dit : Bonsoir, Ann.

Je répondis, bonsoir monsieur Cantrell. Et ces mots cérémonieux me firent un drôle d'effet. David était pâle et semblait fatigué. Mais il avait aussi l'air d'un fauve tapi, prêt à bondir.

Dennison me demanda si Becky Flynn m'avait envoyée espionner sa soirée. Becky est ma meilleure amie, et son adversaire à l'élection. Il ne plaisantait qu'à demi. Le bonhomme est soupçonneux en diable. Un vrai flic.

Bien sûr, ironisai-je. Selon ce que vous mangerez ce soir, elle va pouvoir prédire le résultat de l'élection.

Quel prétentieux !

Il me dit que Becky était une formidable adversaire, en ponctuant sa réplique d'un mouvement de sourcils.

Je lui dis : C'est aussi une amie formidable.

Harvey Wright exhala une grosse bouffée de fumée, qui fut aussitôt happée par le vent. C'est un homme puissant, qui affiche son pouvoir avec désinvolture. Une désinvolture excessive, selon les gens comme ma mère.

Si Becky gagne, elle devrait faire de vous son attachée de presse. Vous seriez parfaite dans ce rôle, Ann.

J'ai déjà deux boulots et ils me suffisent amplement, rétorquai-je. Je les dévisageai tour à tour, mais celui qui attirait vraiment mon regard, c'était *Mr Cantrell.* Il était l'un des rares Puissants originaires de notre région et, de tous les garçons que j'avais connus au lycée, il était, en apparence, celui qui avait le moins changé. Même s'il possédait la moitié du comté et était encore plus riche que Donald Trump, à en croire les journaux. Lorsque tu auras grandi, Cher Ange, le monde aura probablement oublié Donald Trump et David C. Cantrell. A l'époque, ils étaient les versions interchangeables l'un de l'autre. Trump était riche et célèbre ; Cantrell riche et mystérieux. En cet instant-là, il me fixait d'un air absent.

Je souris à chacun d'eux, leur présentai une dernière fois le plateau, puis me détournai et, luttant tant bien que mal contre le vent, je redescendis les marches. Au fond de moi, j'étais aussi tourmentée que l'océan qui nous entourait.

Cinq minutes plus tard, alors que je servais quelques Epouses de Puissants, j'eus une intuition. L'étrange sensation qu'on éprouve lorsqu'on est sûr d'une chose sans raison. Le photographe me tirait par la manche pour m'écarter de ces dames — elles adorent qu'on les photographie —, alors je m'éloignai d'elles à travers la foule, allant au-delà du bar, du piano et des sofas victoriens, vers l'escalier ; et je remontai sur le pont. Bien entendu, le petit groupe avait disparu, mais... eh bien, comment dire ? Je savais qu'il serait là. Il se tenait en partie dans l'ombre, et on ne distinguait que sa chemise blanche, les triangles noirs de son nœud papillon, et les mèches de ses épais cheveux bruns soulevés par le vent.

Il me demanda comment j'allais. Je lui répondis que j'étais en pleine forme.

Il y eut un instant de silence. Des rires et des bouffées de musique parvenaient jusqu'à nous. Le vent était glacial. Il me regardait, depuis son refuge de ténèbres. Finalement, il dit : Je me suis demandé quand je te reverrais. Voilà cinq ans que je suis revenu à Newport, et je ne suis pas allé une seule fois au *Whale's Tale*.

Je lui demandai où il vivait avant, même si je le savais déjà. C'est humiliant d'avouer à un homme que vous avez suivi sa carrière dans les journaux et les magazines, surtout un homme avec qui vous avez... ma foi, j'y viendrai, Cher Ange.

Il me répondit qu'il avait vécu dans le Montana, où il avait un ranch. Et je fis observer qu'il possédait la moitié du comté, à ce qu'on prétendait.

Les gens racontent aussi que je possède la moitié de l'Etat, mais c'est plus qu'exagéré.

Je crois que tu as bien fait de revenir, lui dis-je. Après tout ce que nous avions traversé, j'étais étonnée d'être si heureuse de le revoir. David Cantrell a un visage triste et même si son sourire est resté celui d'un adolescent, il sera sans doute un vieil homme amer. Je crois qu'il n'a jamais dû être surpris par la noirceur de l'âme humaine — c'est peut-être pour ça qu'il a si bien réussi.

Nous avons échangé des compliments. Il m'a trouvée magnifique, je lui ai dit qu'il était superbe.

Mais tu es pâle. Les gens riches ne mettent donc jamais le nez dehors ?

Il a balbutié quelques mots, presque d'un ton d'excuse. Pourquoi les hommes, qui sont toujours si prompts à se bagarrer pour les motifs les plus futiles, se laissent-ils si facilement démonter par une femme ?

Ce qu'il déclara ensuite me causa un choc.

Il me dit qu'il pensait toujours à moi. Il le dit comme s'il en était surpris, comme s'il ne m'avait pas oubliée en dépit de lui-même. Tu sais ce que je crois, Cher Ange ? Je crois que les femmes mentent aux hommes, mais que les hommes se mentent à eux-mêmes.

Eh bien, moi aussi, j'ai pensé à toi, avouai-je. Mais comment pourrait-on, bon sang, ne pas se souvenir de l'homme qui vous a mise enceinte ? Ne pas être hantée par celui qui vous a quittée pour toujours ?

Il me dit qu'il avait eu plaisir à recevoir ma lettre.

Quand te l'ai-je envoyée, déjà ? Il y a huit ans ?

Neuf, lâcha David, et il me demanda si je dirigeais toujours la garderie.

Je voulais savoir s'il comptait me confier bientôt un petit garçon. J'admets que je connaissais déjà la réponse.

Sa femme, Christine, ne pouvait pas avoir d'enfants. Je ne veux pas entendre parler d'adoption, me déclara-t-il. On aurait cru entendre Raymond.

Je lui dis que j'étais désolée pour lui.

Et toi ?

David était au courant de mon voyage à New York, au cours de cet été lointain, parce qu'il en était la cause. Mais je ne lui avais jamais appris les détails, les séquelles, la terrible hémorragie, et l'infection qui s'était déclarée ensuite. Qui m'avaient rendue stérile.

Je lui dis que le séjour à New York avait tué tout espoir de ce côté-là.

Mon Dieu, Ann, je n'en savais rien !

Le passé est le passé. On continue tant bien que mal. Je n'ai jamais été du genre à ruminer.

Les hommes ne perdent jamais pied devant une femme « complète », capable d'enfanter. On croirait plutôt que ça leur donne de la force, comme s'ils éprouvaient le besoin irrépressible de la surpasser. Là, je vis que David était très secoué, et les questions suivantes se bousculèrent en désordre, trahissant son trouble : Es-tu en bonne santé... es-tu heureuse... as-tu une bonne vie...

Je lui dis que ma vie était formidable et que je n'en aurais changé pour rien au monde.

J'ignore pourquoi j'ai menti.

Mais moi je le sais, pensa Joseph Goins. Il contempla longuement un nœud du bois, sur une des parois en pin de la cuisine. La lecture du journal d'Ann l'avait toujours amené à réfléchir sur les femmes. Elles s'obstinaient à croire qu'il y avait du bon dans l'existence, jusqu'au moment où tout était fini. C'est pour ça qu'on les aime tellement, songea-t-il, parce qu'elles ne cèdent jamais aux courants sombres, même lorsqu'ils menacent de les emporter vers la mort. Il pensa à Laurie, cette belle fille plantureuse qui était venue travailler au cinquième étage de l'hôpital — l'infamant cinquième étage — et les avait gratifiés de sa présence. Quelle bouche, quel sourire ! Elle était si rayonnante lorsqu'elle passait, franchissant les grilles et les portes de sécurité aux vitrages renforcés de fil d'acier. Il s'était à peine écoulé une semaine que Papini avait porté la main sur elle — Papini, un interné modèle, drogué jusqu'à ne plus savoir qui il était, mais qui s'était arraché à sa léthargie pour obtenir quelques instants d'intimité avec elle. Elle avait été vaincue. Pendant ces quelques jours, pourtant, l'assurance, la grâce qu'elle avait eues ! La certitude que le Lima State Hospital n'était pas un endroit pire que d'autres lorsqu'on prenait les choses du bon côté. Voilà ce qui arrivait, lorsqu'on se heurtait à Papini. Et regarde ce qui t'est arrivé, douce Ann, lorsque le destin t'a conduite à Back Bay.

Tu as menti, Ann, songea Joseph Goins, afin de pouvoir espérer.

Son cœur se serra à cette pensée. Il reprit la lecture du journal.

Et ta vie à toi ? lui demandai-je.

Pareil, me dit-il, je n'en changerais pour rien au monde. David n'a jamais été dupe de mes mensonges, et il a toujours été assez généreux pour jouer le jeu. Ce que je pense, vraiment, c'est que nous travaillons comme des forçats pour mieux nous étourdir et oublier notre sort.

Amen, fis-je.

Il me questionna sur Ray.

C'est un chic type. Un mari merveilleux. On aurait dit que je décrivais le prince charmant. Pas du tout mon intention.

David m'assura que Brian Dennison le tenait en haute estime.

Il est devenu lieutenant à trente-cinq ans, déclarai-je fièrement.

La différence entre un Raymond acquérant jeune les galons de lieutenant et un David Cantrell possédant des millions de dollars n'a jamais eu grande signification pour moi. Pourtant, j'eus l'impression alors que cette différence sociale venait de s'affirmer dans toute sa portée. En un certain sens, j'avais admis que nous appartenions à deux mondes différents. Je n'ai jamais réussi à comprendre comment David arrivait à conserver tant d'ambition et tant d'humilité à la fois. Son bon naturel apparent masquait peut-être de l'arrogance. En tout cas, il n'en a pas manifesté cette nuit-là, ni par la suite. A l'époque où il était étudiant, il était timide — même avec moi qui avais sept ans de moins que lui et allais encore au lycée. Mais comme je pense qu'il y a des frontières à défendre dans la vie, je lui lançai :

Ne sois pas aussi humble. Tu n'es pas si extraordinaire que ça. Une réplique volée à Indira Ghandi — il me semble —, une de mes favorites.

Il se mit à rire et dit qu'il était agréable de me revoir.

Je dis qu'il était agréable de le revoir.

Il me quitta alors en me saluant d'un hochement de tête, le genre de petit signe hautain et insultant qu'il devait adresser à ses subordonnés dans les couloirs de la PacifiCo Tower. La réplique que je lui décochai ensuite était destinée à être une de ces reparties désinvoltes qui signifient à l'interlocuteur que vous vous foutez pas mal de lui. Mais à l'instant même où je la prononçai, je compris que c'était en réalité un message d'une tout autre nature. N'hésite surtout pas à écrire, dis-je.

David s'immobilisa et me regarda d'un air à la fois surpris et flatté. Et soudain, l'idée ne me parut pas si mauvaise. Elle me parut même merveilleuse. Pareille à une bouffée d'air frais par une chaleur suffocante.

Je le ferai très volontiers.

A la boîte postale 2-2-1-2, Newport, enchaînai-je aussitôt, le cœur battant. N'oublie pas que je suis mariée. Autant éviter de réveiller le chat qui dort.

De nouveau, il parut surpris, simulant une innocence qu'il n'avait jamais eue, je le savais.

Ecris à Dave Smith, chez Cheverton Sewer & Septic. Moi, j'ai des tigres à ménager. Ils portent des costards à rayures et sont membres du Lions Club.

Je ris, et lui aussi. J'aurais pu ironiser sur le fait de devoir adresser un courrier « clandestin » à une entreprise de construction d'égouts, mais pour une fois, je sus tenir ma langue. J'éprouvais une sorte de vertige. Mon Dieu, pensai-je, et si Ray l'apprenait ? Et si m'man l'apprenait ?

J'eus encore l'occasion d'apercevoir David, cette nuit-là. Chaque fois en compagnie de Christine, qui est une belle femme, un peu timide. Les Puissants persuadèrent Buddy de danser pendant que quelqu'un l'accompagnerait au piano. Et Bud Clampett — quatre-vingts ans sonnés mais toujours fringant et agile — se lança dans un numéro endiablé. Alors que sa silhouette dégingandée se projetait sur le plafond en teck, que le bateau tanguait et que les lanternes oscillaient, j'ai pensé : *Buddy, tu es un sacré bonhomme.* De l'autre côté de la pièce, au-delà des silhouettes en robe et en smoking, au-delà de Buddy et de son ombre dansante, j'ai vu David qui me regardait.

Dennison a réuni 85 000 dollars pour sa campagne, cette nuit-là, mais on murmurait parmi les invités que la majeure partie financerait le Comité de lutte contre la « Proposition A », dont Brian était trésorier, bien entendu. OUI À L'EXPANSION ! était la devise de ces messieurs. La plupart des Puissants étaient des hommes d'affaires, alors, tu imagines bien qu'ils ne songeaient qu'à se faire de nouveaux clients.

J'ai récolté 300 dollars de pourboires.

Surtout, j'ai senti que tout allait changer dans ma vie. En réalité, c'était déjà fait.

Je n'ai pas tenu de journal depuis l'âge de dix ans, mais j'éprouve le besoin de coucher tout ça par écrit, maintenant. Trop de confusion. Trop de duplicité. Trop de trahisons. Est-il possible que nous fassions de mauvaises choses avec de bonnes intentions ? Je voudrais avoir quelqu'un à qui parler. Je peux me confier à mon Cher Ange, blotti au-dedans de moi.

Joseph Goins marqua l'endroit où il en était de sa lecture avec une carte postale du *Poon's Locker*. Le moment est venu d'écrire à nouveau à m'man et p'pa, songea-t-il. D'incompréhensible façon, ils lui manquaient.

Il se leva, un peu pris de vertige, submergé de pensées. Il y avait eu une époque, dans sa vie, où il avait éprouvé des émotions violentes. Il avait été si difficile, parfois, de dire si elles étaient les siennes ou celles d'un autre. Il avait lu un jour une interview d'un auteur populaire, affirmant que les chansons étaient déjà dans l'air et qu'il se contentait de les écouter et de les transcrire. Joseph comprenait très bien ce qu'il voulait dire. Mais depuis qu'il y avait eu l'hôpital, la photographie de ce qui n'allait pas dans son cerveau, et les traitements, il n'éprouvait plus d'émotions — de sensations — aussi intenses. Elles étaient toujours ténues et diffuses, au contraire. Il lui semblait même, parfois, qu'elles se dispersaient dans l'air ambiant. S'il se concentrait, il finissait par les capter, mais jamais elles n'étaient terribles, comme autrefois.

Ce qu'il éprouvait aujourd'hui, c'était de la confusion. Il avait quitté l'Ohio à cause d'Ann. Mais rien n'avait tourné comme il l'avait espéré, même s'il y avait eu des moments de joie. Il regarda les photos d'Ann qui l'environnaient, happé dans leur vie illusoire, fasciné par les souvenirs qu'elles évoquaient. Il lui sembla que s'il avait pu revenir en arrière, dans l'un de ces instants où il l'avait saisie avec son objectif, il aurait pu modifier le cours de leurs deux existences, l'orienter vers un rivage plus sûr et miséricordieux.

Le boîtier électronique de Joseph émit un bip. Il se leva et se plaça devant le plan de travail de la kitchenette, à un pas de distance exactement de la petite table, et regarda les flacons de pilules alignés là. C'étaient là, il le comprenait, les puissances qui le domptaient. Sans elles, il y aurait eu les émotions, les désirs ardents, les impératifs obscurs et irrésistibles. Il y avait si longtemps qu'il ne les avait pas éprouvés qu'il dut fermer les yeux et se concentrer un moment pour retrouver un peu les sensations d'autrefois. Un éclair de lumière bleue zébra ses ténèbres intérieures, une vague de chaleur déferla à travers son corps. La grande différence, c'était la clarté. Avant les médicaments, il y avait eu la clarté. Et des sensations. Aujourd'hui, tout n'était plus qu'engourdissement.

Joseph resta ainsi debout, les paupières crispées, tremblant, essayant d'échapper à la confusion des événements récents, de parvenir à un stade où les buts seraient définis, où les effets découleraient d'une cause, et où cette cause serait intelligible. J'ai fait un tel gâchis, se dit-il. Et maintenant, quoi ? Si seulement il pouvait arriver à concevoir nettement ce qu'il fallait faire, il pourrait aboutir à quelque chose. A travers l'explosion de couleurs et de sensations qui jaillissaient maintenant au-dedans de lui, il ne saisissait qu'une seule pensée, toujours la même, ténue mais obsédante : *Tu devrais te livrer. Dis-leur tout ce que tu as fait.*

Au-delà, il n'y avait que le chaos. Il rouvrit les yeux et regarda à nouveau les flacons disposés sur le plan de travail, tels les bâtiments d'une minuscule cité. Si je reste, pensa-t-il, il faut que je retrouve l'ancienne clarté, il faut que j'aie les anciennes sensations. *Non.*

Il avait suivi le traitement pendant des années, presque obsessionnellement, surtout depuis sa libération, et qu'est-ce que cela lui avait valu ? Qu'est-ce que ça avait valu à Ann ? *Non.*

Joseph fit couler de l'eau dans un verre, ouvrit les flacons et prépara sa dose de médicaments. Pourquoi, se demanda-t-il, est-ce que je n'ai jamais eu d'émotions fiables — authentiques et n'appartenant qu'à moi seul ?

13

Le sergent Philip Kearns habitait un petit appartement dans Newport Island, minuscule îlot auquel on accédait par un pont étroit, qui n'admettait qu'une seule voiture à la fois. Alentour, une forêt de mâts dansaient sur l'eau, agités par la forte brise matinale. Chaque riverain possédait un yacht et tous ces bateaux reliés à l'îlot évoquaient une portée de chiots blottis autour de leur mère.

Jim se gara sur le boulevard et traversa la chaussée. Une voiture de police passa ; les deux flics lui décochèrent un regard hostile alors qu'il franchissait le pont. Il se demanda si la théorie de Virginia était vraie. La paranoïa était parfois contagieuse.

Sous le soleil matinal, le port semblait avoir été passé au vernis. A la sortie du pont, Weir surprit deux canards qui se réfugièrent dans l'eau en criaillant et s'éloignèrent à coups de palmes.

Kearns s'était montré plutôt décontracté, au téléphone. Il l'avait invité à passer chez lui à 7 heures, d'un ton qui n'indiquait ni suspicion, ni docilité. Il l'accueillit sur le seuil, en robe de chambre de soie noire et sandales japonaises. Il était plus grand que Jim ne s'y attendait, et mince pour un flic. Sa chevelure châtain clair et emmêlée commençait à se dégarnir. Le cheveu sur le chemisier d'Ann était plus foncé, mais ça ne signifiait pas grand-chose. Ce qui frappa Jim ce fut la peau : lisse, sans rides, sans taches. Kearns avait une poignée de main ferme.

— J'ai eu du mal à me tirer du lit, avoua-t-il.

— Merci de me recevoir.

— Asseyez-vous, j'apporte du café.

L'appartement, presque entièrement vitré, avait vue sur la mairie, sur Newport Boulevard, sur les duplex de la haute péninsule et un bout d'océan. Un pan de mur était tapissé de miroirs, pour « agrandir » la pièce qui ne devait pas faire plus de quatre mètres sur quatre. Un tout petit couloir donnait sur une porte fermée. La cuisine, où Kearns était occupé à verser du café, était équipée d'appareils miniatures — frigo, four et fourneau à deux brûleurs, micro-ondes. Le mobilier du séjour — cuir noir et métal — était masculin, restreint et coûteux. Le lieu sentait l'eau de Cologne et le talc. Le fin du fin de la piaule de célibataire. Pas mal. Au-delà des vitres, on voyait une mouette posée au sommet d'un mât.

Comparé au café de Kearns, celui de Virginia n'était que de la bibine.

— Je suis navré, dit Kearns. Pour vous, pour Ray, et surtout pour Annie. Je la connaissais bien et je l'aimais beaucoup.

Annie, songea Weir. Ray l'appelait comme ça, m'man aussi, moi aussi.

— Quand l'avez-vous vue pour la dernière fois ?

Kearns s'adossa confortablement à son canapé de

cuir, jeta un bref coup d'œil à Jim, puis sirota son café.

— Soyons francs, okay ? Au poste, le bruit court que Dennison vous a confié une enquête à la suite du témoignagne de Mackie Ruff. On dit qu'il se sert de vous parce que vous n'avez pas de titre officiel et qu'on peut vous démentir. C'est proche de la vérité ?

Weir hocha la tête. Bonjour la couverture.

— C'était plutôt l'idée de Ray. On a pensé que je pouvais perdre mon temps à vérifier le témoignage de Ruff pendant que l'équipe s'attaquait au boulot sérieux.

Kearns le dévisagea d'un air imperturbable. S'il n'était pas dupe du prétexte, il avait l'élégance de le cacher.

— Jim, je veux bien vous dire ce que j'ai fait cette nuit-là, ou n'importe quelle autre nuit. Mais ne m'interrogez pas sur les gars. Je ne parlerai que de moi.

— Accordé.

Le téléphone sonna, stridulation assourdie. Kearns délogea le petit récepteur du recoin de divan où il était enfoui et le porta à son oreille. Weir regarda par la fenêtre, en direction de Balboa, pendant que le sergent bavardait, ponctuant ses phrases de nombreux : « Oui, chérie » et de « Moi aussi, je t'aime. »

— C'est ça, appelle-moi plus tard, dit-il en raccrochant. (Il décocha à Jim un petit sourire affecté, avec une lueur espiègle dans l'œil.) Désolé.

— Ça semblait important.

— Enfin, un peu plus que d'autres. Marié ?

— J'ai failli l'être.

— Moi, je l'ai été. Le jour où j'ai quitté le domicile conjugal pour emménager ici, j'ai eu l'impression d'être enfin sorti de taule. Un homme peut très bien vivre seul, à condition de se faire câliner de temps en temps. Je me demande comment faisaient Annie et Ray.

Annie.

— Vous étiez très lié avec eux ?

Kearns se pencha en avant, entourant sa tasse de café à deux mains.

— Eh bien, ça en prenait le chemin. Raymond pense que je... comment dire ça... que je me gâche. Nous étions partenaires depuis six mois et il m'avait pris sous son aile, pour ainsi dire. Il m'a beaucoup appris. Je crois qu'il avait dans l'idée de me prouver qu'il existe des couples heureux. Alors, lui, Ann et moi, nous avons passé de longs moments ensemble. Ils affichaient leur bonheur domestique. Mais c'était, eh bien, c'était... intéressant.

— En quel sens ?

— Je crois qu'Ann jouait la comédie. (Kearns regarda Weir bien en face, avec franchise.) Ray était fou d'elle, c'était évident. Et Ann jouait le jeu. Mais je sentais quelque chose de faux dans son attitude. Elle agissait pour la galerie. N'oubliez pas que j'étais le célibataire endurci qu'il fallait convaincre.

On entendit la chasse d'eau derrière la porte du couloir, puis un léger remue-ménage. Quelqu'un venait de se lever dans la pièce voisine.

— Qu'est-ce qui n'allait pas, selon vous ?

— Elle réagissait comme un animal en cage. Un fauve enfermé qui tourne en rond. Bien sûr, elle taquinait Ray lorsqu'il la taquinait, elle lui pinçait le nez s'il lui pinçait la joue, elle l'embrassait et se réconciliait avec lui s'il leur arrivait de s'engueuler. Mais elle était toujours sur le qui-vive. Il essayait tout le temps de se rapprocher d'elle et elle ne cessait de se dérober. Quand Annie et moi étions seuls — si Ray allait aux toilettes ou passait un coup de fil — elle changeait du tout au tout. Elle avait des regards intrigués et curieux, elle était captivée par ce qui se passait autour d'elle. On aurait dit... qu'elle se branchait sur le monde. Elle se détendait. Comme si elle assistait à un spectacle depuis les coulisses. Elle me piquait une de mes cigarettes avant le retour de Ray.

Ils ont même eu une dispute à ce sujet, un soir, chez *Dillman's*, lorsqu'il l'a surprise en train de fumer. Des gens mariés depuis vingt ans et qui se disputent pour une cigarette ? Elle m'a choqué, une fois. On était au *Studio Café*. Tout à coup, Raymond est parti chercher son portefeuille qu'il avait oublié en bagnole. Bon. Je regardais la serveuse qui se penchait pour poser un plat sur la table d'à côté. Jupe courte, cul parfait. Annie la regardait elle aussi. Soudain, elle m'a dit : « Par-devant ou par-derrière, si tu la baisais, Phil ? » Et elle m'a souri. Un de ces sourires qui n'appartenaient qu'à elle. Pervers et innocent en même temps. Je lui ai répondu : « Exactement comme tu vois. » Alors, elle m'a dit : « C'est ce qu'elle voudrait aussi. » Et quand je lui ai demandé pourquoi, elle a lâché : « Parce que comme ça, tu pourrais être n'importe quel homme au monde. » Deux minutes plus tard, Raymond est revenu, et on s'est remis à parler de choses et d'autres. C'était étrange.

L'histoire heurtait l'idée que Jim se faisait de sa sœur. Mais va savoir, pensa-t-il. Poon avait été un coureur de jupons — indigne de confiance, impudent, sans retenue. Poon avait eu une vie secrète. Virginia l'avait toléré. Jim se rappelait que Poon l'avait bel et bien encouragé à la duplicité... En avait-il fait autant avec Ann ? Elle avait toujours été très proche de son père. Proche de Virginia, mais pareille à Poon.

— Croyez-vous qu'Ann était capable d'avoir un amant ? demanda-t-il, et sa propre question lui fit un étrange effet.

— Oui. Et je pense qu'elle en avait un. J'ai patrouillé dans la péninsule pendant tout le mois de février et la première moitié du mois de mars. Une fois ou deux, je suis passé devant le *Whale's* alors qu'elle en partait en bagnole. Elle se dirigeait vers Balboa, pas vers sa maison.

Là où ils ont trouvé sa voiture, songea Weir.

— Toujours en tenue de travail ?

— J'saurais pas dire.

— Est-ce qu'il vous est arrivé de la prendre en filature ?

— Jamais. C'était pas mes oignons.

— Vous avez fait part de vos soupçons à Ray ?

— Bien sûr que non. Je ne me mêle *jamais* des affaires des autres.

— Lui en avez-vous parlé... après ce qui s'est passé ?

— Je ne l'ai pas revu. Il est toujours à l'hôpital, non ?

— Il est sorti hier. Ils l'ont fait dormir et manger.

Le téléphone sonna encore et Kearns répondit. De petits rires, une phrase murmurée que Weir ne parvint pas à saisir, puis une allusion au fait que ce qui était bon pour l'oie l'était aussi pour le jars. Le sergent convint d'un rendez-vous avec son interlocutrice et raccrocha. Son regard se porta sur Jim, puis au-delà de la fenêtre.

— Je vous ai déclaré que je n'acceptais de parler que de moi et me voilà en train de faire des confidences sur votre propre sœur et votre meilleur ami. J'en ai assez dit là-dessus, je trouve.

— Ray vous a-t-il laissé entendre qu'il la soupçonnait d'avoir un amant ?

— Jamais. Ray était confiant. Et puis, il était aussi drôlement occupé, avec ses cours et le reste. Qu'est-ce que vous attendez pour lui poser directement la question ?

— C'est déjà fait. Il ne suspecte rien.

Au bout du petit couloir, la porte s'ouvrit soudain et une femme sortit de la chambre, pieds nus, enveloppée dans un peignoir vert vif. Elle était mince, avoisinait la quarantaine, selon Weir, et ses cheveux auburn formaient un halo autour de son visage. Elle les lorgna tous les deux, puis se dirigea vers la cafetière.

— Salut, beauté, dit Phil. Voici Jim Weir. Jim, je te présente Carol Clark.

La standardiste, songea Weir. Commode. Il lui

dit bonjour. Elle lui adressa un regard ensommeillé.

— Il n'y a presque plus de café, observa-t-elle.

— Tu n'as qu'à en refaire, dit Kearns.

— Il te faudrait une cafetière plus grande.

— Offre-m'en une pour Noël.

— Crétin, râla-t-elle d'une voix bourrue mais non dénuée de tendresse.

A l'étonnement de Jim, un bruit de chasse d'eau se fit de nouveau entendre, et un instant plus tard, une autre femme traversa le couloir d'un pas traînant pour pénétrer dans le séjour. Elle semblait avoir tout juste la moitié de l'âge de Carol, peut-être même moins. Elle était petite, pâle, avec une longue chevelure blond vénitien. Elle portait un peignoir blanc en tissu-éponge.

— Célibataire Numéro Deux, marmonna-t-elle. Crystal.

— Salut beauté, lui dit Kearns en souriant avec suffisance à Weir. Je te présente Jim.

Crystal regarda le visiteur, sans intérêt apparent, puis se rapprocha et s'assit à côté de lui.

— Oblige ce mec à nous laisser tranquilles. C'est un tordu, un vieil enfant gâté, et il n'y a jamais assez de café pour trois, déclara-t-elle à Weir. (La naissance de sa poitrine était pâle et mouchetée de taches de rousseur. Elle examina un de ses doigts, puis le porta à sa bouche. De profil, elle avait l'air d'une enfant.) Peux-tu faire ça pour moi ? demanda-t-elle, tout en se mordillant un ongle.

— Tu ne sembles pas prisonnière.

— Il me tient sous son emprise.

— La porte est ouverte.

Kearns n'avait pas cessé de sourire, pendant cet échange. Il avait l'air très fier de lui.

— Très bien, fit-il. Tu es libre, Crystal. Tu peux retourner à ton ancienne vie barbante et solitaire à Barstow. Allez zou, tire-toi d'ici.

Elle grogna, se rendit dans la cuisine pour refaire

du café. Carol retourna dans la chambre et s'y enferma. Crystal sortit sur la petite véranda et s'affala sur un transat pendant que le café passait.

— Quand on se surprend à rêver en voyant une belle femme, il faut se dire que l'homme de sa vie en a marre d'elle. J'ai lu ça quelque part, fit Kearns.

— C'est ce que vous avez pensé lorsque vous avez rencontré Ann ?

Kearns eut un léger sourire.

— Non. L'une des choses que j'ai sues très vite, c'est que Ray était loin d'être fatigué d'elle. Comme je vous l'ai expliqué, s'ils m'ont adopté, c'était pour me prouver que deux personnes peuvent vivre heureuses ensemble.

— Est-ce qu'elle vous a fait des avances ?

Kearns fit un signe de dénégation et regarda Crystal, sous la véranda. Allongée sur le transat, sous le pâle soleil, elle avait relevé le col de son peignoir pour se protéger de la fraîcheur matinale.

— Crystal vient de l'Oklahoma. Elle profite du moindre petit rayon de soleil californien. C'est une gosse adorable. Non, Annie ne m'a jamais fait d'avances. Et comme vous allez me poser la question, non, je ne lui en ai jamais fait non plus. Mais je vous dirai que j'appréciais en elle une femme belle, mystérieuse, et je crois qu'elle m'appréciait aussi. On se reconnaissait quelque chose de très important en commun.

— Quoi donc ?

Kearns se fit pensif, avala son café en plissant le front, et contempla à nouveau Crystal.

— La capacité d'aller jusqu'au bout des choses.

Jim regarda lui aussi vers la véranda. De là où il se trouvait, la mouette perchée sur le mât semblait posée sur la tête de la jeune femme.

— La capacité d'aller jusqu'au bout des choses et d'accepter les dangers qui en découlent, surtout pour une personne mariée, reprit Kearns.

— Et chacun de vous l'avait décelée chez l'autre ?

— Oui. C'était notre lien implicite. On s'était devinés dès la première rencontre. On savait aller au-delà des apparences, tous les deux. Pressentir l'aspect caché d'une personnalité. Annie était le mystère incarné. Quant à moi, il est inutile de vous dire à quel point je suis secret, j'imagine.

On entendit les pas sourds de Carol à travers la chambre.

— Puisque vous vous ressembliez tellement, qu'est-ce qui vous empêchait d'avoir une relation encore plus intime, Annie et vous ?

— Ray Cruz, lâcha Kearns. Tout simplement. Il n'y a pas une femme qui vaille qu'on lui sacrifie une amitié. Pas une seule.

Weir se demanda si Ann était celle des deux qui avait respecté le marché tacite, et Kearns celui qui avait désiré le remettre en cause. Mais par ailleurs, le sergent ne lui paraissait pas capable de s'attacher à une femme au point d'aller jusqu'à commettre un crime passionnel.

— Je voudrais vous parler de la nuit de lundi, où vous étiez de ronde. Celle où Ann a été tuée.

Une étrange expression naquit sur le visage de Kearns, mélange de curiosité et d'inquiétude.

— Je patrouillais dans la péninsule.

— Je sais. Je sais aussi que vous n'avez pas eu de contact radio pendant vingt minutes, de minuit et demi à une heure moins dix. Ce serait bien long pour une pause café et bien tard pour un casse-croûte.

Kearns sembla déçu et blessé.

— Mais juste assez pour tuer Ann ? fit-il.

— C'est une interruption diablement longue.

— J'ai eu une accalmie, Weir. Il ne se passait rien. Pas d'appels radio, pas de P.V. à distribuer, pas de troubles de l'ordre public. Les emmerdes rappliquent vers minuit et demi, en général, lorsque les soûlots commencent à quitter les cafés pour rentrer à la maison.

— Où étiez-vous ?

— J'ai poussé jusqu'au Wedge, je me suis garé et je suis allé voir s'il y avait des poivrots endormis sur la plage. Après, je suis revenu sur mes pas, j'ai contrôlé les rues latérales, fait une ronde dans un secteur de L Street où il y a eu deux cambriolages le mois dernier. Calme plat.

— Vous avez vu d'autres voitures radio ?

— Il n'y avait pas grande visibilité, cette nuit-là. Non, pas de voitures radio. Il y avait trois unités sur mon secteur, mais je n'en ai croisé aucune.

— Blodgett dit qu'il a aperçu une bagnole de patrouille hors de son secteur, cette nuit-là. Elle sortait du pont en direction du sud, vers Back Bay. A minuit pile.

— Il aurait fallu que je me trouve moi-même hors de mon secteur pour la voir. Comme je l'ai dit, je suis resté dans la péninsule toute la nuit, exception faite de deux virées au poste pour flanquer deux types au trou. Un pour tapage nocturne et l'autre pour ivresse sur la voie publique.

— Vous n'avez pas vu Ann cette nuit-là ?

— Non. (Le regard de Kearns se porta sur le sol et y resta rivé un long moment. Puis il contempla à nouveau Crystal.) Elle va me manquer.

Carol ressortit de la chambre, vêtue d'un jean, d'un chandail clair et de chaussures basses. Elle portait un sac en bandoulière. Elle posa sa tasse de café, vint vers Kearns et l'embrassa sur le front.

— A plus tard, Phil.

— Salut.

— Ravie de vous avoir connu, Jim.

Weir hocha la tête et la regarda franchir le seuil, apparaître de l'autre côté de la baie vitrée, donner une petite claque amicale à Crystal, puis disparaître dans l'escalier.

— Eh bien, dit Kearns, j'espère que vous avez ce que vous vouliez. Maintenant, je vais vous livrer une info qui vous aidera peut-être. Considérez ça comme un cadeau. Pour Annie.

— Allez-y.

— Pendant mes jours de congé, j'ai fouiné un peu dans le coin de Back Bay. Dennison nous a encouragés à « donner un coup de main » pour Ray. A titre bénévole, au fait. Sans rémunération. Hier, j'ai enquêté dans les immeubles qui ont vue sur Galaxy, au-delà de Morning Star, là où le type aurait pu se garer. Bien sûr, on avait déjà interrogé tout le monde, ou on croyait l'avoir fait, mais je suis tout de même tombé sur une vieille dame qui semblait avoir des choses à raconter. Le hic, c'est qu'elle ne pouvait pas placer un mot sans que son mari la contredise. Je me suis arrangé pour expédier le bonhomme au poste sous prétexte de faire recueillir son témoignage et j'ai pu interroger sa femme. Il s'est avéré qu'elle a entendu freiner une bagnole aux environs de minuit. Le bruit l'a réveillée. Elle est allée aux toilettes, et en revenant se pieuter, elle a jeté un coup d'œil dehors. Elle a vu une quatre-portes blanche garée le long du trottoir. Elle ne connaissait ni la marque, ni le modèle, mais elle a remarqué deux trucs. Un, le conducteur n'est pas sorti — il est resté au volant. Et deux, il y avait une sorte de grosse tache noire sur la portière avant. Ça m'a paru quelque chose d'assez grossier, d'après sa description. Une sorte d'enduit préparatoire pour un boulot de peinture resté inachevé. Elle a assuré que ce n'était pas une de nos bagnoles.

Weir évalua l'information. Un témoin qui aurait vu passer la voiture à une certaine vitesse aurait pu prendre la plaque d'enduit pour l'emblème de Newport qui figurait sur tous les véhicules de police de la ville.

— Et maintenant, écoutez-moi bien. Tout à l'heure, au petit matin, une unité de patrouille est tombée sur une bagnole enregistrée au nom d'Emmett Goins, garée à l'autre bout de la péninsule, près du Wedge. C'est une Chevrolet blanche de 87, avec une grande plaque d'enduit sur la portière du conducteur. Elle a un porte-bagages chromé sur le toit. Le propriétaire a prêté cette bagnole à son fils Horton. Un dingue de l'Ohio qui a violé et poignardé une fille, là-bas. On l'a libéré récemment et il s'est installé pas loin d'ici.

— Vous avez eu Goins ?

— Pas encore. Innelman et Deak se sont mis en chasse.

— Pouvez-vous me dire ce qu'ils ont trouvé dans l'appart' de Costa Mesa ?

Kearns eut un sourire ironique et désabusé, se renversa sur son siège.

— On se demandait comment Brian avait pu dépister ce type avant tout le monde. C'était vous ?

Jim acquiesça.

— Eh bien, quoi qu'ils aient déniché, le chef a mis les informations sous le boisseau. Donc, ça doit être très sérieux. Assez sérieux pour *ça*, en tout cas.

Kearns saisit l'édition matinale du *Times*, qui traînait sur le canapé, et la lança à Jim. Le gros titre suivant s'étalait sur la page consacrée au comté d'Orange :

AGRESSEUR SEXUEL DE MESA
RECHERCHÉ DANS LE MEURTRE DE BACK BAY
INTERNÉ IL Y A NEUF ANS
POUR CRIME SIMILAIRE

« Horton Goins, un ex-détenu de vingt-quatre ans condamné pour agression sexuelle, qui avait emménagé à Costa Mesa il y a neuf mois, est recherché par la police à la suite du cruel assassinat d'Ann Cruz à Back Bay, mardi dernier... »

Jim parcourut hâtivement l'article, en se demandant pourquoi le chef ne l'avait pas mis au courant. Brian avait-il jeté aux oubliettes la thèse du flic assassin ? Ou cherchait-il à brouiller les pistes pour mieux dissimuler le témoignage de Ruff ? Une photo d'Horton et Edith illustrait l'article. On voyait un beau jeune homme triste, debout aux côtés de sa mère.

— Joli boulot, pour la bagnole, dit Jim.

— C'est un début. On va distribuer des agrandissements de cette photo cet après-midi, du côté de Wedge. Comme il a abandonné sa tire là-bas, il y a toutes les chances qu'il ait évité de se planquer dans le quartier. Mais ça vaut le coup d'essayer.

Jim se leva et regarda Crystal, qui s'était assoupie. Le spectacle d'une femme endormie avait quelque chose de sublime.

— Alors, fit Kearns, vous avez un poivrot qui a vu une bagnole de flic et une vieille dame qui a vu une voiture avec une plaque d'enduit. Vous choisissez qui ?

— Je ne choisis pas, dit Weir. Pas encore.

— Je penche pour la dame.

— Mackie aura peut-être des souvenirs plus clairs, maintenant qu'il est au régime sec.

— Je compterais pas trop là-dessus, si j'étais vous.

— Il est toujours en cabane ?

Kearns acquiesça en souriant.

— Le bruit court que les médias s'intéressent à un « témoin secret », alors Brian s'efforce de le garder hors circuit. Goins va changer tout ça, j'imagine.

— On peut le supposer. (Jim serra la main du sergent, jeta un dernier coup d'œil sur le petit logement.) Merci, dit-il en s'éloignant vers le seuil.

— Mes amitiés à Ray. Il devrait reprendre le boulot, essayer d'avoir un semblant de vie normale.

— Je suis de votre avis.

Alors qu'il traversait la véranda, Weir coula un regard vers Crystal.

— J'espère qu'on se reverra, beau gosse ! lui lança-t-elle.

— J'y compte bien, ma jolie.

Il vit en elle — ainsi que Kearns l'avait souligné — une indéniable capacité à aller au bout des choses. Il se demanda ce qu'elle voyait en lui. Où diable Kearns dénichait-il toutes ces femmes, d'ailleurs ?

Il traversa le pont pour regagner sa voiture. Carol Clark, assise dans une décapotable sport, le héla d'un index effilé. Elle fit démarrer le moteur alors qu'il approchait.

— Agenouillez-vous tout près, que je n'aie pas à brailler, dit-elle.

Il s'exécuta, posant les mains contre la carrosserie. Il voyait son propre reflet déformé sur les verres des lunettes noires qu'elle portait.

— Vous avez entendu l'enregistrement des communications radio, c'est ça ?

— Exact.

— Il n'y a pas de bouton « pause » sur le magnéto relié au standard, mais je peux utiliser l'autre console si je veux. Le magnéto est uniquement branché sur celle qui est en service, OK ? Dans la nuit de lundi à mardi, j'ai appelé Phil quatre fois entre 0 h 30 et 0 h 50, sur le standard libre.

— Je me demande bien pourquoi.

— Et vous avez raison. Nuit languissante, pas d'action. Je lui ai téléphoné pour faire un brin de causette. Tout le monde est au courant de notre... situation, mais ce n'est pas le genre de conversation qu'on enregistre sur bande. Pigé ?

— Jusqu'ici, oui.

— Eh bien, le prince Philip n'a pas répondu. Il est resté absent de sa bagnole pendant vingt minutes. Ça ne colle pas tout à fait avec ce qu'il vient de vous dire. J'ai tout entendu. Petit appartement, cloisons minces.

— Vous avez une idée de l'endroit où il était ?

— Je vous laisse le soin de faire les hypothèses. Il s'agit d'un meurtre, et d'un homme que je connais bien.

— Vous croyez que Kearns pourrait... avoir commis un tel acte ?

— Il a le pouvoir d'amener une femme à faire des

choses dont elle ne se serait jamais crue capable, en tout cas. Je ne suis pas une pute, contrairement à ce que cette embarrassante situation a pu vous laisser penser. Je ne réponds pas de sa façon de réagir quand il n'obtient pas ce qu'il veut. Mais j'ai l'impression qu'il parvient toujours à ses fins. (Elle enclencha la première et la décapotable avança de quelques centimètres.) Oubliez tout ça. Je ne vous ai rien dit.

— Pigé.

— Vous savez ce qu'il y a derrière tout ça ? L'ennui. L'ennui et le narcissisme.

— J'ai l'impression que vous avez trouvé le remède.

— Si vous en connaissez un meilleur, n'hésitez pas à me faire signe.

La capacité d'aller jusqu'au bout des choses, pensa Weir ; mélangez-la à l'ennui et au narcissisme, et vous obtenez un ménage à trois. Peut-être que le soleil tape trop dur, par ici. Qu'il abrutit les gens et leur détraque la libido. Ou alors, c'est que les êtres humains ne songent plus qu'à se procurer des plaisirs égoïstes. Qui se soucie encore des autres ?

14

Jim et Raymond tirèrent Mackie Ruff du trou à 9 heures, ce matin-là, Dennison leur ayant donné pour instructions de le faire sortir par la porte de derrière. Pendant que Ray signait les paperasses, Jim patienta, adossé au mur. Un gros en civil qu'il avait parfois croisé à l'époque où il bossait avec le shérif — un certain Tillis, lui semblait-il — passa près de lui et le toisa sans mot dire, suivi d'un jeune officier mélancolique qui lui jeta à voix basse : « Bouffe de la merde et crève. » Sa plaque portait le nom de Hoch.

Deux autres flics survinrent et lui décochèrent un regard noir ; l'un d'eux se détourna même pour le fixer avec un air de dégoût.

Mackie était un petit homme maigre et nerveux d'environ soixante-cinq ans, au visage violacé et aux yeux bleu très pâle. Il empestait la sueur et la saleté. Il voulait attendre jusqu'à midi pour avoir droit au repas des taulards, mais ils lui promirent quelque chose de beaucoup mieux.

— Un petit verre me ferait pas de mal, lâcha Ruff alors qu'ils sortaient du commissariat.

Il avait un pantalon trop long, dont les revers étaient retournés trois ou quatre fois, et le tissu raide de crasse raclait tout de même le sol à chacun de ses pas.

— On verra ça, fit Ray. Tu y auras peut-être droit après le breakfast.

— J'ai faim, les mecs. Que diriez-vous du *Balboa Bay Club* ?

— T'as pas de cravate, lâcha Jim.

— J'en ai porté que deux fois dans ma vie — quand j'ai épousé ma femme, et quand je l'ai enterrée. Au fait, comment va ton père ?

— Il est mort en 81.

— J'suis navré. Personne m'avait dit.

Raymond décocha un coup d'œil à son ami. Ruff avait ronflé au fond de l'église pendant la messe, à l'enterrement de Poon, dix ans plus tôt.

— Et Jake ?

— Bon sang de bonsoir, Mackie, il est mort à la guerre. T'as chialé comme un gosse à l'enterrement.

— Merde, fit Mackie. Faut croire que j'me fais vieux.

— Y a quarante ans que t'as pas dessoûlé, dit Raymond.

— Ça a jamais nui à ma carrière.

— T'en as jamais eu une.

— J'ai travaillé pour Poon pendant dix ans, protesta Mackie avec chaleur.

C'était vrai, songea Jim : Mackie avait balayé le trottoir et tassé les cartons vides avant de les loger dans le container à ordures en échange d'un petit déjeuner et d'un abri pendant les nuits d'hiver. Il revoyait encore le spectacle : la silhouette maigrichonne et déséquilibrée de Ruff, s'escrimant pour aplatir à coups de pied les boîtes de carton rigide, tout en tanguant et louvoyant comme un matelot en pleine tempête.

— C'est sympa d'être venus me chercher, les gars, commenta Mackie alors qu'ils parvenaient près de la camionnette de Jim.

— On a quelques questions à te poser, dit Ray. Et si tu nous files quelques réponses, tu auras droit à un breakfast. Marché conclu ?

Ils mangèrent au *Porthole*, un des rares cafés de la péninsule qui restât trop austère pour les touristes et les étudiants. Le bar ouvrait à 6 heures pour ceux qui aimaient se mettre en train tôt. Il y avait des lanternes en forme de poisson-globe suspendues à des cordes nouées, un aquarium avec quelques rares hôtes, et une ribambelle de petites créatures marines enprisonnées sous une couche de laque, sur le comptoir. Mackie se jucha sur un tabouret avec l'aisance d'un vieil habitué et effleura du pouce une étoile de mer orangée.

— C'est ma bonne étoile, dit-il. Si je la caresse, y a toujours quelqu'un qui me paie un coup.

Jim et Raymond s'assirent, l'un à droite, l'autre à gauche de Mackie. Celui-ci échangea des plaisanteries avec le barman, Jangle, un type maigre tanné par le soleil dont la peau évoquait celle d'un hareng saur. Contre toute attente, il portait un nœud pap'. Il servit à Mackie une double dose de Wild Turkey et un demi ; du café à Jim et à Ray. Les œufs au bacon étaient en route.

— Reparle-nous un peu de la nuit de lundi à mardi, dit Raymond. N'ajoute rien. Ne retranche rien.

Il tira un stylo et un petit carnet de sa poche. Mackie jaugea Jim du regard, puis Ray.

— La nuit de lundi, fit-il, c'était une nuit comme toutes les autres.

Monsieur veut obtenir une rallonge sur son crédit boisson, pensa Jim. Le breakfast s'annonçait longuet. Mais Raymond avait toujours eu du savoir-faire avec les pochards. Il toisa Ruff d'un air sévère.

— Attention Mackie. T'as pas intérêt à déconner. Si tu nous sors des inepties, adieu le petit verre. Pigé ?

— Et par certains côtés, elle était pas ordinaire du tout.

— Accouche. Ou t'as vu une bagnole de flic, ou t'en as pas vu.

Ruff avala une gorgée de bière, puis porta le verre de gnôle à ses lèvres d'une main tremblante. Lampa l'alcool.

— C'était difficile de voir à cause du brouillard. Je roupillais et j'ai entendu crier la fille. Qui c'était, cette poule, de toute façon ? Pourquoi tout ce ramdam ?

Jim expliqua qu'il s'agissait de sa sœur, de la femme de Ray, de la fille de Poon.

Mackie parut d'abord ébahi, puis fixé.

— Celle qu'avait l'habitude de bouquiner tout en faisant du patin à roulettes ?

Jim acquiesça.

— J'suis navré. Comment Poon prend-il la chose ?

— Il encaisse en silence.

— Tu m'as dit qu'il était dans quoi maintenant, déjà ?

Jim soupira.

— Dans les placements fonciers. Depuis dix ans.

Ruff hocha la tête, puis leur servit une histoire identique à celle qu'il avait débitée à Innelman.

— Comment sais-tu qu'il s'agissait d'un policier ? demanda Ray.

— Pasqu'il est monté dans une bagnole de flic et

qu'y s'est barré. Dites, les mecs, vous les louez pas, ces bagnoles, que je sache ?

— Non, en effet, Mackie, déclara Raymond. Tu nous poses là une question vraiment stupide. Bon, tu l'as suivi jusqu'à la voiture ?

— Pas exactement. J'ai prêté l'oreille, et j'ai entendu démarrer le moteur. Alors, j'ai marché jusqu'à la route et j'ai vu la bagnole.

— A quoi ressemblait-elle ?

— Vous allez pas me faire croire que vous en avez jamais vu une.

— Décris la voiture, Mackie.

— Blanche avec un grand autocollant foncé sur le côté, et une tripotée de lumières sul'toit. Faut bien que vous l'admettiez, les gars, une bagnole de flic, c'est une bagnole de flic.

— Est-ce que tu as pu voir... l'autocollant ?

— J'viens de vous dire que oui.

— Qu'est-ce qu'il y avait d'écrit dessus ?

— Faut pas trop m'en demander. Y avait du brouillard. (Mackie lampa une grande gorgée d'alcool, puis hocha la tête.) C'était une jolie fille, cette petite Ann.

Une expression de profond chagrin se peignit un instant sur son visage. Il hocha la tête à nouveau et baissa les yeux au sol, comme s'il éprouvait un immense regret.

Jim devina qu'il savait quelque chose et qu'il ne le disait pas. Raymond pigea aussi, lui adressa un regard d'alerte.

— Mackie, demanda Jim, si t'as pas pu lire, comment tu peux savoir qu'il y avait marqué Newport Beach ?

Ruff s'empourpra.

— J'ai jamais dit c'qu'y avait marqué, fit-il avec colère. C'était une bagnole de flic, point. Pour ce que j'en sais, ç'aurait pu aussi bien être une voiture radio de la ville de Detroit. J'ai vu des bagnoles au shérif, dans le coin, j'ai vu des bagnoles de la Sécurité routière. Faites vot' choix.

— Elle était blanc et noir, ou juste blanche ?

— Juste blanche.

Raymond poussa la chope de bière plus près de Ruff.

— Mackie, quand tu as vu courir le type, quelle était la couleur de son uniforme ? Cette information pourrait vraiment nous aider.

Ruff regarda Weir avec une expression de profonde contrariété. Il soupira, lampa sa bière puis en commanda une autre. Après un temps de réflexion, il poussa aussi le grand verre de whisky vide à côté de la chope.

— Mais qu'est-ce que vous avez donc, vous autres ? Vous écoutez pas c'qu'on vous dit ? J'ai pas parlé d'uniforme pasque j'ai vu aucun uniforme. Le mec portait des vêtements de ville, une veste qui volait derrière lui pendant qu'il courait et un falzar tout ce qu'y a de plus normal. J'espère pour lui qu'il lui allait mieux que cette saloperie de machin, fit-il en baissant les yeux sur son pantalon crasseux.

Comment Innelman a-t-il pu laisser passer ça ? pensa Jim. Il croisa de nouveau le regard de Raymond par-dessus l'épaule de Ruff, puis plaça la photographie d'Horton Goins sur le comptoir. Mackie s'en saisit, l'examina en hochant la tête, et la reposa.

— J'peux vraiment pas vous dire si c'était ce mec-là. Tout ce que j'ai vu, c'est un pantalon et un veston. Pour ce que j'en sais, ç'aurait pu être une gonzesse.

— C'est ce que tu as expliqué à Innelman ?

— J'y ai rien dit du tout. J'aimais pas ses manières.

Raymond sourit à Ruff et lui donna une claque sur l'épaule.

— Tu t'en tires très bien, Mackie. Je suis fier de toi.

Mackie se tourna vers Jim et, un instant, une

expression de profonde tristesse se peignit à nouveau sur son visage.

— Annie, dit-il. La petite Annie Weir.

Jangle apporta le breakfast. Ruff l'engloutit en deux minutes, puis commanda un sachet de cacahuètes, deux œufs durs, un Mars, trois paquets de clopes et une autre bière.

— Je me sens comme qui dirait dans un jeu télé, fit-il.

— Ah, tu trouves que c'est un jeu, gronda Ray. Je vais botter ta saloperie de derrière pendant tout le trajet du retour au trou.

Mackie adressa à Jim un regard suppliant. Jim haussa les épaules.

— La femme qui est morte là-bas, Ray l'aimait beaucoup. Il se met facilement en boule, ces temps-ci.

Ruff en resta bouche bée.

— Désolé, Lieutenant.

— Sois pas désolé. Sois utile.

Mackie hochait la tête. Il s'essuya les lèvres avec cérémonie, flanqua la serviette sur son assiette, glissa à bas du tabouret.

— Si vous pouviez me raccompagner à la maison, les mecs, je crois bien que j'ai un truc qui peut vous aider.

— Je le crois aussi, fit Ray.

La « maison » de Ruff était un assemblage précaire de carton et de bois, installé dans le renfoncement du pont de Coast Highway. A quelques pieds au-dessus, les bagnoles défilaient dans un grondement de tonnerre. La terre était humide, graisseuse et tassée et les « murs » s'inclinaient dans un angle périlleux, maintenus en place par de vieux pneus, des pierres, un récipient de cinq gallons rempli de terre, et l'épave d'un chariot à provisions. Une collection de cannes à pêche s'alignaient contre le pylône en ciment, fruit du travail de récupération de Mackie, sans doute.

Idem d'un réservoir à carburant rouge, d'un masque et un tube de plongée, d'une paire de thermos, des maillots de bains et combinaisons de plongée.

Jim s'accroupit face à Ruff. Raymond s'adossa à un pylône. Chaque voiture qui passait sur l'autoroute provoquait des vibrations dans le sol. Vues de cette tanière ombreuse, les eaux miroitantes de la baie semblaient diffuser une clarté aveuglante. Le pont projetait sur le quai une ombre anguleuse et dense, qui semblait séparer le monde des ténèbres de Ruff de celui qui se trouvait juste au-delà, en pleine lumière. Weir regarda Mackie s'affaler sur un vieux transat dont la toile menaçait de se déchirer.

Ruff pinça les lèvres.

— J'ai une question de loi à poser. Mettons qu'un type savait un truc qu'il a pas dit tout de suite aux flics ? Combien qu'y passerait en taule ?

— Ça dépend de quoi il s'agit, du temps qu'il a attendu, et pourquoi.

— J'ai pas dit que c'était moi. J'ai dit « mettons ».

— J'ai pas dit non plus que c'était toi, fit Weir. Mais supposons que c'était toi, personne ne s'en inquiéterait trop. Il y a longtemps que tu roules ta bosse dans la Baie. Tu connais tout le monde. Tu es un citoyen sur lequel on peut compter. Quand un type comme toi apporte sa contribution, tout le monde s'en réjouit.

Deux flics apparurent sur le pont, au-dessus d'eux, penchés par-dessus le parapet. Ils l'enjambèrent et se laissèrent glisser le long du remblai, jusque dans le « living » de Mackie. Ce fut seulement alors qu'ils reconnurent Raymond.

— Enquête sur le terrain à la suite d'une plainte, expliqua le plus âgé — Oswitz.

— On s'en occupe, dit Raymond.

— Qui est-ce ? s'enquit Oswitz en désignant Jim.

— George Bush. Qu'est-ce que ça peut bien te foutre ?

Le plus jeune fixait Jim avec insistance. C'était le type qui l'avait insulté au poste — Hoch.

— L'affaire est dans le sac, dit Raymond.

Les deux officiers hochèrent la tête, dans un étrange mélange d'arrogance et de soumission professionnelle, puis remontèrent vers l'autoroute.

Avec un sourire rêveur, Mackie farfouilla dans un pneu sale et en extirpa une bouteille de Thunderbird. Il restait un peu de vinasse. Il dévissa le bouchon, tendit la bouteille à Jim, puis à Ray, avec l'optimisme béat du poivrot qui sait qu'il n'aura pas à partager.

— Y a trop de flics dans cette ville. L'autre, là à gauche, y m'a foutu en taule une fois sous prétexte que j'm'étais mêlé de ce qui m'regardait pas. On s'est arrêtés devant la grande porte coulissante, là où qu'y doivent parler dans l'interphone, et y m'a dit que c'était ma dernière occasion de bouffer et que j'avais intérêt à commander quèqu'chose fissa. « Cause dans le haut-parleur », qu'y me fait. Il a commandé un burger pour me tromper. Sauf qu'un autre flic y me l'avait déjà faite, celle-là, et que son partenaire s'était bidonné, alors j'y ai dit que puisque la bectance était si bonne, l'avait qu'à la bouffer lui-même. J'lui ai dit : « Eh ben, monsieur, je prendrai un martini avec un zeste. » Bon, eh ben, ce condé à qui j'ai causé, là. Il n'est... ?

— Innelman ?

— Ouais. Ben, y m'a pris à rebrousse-poil. Toute son attitude, c'était que j'étais qu'un bon à rien de clodo qu'a pas les yeux en face des trous. Il a fait comme si que j'avais des visions ou j'sais pas quoi. Ça fait quasiment quarante piges que je vis par ici et... bon sang, j'ai eu affaire à plus de flics qu'y n'en faut pour le pauvre monde. Alors, j'sais bien qui je suis. Je connais ma situation. Y a des flics qui sont réglo, comme vous, les gars. Y en a qui sont rien que des sales cons, comme machin-truc. Des mecs comme ça, ils tirent rien de moi.

Raymond se détacha du pilier, avança vers Mackie

et le saisit par le devant de sa chemise, le souleva de terre et le plaqua contre le grand pylône du pont. Weir remarqua la sûreté de geste avec laquelle il le punaisait là, afin qu'il ne tombe pas.

— Tu ferais bien de parler, dit Jim. (Mackie avait les pieds ballants dans le vide. Le remblai était raide. La mauvaise chute était garantie. Il porta son regard en contrebas, puis vers Jim.) Je crois qu'il est prêt à parler, Ray. Laisse-le aller, va, et écoutons ça.

Plutôt que de le lâcher, Raymond reposa Mackie sur ses pieds et rajusta sa chemise.

Ruff leva les bras comme pour quêter un temps de trêve, puis s'accroupit sur la terre meuble et délaça sa chaussure droite. Quand il l'eut ôtée, Weir vit que sa chaussette brune et sale n'allait pas au-delà de la cheville : c'était un bandeau, plutôt. La peau de son pied était d'un blanc translucide. Mackie ramassa la tennis en toile mince et se mit à tâter le renflement de caoutchouc qui renforçait l'empeigne. Il éleva la tatane vers la lumière, et regarda dans le repli.

— Je le tiens, annonça-t-il. (Un instant plus tard, il avait extrait l'objet et le tendait à Jim.) Je l'ai trouvé par là où elle avait crié, avant l'arrivée des flics. Y m'avaient tellement maltraité en me réveillant que je m'suis dit qu'ils auraient pas ce truc. J'savais pas que c'était Annie Weir, à ce moment-là. *Juré.*

Jim sentit un petit objet lisse tomber au creux de sa main. Il quitta le pan d'ombre pour s'avancer sous le soleil voilé. Il vit un petit diamant de forme navette — un bon centimètre de long, un quart de large — serti clos, prolongé par une tige en or. La surface de la pierre était maculée de sang.

— On tient l'épingle à cravate, annonça-t-il.

— Un machin aussi gros, c'est forcément du toc, dit Mackie. Mais j'aurais pu en tirer vingt dollars.

Raymond fouilla dans son veston et sortit son portefeuille. Il y prit quelques billets qu'il tendit à Ruff.

— Merci, Lieutenant.

Ray ne répondit pas, mais, alors qu'il s'avançait

vers Jim avec Mackie, sa main effleura l'épaule du bonhomme. Il se planta à côté de son ami et regarda la pierre sertie.

— Tu en connais, toi, des flics qui agraferaient leur cravate avec un diamant d'un demi-carat ? demanda-t-il.

— A priori, aucun. Mais je connais un mec qui est du genre à porter ça. Un mec qui habite sur une île et accueille ses visiteurs en peignoir de soie noire. Un mec qui a déserté son service pendant vingt minutes entre minuit et une heure.

— Kearns était en uniforme.

— Il a mis des vêtements civils, puis s'est rechangé. Il ne faut pas plus de cinq minutes pour ça.

Raymond regarda Weir, puis se remit en marche vers la camionnette.

Mackie expédia sa bouteille au bas du remblai. Elle rebondit sur le sol en tintant, décrivit un arc gracieux avant d'atterrir dans la boue.

— On est à Newport Beach, les mecs, lança-t-il. Les flics peuvent faire tout ce qu'ils veulent. Oubliez pas ça.

15

Dennison et Dwight Innelman les retrouvèrent à la fourrière du comté, à une quinzaine de kilomètres de la côte. Le voile de brume de la matinée s'était mué en brouillard épais. Les quatre hommes contemplèrent sans mot dire la vieille Toyota d'Ann, comme si un moment de silence s'imposait. A côté, il y avait la Chevrolet d'Emmett Goins.

Raymond remit à Dennison le sachet à indices qui renfermait l'épingle à cravate, et raconta l'histoire au chef. Brian éleva le sachet à la lumière pour en lorgner le contenu, puis le remit à Innelman. Celui-ci ôta ses lunettes d'aviateur et examina l'épingle, la tâtant à travers le plastique.

— Comment se fait-il qu'il vous l'ait donnée si volontiers, et pas à moi ?

— Il n'aime pas tes manières, dit Jim.

Un sourire naquit au coin des lèvres d'Innelman.

— Faut croire que je perds mon doigté.

— Et puis, on l'a arrosé au sérum de vérité.

— Ah, je vois.

Dennison dit à son inspecteur de faire enregistrer l'épingle au service des pièces à conviction, de la transmettre au labo pour examen du sang et relevé des empreintes, et d'enquêter auprès des joailliers locaux. Innelman logea le sachet dans l'attaché-case qui était posé à ses pieds. Brian se tourna vers Jim.

— Briefe-moi sur Blodgett et Kearns. Tu peux parler devant Dwight — il connaît la... situation.

Weir jeta un coup d'œil à Innelman qui, toujours agenouillé près de l'attaché-case, le regardait avec une expression indéchiffrable. Pour la première fois depuis qu'il avait accepté la mission de Dennison, il éprouva un léger sentiment d'infériorité. Il n'avait pas le même statut qu'Innelman, dans cette affaire. Bien sûr, il avait démissionné de la police, mais cela ne l'avait pas entièrement délivré de ce lien. Il chassa ces pensées. Il fallait penser d'abord à Ann.

Il parla à Dennison de la « pause café » de cinquante minutes de Blodgett en compagnie de toutes les unités de patrouille du secteur nord ; de la mystérieuse voiture radio qui était sortie du pont à minuit, en direction du sud ; de l'étrange « expédition de pêche » nocturne. Puis de la rupture de contact radio avec Kearns entre 0 h 30 et 0 h 50.

Dennison hocha lentement la tête en marmonnant : « Nom de Dieu ! » Il fronça les sourcils ; puis, avec un curieux sourire, il se tourna vers Ray :

— Toi, tu n'es pas du genre à aller traîner une heure au bistrot, hein ?

— Sauf si c'est la *Eight Peso* !

Le chef eut un petit rire. Weir sentit qu'il devait avoir du mal à se légitimer vis-à-vis de ses hommes ; son ascension trop rapide avait dû créer un malaise dans le département.

— Il est sûr que la bagnole qui venait du pont était à nous ?

— Non. Il n'en est pas sûr.

— Dommage que l'hélico n'ait pas pu décoller. Nos gars l'auraient sûrement repérée. Bon, en ce qui concerne Blodgett, c'est un fana de pêche — il passe toutes ses heures de loisir dans son bateau. Alors, il n'y a pas lieu de s'inquiéter de cette sortie nocturne. Il testait peut-être un nouvel équipement.

— Il était en service ?

— Non. Mais je suis certain qu'il avait une bonne raison de faire ce qu'il a fait.

Weir fut surpris de le voir prendre la défense de Blodgett, le seul de ses hommes qui militait activement contre lui dans la campagne électorale. Brian marche sur une corde raide, songea-t-il. Sa discorde publique avec le sergent lui permettait peut-être de se maintenir à flot : en se montrant fair-play, il conservait le soutien de ses hommes et évitait les brocards de la presse.

— Blodgett n'est sûrement pas allé faire une ronde. Ça lui aurait pris plus de temps que ça. Une virée en pleine nuit, en plein brouillard, et dans la baie où nous avons trouvé Annie. Qu'est-ce que ça signifie ?

Dennison resta songeur. Il finit par lâcher :

— Ça s'arrête là, Weir.

— C'est déjà pas mal, non ?

— Tu ne m'as pas compris. Tu as fait ta part de boulot. C'est fini. Tu es hors du coup.

— Mais enfin, Kearns et...

— Tu es *hors du coup*, Weir. Point final. Tu me donnes largement de quoi réfléchir, alors c'est ce que je vais faire, okay ?

— Kearns et Blodgett nous doivent des explications, dit Jim. Je peux les faire parler. Donnez-moi encore quelques jours. Je peux obtenir...

— La police des polices se débrouillera au moins aussi bien que toi. Parfaitement, je la mets sur l'affaire. C'est à nous de résoudre ce problème, maintenant.

Raymond adressa à son ami un regard d'avertissement, pour l'appeler à la prudence.

— Beau boulot, fit Dennison en abattant sa main sur l'épaule de Weir. Ecoute, on a ratissé la chambre de Goins à Costa Mesa. Il y a un ou deux trucs que tu devrais voir. Dwight ?

Innelman s'agenouilla à nouveau, tira une enveloppe de sa mallette, et la tendit à Raymond. Jim regarda par-dessus l'épaule de Ray alors qu'il l'ouvrait et en sortait des photographies. Les deux premiers clichés représentaient le ferry de la péninsule ; le troisième le *Poon's Locker* — tôt le matin, cela se devinait à la forme des ombres ; le quatrième, *Ann's Kids*, après la fermeture ; le dernier, la garderie pendant une récréation. La cour était envahie de gosses. Parmi eux, légèrement inclinée pour aider un garçonnet à se maintenir sur un cheval à bascule, souriante et ravissante, Ann.

Jim s'empourpra sous l'effet de cette émotion inattendue. Il sentit que Raymond accusait le coup, lui aussi.

— C'est pris au téléobjectif, commenta Innelman. A mon avis, elle ne se doutait pas de sa présence. Il l'a photographiée à son insu. Robbins a examiné les négatifs et dégoté ce à quoi on pouvait s'attendre — les empreintes de Goins sur les bords. Ça, ce sont des duplis.

— Il était en mer quand il a pris le cliché, fit Jim.

— Sur le ferry, approuva Ray.

— C'est aussi ce que nous pensons, dit Innelman. A moins qu'il n'ait loué un de ces petits canots à moteur. Mais il n'avait sûrement pas beaucoup de fric, alors on penche pour le ferry.

Raymond contempla la dernière photo. Il y eut un silence prolongé. Puis Ray dévisagea ses trois compagnons, tour à tour.

— Où est ce type, bordel ? explosa-t-il. Comment se fait-il qu'...

— Une équipe supplémentaire enquête au porte-à-porte en ce moment même, annonça Dennison. La presse va nous aider. On le coffrera, sois tranquille.

— Qui a développé les originaux ? (Raymond avait repris son sang-froid. Sa voix trahissait la détermination implacable d'un chasseur traquant sa proie.)

— Lui. Il a embarqué son matériel quand il a quitté la résidence d'Island Gardens.

Weir demanda s'ils avaient eu un échantillon de cheveux et l'avaient comparé avec celui qu'on avait trouvé sur le chemisier d'Ann.

— Aucune correspondance. Robbins a déjà vérifié. Mais le cheveu sur son chemisier peut provenir de la mer, nous le savons. Ça n'innocente pas Goins — pas le moins du monde.

Innelman reprit les photographies, avec douceur.

— J'ai demandé à Robbins de le comparer avec mes cheveux et ceux de Roger Deak, dit-il à Ray. Il nous arrive de fausser les indices, malgré toutes nos précautions. Vous devriez aussi lui donner un échantillon pour gagner du temps, Jim et toi. Mais les autres caractéristiques physiques de Goins correspondent, Ray — groupe sanguin B plus, droitier, même poids que le type qui a laissé des empreintes sur le lieu du crime, même taille. On procédera au contrôle génétique dès qu'on l'aura coffré. J'ai parlé à Mrs Connaught — le témoin que Kearns a déniché. J'ai regardé par la fenêtre de sa chambre. L'endroit où elle a vu la bagnole est celui où on se garerait pour descendre l'allée. Je lui ai montré une photo de la Chevrolet de Goins — prise en plongée — et elle a trouvé que ça ressemblait tout à fait à ce qu'elle a vu. On a prélevé des échantillons de terreau sur les chaussures de Goins, et Robbins a trouvé des traces de sel et de silice qui prouvent qu'il a marché sur un terrain comparable à celui de Back Bay. Il était ici, tout ce qui nous manque, c'est *quand*. On rassemble des preuves, on se rapproche.

Dennison prit Raymond par le bras et l'entraîna vers la voiture de Goins. Ils examinèrent la plaque d'enduit sur la portière du conducteur, échangeant des remarques que Weir ne pouvait entendre. Innelman consulta sa montre, regarda son patron, puis se rapprocha de Jim. Il s'exprima d'une voix neutre et calme.

— Il y a une chose que tu devrais savoir. Il y a quelques semaines de ça, au cours d'une soirée, Blodgett, qui était bourré, a déclaré avoir vu un bateau qui déversait des saloperies dans la baie. Il l'a pris en chasse, mais il s'est fait semer, paraît-il. Blodgett a un caractère de cochon. Selon la rumeur, il aurait cramé un chalut, l'an dernier, rien que pour se marrer. A cette soirée où il était bourré, il a juré que s'il coinçait les pollueurs, il coulerait leur bateau et eux avec. Je sais qu'Ann l'a accompagné une fois ou deux pendant ses rondes. Peut-être qu'elle avait vu quelque chose. Qu'elle savait quelque chose. En tout cas, je peux te dire un truc : ça fait huit ans que je côtoie Blodgett, et ce type reste un mystère pour moi. Quant à cette histoire de police des polices, c'est une fumisterie. Pigé ?

— Pigé. Qu'est-ce qui lui a pris, de brûler un filet de pêche ?

— Dale Blodgett est un facho. Les types dans son genre détestent que les pêcheurs prennent autant de poisson et que tant d'otaries s'étranglent dans leurs filets. Il s'est porté volontaire pour le boulot à la Section antipollution. En ce qui concerne la mer, il a la même attitude que tous ces soi-disant écolos — il pense qu'elle lui appartient. (Innelman jeta un coup d'œil du côté du chef.) Rien de ce que je viens de te dire ne fait partie des sujets de conversation favoris de Dennison. S'il s'en prenait directement à Dale, il aurait mauvaise presse. Elections obligent. Personnellement, je pense que Dale est un danger public.

— Merci, Dwight.

— Il y a des gens beaucoup plus informés que moi sur la question. Ta mère, par exemple, ou Becky Flynn. Juste pour que tu saches, on n'a pas encore déniché le journal d'Ann. Ça me plairait bien de mettre la main dessus.

Innelman se détourna et se dirigea vers les bâtiments de la Criminelle. Dennison quitta Raymond sur une poignée de main et revint vers Jim.

— Merci. Tu m'as aidé — tu nous as aidés tous.

— Laisse-moi bosser encore quelques jours sur Kearns et Blodgett. Gratis.

— Pas question. La balle est dans notre camp, maintenant. J'aurai les réponses que nous cherchons, fais-moi confiance.

Le chef s'éloigna vers la plate-forme d'atterrissage. Un instant plus tard, l'hélico du Département de Police s'éleva dans les airs, en direction de l'ouest.

Assis au volant de la voiture de sa sœur, Jim fut envahi de souvenirs si précis qu'ils l'effrayèrent. Il revoyait une photo d'elle lorsqu'elle n'avait que quelques jours, et se rappelait son étonnement de voir que sa sœur aînée avait pu être si minuscule ; il la revoyait toute petite, en salopette, assise dans sa carriole, dévoilant dans un sourire ses deux petites dents de devant ; il la revoyait trottiner sur la plage, une pelle en plastique vert à la main ; la revoyait sur cette même plage quelques années plus tard, mince et bronzée ; la revoyait sur ses patins, filant sur les trottoirs de la péninsule ; la revoyait, en larmes, prendre l'avion pour la France, un été, afin, selon la formule de Poon, « de se cultiver un peu » ; la revoyait descendre l'escalier de la grande maison en robe bleue, pour le bal de fin d'études, alors que Raymond l'attendait au bas des marches, rayonnant de fierté ; il la revoyait se jeter avec désespoir dans les bras de

Virginia lorsqu'ils avaient appris la mort de Jake ; revoyait sa crise de fureur soudaine, ce soir où elle avait poussé Ray par-dessus la jetée, puis, choquée par son propre geste, avait sauté à sa suite ; la revoyait plus tard dans la soirée, enveloppée dans des couvertures, assise devant la cheminée de la grande maison, et contemplant le feu d'un air absent, elle s'était avérée changée, mûrie, à son retour de France. Il la revoyait... encore... et encore... fragments de souvenirs qui resteraient toujours présents en lui.

Et en Virginia.

Et en Ray.

Un frisson le parcourut. Il entendit la voix de Raymond, à travers sa rêverie.

— ... je disais, qu'est-ce que c'est que cette saleté de machin ?

— Hein ?

— Tu te sens bien ?

— Euh... oui.

— Tu n'as pas l'air d'aller.

Weir mit un moment à revenir à lui, à reprendre conscience de l'endroit où il se trouvait.

— Ça vient de nulle part, lâcha-t-il. (Raymond garda un moment le silence.) Je hais ce type, reprit-il, le regard perdu dans le vague, au-delà de la bagnole garée en face d'eux et criblée d'impacts de balles. Tout ça me fait horreur.

— Moi aussi, mais cela ne nous avance à rien, Jim. Ce qu'il faut, c'est trouver ce salopard. Et quand on l'aura trouvé, on le tuera.

— Tu sais, je commence vraiment à croire que c'est la bonne solution.

— Evidemment. Regarde-nous ainsi que Dieu le fait, et tu verras deux hommes qui doivent tuer quelqu'un. Parce qu'il le mérite. C'est simple.

Weir regarda le visage calme de Raymond. Il était presque convaincu par ce que disait son ami. Il avait tenté de bannir les pensées de ce genre, essayé de garder l'esprit clair, de se consacrer à la découverte de la vérité. Mais il avait beau lutter pour refouler son chagrin, celui-ci restait présent. La souffrance se manifestait tôt ou tard, à l'improviste. Et elle allait de pair avec la colère.

— J'étais assis dans mon bureau, l'autre soir, et je regardais mes livres de droit, dit Raymond. J'aime la loi. J'aime les définitions qu'elle m'apporte. Mais j'ai réalisé qu'il y avait un abîme insondable entre la loi et ce qui s'est passé. Tu comprends, tout ça, ce ne sont que des *idées*. Ann était bien réelle, elle. Et elle portait notre enfant. Quand je l'ai vue allongée sur le sol, là-bas à Back Bay, toutes mes croyances se sont effondrées. La loi, l'ordre, tout ce que j'ai *défendu*... Que la nation c'est la loi, que Dieu veille sur nous... Toutes ces choses-là, ce sont des illusions. Les seuls qui n'en sont pas, ce sont les êtres de chair et de sang, tout ce que nous pouvons sentir, voir et toucher. Ce que je vais faire, c'est assouvir ma vengeance. La vengeance, c'est quelque chose de concret. Et ça m'est bien égal qu'on m'envoie sur la chaise électrique à cause de ça. Bien égal. Et ne me dis surtout pas qu'Ann aurait voulu que je continue, que je finisse par l'oublier. C'est la plus grande illusion de toutes.

— Je sais.

— Je sais que tu sais. Alors, nous devons essayer de comprendre ce que ce truc-là fait dans la voiture d'Annie. Jim, c'est quoi, ce bidule ?

Weir baissa les yeux.

— Ça ? C'est la télécommande d'une porte de garage.

— Exact. Or, nous n'en avons jamais possédé une.

Raymond se tut, contemplant la Chevrolet d'Horton Goins à travers la vitre.

Jim prit le boîtier et le retourna entre ses mains. Cet objet si ordinaire, si impersonnel avait pourtant une étrange importance. Il ne parvenait pas à s'expliquer sa présence. A moins d'admettre qu'Ann se soit rendue en un lieu inconnu de Ray, à son insu, abandonnant son univers familier pour pénétrer dans un autre monde : celui de la trahison, de la clandestinité, du secret.

Raymond le regarda avec une expression de déni si vacillante qu'elle s'apparentait à une confirmation.

— J'ai d'abord cru qu'elle s'était mise sur son trente et un pour passer me chercher au commissariat. Ça lui arrivait souvent de venir m'attendre à la sortie. Elle mettait une robe sexy, se maquillait, se coiffait. Tu n'imagines pas le spectacle que c'était, de la voir parée comme ça ! Une fois, on a fait l'amour dans la Toyota, en bordure de Coast Highway. Une autre fois, on s'est arrêtés dans un motel parce qu'on ne pouvait pas attendre d'être arrivés à la maison. De vrais mômes.

— Je ne crois pas.

— Moi non plus.

— Les roses, la tenue qu'elle portait, les vêtements de ville que Ruff a vus, l'épingle à cravate en diamant, une télécommande de garage qui ne vous appartient pas.

Jim ouvrit négligemment le compartiment à piles et le trouva vide. De nouveau, le regard de Raymond se perdit dans le vague.

— Ce n'étaient pas les occasions qui lui manquaient. Elle pouvait aller et venir à sa guise, vu que j'étais tout le temps absent. (Ray redevint silencieux. Weir comprit que pour lui, remettre en cause la loyauté d'Ann, c'était détruire un des fondements de son existence.) Je ne crois pas qu'elle se serait mise à collectionner les aventures. Si... si Annie avait vraiment eu une liaison, il aurait fallu qu'il... compte pour elle.

Les derniers mots avaient été prononcés si faiblement que Weir les entendit à peine.

— Tu as une idée, Ray ?

— Non.

Weir songea à la description de Kearns — la capacité à aller au bout des choses, Ann la Secrète. Il rapporta les propos à son ami. Celui-ci le regarda — le regard d'un homme trahi.

— S'il croit que ce qu'elle voulait, c'était se faire baiser, ça n'a rien d'étonnant. Phil Kearns est incapable de voir plus loin que ça.

— Tu croyais qu'il y avait quelque chose entre Ann et lui ?

Raymond eut un signe de dénégation.

— Et avec Dale Blodgett ?

— Tu rigoles.

— Supposons qu'Ann avait un amant. Est-ce lui qui l'a tuée ?

— Quand on connaissait Ann, on ne pouvait pas avoir le cœur de la tuer, dit calmement Raymond. C'est mon opinion.

— Les statistiques criminelles te donneraient tort.

— Les statistiques criminelles diraient que c'est moi qui l'ai assassinée.

— Tu l'as assassinée ? demanda Jim.

Les mots étaient sortis de sa bouche malgré lui. C'était le genre de question qu'un flic aurait posée. Dix ans de police, ça donne des habitudes. Raymond répondit du tac au tac :

— Non.

— Excuse-moi.

— Tu n'as pas à t'excuser. (Ray poussa un lourd soupir, replaça le couvercle du compartiment à piles, logea la télécommande dans sa poche.) Je vais remettre ça au labo.

Ils explorèrent la boîte à gants, le dessous du revêtement de sol, passèrent en revue les objets disparates qu'on trouve généralement dans une voiture. Des étiquettes fixées çà et là répertoriant les éléments emportés par Innelman et les hommes de Robbins : deux gobelets à café, une cassette audio sans indication de contenu, l'allume-cigare et le cendrier, une enveloppe avec la mention « photos, personnel », deux cheveux prélevés sur l'appui-tête du conducteur, un sur celui du passager.

Raymond ouvrit la portière et aspira l'air à grandes bouffées.

— A l'hôpital, j'ai eu le temps de comprendre un certain nombre de choses. Ann et moi, on s'entendait bien — on avait des hauts et des bas, mais au total, on s'entendait bien. Elle avait eu un hiver difficile ; elle s'était repliée sur elle-même, comme ça lui arrivait quand elle pensait à sa stérilité. Je connaissais sa réaction, alors j'avais attendu que ça se tasse. Hier après-midi, quand je suis sorti de l'hôpital, je ne suis pas rentré à la maison. Je suis descendu du côté du *Whale's Tale* et j'ai poussé jusqu'à l'endroit où ils ont trouvé sa bagnole. Et tout à coup, je me suis rendu compte qu'Annie allait probablement retrouver un amant. Alors, j'ai commencé à me demander quel genre d'homme ça pourrait être. Ce que je crois, c'est qu'il serait tout à fait différent de moi. On a une liaison parce qu'on se sent négligé ou qu'on s'ennuie, non ? Alors, on cherche quelqu'un de... neuf. Moi, je ne suis qu'un flic. J'agis en flic, je pense en flic, je gagne un salaire de flic. Supposons donc qu'elle ait rencontré un flambeur au boulot. Ou un type qui brasse des affaires, un privilégié, un décideur. Ils sortent plusieurs fois ensemble, ils se plaisent. Une nuit, après le boulot, elle passe une tenue vraiment sexy. Elle s'offre à lui, pour son plaisir. Supposons qu'il la tue ensuite. Ce qui me frappe, c'est l'arrogance de son acte. Ce que j'entrevois, c'est un type habitué à obtenir ce qu'il veut, un type avec un ego démesuré, qui la considérerait comme une sorte de bien de consommation. Un mec avec du pouvoir et du fric. Et qui se croit au-dessus de la loi. Elle va le retrouver, il l'emmène à Back Bay, et il est si sûr de lui qu'il laisse la bagnole d'Ann dans le quartier où il crèche. Le coin où ils ont trouvé la Toyota, c'est le quartier chic — pognon et pouvoir. Je crois qu'elle fréquentait un type qui la considérait comme sa propriété.

Le portrait tenait debout, selon Jim. Ann aurait choisi un homme entièrement différent de Raymond et qui aurait donné de l'éclat à sa vie.

— On apprendrait sûrement des choses si on retrouvait son journal, dit-il.

— Innelman et Deak ont fouillé notre maison de fond en comble. Je l'ai moi-même passé au peigne fin la nuit dernière, et j'en ai fait autant à la garderie. Il est introuvable. Ou elle l'a rudement bien caché, ou c'est quelqu'un d'autre qui l'a. Peut-être qu'elle le lui a donné.

— Pour une douzaine de roses ?

— Exact.

— Pourquoi ?

Ils sortirent de la Toyota et refermèrent les portières. Raymond ne répondit pas avant d'avoir réintégré la camionnette.

— Je crois qu'elle lui a annoncé que c'était fini. Qu'elle allait être mère et que la passade était terminée. Peut-être qu'elle lui a fait cadeau du journal pour lui laisser un souvenir d'elle.

— Il serait plus logique de le flanquer dans la baie, de s'en débarrasser.

Raymond hocha la tête.

— Ce n'était pas dans son caractère. Annie gardait un tas de choses, elle était même un peu collectionneuse, tu le sais. Si elle avait tenu un journal, elle ne l'aurait pas foutu à la flotte.

— Elle ne l'aurait pas donné non plus.

— Moi, je dirais plutôt qu'elle n'avait plus rien à lui refuser, lâcha Raymond avec amertume, quel âge a Horton Goins ? Vingt-quatre ans ? Ça se résume peut-être à ça. Une partie de jambes en l'air avec un beau gosse qui s'avère porteur d'un couteau.

Weir garda le silence. Pour lui, l'hypothèse ne tenait pas. Mais par ailleurs, on ne pouvait oublier le rôle qu'avait joué Horton Goins dans l'existence d'une dénommée Lucy Galen, à Hardin County, Ohio.

— Barrons-nous d'ici, fit Raymond.

16

Ils roulèrent en direction de la côte, traversant d'abord les rues latérales du barrio de Santa Ana, où les maisons s'abritaient derrière des grilles en fer forgé destinées à écarter les voleurs. Les fenêtres elles-mêmes étaient munies de barreaux qui se voulaient décoratifs mais n'étaient en fait qu'une protection contre les drogués, les violeurs, les cambrioleurs, les assassins. Puis ils descendirent la 4e Rue, dépassant les cafés, les boutiques de chaussures, les marchands de *tacos*, les magasins de disques diffusant des ballades mexicaines lugubres, les bureaux de prêt sur gages et les salons de beauté. Sur les trottoirs, des femmes lestées de lourds sacs à provisions rentraient péniblement du marché. Les hommes se déplaçaient encore plus lentement qu'elles — des hommes affublés de chapeaux de cowboy, de vestons épais, et aux visages tannés par le soleil. Des hommes désœuvrés et sans but, à la démarche lasse, à l'air résigné et vaincu.

Raymond les regardait aller.

— Si seulement ils avaient une occupation, dit-il enfin. Ils sont en train de gâcher leur existence.

— Ce n'est pas de leur faute.

— Ils ne comprennent rien au système. S'ils le comprenaient, le coin leur appartiendrait. On ne leur offre que du boulot sous-payé. C'est pitoyable.

— Dans dix ans, les choses auront changé, dit Jim. Ils auront un leader, et ils auront découvert que l'union fait la force.

La relation que Raymond entretenait avec sa propre race l'avait toujours déconcerté. Il semblait tantôt fier, et tantôt honteux de ses compatriotes. Ce qui le frappait en lui, c'était cette indécision, ce balancement : entre la sympathie et le mépris. Par exemple, au lycée, Raymond s'était tenu à l'écart des autres Mexicains. Il fréquentait les fils de Blancs et, à une époque, avait même voué une véritable dévotion à un Anglo de deux ans son aîné. Mais au sein de sa famille, il était différent. Quand ils étaient tout gosses, ils avaient passé des heures à la *Eight Peso Cantina*, récupérant les pièces de monnaie perdues, effectuant de petites courses et de petites tâches, sous le regard attentif de Nesto et Irena. Et là, parmi les parents et amis, Raymond s'exprimait en espagnol avec grâce et aisance, son visage prenait une physionomie nouvelle, et son regard brillait, exprimant une énergie inaccoutumée. Plus tard, Jim avait compris que cette façon d'être traduisait tout simplement un sentiment d'appartenance.

Un incident restait gravé dans sa mémoire. Un après-midi, au lycée, alors qu'ils étaient dans la cour en compagnie d'Ann, une bagarre avait éclaté entre un garçon blanc, Lance, et un Mexicain du nom d'Ernie. Lance était un joueur de foot, un beau blond au corps d'athlète. Ernie, un petit brun silencieux et solitaire. Lorsque le poing de Lance s'était abattu sur Ernie, le sang avait jailli. Le spectacle avait rendu les élèves silencieux, mais ils s'étaient rassemblés autour des combattants, comme s'ils étaient témoins d'un acte sacré. Lance avait coincé Ernie contre le mur de la cafétéria et s'était mis à le rouer de coups. On entendait le bruit sourd que faisaient ses poings en martelant la chair. Ann avait supplié Raymond d'arrêter la bagarre. Et Jim se rappelait encore l'expression de Ray lorsqu'il s'était tourné vers lui : celle d'une tristesse si profonde qu'elle le laissait paralysé, sourd aux supplications d'Ann ; anéanti par la précision brutale des coups de Lance, qui frappait le Mexicain au visage ensanglanté, Ray avait seulement dit : « Attendez. » Et, à l'étonnement de Jim, Ernie s'était mis à esquiver les coups. Lance, qui s'essoufflait, avait fini par heurter le mur avec son poing alors qu'il visait l'estomac d'Ernie, et celui-ci avait fondu sur lui. Il avait des mouvements plus aisés et plus rapides, et martelait son adversaire — le bousculant, le repoussant loin du mur et le ramenant en terrain ouvert, où il vacilla un moment, tournoyant comme la cime d'un arbre dans un ouragan, avant de s'effondrer à genoux et de s'abattre face contre terre avec un gémissement.

Raymond avait regardé Jim d'un air écœuré et furieux, puis était parti. Il n'avait pas reparu au lycée avant deux semaines — une grippe, avait-il dit. Des années plus tard, Jim avait compris que ce qui l'avait rendu malade était en fait une violente colère. Colère contre Lance, à cause de sa stupide arrogance de Blanc ; contre Ernie, à cause de son entêtement de macho qui aurait préféré se faire tuer plutôt que de s'avouer vaincu ; contre lui-même, parce qu'il n'avait rien tenté pour stopper la bagarre, parce qu'il avait su qu'il n'y aurait pas de réel vainqueur, parce qu'il avait laissé tomber Ann, et surtout, parce qu'il n'était pas parvenu à choisir son camp, à revendiquer une position qu'il aurait pu défendre avec dignité.

— Ils méritent mieux, dit Raymond. Mais pour eux, tout est encore à conquérir. Rien n'est gratuit, rien n'est facile. Tu veux ton trésor, ils veulent le leur.

Jim roula le long de la 4e Rue, hors du quartier mexicain, jusque dans les faubourgs de Tustin, ville qui avait arboré des années durant une pancarte ainsi libellée : BIENVENUE À TUSTIN, LE BEVERLY HILLS DU COMTÉ D'ORANGE. Jim se rappelait l'époque où, trente ans plus tôt, il y avait eu quelque vérité dans cette affirmation. Il y avait alors au pied des collines de grandes demeures majestueuses, de jolis ranchos blottis derrière des plantations d'eucalyptus et d'avocats, et, s'étalant à perte de vue sur des milles et des milles, d'odorants vergers d'agrumes. La rue principale de la ville évoquait un décor de carte postale : solides bâtiments de brique abritant des épiceries, un garage, une pharmacie; maisons de style victorien reconverties en bureaux. Mais à la fin des années 60 et au début des années 70, tout cela avait été vendu. Des commerces occupaient à présent chaque mètre carré — fast-foods, grandes surfaces, stations-service, boutiques de fringues, réseaux fanchisés — accaparant l'attention du client à grand renfort d'enseignes tapageuses. Alors qu'il regardait défiler ce paysage à demi noyé dans la brume, Weir songeait avec écœurement qu'à quelques kilomètres de là, dans une autre ville, on avait planté un carré d'orangers pour que les générations futures sachent à quoi ils ressemblaient. On avait pavé la petite surface et ouvert à côté un « Musée de l'oranger ». Ça passe vraiment les bornes, pensa-t-il. La pancarte citant Beverly Hills avait disparu quelques années plus tôt.

Et sur l'autoroute, on voyait une file interminable et mouvante de voitures, s'étirant à l'allure languissante de dix kilomètres à l'heure, pour finir par se fondre à l'horizon, sous un ciel pollué.

Et pourtant, si absurde que ce fût, les choses continuaient. Des ouvriers éventraient l'asphalte à coups de marteau-piqueur pour élargir la chaussée et rajouter des voies ; des équipes de construction envahissaient les terrains non bâtis; les promoteurs faisaient édifier des centaines de maisons identiques sur les collines et dans les vallées, avec la bénédiction des élus locaux et des autorités. Décidément, tout est bon à vendre sous le soleil, songea Weir.

— C'est à cause de tout ça que tu es parti au Mexique ?

— Ouais.

— Il faut bien que les gens vivent quelque part.

— Je sais. Je ne suis pas certain que la façon de

voir de ma mère soit la bonne. Mais je suis encore assez jeune pour faire mes valises et me barrer ailleurs. Pas elle.

Quand rester et combattre ? Quand partir et cesser de se lamenter ? Jim était incapable de répondre à ces questions. Peut-être fallait-il simplement suivre l'élan de son propre cœur.

Mais il commençait à comprendre que la mort de sa sœur n'était pas loin d'avoir anéanti quelque chose en lui, détruit le lien qui le rattachait corps et âme à ces lieux. Poon, Jake et Ann avaient disparu. Il ne restait plus que Virginia et lui, désormais. Et Ray. Et peut-être Becky.

Quarante minutes plus tard, ils roulaient dans la péninsule, dans leur quartier, en plein cœur de ce qui deviendrait bientôt le « Nouveau Balboa », si la PacifiCo et les autres promoteurs obtenaient la victoire et jetaient la « Proposition A » aux oubliettes, grâce à l'élection de leur séide, Brian Dennison, qui était si désireux d'exercer le droit d'expropriation de la ville. Weir contempla les petits bungalows, les modestes cottages dans le style des années 40, les palmiers du boulevard, qui avaient acquis avec les ans une taille majestueuse.

Ici, tout était à l'opposé des banlieues : pas d'uniformité, pas de commercialisation à outrance, de planification, de rentabilité facile. Juste l'air pur du Pacifique, l'océan venant déferler sur le rivage, et les modestes demeures qui se dressaient là depuis un demi-siècle.

Jim avait vu dans les journaux les maquettes du projet de redéveloppement. Les constructions de la nouvelle Balboa adopteraient le style californien ancien, avec toits de tuiles, colonnades, voûtes, patios et fontaines. La *Eight Peso Cantina* deviendrait un restaurant à deux étages baptisé le Newport Sailing Club. Le *Poon's Locker* s'intégrerait à un mini-centre de services financiers, *Ann's Kids* deviendrait un snack à sushis et hamburgers appelé Taka-

Fornia. La maison de Virginia, un musée historique et maritime consacré au « passé de Newport ». La maison d'Ann et Raymond disparaîtrait complètement, pour faire place à un parking de trois étages qui serait « architecturalement » intégré au style « californien ancien ». La jetée serait recouverte de faux adobe étanche et accueillerait à son extrémité un restaurant « trois étoiles ».

Weir se rappelait à présent que Virginia, Becky et une poignée d'autres citoyens avaient été arrêtés près de l'entrée de la PacifiCo Tower alors qu'ils protestaient contre ce programme de rénovation, sous prétexte qu'ils avaient ignoré les avertissements répétés de la sécurité. Ils avaient baptisé le projet immobilier « Mission Impossible » et rameuté les stations d'information régionales, qui avaient couvert la manifestation et l'arrestation. Cantrell s'était refusé à entamer des poursuites contre les personnes interpellées, soulignant qu'il se préoccupait davantage de la sécurité des employés, dont certains avaient été « harcelés » par les manifestants, que de l'opinion de protestataires.

En regardant les lieux familiers, Jim en vint à conclure qu'il était moche de vouloir détruire un quartier paisible.

Paisible... exception faite de l'embouteillage qui obstruait Balboa Boulevard.

Exception faite de l'hélico planant au-dessus d'un vieux motel jaune baptisé *El Mar.*

Exception faite des hommes en uniforme noir du SWAT — la force spéciale d'intervention — bardés d'armes, qui avaient envahi les rues.

Il aperçut Phil Kearns debout dans la cour du motel, en conversation avec le capitaine du SWAT.

— Ils ont trouvé Goins, dit Raymond. *J'en étais sûr.*

Weir longea la bordure du trottoir et se gara. Raymond avait déjà bondi hors de la camionnette et s'élançait, au pas de course.

17

Au-dessus des têtes des badauds, Weir apercevait le toit du *El Mar*, la vieille enseigne délavée qui annonçait CHAMBRES À LOUER, et les curieux apparus aux fenêtres. L'hélico de la police planait au-dessus du motel, pivotant lentement sur un axe invisible.

Ils se glissèrent sous la banderole déjà tendue par les flics entre le mur extérieur du *El Mar* et le parcmètre sur le trottoir. La première pensée de Jim fut : Ils l'ont abattu. Raymond franchit, en montrant sa plaque, la barrière des hommes du SWAT, tous harnachés de noir et lestés d'armes automatiques. L'appartement 4 était ouvert, mais un groupe de silhouettes en masquait l'entrée. La porte, à demi arrachée de ses gonds, était rabattue contre le mur extérieur. Les officiers Hoch et Oswitz s'écartèrent pour laisser entrer Raymond, mais se rabattirent devant Jim et entreprirent de le repousser jusque dans la rue. La matraque de Hoch lui heurta rudement le sternum. Weir la repoussa avec son avant-bras à l'instant où Oswitz tirait la sienne, l'empoignant fermement au bas du manche pour lui balancer un coup féroce. Mais Raymond reparut tout à coup, fondit sur eux d'une poussée rapide qui déséquilibra Hoch et fit reculer Oswitz. Grognant un juron à l'adresse du duo, il attira Jim dans l'entrée.

Weir s'avança dans la petite chambre. L'endroit puait le désinfectant « parfumé » au pin. Il y avait peu de lumière ; l'unique fenêtre était occultée par un épais « rideau » de plastique, apparemment découpé dans une bâche pour pique-nique. On voyait un petit lit contre un pan de mur ; un fourneau, dans le recoin près de l'entrée ; un fauteuil de vinyle. Il n'y avait pas place pour grand-chose de plus, tant la pièce était exiguë.

La première chose qui attira son regard, ce fut la carte de la ville punaisée à la paroi, à côté du lit. Dwight Innelman était occupé à la photographier. Sans avoir besoin de se rapprocher, Jim distingua les deux trajets indiqués aux feutres noir et rouge : du motel à Back Bay via le ferry, en noir ; via le boulevard en rouge. Un frisson lui parcourut le dos.

— Vous l'avez eu, Dwight ?

Innelman se retourna un bref instant.

— Non. Il n'était pas là. Mais il n'ira pas bien loin à pied, hein ?

Roger Deak sortit de la salle de bains, tenant un sachet en plastique contenant une petite savonnette usée et un rasoir.

— Bourré d'empreintes, là-dedans, fit-il en adressant un signe de tête à Jim. Sa chambre noire.

Weir s'approcha de la salle de bains et y jeta un coup d'œil. On avait vissé au mur, au-dessus du lavabo, des étagères de métal où s'alignaient trois bacs encore remplis de révélateur. Des containers de plastique étaient rangés avec soin près des W.-C. A l'intérieur de la minuscule cabine de douche, une petite fenêtre était masquée avec du papier alu. Une corde à linge était suspendue du pommeau de douche jusqu'au mur, où elle était fixée à la plus haute étagère. Les pinces en plastique rouge qui s'y alignaient n'emprisonnaient aucun cliché. Sur le bord du lavabo, on voyait une paire de ciseaux, un crayon gras de couleur rouge, et une loupe. Le lieu sentait les produits chimiques et le moisi. De nombreux éléments étaient recouverts de poudre à empreintes.

Au-delà de la chambre-living, on trouvait la cuisine : un espace rectangulaire exigu avec un coin-repas pour deux, un évier et un plan de travail, un four miniature et deux feux de cuisson. Elle était barrée par une corde et Tillis, le gros flic en civil qui avait toisé Weir au commissariat le matin même, gardait la zone interdite.

— Chef, dit-il en se détournant à peine, on a un emmerdeur de citoyen sur les bras. Je le vire ?

Jim se tint en retrait de la banderole jaune qui barrait le seuil et regarda à l'intérieur de la pièce. Dans un angle, Brian Dennison s'entretenait avec Mike Perokee, le type des relations publiques. Celui-ci opinait du bonnet, regardant le chef avec l'expression contrite d'un pénitent, les épaules courbées dans une attitude soumise. Dennison leva finalement les yeux et aperçut Weir. Son visage se figea.

— Dehors, fit-il.

Tillis empoigna Jim par le bras. Hoch et Oswitz s'élancèrent de nouveau sur lui, lui plantant leurs matraques dans les côtes et les reins, le saisissant par la chemise et les cheveux.

Raymond surgit en un éclair.

— Hé, qu'est-ce qu...

— Arrière, Cruz ! brailla Dennison. N'insiste pas, *bordel de merde !*

Jim trébucha, leva les bras pour reprendre son équilibre ; Oswitz saisit aussitôt le prétexte pour lui enfoncer sa matraque au creux de l'aisselle, le pousser et le coincer contre le mur. Les trois hommes l'entourèrent, formant autour de lui un cercle étroit. L'un d'eux lui décocha un coup de genou dans l'entrejambe, puis Tillis l'écarta du mur, le traîna sur le seuil et le poussa violemment au bas du perron. Là, Jim se heurta à un malheureux photographe, et ils tombèrent tous deux dans un fracas d'appareils, de flashes et d'objectifs. Deux flics du SWAT traînèrent Weir jusqu'à la banderole jaune, non sans lui faire tâter le bout de leurs godasses. Le photographe fut autorisé à récupérer un bloc-flash avant d'être expédié de l'autre côté de la zone interdite, en pleine foule, où il se hâta de disparaître.

Jim se remit lentement debout, pris de nausées, secoué par le coup reçu à l'entrejambe ; il traversa le groupe de badauds à petits pas mesurés, et s'appuya à un parcmètre, respirant profondément. Raymond apparut sur le seuil de l'appartement 4. Jim lui adressa un signe de tête qui signifiait : va, rentre. Raymond décocha une réplique à Hoch et Oswitz, qui le regardèrent d'un air à la fois contrit et intrigué. Laurel Kenney, la journaliste qui avait couvert l'arrestation de Virginia à la PacifiCo, s'avança vers Jim, micro tendu, suivie par un cameraman. Weir l'avait rencontrée à la prison, le jour de la libération de sa mère.

— Pouvez-vous nous dire ce qui se passe ici, Mr Weir ?

— Non.

— Où est Horton Goins ?

— En liberté.

— Jouez-vous un rôle actif dans l'enquête sur le meurtre de votre sœur ?

— Non.

— Est-il vrai qu'elle a été prise en filature par Horton Goins, l'agresseur sexuel ?

— Demandez ça aux flics.

Laurel le dévisagea un instant sans bouger. C'était une grande femme pâle, avec une longue chevelure rousse et de superbes yeux verts. Elle ferma son micro, puis se retourna et fit signe à son cameraman de s'éloigner.

— Mais qu'est-ce qui s'est passé là-dedans, bordel ? Strictement entre nous, demanda-t-elle en se tournant à nouveau vers Jim.

Weir regarda les visages des curieux rassemblés autour de lui, dans une interrogation muette.

— J'en sais foutre rien, Laurel.

Il fendit la foule, longea le trottoir en direction du sud, puis s'engagea dans la première ruelle venue pour couper en direction de la baie et revenir au *El Mar* par l'arrière. Il se fraya un chemin à travers les vieux cageots et les ordures, évitant une antique bicyclette, une pile de cartons remplis de bouteilles vides, une tondeuse à gazon entièrement recouverte d'un dépôt noirâtre, un sapin de Noël bruni et desséché encore orné de guirlandes en alu. Il parvint à l'appartement 4, devant la petite porte-fenêtre qui s'ouvrait côté cour. Le « sas de secours » de Goins, songea-t-il. Deux hautes marches de ciment menaient à la porte, et depuis la ruelle Weir arrivait tout juste à hauteur des carreaux. Il regarda à travers une longue fente horizontale des rideaux à lattes. Un frigo lui bouchait à demi la vue. Il lui fallut un moment pour s'accoutumer aux ténèbres de la petite pièce, mais ensuite, il put voir clairement la cuisine et les flics, comme s'il regardait un spectacle de théâtre depuis le premier rang.

Phil Kearns, en jean et chemise de soie ample, donnait des informations à Tillis, semblait-il. Il y avait dans son air hâbleur, son attitude assurée et suffisante quelque chose qui amena Jim à conclure qu'il avait localisé Goins. Deux autres flics en civil fouillaient un placard encastré dans le mur qui séparait les deux pièces. Weir reconnut l'un d'eux — Mapson —, pour l'avoir côtoyé quand il bossait avec le shérif. Mapson se détourna vers Dennison, hocha la tête, puis marmonna quelque chose à son partenaire. Ils ont rameuté tout le foutu département, songea Weir. Raymond, lui, scrutait les parois de pin noueux. Il se tourna vers Innelman et lui désigna quelque chose dans le bois.

Jim le vit passer la main sur la paroi, imité ensuite par Dwight. Il suivit le regard de Ray jusqu'au linoléum usé qui recouvrait le sol. Raymond se courba pour ramasser quelque chose, puis se redressa. L'espace d'un bref instant, son regard se porta à travers les lattes des rideaux, en plein sur les yeux de Jim. Puis il s'avança, masquant passagèrement la fenêtre avec son corps, et éleva le bras. Weir s'effaça contre le mur. Il vit les lattes des rideaux s'entrouvrir un peu, puis entendit la voix de Raymond : *Ça manque de lumière, là-dedans.* En regardant à travers les lames du store, il vit la main de Raymond s'approcher du rai de lumière. Il avait ramassé des punaises sur le sol. Jim réfléchit. Qu'est-ce que Goins avait bien pu accrocher au mur ? Quoi que ce fût, il l'avait emporté avec lui : cela avait plus de valeur que ses révélateurs chimiques, sa carte routière, ou son rasoir. D'autres photos ?

La main de Raymond s'éloigna, et Jim se plaça hors de portée des regards. Il ne parvenait plus qu'à entrevoir Dennison murmurant un ordre ultime à Perokee, qui se retourna alors, se fraya un chemin parmi les hommes, passa sous la banderole et sortit.

Alors que Tillis explorait le placard, Jim put constater l'étrange dualité de la garde-robe de Goins : d'un côté, chemises hawaiiennes et pantalons voyants ; trois paires de tennis — une rouge, deux blanches ; deux casquettes « de peintre », vert fluo. Puis, repoussés dans l'angle, comme s'ils étaient indésirables et demeuraient pourtant nécessaires, deux vestons sport, deux chemises blanches classiques, un pantalon de tissu sombre et un autre clair, et quelques cravates sur un cintre. Tillis examina une paire de mocassins, retournant les semelles vers la lumière. Jim entrevit une planche à roulettes logée à côté des chaussures. Innelman se courba, passa un doigt dessus, fit rouler une roue. Weir l'entendit lâcher un : *pas beaucoup servi.*

Un gosse de l'Ohio vient ici, songea-t-il, et s'offre une nouvelle vie. Prend un autre nom. S'efforce de ressembler à un Californien. Trouve un boulot, puis le quitte après avoir fait des économies. Il s'achète un skateboard mais n'a pas le temps de s'en servir. Il est trop occupé à faire des projets, prendre des photos, étudier des cartes, cerner de plus en plus près une femme qu'il n'a peut-être jamais abordée. Pourquoi un ex-pensionnaire d'hôpital psychiatrique aurait-il choisi Ann parmi des milliers de femmes ? Hasard — l'horrible caractère fortuit du hasard ? S'il y avait eu une autre fille dans la cour d'*Ann's Kids* le jour où il avait pris une photo, l'aurait-il aussi traquée jusqu'à l'obsession ? Raymond s'avança et tâta chaque cravate. En quête du trou révélateur fait par une épingle, sans doute. Il secoua la tête. Il n'y en avait pas. Horton Goins ne portait pas d'épingle à cravate avec diamant d'un demi-carat. Horton Goins portait des casquettes fluo et des tennis rouges. Réconcilie les deux éléments, songea Jim. Il doit y avoir une explication.

— *Hé, Perokee, où en est-on avec la presse, au fait ?* demanda Dennison.

— *Ils seront prêts quand vous le serez.*

Le chef consulta sa montre, puis s'avança pour conférer avec Innelman.

Tillis prit une chaise et s'y jucha pour explorer la dernière étagère. Il évoquait un éléphant de cirque sur son tabouret. Innelman s'éloigna de Dennison avec un haussement d'épaules et se mit en devoir d'aider son partenaire à relever les empreintes sur le plan de travail de la cuisine et la porte du four. Raymond était auprès de Kearns, à présent. Il adressa un bref regard à Jim à travers les lames du store vénitien.

Bon sang, pensa Weir, si c'est un flic de Newport Beach qui a tué Ann, voilà qu'on lui offre carte blanche pour dissimuler, falsifier, déplacer, corriger ou fourguer un indice comme bon lui semble. C'était du boulot incroyablement salopé.

Les flics seraient ravis que les choses se passent ainsi, si l'un des leurs avait assassiné Ann. Ravis aussi d'accorder à Goins une marge d'avance pendant quelques jours, afin de le laisser sous les feux des projecteurs. Et si tout ce cirque était orchestré par eux ? S'ils laissaient Goins détaler tel un leurre de chasse à courre ? Peut-être que Kearns ne cherche pas du tout à coffrer Goins, songea-t-il. Peut-être qu'il cherche juste à le *faire cavaler*. Pourquoi, de tous les gars du Département, de tous les citoyens de la péninsule, était-ce lui qui avait localisé Goins ? Il eut un instant l'envie de faire irruption dans le tas, de démolir tous ceux qui tenteraient de s'opposer à lui, d'empoigner un par un tous ces envahisseurs pour les foutre dehors, et laisser Innelman et Deak faire à eux seuls le boulot qui leur revenait de droit. Stupide. Il ne pouvait plus rien changer, maintenant.

Il regarda Dennison donner une claque dans le dos à Kearns — beau travail — et à Raymond — on coffrera ce type —, comme s'il était dans quelque cocktail mondain. Il adressa quelques mots à Kearns d'un air patelin. Puis Perokee reparut dans la cuisine et se pencha vers le chef. *Continuez,* dit Dennison en se dirigeant vers le seuil, boutonnant son veston en lin, lissant ses cheveux et redressant le dos, comme s'il se sentait plus que jamais investi du sens de sa mission.

Lorsqu'il fut parti, Perokee se tourna vers Tillis, redressa le dos, passa une main dans ses cheveux et expulsa un *Continuez* dans une imitation approximative de Dennison. Pas terrible, pensa Weir. Des petits rires étouffés lui parvinrent néanmoins de derrière la vitre. Raymond coula un regard vers lui.

Mr Perroquet, songea Jim. L'officier des relations publiques Mike Perokee. Un enfoiré de clown avec plaque et pétoire.

Du haut de son perchoir, Tillis s'exclama d'une voix tonitruante : *Je crois que j'ai décroché le jackpot, les gars !*

Weir le regarda mettre pied au sol, en tenant une grande enveloppe de papier kraft entre le pouce et l'index. Il la porta avec précaution jusqu'à la table, l'y déposa et ouvrit le rabat à l'aide d'un crayon. Il en fit tomber le contenu — une liasse de photos sur papier glacé, format 20 × 25, en noir et blanc. Il sépara les clichés et les étala sur la table à l'aide de l'extrémité du crayon munie d'une gomme.

Jim perçut le silence qui s'abattit sur la pièce. Trois dos lui bouchaient la vue — ceux d'Innelman,

Ray, et Roger Deak. Au-delà, il apercevait seulement le plan de la table, l'éventail de clichés, et la main grassouillette du flic, tenant toujours le crayon.

Putain!

L'enfoiré de dingo!

Vise-moi ça!

Un flic éleva une des photos à la lumière, à l'aide d'une pince. Weir ne distinguait rien. Raymond, placé maintenant de profil, était devenu très pâle. Il accepta de saisir le cliché à son tour, fit comprendre d'un signe qu'il ne voyait pas très bien, et se rapprocha de la fenêtre. Il se pencha, dos tourné aux autres, et présenta la photo devant le faible rayon de lumière.

C'était Ann, dans toute sa beauté, saisie à son insu par Goins dans un moment de sa vie quotidienne. C'était le matin et elle sortait de chez elle. Sa main s'attardait encore en arrière, sur la poignée de la porte. Elle avait sur le visage une expression d'attente, ce léger optimisme avec lequel certaines personnes anticipent leur journée de travail. Raymond retourna l'épreuve. Des mots rédigés au crayon gras étaient inscrits au verso : *Nouveau Jour — 25 février.*

Jim vit de nouveau apparaître le dos de Ray, qui se retournait vers la table et prenait l'une des autres photos, qui circulaient à présent comme des clichés de noces. Il les regarda à mesure qu'on les lui passait, en prenant soin de se tenir entre les autres flics et la fenêtre.

Ann ouvrant la grille de la garderie alors qu'une bourrasque de vent renvoyait ses cheveux sur son visage. *Travail — 25 février.*

Ann marchant sur le trottoir, le long de la baie, portant deux gros sacs à provisions, calés contre sa poitrine. *Courses — 2 mars.*

Ann sur le même trottoir, vêtue de sa minijupe de serveuse et d'un vieux chandail, son sac à bandoulière sur l'épaule ; Ann au milieu des enfants, à la garderie — cliché comparable, pensa Weir, à celui qu'Innelman avait trouvé dans l'appartement des Goins à Costa Mesa ; Ann bavardant avec Raymond, en uniforme, devant la grille de la cour de récréation ; Ann, Ray et Phil Kearns, se tenant tous trois par le bras et descendant Balboa Boulevard, juste au-delà de la salle de cinéma, à la nuit tombée ; le même trio, debout devant l'entrée du *Studio Café.*

Ce furent les trois dernières photos qui causèrent le plus grand choc à Jim. La première était une vue de la fenêtre de l'appartement d'Ann et Ray, de nuit, prise en contre-plongée. Ann regardait fixement au-dehors, avec une expression lointaine. Elle avait un rouge à lèvres foncé, portait un rang de perles autour du cou. Ses cheveux étaient relevés en chignon, et le corsage de sa robe de couleur sombre dénudait ses épaules. Ses pendants d'oreilles envoyaient des éclats de lumière en direction de l'objectif. Jim lui trouvait l'air perdu. *Songerie à la fenêtre — 14 mars.*

Sur la seconde, elle tournait le dos à l'objectif, debout dans la ruelle qui longeait l'arrière de sa maison pour conduire au boulevard. Il y avait des flaques brillantes et l'asphalte luisait, après un orage. Les façades des maisons étaient lisses comme des miroirs. Goins avait réussi à capter la lune dans le cadre, croissant argenté entre deux pans de bâtiment. Ann était au centre, jambes réunies, légèrement dressée sur la pointe des pieds, tête inclinée, tenant un parapluie dans la main gauche, se demandant apparemment comment louvoyer au mieux entre les flaques qui, sous cet angle, semblaient l'avoir encerclée. *Ann au clair de lune — 25 février.*

Sur la dernière, on ne voyait que ses jambes et ses pieds, sur le point de disparaître dans une limousine dont la portière était maintenue par un chauffeur corpulent en costume sombre. Il tournait le dos à l'objectif. On ne voyait pas la plaque d'immatriculation. *Balade — 21 mars.*

— Ouaou ! lâcha le gros Tillis. Goins était décidément fou d'elle. Ah ! l'enfoiré de maboul. Il a fallu qu'ils le relâchent ! Comme d'habitude. Mais qu'est-ce qu'ils s'imaginent, qu'on n'a pas assez de boulot comme ça ou quoi ? Faudrait que le chef voie ces trucs-là. Hé, Perroquet ! rappelle un peu le patron par ici.

Dennison fit son apparition un moment plus tard sous la conduite de Perokee. Il plissait le front et son visage était baigné de sueur. S'effaçant aussitôt contre le mur, Jim l'entendit marmonner quelque chose à propos de six chaînes de télé régionales ET nationales.

Perokee l'entraîna dans le coin du frigo pour une conversation confidentielle, juste devant la fenêtre.

— On pourrait faire publier une de ces photos dans la presse, monsieur.

— Et ça servirait à quoi ?

— Libre à vous d'en juger, monsieur, mais ça différencierait notre affaire de tous les autres homicides dont on parle dans les journaux. C'est une excellente publicité et c'est gratuit. Pour obtenir une couverture pareille, Becky Flynn grimperait au sommet de la PacifiCo Tower à poil et s'y ferait cramer. Tiens, quand j'y pense, le spectacle ne serait pas pour me déplaire. Prenez l'avantage tant que vous le pouvez.

Dennison resta un instant silencieux. Weir apercevait, entre les lames du store, le revers de son veston en lin qui rebiquait sur son énorme poitrine. Perokee consulta sa montre.

— Il faudrait y aller, monsieur, la presse vous attend.

Dennison fit volte-face, et Weir vit apparaître la marque d'usure sur les coudes du veston du chef, qui fourrait ses mains dans ses poches.

— Et les fédés ?

— C'est une excellente occasion de les citer, si on vous en offre l'opportunité.

— Je ne vois toujours pas pourquoi nous devrions

leur faire cet honneur. Ça donne à penser qu'on n'est pas foutus de faire notre boulot.

— Si nous ne laissons pas entendre que nous les avons *invités*, Flynn utilisera ça contre nous. Faites votre choix, monsieur.

— C'est non.

— Non à quoi ?

— Personne n'a besoin de voir ces photos. Que j'en laisse imprimer une, et tous les cinglés de cet Etat vont nous envoyer leurs portraits de jolies blondes. Pas question.

Perokee resta muet un instant.

— Et le manche du couteau ?

— Je bosse dessus.

— Je persiste à penser que « l'Eventreur de la Baie » est une formule percutante.

— Il ne l'a pas éventrée, il l'a poignardée avec un surin.

— *Surineur* n'est pas un bon mot — trop vieillot. Sanglant d'accord, mais pas assez évocateur. Il nous faut quelque chose qui donne une idée de mouvement, quelque chose que les gens peuvent *visualiser.*

Autre silence. Weir entendit soupirer Perokee.

— Un mot sur Goins, Chef ? Si nous pouvions annoncer son arrestation, ça...

— Et vous croyez que je perdrais mon temps à causer d'un *manche à la con,* si on l'avait alpagué ?

Une lueur apparut sur la vitre alors que Dennison s'éloignait de la fenêtre. Puis le dos de Perokee s'écrasa contre le store. Weir l'entendit murmurer dans une piètre imitation : « ... un manche à la con ? »

Adossés au mur extérieur du *El Mar Motel,* Weir, Raymond et Phil Kearns regardaient le chef par intérim donner des interviews aux journalistes des infos télévisées. La foule s'était amassée près de la banderole délimitant le « lieu du crime », et le commando du SWAT veillait à la sécurité — idée que Perokee avait soufflée à Dennison pendant la mise en place des équipes de tournage.

— Tu l'as trouvé comment ? demanda Jim.

Kearns haussa les épaules.

— J'ai eu du bol. J'ai enquêté à l'agence immobilière et ils m'ont expédié ici. J'ai prévenu Brian par téléphone et il m'a ordonné de monter la garde. C'est comme ça que le SWAT a été mis sur le coup et que le cirque a commencé.

Dennison transpirait abondamment sous le soleil. Les caméras le serraient de près, les spots diffusaient leurs lumières aveuglantes, et les cameramen, comme soudés à leur appareil, se déplaçaient de côté et d'autre pour trouver le meilleur angle. Dennison minimisait le précédent crime de Goins, tout en soulignant la similitude entre les deux affaires : « ... serveuse ici, serveuse dans l'Ohio... connaissait sa victime... zone marécageuse, ici Back Bay... photographe amateur... il l'avait "repérée" depuis quelque temps. »

Weir se tourna vers Kearns, qui contemplait Dennison avec l'expression frustrée d'un joueur relégué sur la touche.

— A quoi ressemblait sa piaule, quand tu es entré ?

— Nickel. Le four était allumé. Il y avait une pizza sur le plan de travail. Il s'apprêtait à la réchauffer, probablement.

Donc, pensa Weir, Goins était bel et bien au motel, ramassant son barda pour se tirer par la porte de derrière, pendant que Dennison mettait au point son numéro de cirque avec le SWAT. Cela faisait-il partie du plan ?

— T'as une idée de ce qui l'a effrayé ?

— Je sais pas. Ça pourrait être moi. J'ai poireauté de l'autre côté de la rue, là où je pouvais voir sa porte d'entrée. Je croyais que j'avais l'air de rien, mais s'il était en train de guetter...

Raymond hocha la tête d'un air écœuré.

— C'est Dennison qui a alerté le SWAT, pas moi, lâcha Kearns.

— Une belle connerie, fit Raymond.

— Tu l'as dit, une foutue connerie.

Dennison s'était lancé dans une tirade enflammée sur la loi et l'ordre, fustigeant la péninsule, où se commettaient « l'écrasante majorité des crimes de notre ville ».

Cela laissait sous-entendre, pensa Weir, qu'il valait mieux raser tout le secteur et le reconstruire ; mais Dennison n'était pas mercenaire au point de mentionner le projet de « redéveloppement » de Balboa. Les mains fourrées dans ses poches, Perokee rôdait à l'arrière-plan, tel un oiseau de mauvais augure.

— Ce qui fait de Newport Beach une grande cité, proclamait le chef par intérim, ce sont des habitants d'exception. Et ces habitants ont le droit d'être protégés contre les déshérités comme Horton Goins. Cette ville ne peut pas tolérer plus longtemps un environnement qui encourage le crime violent. Les citoyens de cette péninsule méritent mieux.

Comme si les déshérités étaient tous des agresseurs sexuels, songea Weir ; comme si on pouvait régénérer quelqu'un comme Horton Goins en dehors de la communauté ; comme si la faible rentabilité fiscale et immobilière du quartier pouvait être la cause de tous les maux.

— Chef, demanda un journaliste, Horton Goins est-il un suspect officiel ?

— Horton Goins est le principal suspect.

Perokee se pencha pour murmurer quelque chose à l'oreille de Dennison. Celui-ci couvrit aussitôt le micro le plus proche avec la main, comme si la sécurité nationale était menacée. Il hocha la tête et se tourna de nouveau vers les caméras.

— Dans l'affaire de l'Eventreur de Bayside, Horton Goins est le *seul* suspect.

18

Joseph Goins appuya sur la sonnette, puis recula d'un pas sur le porche inégal et grinçant. Il se détourna pour regarder encore une fois l'immense avocatier qui l'environnait d'ombre, l'allée obstruée de mauvaises herbes qu'il venait de longer, les silhouettes altières des grands hibiscus, citrus et bambous du jardin, dont les cimes s'unissaient vers le ciel, plongeant les lieux dans la pénombre et isolant la maison de la rue. Le coin lui plaisait déjà.

Un miaulement retentit derrière la porte d'entrée et le fit grincer des dents. En fait, c'était plutôt une sorte de cri suraigu, qui renfermait un mot.

— *Mmmououiii ?*

Quel son discordant ! pensa-t-il. Il appuya de nouveau sur la sonnette, baissa les yeux sur sa boîte remplie d'appareils photo, clichés, vêtements. Il revit en pensée l'homme posté de l'autre côté de la rue en face du motel *El Mar*, celui qui portait un jean et une chemise ample très mode. Dès qu'il l'avait aperçu, une pensée s'était insinuée en lui, lui soufflant de partir pendant qu'il en était encore temps. Flic, disait-elle. Regarde, voilà le flic qui t'a trouvé. C'était la pensée jumelle de celle qui, la veille, lui avait dicté de repérer une autre chambre pour le cas où cette chose se produirait. Merci à Dieu pour sa précision, pensa-t-il, et merci aux sorties de secours.

— *Mmmououiii ?*

— Madame Fostes ?

— *Mmminute !*

Joseph prit le journal offert par l'hôtel dans son carton. Charmante attention, se dit-il, exactement comme au cinéma. Il le replia de façon à mettre l'annonce en vue. Sa main tremblait encore.

Chargé de son carton d'affaires, il s'était faufilé dehors par la porte de derrière et avait longé le front de mer jusqu'à l'arcade vidéo, et il s'était fondu dans les ténèbres de cette métropolis où cliquetaient sonneries, bips, alarmes. Tout le monde le regardait. Les Californiens reconnaissent ceux qui ne sont pas des leurs, avait-il pensé.

Tourmenté par une souffrance intérieure, l'esprit tourneboulé par des messages contradictoires, le visage en feu sous l'effet de l'émotion et de la course, il s'était assis quelques minutes sur la jetée, abandonnant la lutte, attendant qu'ils viennent le saisir et l'emmener. Un détachement du SWAT était passé devant lui au pas cadencé avec une précision martiale, en route vers le motel. L'hélicoptère s'était immobilisé au-dessus du *El Mar*, ses rotors trouant le silence avec des vrombissements qu'il visualisait sous ses paupières — des zébrures violentes, pourpres et noires tombant du ciel. Trois flics en uniforme étaient aussi passés près de lui, rapides et décidés. Et, affublé de ses lunettes de soleil et de sa casquette fluo, son carton à côté de lui, il s'était étonné de ne pas les voir s'arrêter et lui passer les menottes. Ensuite, il s'était cantonné aux rues latérales, sa boîte calée sur l'épaule pour dissimuler son visage, et avait traversé la péninsule en direction du sud, vers l'adresse mentionnée par le journal.

Le battant de la porte s'ouvrit et une femme en robe de chambre, au visage fané, aux cheveux blancs, le regarda avec les yeux bleus les plus délavés qu'il eût jamais vus. Ses épaules pointaient aux extrémités, elle avait un visage creusé, mais sa peau paraissait douce. De sa main osseuse marquée de taches brunes, elle resserra le col de sa robe de chambre autour de son cou.

Elle est charmante, songea Joseph Goins. Il lui tendit le journal replié en observant attentivement ses réactions.

— Vous êtes Mrs Fostes ?

— Oui, dit-elle.

Son regard erra sur le journal sans s'y fixer. Parfait. *Femme âgée ayant mauvaise vue cherche compagnie. Gîte et couvert assurés,* disait l'annonce. Pour Joseph Goins, « mauvaise vue » ne pouvait signifier que : presque aveugle. Il avait raison.

— Je suis Joseph Gray. La chambre est-elle libre ? demanda-t-il en souriant.

Elle posa un instant ses yeux bleus sur son visage, cherchant à le jauger, et il ôta ses lunettes pour lui rendre ce regard scrutateur.

— Oui. Entrez.

Il nota que sa voix naturelle était aussi un criaillement, mais adouci. Il prit son carton et la suivit à l'intérieur.

La maison était sombre, chaude, emplie d'odeurs contradictoires et déplaisantes. Un chat était lové sur une table d'angle, paraissant soudé à la base d'un pied de lampe. Il y avait un canapé vert avachi, un fauteuil rembourré tapissé d'un tissu à fleurs, une table basse, un poste de télévision allumé. Un chien qui avait la forme et la taille d'une pantoufle duveteuse ne cessa de renifler les pieds de Joseph alors qu'il suivait Mrs Fostes jusqu'au coin-salon. Elle s'assit avec lenteur au milieu du divan et désigna le fauteuil d'un index osseux.

— Si je pouvais retrouver mes lunettes, je vous verrais mieux, dit-elle. D'ici, j'arrive à peine à voir la télé. Qu'est-ce qu'ils donnent ?

— Un feuilleton sentimental, on dirait.

— Mais où ont-elles pu passer ?

Elle fourra la main dans la boîte à chaussures posée sur la table, devant elle, et où s'alignaient une ribambelle de flacons de médicaments.

— Pour ça, dit-elle en tapotant la boîte, je n'en ai pas besoin. Je me repère à la forme. Mais je ne peux pas voir la télé. Est-ce que vous les apercevez quelque part ?

Joseph regarda autour de lui, et ses yeux finirent

par se poser sur le dessus de la télévision, où se trouvait une paire de lunettes à grosse monture noire et verres épais.

— Non, madame, je ne les vois pas.

— Je les ai égarées pendant tout un mois, cet hiver. Ça n'a pas ralenti mes activités le moins du monde.

— Vous avez une très jolie maison, dit Joseph.

La queue du chat, qui pendait le long d'un pied de la table, se mit à se balancer nerveusement.

— Ma foi, je n'en suis pas trop mécontente, dit Mrs Fostes. Vous êtes étudiant ?

— Je reprends mes études à plein temps à l'automne prochain, dit-il. UCI. (Il savait tout ce qu'il y avait à savoir sur l'Université de Californie-Irvine — du moins, sur le département de recherche médicale.)

— Dans quelle matière ?

— Informatique.

— C'est ce qu'il y a de mieux en ce moment. John, mon mari, me répétait toujours que les ordinateurs, c'était l'avenir. Il y a longtemps de ça. Il est mort en 62.

— Je suis désolé.

— Moi aussi, soupira-t-elle. D'où êtes-vous ?

— Irvine. (Autant rester logique, pensa-t-il.) Mon père vend des ordinateurs. Ma mère ne travaille pas.

— Vous avez un job ?

— Pour l'instant, je vis sur mes économies. Mais je compte chercher une place dans l'informatique très bientôt.

— Vous vous exprimez très bien, pour un garçon d'ici. Vous n'avez pas l'accent californien. Vous faites du surf ?

— Un peu de planche à roulettes.

Joseph eut un petit rire, en se rappelant les quelques instants vertigineux qu'il avait passés sur la planche à quatre-vingts dollars qu'il s'était achetée

— des moments de risque, de rapidité, de griserie absolue.

— Mais je suis bon nageur, ajouta-t-il.

C'était vrai. Il avait passé tous ses moments libres à la piscine municipale, avant Lucy. Et, malgré les longues années d'hôpital, il avait gardé le souvenir intact de ses sensations, de l'eau fraîche qui se divisait devant lui, de la façon dont elle le portait s'il continuait les mouvements, de la paix que cela lui procurait.

Mrs Fostes posa sur lui un regard légèrement décentré.

— Dans l'annonce, j'ai mis « compagnie ». Ce que j'aime le plus, c'est qu'on me lise le journal chaque matin. Et discuter quelquefois des articles les plus importants pendant quelques minutes. Et puis, avoir quelqu'un à qui parler après le dîner. Seulement pour une demi-heure environ. On dînera ensemble — pour les autres repas, chacun se débrouille de son côté. Je paie l'épicerie. Vous devrez payer les appels interurbains, mais c'est tout. Vous videz les corbeilles et vous sortez la poubelle le jeudi. Quelquefois, j'ai besoin qu'on m'aide à me tirer du lit, mais une fois debout, je dame le pion à tout le monde. Je préfère avoir affaire à une personne jeune, parce qu'il peut m'arriver de faire appel à sa force physique et puis, pour être franche... les vieux me dépriment. Ne vous gênez pas pour amener un ami si vous en avez envie.

— Vous ne pouvez pas lire les journaux vous-même ?

— Non.

— Et les illustrations ?

— Ce n'est qu'un brouillard, même avec mes lunettes. Ah ! bon sang, où ont-elles pu passer ?

Parfait, pensa Joseph. Ce fut comme si son système nerveux tout entier se détendait.

— Avez-vous d'autres pensionnaires ?

— Juste Dolly — c'est la chatte — et Molly, le

chien. Une jeune fille habitait ici il y a encore deux semaines. Elle a disparu.

— Disparu ? s'enquit Joseph. (Il y avait quelque chose de curieux dans la façon dont elle avait dit ça.)

— Eh bien, vous savez. Elle a fait sa valise et elle est partie.

Joseph hocha la tête. Il ressentait des picotements au bout des doigts. Au fil des jours, ils se craquelleraient et se mettraient à saigner. Ils semblaient tout simplement se déchirer le long des volutes de la pulpe, comme si le « liant » de la peau se desséchait. Pendant ses neuf années d'hôpital, aucun médecin n'avait pu expliquer cela. La chose se produisait environ deux fois par an, sans raison. Mais Joseph avait cru remarquer que ça arrivait lorsque tout allait très bien pour lui, ou alors, très mal. D'ici peu, ça deviendrait douloureux.

— Je serai davantage digne de confiance que ça, madame.

— Aimeriez-vous voir votre chambre, Joseph ?

— Bien sûr, dit-il avec un sourire.

Il la suivit hors du salon, prit les lunettes sur la télé au passage, et les fourra dans son carton.

La chambre se trouvait à l'étage, au bout d'un petit couloir sombre, à droite. Elle était plus grande que les deux pièces du motel réunies, avec une fenêtre donnant sur une cour plantée d'arbres, et une autre sur la rue. Le parquet avait perdu son lustre depuis longtemps. Au centre, un tapis bleu bon marché, tout pelucheux. Il y avait contre l'un des murs un vaste bureau où reposaient deux éléments de forme cubique, drapés l'un et l'autre d'un tissu blanc fixé avec de l'adhésif.

Intéressant, pensa Joseph. Il posa son carton sur le sol, et demanda ce qu'il y avait sous les housses.

— Un ordinateur et une imprimante, dit Mrs Fostes. Je les ai achetés pour ma petite-fille, mais elle ne s'en est jamais servi. J'ignore totalement comment ça marche.

Joseph, qui n'avait jamais utilisé d'ordinateur, eut un hochement de tête entendu.

— Ils marchent tous selon les mêmes... principes, dit-il.

— Ma foi, mon principe à moi, c'est de garder tout ça à l'abri de la poussière, au cas où elle finirait par décider de s'en servir. Il y a une salle de bains de l'autre côté du couloir.

Mrs Fostes marcha lentement jusqu'à la fenêtre, chercha les rideaux à tâtons, puis les saisit à deux mains et les tira.

— Quand les arbres étaient moins hauts, on pouvait voir la mer.

— J'aime les arbres, dit Joseph.

Dans le pâle filet de soleil, il examina les yeux de Mrs Fostes, la façon dont ils absorbaient la lumière sans guère la renvoyer, comme du vieux verre dépoli. Ça devait être triste, d'avoir la vue qui vous lâchait. Magdesh, à l'hôpital, s'était crevé les yeux avec la pointe d'un crayon.

Soudain, Joseph sentit une autre présence dans la pièce. Il se retourna vivement. Debout sur le seuil, une jolie jeune fille — elle ne devait pas avoir plus de dix-huit ans — se tenait bras croisés, la tête inclinée dans une pose interrogative. Elle portait un jean délavé, des chaussures de sport et un T-shirt informe. Elle avait des cheveux couleur de miel, fins et raides, et le regardait à travers le rideau brillant qu'ils formaient devant ses yeux.

— L'ordinateur est à moi.

Mrs Fostes, qui essayait d'ouvrir un placard pour montrer au nouveau pensionnaire où il pouvait ranger ses vêtements, se tourna brusquement vers la jeune fille.

— Je te croyais sortie, ma chérie.

— Je vais sortir.

— C'est notre nouveau pensionnaire.

— Je m'appelle Joe, dit Joseph.

— Faut que je file, dit la fille.

Elle fit volte-face et disparut, puis on entendit le bruit décroissant de ses pas dans l'escalier.

— Ma petite-fille. Pas facile à manier.

— Elle habite ici ?

Mrs Fostes hocha la tête.

— Elle ne veut pas me lire le journal, ni m'aider à cuisiner, ni dîner avec moi. C'est de son âge. Je comprends... J'étais comme elle, autrefois. J'ai été surprise de la voir encore là. (Elle ramena de nouveau sa robe de chambre sous son menton et se dirigea vers la porte.) Elle ne vous dérangera pas.

Joseph sentait qu'il aurait fallu dire quelques mots aimables, mais lesquels ?

— Venez, descendons signer le contrat.

On entendit claquer la porte d'entrée.

— Comment s'appelle-t-elle ?

— Lucinda.

Joseph eut la sensation que sa peau allait se retrousser vers l'extérieur, comme un gant qu'on ôte. *Lucy*. Pendant un bref instant, tout devint brillant autour de lui, si brillant qu'il eut peine à garder les yeux ouverts. Il remit ses lunettes de soleil. Il avait les jambes lourdes et ses tempes battaient.

— C'est un joli nom, dit-il doucement.

— Ne vous en faites pas, elle n'est presque jamais là. Descendons signer votre bail tout de suite. Comme ça, vous pourrez déballer vos affaires et vous habituer un peu à votre chambre. J'aime bien manger à 19 heures, alors on pourra commencer à cuisiner à 18 heures.

Mrs Fostes gagna le seuil d'un pas vacillant, en s'appuyant au mur pour se guider.

— J'aimerais bien remettre la main sur ces lunettes, fit-elle.

Une heure plus tard, allongé sur le lit, les mains croisées derrière la nuque, Joseph contemplait le plafond. Lucinda le reconnaîtrait-elle pour l'avoir vu à la télé, dans les journaux ? Elle n'avait pas l'air d'être quelqu'un d'informé, mais allez savoir. Peut-être le mieux était-il de l'éviter. Ses tempes battaient toujours, mais moins violemment. Le soleil s'était éloigné du cadre de la fenêtre et une ombre bienfaisante s'était glissée dans la chambre.

Plus Joseph s'efforçait de se détendre, plus le souvenir des dernières heures écoulées devenait clair dans son esprit. Ils étaient à sa poursuite. Ils le talonnaient de près. Ils ne le lâcheraient pas. La décharge électrique qu'il avait ressentie en voyant le flic posté de l'autre côté du trottoir se renouvela, courut le long de sa colonne vertébrale pour former une comète d'énergie qui secoua son squelette, explosa dans sa tête, l'aveugla. Ses doigts lui brûlaient.

Il se glissa à bas du lit, prit le journal relié de cuir sur l'étagère de l'armoire et s'assit au bureau. Il dut ôter l'adhésif pour pousser l'ordinateur afin d'avoir plus de place. Il souleva un coin de drap et lorgna dessous : une boîte de plastique brun, de marque japonaise.

Joseph passa la main sur la surface lisse du cuir, disposa le carnet devant lui. Il prit une profonde inspiration, glissa un doigt entre les deux pages d'où dépassait la carte postale de Balboa et ouvrit le journal. La vue de l'écriture d'Ann — sa véritable écriture — soulevait toujours en lui un torrent d'émotions. Il croyait entendre sa voix alors qu'il lisait.

26 MARS

J'ai envoyé ma lettre à Dave Smith, chez Cheverton Sewer & Septic, ce qui n'est pas précisément une adresse romantique, mais ce n'est pas la romance que je cherche — pas encore. La réponse de David m'est parvenue à la boîte postale 2212. C'est mon père qui m'a légué cette boîte, peu avant sa mort. Il s'en servait pour le même usage, et m'a demandé de garder le secret — les secrets sont le ciment de l'âme. Mais j'ai fini par tout dire à ma mère un an plus tard. Elle n'a pas été surprise. Trente ans d'existence auprès de Poon, ça aurait détruit toute faculté d'étonnement chez n'importe qui.

Nos premières lettres — c'était fin janvier — portaient sur des grands thèmes d'ordre général : la politique, la religion, les gens. C'est étrange, plus on connaît quelqu'un, plus les choses qu'on lui dit deviennent insignifiantes. Je crois que David a tiré le même plaisir que moi de cet échange : quand on parle à quelqu'un de ce qu'on pense vraiment, eh bien, ça peut en renouveler l'intérêt. Pourquoi partageons-nous avec des étrangers des choses que nous ne confions jamais à nos plus proches amis ou à notre famille ?

A la fin de sa troisième lettre, David me demandait si j'acceptais de lui parler de Paris. David était l'un des rares à savoir que je n'étais jamais allée en France, et il n'ignorait pas ce qui s'était passé pendant l'été de mes quinze ans. Mais il posait la question si timidement que j'ai compris qu'il savait en fait très peu de chose, qu'il avait profondément refoulé tout ça.

Alors, je lui ai raconté l'entrevue qui avait eu lieu entre m'man, moi, et cet avocat — Nathanson — et comment nous avions pris des dispositions pour que je donne mon bébé, une fois qu'il serait venu au monde. Nathanson avait dû recevoir certaines instructions du père de David, mais Blake Cantrell ne vint pas me voir une seule fois. Au moment de tous ces événements, David avait déjà été renvoyé dans le Montana par sa famille, pour terminer l'année scolaire et travailler ensuite au ranch. Il me manquait terriblement, et je regrette bien de n'avoir pas eu la boîte postale de papa à ce moment-là, parce que je sais qu'il m'écrivait de là-bas, mais que m'man confisquait toutes ses lettres. Moi, je lui écrivais tous les jours, mais bien entendu, j'ai découvert plus tard qu'aucune de mes lettres ne lui était parvenue. De toutes les petites cruautés qui ont marqué cette époque, le vol de ces lettres m'a toujours paru la plus impitoyable.

Selon l'accord que nous avions passé, m'man et moi, le bébé devait être remis à la naissance à un couple anonyme que Nathanson avait trouvé au nord de l'Etat de New York. On ne m'avait pas dit le nom de ces gens. Je signai plusieurs documents, que m'man paraphait la première parce que j'étais encore mineure. En face de nos noms, il y avait des espaces blancs pour Blake Cantrell et David. J'essayai de voir en cachette qui allait adopter mon bébé, mais je ne trouvai pas un seul nom dans toutes ces pages de contrat. Tout le monde m'assura que c'était pour le mieux.

Et alors que je racontais tout ça à David dans ma lettre — combien ? vingt-cinq ans plus tard ? — tout m'est revenu en vrac : l'étrangeté de ce voyage au-delà de New York, la petite maison sur le lac, Ruth, la nounou, qui s'avéra être une brave femme et une amie, les longs mois d'été où ma grossesse commença à se voir, pour devenir ensuite évidente, et ce matin pluvieux de septembre où je quittai le refuge du bord du lac pour me rendre à l'hôpital.

La salle d'accouchement était si lumineuse et si métallique. Je me revois allongée sur le dos, et je me rappelle la terrible douleur qui venait par vagues. Et les médecins et les infirmières derrière leurs masques verts, avec leurs petits yeux qui me regardaient, leurs voix si posées et si neutres. Puis l'alarme dans ces voix lorsque les choses commencèrent à tourner mal ; l'hémorragie et la césarienne ; et finalement, à travers le brouillard de l'anesthésie et les bruits affreux des instruments qu'on m'appliquait, là, entre mes genoux levés, cette toute petite forme sanglante qu'ils avaient fait sortir, qui ne remuait pas et qui avait à peine l'air humain, si immobile et si paisible après tous les coups de pied qu'elle m'avait donnés. Et cette vision brouillée de P'tit chou — je m'étais mise à l'appeler comme ça — fut la première et dernière que j'en eus jamais. Quelques minutes plus tard, ils me firent prendre quelque chose et lorsque je me réveillai ensuite, j'étais dans un lit d'hôpital, et m'man se penchait vers moi. Le médecin vint quelques minutes après, et me dit que P'tit chou était un enfant « mort-né ». Il me fallut un moment pour comprendre.

Je crois avoir pressenti que quelque chose n'irait pas — j'avais eu une affreuse grippe pendant le deuxième trimestre, et David aussi. Je m'étais demandé ce que la fièvre ferait à P'tit chou.

Alors que je regardais m'man, il me sembla qu'un grand précipice s'ouvrait en moi, et je m'y laissai tomber avec enthousiasme, comme lorsqu'on court vers l'océan par un chaud jour d'été. J'ai tellement pleuré. M'man me dit que je me remettrais, que la nature avait fait son œuvre, et que là où elle était, P'tit chou était mieux qu'elle ne l'aurait jamais été dans le monde réel.

Pendant neuf mois, Cher Ange, David et moi nous avons eu une fille.

Joseph leva les yeux et regarda fixement au-delà de la fenêtre, au-delà des cyprès, vers le ciel délavé. Il entendit claquer la porte d'en bas. Cette partie de l'histoire était toujours celle qui le rendait le plus triste et le plus furieux ; dire que les gens pouvaient être aussi cruels avec une jeune âme pure comme l'était Ann, dire qu'elle avait été si seule alors, si minuscule, comparée au système. Il pensa avec dégoût à David Cantrell, tranquille dans son ranch pendant qu'Ann vivait les affres de la maternité à des milliers de kilomètres de son foyer, entourée seulement de gens prêts à mentir, à tricher, et à se servir d'elle pour leurs propres buts.

Elle savait si peu de chose, songea-t-il. Il regarda

la pulpe de ses doigts, qui se fendillait déjà le long des volutes digitales. Bientôt, lorsqu'il heurterait les objets, les fissures s'élargiraient, saigneraient, s'élargiraient encore.

Tout cela était devenu une chose terrible.

29 MARS

J'ai dû attendre trois jours pour recommencer à écrire. Mes souvenirs de P'tit chou me font souffrir, comme si tout avait eu lieu il y a un an, et non un quart de siècle. Et Raymond a été si maussade ces jours-ci — me faisant des réflexions à propos du ménage et de ma cuisine, me regardant durant de longues minutes sans rien dire.

Nous étions convenus de nous revoir fin février, David et moi, le 25, je crois. Il a envoyé une limousine, qui a attendu dans la ruelle pendant que je me tordais les chevilles sur mes talons hauts en essayant d'éviter les flaques.

Lorsque je suis montée, il était là, me tendant la main. L'habitacle sentait le cuir et l'eau de Cologne ; on avait l'impression de pénétrer dans le corps d'un homme, c'était si... *intérieur*. Je me suis affalée sur le siège alors que la voiture démarrait.

Il m'a dit que j'étais en beauté, et je lui ai répondu : « Pas particulièrement. »

En fait, j'étais si nerveuse que j'avais du mal à ne pas craquer. Je n'avais pensé qu'à cet instant depuis que nous avions décidé de nous voir — toute une semaine où j'avais éprouvé, eh bien, un tas de choses très différentes, très fortes.

Pour commencer, j'avais peur. J'avais peur que Ray ne le découvre. Je m'étais assurée qu'il ne serait pas de service dans la péninsule ; je m'étais assurée que la voiture ne m'attendrait pas sur le boulevard, au cas où les voisins, m'man, Phil Kearns ou quelqu'un d'autre seraient passés par là. J'éprouvais le sentiment aigu de commettre une trahison, et je l'avais combattu en me disant que je retrouvais seulement un très vieil ami pour une innocente conversation. Alors, pourquoi des bas neufs ? m'étais-je demandé en les enfilant. Pourquoi cette hésitation sur le choix du parfum — lequel, quelle quantité ? m'étais-je demandé en en mettant juste un soupçon derrière les oreilles. Pourquoi ces talons hauts ? Pourquoi m'étais-je plantée devant la glace, une fois prête, en me haussant légèrement sur la pointe des pieds pour voir si mon derrière était toujours ferme et si la robe en soie était flatteuse ? (C'était le cas.) Je sais pourquoi. C'était parce que je trahissais la confiance de Raymond, une confiance qu'il m'offrait depuis vingt ans de mariage. Les voix du bon sens et de la convention me disaient d'annuler, d'honorer mon contrat en tant que Mrs Cruz, de résister. Mais les autres voix étaient là elles aussi, m'assurant que le fait de rencontrer un vieil ami — en particulier un ami avec lequel j'avais traversé tant de choses — n'était pas un acte de trahison, mais d'affirmation. Ces voix me disaient que je n'avais pas peur de Raymond, mais de moi-même, que j'avais peur de ne pas être digne de confiance, peur de tester mon engagement, engagement que je pouvais confirmer *en allant au bout de cela*. Cher Ange, j'espère pouvoir te dire un jour de te défier des choses que nous nous racontons à nous-mêmes, des choses dont nous voulons nous persuader. Le plus étrange, c'est qu'en bien des façons, elles sont vraies.

Et puis, j'étais tout bêtement excitée à l'idée de m'habiller un peu, de voir un chic type que j'avais bien connu, de quitter ce petit appartement misérable et glacial, et, ma foi, d'avoir un chauffeur, pour changer. J'avais de nouveau la sensation d'être une jeune femme, et non une femme de bientôt quarante ans, épuisée par deux boulots et aidant son mari à faire son droit. Je me sentais si légère, si... *intéressante.*

Je suis content que tu sois venue, m'a-t-il dit.
Je lui ai demandé s'il croyait que je me dégonflerais. Je lui ai dit que j'avais failli le faire, parce que ce n'était pas dans mes habitudes de parader en limousine pendant que mon mari était au boulot.
Il m'a répondu qu'il n'avait pas arrangé ce rendez-vous pour que nous puissions comparer l'étendue de nos sentiments de culpabilité respectifs. Il espérait que nous pourrions rester sur une note légère, peut-être même faire un peu les fous.
Quoi, par exemple ? ai-je demandé.
Ça, a-t-il fait.
Il a ouvert le compartiment réfrigéré et sorti deux flûtes à champagne. Une rose pourpre fixée par la tige avec un ruban pourpre était attachée à la mienne. David m'avait envoyé les mêmes roses, à l'époque où j'allais au lycée — c'était notre fleur. J'ai ri, et lui aussi. Il a versé un peu de champagne et on a porté un toast.
Aux années écoulées ! a-t-il dit.
Et aux années à venir, ai-je dit ; puis nous avons bu. Pendant un instant, j'ai regardé, à travers les vitres, la pluie qui s'était remise à tomber, les ténèbres luisantes de Coast Highway, les façades humides des maisons brillant à la lueur des enseignes. J'avais l'impression que chaque centimètre de terrain que je franchissais ne serait jamais refranchi, que j'avançais dans un territoire aux frontières incertaines. Un instant, je me suis laissée aller à croire que c'était vrai. Et au même moment, j'ai admis que je m'étais profondément encroûtée dans l'existence. Quand je me suis tournée vers David, j'ai vu qu'il me regardait.
Je roule souvent comme ça à la nuit tombée, m'a-t-il dit. J'aime être assis et voir défiler les choses. Si on les regarde en ne pensant à rien, elles ont l'air nouvelles.
J'ai dit que ça devait être fabuleux de sillonner un

comté dont on possédait la moitié. Une lueur de déception a traversé son regard.

Oublie un peu ce que je possède, a-t-il dit. Personne ne possède quoi que ce soit, d'ailleurs. Nous ne sommes que des locataires. Nous louons, et rien d'autre, jusqu'à l'arrivée du Grand Proprio.

Nous avons roulé sur le boulevard jusqu'à Coast Highway, vers le sud, au-delà des restaurants, traversé Corona del Mar, pénétré dans Laguna. J'ai baissé la vitre pour jouir un peu de l'orage. Sur Main Beach, les vagues étaient énormes, je voyais les pans immenses bordés d'écume se dresser et s'abattre sur le rivage; je sentais la puissance de la houle lorsqu'elle se brisait avec ce bruit qu'on prend en pleine poitrine, pas dans les oreilles.

Tu vas te mouiller, a-t-il fait.

J'ai laissé la pluie me fouetter le visage.

Toujours aussi excentrique, a-t-il observé. Et il a baissé lui aussi sa vitre, et nous avons roulé comme ça dans la ville alors que le vent s'engouffrait à l'intérieur et que la pluie nous mitraillait à l'oblique. David a encore rempli nos verres, et j'ai vu les gouttes de pluie heurter le champagne dans le mien et rejaillir sur la rose. Nous n'avons rien dit l'un et l'autre pendant un long moment. Il n'y avait que lui et moi, ces quelques centimètres de cuir entre nous, et cette tempête derrière le pare-brise, qui tourbillonnait aussi dans mon cœur.

Je ne sais pas pourquoi je fais ça, ai-je dit. Mais ce n'était qu'en partie vrai. Certaines zones de nous-mêmes nous demeurent inconnues, mais nous les entrevoyons parfois si nous sommes en éveil et que nous les cherchons. Aussi avais-je une idée de la raison de mon acte. Je fus étonnée par sa petitesse. Avec ce geste, je me donnais un moyen de me foutre de tout pendant quelques minutes, le moyen non pas de vivre une expérience, mais plutôt de me laisser vivre tout court.

Je n'aurais jamais pensé que P'tit chou serait ma

dernière chance d'avoir un enfant, dis-je soudain, et mes mots me causèrent un choc.

Il resta silencieux un long moment, songeur, puis finit par dire qu'en apprenant que sa femme ne pouvait pas avoir d'enfants, il s'était demandé si c'était une conséquence vengeresse, poétique de ce qui m'était arrivé.

Puis je me surpris à lui dire des choses que je n'avais jamais dites à personne, à lui parler de l'énormité de ce qui s'était produit cet automne-là à New York, et du temps infini qu'il m'avait fallu pour comprendre ce que mon ventre infécond en viendrait à signifier pour moi — comment je me regarderais dans la glace, ou regarderais un des gosses à l'école, ou surprendrais un regard de Ray, et réaliserais à nouveau que je ne me survivrais jamais dans un enfant, que je n'aurais jamais le bonheur de tout donner à un petit être qui aurait besoin de moi, que je ne pourrais jamais faire ce don à Ray, ne serais jamais, eh bien... *mère*.

David remonta sa vitre, et je l'imitai. Ça n'avait plus rien d'amusant, semblait-il, de se faire fouetter le visage par la pluie.

Il y a une chose que je tenais à te dire ce soir. C'est la seule chose que je voulais vraiment dire. Je regrette, Ann. Je regrette la façon dont ça a tourné.

J'ai haussé les épaules. A une époque de ma vie, de tels mots m'auraient émue et je me serais mise à pleurer, mais au bout d'un moment, on accepte ce qui est et on cesse de se torturer avec ce qui n'est pas.

Moi aussi, mais ce n'était ni ta faute, ni la mienne, alors que pourrais-tu dire ?

David garda le silence longtemps.

Juste que si j'avais la chance de pouvoir tout recommencer, recommencer bien, recommencer maintenant — je le ferais.

Je l'ai dévisagé. Derrière le bon sens qui s'exprime dans le regard de David, j'ai toujours su voir le joueur qu'il est, et son sens du risque. Il était sincère.

Eh bien, la pilule est amère et difficile à avaler, au point où nous en sommes, ai-je dit.

Tu te souviens de notre projet de nous enfuir et de la garder ? Imagine comme les choses auraient été différentes, si on avait eu le cran de le faire.

Je lui dis que j'y avais pensé chaque jour depuis vingt-cinq ans. Et soudain, je fus consciente de ce que j'étais, d'une façon surprenante et suraiguë : mon maquillage qui avait coulé sous la pluie, mes cheveux défaits, ma robe trempée, mon mari sur le point de quitter son service, mon corps de presque quarante ans s'efforçant de rester jeune, mon ventre stérile pareil à une ravissante petite maison que personne n'habiterait jamais — et j'ai pensé : mais qu'est-ce que je fous ici ?

Dans une demi-heure, je me change en citrouille, ai-je dit.

David a tapé sur la vitre de séparation, le chauffeur a pris la voie de gauche.

Il a dit qu'il désirait me poser une question.

Vas-y, ai-je dit, même si je savais à quoi m'attendre.

Pourquoi as-tu épousé Raymond si vite après... nous ? Tu sortais à peine du lycée.

Cher Ange, je dois dire qu'il y a des décisions, dans la vie, qu'il vaut mieux ne jamais examiner une fois qu'on les a prises. Nous devons nous offrir le luxe d'accepter certaines choses comme si elles étaient toutes naturelles, parce que si nous entretenions des doutes à leur sujet, nous serions tout bonnement incapables de continuer à vivre. J'admets que je m'étais posé la même question au cours des ans, mais jamais profondément, jamais avec un réel désir de savoir. J'avais toujours laissé la réponse hors d'atteinte.

Mais je me suis avoué alors ce que j'avais toujours su : que Raymond Cruz avait un cœur aussi vaste que la Californie, et que j'étais heureuse d'y être un village. J'ai connu Raymond lorsque j'avais quinze ans, alors que j'étais secrètement liée à un étudiant de vingt et un ans dont j'étais tombée amoureuse dans un moment fulgurant au cours d'une soirée, et qui m'avait plus tard mise enceinte. J'ai connu Raymond alors que j'étais une jeune fille qui venait de vivre une mort secrète dont elle ne pouvait parler à personne d'autre qu'à ses parents et à cet étudiant désormais exilé à Stanford University.

Et je te dirai aussi, Cher Ange, que j'ai été séduite par la passion tendre, patiente, constante que Raymond me portait. Ce serait mentir que de le nier. Je ne sais plus très bien quand je me suis aperçue de sa dévotion, mais c'était bien avant de devenir une femme, bien avant qu'on se rende à notre premier bal, lorsqu'il avait seize ans. Je crois que ça a commencé quand nous étions enfants. J'en suis venue à me réchauffer à cette dévotion comme quelqu'un se réchauffe au soleil. Elle m'entourait ; elle m'attendait ; c'était une constante fiable dans un monde changeant. Mais je dois avouer que je m'étais réservé le droit de l'ignorer, de me libérer de toute attache. Cela arrivait souvent, dans ces premières années, ébranlée que j'étais par ce qui s'était passé à New York.

Alors pourquoi, ce beau jour de printemps où nous marchions le long du front de mer, dans ma dix-huitième année, alors que Raymond me tenait la main sans mot dire, respectueux de mon désir de distance, lui ai-je demandé de m'épouser ? Oui, pourquoi ? Je crois surtout, aujourd'hui que je m'interroge dans la maison que nous partageons, que c'était parce que j'avais vu avec quelle rapidité la vie peut vous dépouiller : mon frère Jake récemment tué au Viêt-nam, David banni dans le Nord, P'tit chou dans quelque poubelle d'hôpital — j'ignorais ce qu'ils avaient fait d'elle et l'ignore toujours. Que personne ne vienne me dire qu'une fille de quinze ans n'a pas de sentiments véritables. J'éprouvais une douleur si profonde que je m'autorise à m'en souvenir seulement dans mes pires moments. Et comme je marchais le long de la baie, ce jour-là, j'étais consciente, Cher Ange, atrocement consciente du fait qu'il n'y avait aucun Dieu pour veiller sur mes pas, aucun parent ou ami assez puissant pour me guider, aucun être dévoué pour me protéger. Il n'y avait que lui, Ray, marchant auprès de moi en silence, en me tenant la main avec une juste mesure de possession et de retenue. C'était mon compagnon. C'était mon ami. Il était près d'être — il devint ce soir-là, en fait — mon amant. Pourquoi je l'avais épousé si vite après David ?

Je répondis à David C. Cantrell, vingt ans plus tard : Principalement, pour avoir quelque chose qui ne s'en irait pas.

Mais est-ce que tu l'aimais ?

Plus que tout au monde.

Joseph Goins leva les yeux, la tête lourde, le regard embué. C'était une enfant si pure, songea-t-il, si innocente.

Et un projet se forma dans son esprit. Les détails n'en étaient pas encore clairs, mais ils se préciseraient, comme toujours.

Ce qu'il commençait à entrevoir, c'était un moyen de mettre fin à cette fuite, un moyen de s'échapper sans avoir à partir, un moyen de s'assurer que les gens auraient ce qu'ils méritaient. Un léger frisson d'excitation s'empara de lui alors qu'il laissait les idées prendre forme.

Le soleil de fin d'après-midi tiédissait le feuillage de l'avocatier, au-delà de la fenêtre, et projetait une ombre dorée et douce dans la pièce. Ses doigts lui brûlaient, rongés par la terrible dessication qui se manifestait toujours lorsqu'il éprouvait ce genre de sensation. Il regarda le feuillage au-dehors, puis pressa doucement ses doigts contre la table. Il était investi de tant de choses que cela finissait par déborder, comme une coupe trop pleine, et il devait alors s'en aller ailleurs.

Ouvre à nouveau les bras, Douce Ann, pensa-t-il. Et laisse-moi entrer.

2 AVRIL

Ce qui s'est produit le soir de notre première sortie en limousine est important. Je suis rentrée à la maison à une heure moins le quart, une demi-heure avant Ray. J'ai ôté mes vêtements mouillés et les ai relégués tout au fond du placard. Je me suis lavée et ai brossé mes cheveux ; je me suis remaquillée. Ensuite, j'ai sorti certains de nos jouets d'adultes — un body en dentelle rouge qui s'agrafe à l'entrejambe, un porte-jarretelles et des bas résille, une robe de soie noire très provocante, des talons ridiculement hauts. J'avais la peau brûlante alors que je les enfilais, ouvrais une bouteille de vin et remplissais deux verres.

Je me sentais comme une fleur carnivore capable d'engloutir tout homme qui se présenterait.

Lorsque Raymond est rentré, je l'ai pris dans mes bras et nous nous sommes embrassés, mais c'était un acte mécanique et désincarné, et j'ai senti qu'il était ailleurs. Alors, il s'est baissé et a tenté de me donner du plaisir d'une autre façon.

Mais cette nuit-là, eh bien, cela ne devait pas avoir lieu.

Les choses se sont terminées de façon très étrange. Raymond était assis sur le lit à la place que j'occupais un moment plus tôt, et moi, j'étais debout devant lui, gardant tant bien que mal mon équilibre sur ces ridicules talons hauts. Je me suis versé un autre verre de vin, j'ai bu en fermant les yeux, en pensant : Si tu ne peux pas le rendre heureux, laisse-le au moins te rendre heureuse.

Et j'admettrai maintenant ce que j'ai refusé

d'admettre alors, ce que j'ai cherché à nier en avalant ce verre de vin : ce n'était pas de Raymond que j'avais faim cette nuit-là, mais de David. Je n'aurais pas pu dire que j'aimais Dave Cantrell, alors ; ce dont j'avais soif cette nuit-là, ce n'était pas d'avoir du plaisir mais d'être aimée, pas d'être adorée, mais simplement désirée, pas de prendre du plaisir, mais d'en donner. Parfois, il me semble que la vie est une élégante soirée qui se prolonge indéfiniment dans nos têtes. La mienne est une mascarade. Le rôle de David, c'était de porter le masque de l'amour. Aurais-je pu deviner qu'il en serait si désireux ? J'avoue l'avoir su dès l'instant où je l'ai vu sur le *Lady from the Bay.*

Raymond, lui, n'avait pas tenu ce rôle depuis longtemps. Il y avait cinq mois, deux semaines et onze jours que nous n'avions pas fait l'amour, que nous ne nous étions pas étreints avec une réelle affection.

Mais la mascarade continuait, malgré ma confusion. Au fil des jours, j'ai eu peur, et puis j'ai exulté. J'ai été satisfaite, et puis éperdument assoiffée. Parfois, j'avais même l'impression qu'on m'épiait ! Je me détournais, et ne voyais personne ; je contrôlais dans mon rétroviseur quand je roulais en voiture ; je lorgnais par les fenêtres quand j'étais à la maison. Ma conscience, Cher Ange, me traquait déjà. Une fois, j'ai cru voir un jeune homme — debout à quelque distance de la cour de récréation, avec un appareil photo autour du cou, et qui me fixait. Mais lorsque j'ai relevé encore les yeux, il n'était plus là. Ainsi, ai-je pensé, ma conscience est un beau gosse, qui traque ma trahison pas à pas, consigne chaque étape de ma déloyauté. Je me dégoûtais. J'étais en colère. Ma confusion était très réelle.

Joseph plaça la carte postale sur la page ouverte, puis referma le journal. Les choses commençaient à prendre un sens, maintenant, comme une image venant du brouillard, comme si la confusion d'Ann devenait sa clarté à lui.

Il était trop difficile de parvenir jusqu'à David C. Cantrell. Joseph n'avait pas pu aller au-delà du bureau de la sécurité de la PacifiCo Tower ; les gardes l'avaient éjecté trois jours d'affilée ; il n'avait pas pu aller au-delà de la maison du gardien de la résidence privée de Cantrell à Newport Beach.

Joseph venait de s'allonger sur son lit lorsqu'on frappa à sa porte. Ce fut un fracas violent, si violent qu'il déclencha un bourdonnement aigu et répété dans ses oreilles. Il se retourna et vit Lucinda, à demi engagée sur le seuil, qui l'examinait de ses grands yeux bruns. Elle chassa en arrière une longue mèche dorée, esquissant un sourire.

— Qu'est-ce que tu fais ? demanda-t-elle.

— Je...

Le bourdonnement avait diminué, mais Joseph avait la bouche sèche, et il ne parvenait pas à contrôler les mouvements de sa langue. On aurait dit que ses pensées refusaient d'être formulées.

— J'étais... en train de lire.

— Quel truc rasoir !

Il songea avec une terreur ravivée au journal posé devant lui, sur la table. Il le prit sans le regarder et le logea dans son carton posé près du bureau.

— Tu ne déballes pas tes affaires ?

— Si, dans un moment.

— Qu'est-ce que tu lis ?

— Juste un roman.

— Ce que je préfère, c'est les histoires d'horreur, dit Lucinda. Si je suis vraiment obligée de bouquiner.

Joseph acquiesça. Le bourdonnement s'atténua encore un peu plus.

— Tu verras, ma grand-mère n'arrête pas de jacter. C'est pour ça que je me tire dehors, les trois quarts du temps.

— Elle a l'air d'une charmante vieille dame.

— Les vieux sont tellement... sérieux, quoi. Tu as quel âge ?

— Vingt-quatre ans.

— Moi, j'en ai dix-huit. Mon prénom n'est pas courant par ici. C'est Lucinda. Pas Lucy, hein. Lucinda.

Joseph s'éclaircit la gorge avec difficulté.

— J'ai toujours... aimé ce prénom.

Elle l'observa encore, de derrière le rideau de ses mèches blondes.

— Bon, je peux entrer, ou quoi ?

— Bien sûr, dit-il avec calme.

Lucinda se faufila dans la pièce avec un air mystérieux et referma la porte. Elle regarda Joseph avec une expression intimidée — au bord du sourire — puis quêta du regard un endroit où s'asseoir, choisit le lit. Il sentit une poussée de chaleur se répandre dans son membre.

— Tu vas à quelle plage ? s'enquit-elle.

— N'importe laquelle.

— Je vais à celle de la 15e Rue. Les mecs sont plus âgés. Et même les flics, ils sont super. Et mignons, aussi.

Joseph ne voyait pas très bien en quoi il était important de choisir sa plage. Franchement, quel que fût le numéro de la rue, elles se ressemblaient toutes. Est-ce que Lucy... *Lucinda* aimait bien les flics ?

— Super, répéta-t-il.

— Tu n'es pas très bronzé. D'où tu es ?

— Irvine.

— Ah ouais, l'intérieur. La cata. Et quel genre de musique tu aimes ?

— Je n'écoute pas de musique.

— Là, tu me charries.

— Ça... va trop vite.

— Il y a aussi des trucs lents. Mais c'est pour les vieux, ça. Moi, j'aime quand ça dégage et qu'on s'éclate. Quand on est remonté pour la journée, quoi.

Lucinda soupira, l'air soudain ennuyé. Elle regarda autour d'elle. Son regard était vif, et semblait chercher quelque chose de précis.

— T'as une bagnole ?

Elle cherche des clefs de contact, bien sûr, pensa-t-il. Il hésita.

— Oui.

— Quel genre ?

— Une Porsche.

Lucinda reprit vie.

— Emmène-moi faire un tour !

— Mais elle est au garage.

— Ah, bon.

— Elle est bleue.

Elle l'examina d'un air soupçonneux, mais avec espoir.

— Peut-être qu'on pourra faire un tour, quand elle sera réparée ?

Tout fut soudain clair dans l'esprit de Joseph — plus de bourdonnements, plus d'interférences. Son plan se dessinait avec netteté.

— Bien sûr. Mais j'ai des ennuis avec le mécano. Il va falloir que je fasse appel à mon avocat.

— Tu as un avocat ?

— Attitré, oui.

— Tu as vraiment ton propre avocat ? C'est génial !

Pour la première fois de sa vie, Joseph découvrait ce que c'était que d'impressionner quelqu'un. La chose lui vint comme une révélation. Auparavant, il s'en était toujours tiré en étant le gosse, l'enfant émerveillé, l'innocent. Ça avait si bien marché à Hardin County. *C'est là-bas près du marais, Lucy. Je te le jure. Moi non plus, je n'arrivais pas à y croire...*

Il se demanda si c'était là son premier véritable avant-goût de la maturité.

— Et il faut que je lui écrive une lettre sur du bon papier, avec un bon ordinateur. Il faut que ça ait l'air important, parce que ça l'est.

— Eh ben, t'as qu'à l'écrire, et puis on ira faire une virée. J'ai plein de copains super.

— Mon ordinateur est aussi en réparation.

Lucinda se mit à rire, un rire qui ressemblait plutôt à un petit hennissement.

— T'as que des trucs en panne. J'imagine que ton avocat est à l'hosto ?

— Je peux utiliser celui-là ? demanda Joseph en désignant les éléments recouverts d'une housse installés devant lui, sur le bureau.

— Si tu veux. Mamy me l'a acheté pour la fac. Elle est plutôt en avance, si tu vois ce que je veux dire. J'suis pas près d'aller en fac.

— Je ne connais pas bien ce modèle.

— Même un crétin fini pourrait s'en servir. C'est hyper-facile.

— Tu me montres ?

— Pour écrire à ton avocat au sujet de la Porsche ?

— Oui.

Elle le dévisagea, partagée entre la confiance et le soupçon — les mecs sont capables de n'importe quoi, parfois, pour baratiner. Puis elle se leva et lui décocha un sourire provocant, le lorgnant une fois de plus derrière le pan lisse de ses cheveux.

— D'abord, Joe, faut retirer ces housses.

19

Juste après minuit, alors que Jim étudiait de près le dossier de Phil Kearns, le téléphone sonna.

— Jim Weir ?

— Oui.

— Ici le standard de la police de Newport Beach. Brian Dennison veut vous voir immédiatement. Il se trouve au 340, Leeward. C'est urgent.

— J'arrive.

Jim enfila ses bottes, se munit d'un coupe-vent pour se protéger du froid de la nuit et descendit l'escalier aussi discrètement que possible.

Il mit en marche le moteur de la vieille Ford et le laissa tourner au ralenti un moment. Leeward, songea-t-il ; la zone industrielle de Newport, où se trouve Cheverton Sewer & Septic. Goins ? Pourquoi Dennison l'aurait-il appelé s'ils avaient alpagué Goins ? Peut-être Dale Blodgett avait-il sorti le *Duty Free* pour une autre mystérieuse équipée nocturne.

La circulation était fluide à cette heure. Les maisons se blottissaient les unes contre les autres dans le brouillard, et les lampadaires se nimbaient d'un halo humide. Il franchit le boulevard et le pont, dépassa l'hôpital ; puis ce fut Superior et le quartier mal éclairé des chantiers navals et des ateliers de carrosserie. Leeward se trouvait à un bloc au sud de Cheverton. Jim tourna à gauche, évita un nid-de-poule, et longea une clôture grillagée surmontée de barbelés, jusqu'à la grille qu'un vieux pneu maintenait ouverte. Le nombre 340 était peint en argent fluorescent au sommet du mur de brique tendre. Jim vira et stoppa.

Alors que la poussière se redéposait dans le faisceau des phares, il examina le bâtiment de brique. C'était un de ces nombreux immeubles des années 50 convertis en locaux commerciaux. La lumière était allumée à l'entrée, révélant une nuée de papillons de nuit. Une pancarte indiquait DAVIS MARINE INDUSTRIES. La pièce de devant était plongée dans l'obscurité, mais on voyait une lumière à l'arrière et, sur le flanc sud, le carré éclairé d'une fenêtre. Une Jaguar dernier modèle était garée le long de la façade — la bagnole étrangère au moteur capricieux de Dennison, songea Weir —, non loin d'une camionnette blanche.

Il descendit de voiture et alla appuyer sur la sonnette. Une voix d'homme se fit entendre à l'intérieur.

— Weir ?

— Ouais !

— C'est ouvert. Entre.

Le bureau d'accueil était plongé dans les ténèbres.

Jim avança en direction du couloir et de la lumière. Il distingua une vieille table, des chaises pliantes, un sofa et un ou deux placards de rangement dans un angle. Au bout du couloir, la porte était entrouverte, et la lumière qui filtrait par l'ouverture éclairait le mur d'en face. Il poussa le battant et pénétra dans la pièce ; à l'instant même où il allait lever les bras pour se protéger, la batte de base-ball maniée par une silhouette placée sur sa droite lui arriva dans le creux de l'estomac ; il s'écroula sur un genou.

Des formes l'entourèrent : lunettes de ski, gants et vêtements sombres. Il se releva, propulsé par une poussée d'adrénaline, et décocha un direct du gauche dans les mandibules de l'homme à la batte. Un mouvement sur sa droite. Il se raidit pour faire face à l'assaut, planta son poing au beau milieu d'un visage masqué et envoya le mec au tapis. Le choc vint plus vite qu'il ne s'y attendait, un coup puissant qui l'atteignit au bas des côtes, lui coupa le souffle et l'aveugla. Puis un autre coup à l'estomac, suivi d'une rude poussée par-derrière qui l'envoya valser jusqu'au mur. Il fit volte-face et percuta un menton avec son coude, mais il avait découvert sa garde et vit venir sans pouvoir répliquer le swing bref de la batte. Il heurta durement le sol en atterrissant sur les coudes et les genoux. Pendant un instant, il eut la sensation étrange de pouvoir rester comme ça, inébranlable et à l'abri. Un coup de pied le cueillit au côté et son coude se déroba sous lui. Il roula sur le dos en levant les mains pour protéger son visage et regarda à travers ses doigts.

Six types, pensa-t-il, sans pouvoir se concentrer sur le décompte. Tous silencieux. Pas de Dennison. Aucune silhouette ressemblant à celle de Dennison. Des respirations lourdes, une atmosphère chargée de menace. Le sternum en feu, la nausée, le vertige. En levant les yeux, il vit la corde attachée à une poutre mise à nu par une crevasse du plafond.

— Alors, Weir, tu aimes ça ?

Il grogna comme ils s'abattaient sur lui et tenta de lutter, mais ses jambes ne le soutenaient plus et ils le plaquèrent au sol. Il éprouva la plus bizarre des sensations tandis qu'on le soulevait par les pieds et qu'il basculait à la renverse, tête ballante. Un grognement, un juron, une saccade soudaine, et il se retrouva pendu par les pieds, oscillant d'avant en arrière dans un mouvement de pendule. En regardant vers le haut, il voyait ses bottes emprisonnées dans la corde. En regardant sur le côté, une boucle de ceinture et une paire de mains gantées plantées sur des hanches, et les murs qui tournoyaient vertigineusement, de gauche à droite et de haut en bas. En tendant le cou, il put distinguer des visages masqués, ce qui revenait à ne rien voir du tout. On le bâillonna. Il sentit qu'on serrait un nœud dans son dos.

L'un des types hocha la tête. Deux mecs s'avancèrent et Jim aperçut les cisailles à émonder, de grandes cisailles à très long manche et à lames courbes, capables de trancher net une branche grosse comme le poignet sans effort. Jim Weir connut alors la plus grande terreur de sa vie. Elle l'envahit d'un coup, sans qu'il puisse opposer ni argument ni négociation.

Deux autres types se rapprochèrent, débouclèrent sa ceinture et défirent son pantalon. Il voyait leurs coudes, leurs torses, leurs mentons cagoulés, leurs poings gantés qui maintenaient son pantalon à ses chevilles tandis que les cisailles s'ouvraient et se fermaient à présent dans son champ de vision, comme les mandibules d'une fourmi géante, avançant en direction de son bas-ventre.

Il rassembla toutes ses forces. Ce fut une poussée sauvage, un débordement de peur qui ramena son torse en position haute et guida ses mains vers le cou du mec aux cisailles. Mais son corps obliqua avec la corde, il manqua sa cible de quelques centimètres, la douleur à l'estomac le fit capituler et sa tête retomba. Il tenta de renouveler la tentative, mais ne parvint qu'à mi-course, resta suspendu ainsi un bref instant, les bras levés comme un enfant qui tend les bras, et retomba en tournoyant en ronds paresseux alors que ses tortionnaires s'esclaffaient.

Ces rires-là, Weir sut aussitôt qu'il ne les oublierait plus, de sa vie.

— Dis adieu à quelqu'un que tu aimes, Jim.

On lui saisit les bras. Il voyait son ventre, le pli de l'aine, ses cuisses et ses genoux, son pantalon entortillé étroitement autour de ses bottes, ses bottes emprisonnées dans la corde. Les lames incurvées dures et froides s'immobilisèrent sur ses poils pubiens. Weir tenta de se redresser d'une torsion, mais on lui plaquait les bras le long du corps, son geste était totalement vain. Un étrange bourdonnement aigu retentit alors, et lui écorcha les tympans. Il regarda les lames s'ouvrir, et progresser vers son bas-ventre. Le bourdonnement était plus strident maintenant. On se serait cru dans l'échoppe du barbier où il traînait lorsqu'il était gosse.

Puis la chose eut lieu. Les lames glacées le touchèrent et une intense douleur le traversa. Weir hurla sous le bâillon, arquant le dos, les yeux exorbités. Du rouge partout. Si tu arrives à hurler assez fort, ça s'en ira. Ce bourdonnement électrique. Le bruit métallique des lames qui s'ouvrent et se ferment. Quelque chose qui tombe sur son visage, quelque chose de léger et de tiède. *Oh ! putain de Dieu, tu les as laissés faire ça.*

Tu les as laissé faire ça.

Putain de Dieu.

— Nous cherche plus jamais d'emmerdes. Tu sais qui on est.

— Plus jamais.

— Définitivement.

— Pigé ?

— Profite de ton nouveau look, Weir.

Il les entendit s'éloigner mais ne put se résoudre à ouvrir les yeux. Et il n'arrivait absolument pas à comprendre pourquoi il n'éprouvait pas une douleur atroce, rien qu'une sensation de froid et de brûlure mêlés, délimitant une zone qui semblait béante et étrangère à son corps. Ses tempes battaient au rythme de son cœur emballé.

Puis il sentit qu'on l'agrippait par la chemise, qu'on le soulevait. Un bruit de scie se fit entendre au-dessus de lui. Soudain, ses pieds furent libres et il s'effondra sur le sol. Sa chute fut tout juste amortie par ses mains. Il resta un long moment sur le plancher glacé, écoutant décroître leurs pas, écoutant démarrer et partir les bagnoles, puis n'entendant plus que les coups éperdus de son cœur.

Il éprouva alors une joie étrange, délirante, ravageuse. Il le sentait, là, sous lui, et sut qu'ils ne le lui avaient pas coupé. Il roula sur lui-même et se redressa sur un coude. Il était là, reposant sur un lit de chair blanche. Il se laissa aller sur le dos, tourna la tête, et vit l'amas de poils à quelques pas de distance. C'est le bourdonnement strident de la tondeuse qui l'avait terrifié. Les cisailles n'avaient été là que pour l'impressionner. Il parvint à remonter la fermeture éclair de son pantalon, rampa jusqu'au mur, s'adossa à la paroi et scruta le ciel noir, par la fenêtre. Son cœur cognait et son visage était en feu, ses oreilles battaient, son corps entier... Il resta ainsi un long moment, remerciant Dieu pour la vie qui se ruait dans ses veines, précieuse, insatiable, ardente.

La lune apparut dans le carré de la fenêtre. Le rythme de son pouls ralentit enfin, et la douleur afflua. Dans son dos, son ventre, ses côtes. C'était encore une douleur de surface, mais elle s'accentuerait au fil des heures, gagnant les articulations et les tendons. Il se leva lentement, arc-bouté contre le mur. Il gagna la réception d'une démarche chancelante, et s'écroula sur le perron, puis une autre fois à côté de sa camionnette, tandis qu'il tentait de saisir ses clefs dans sa poche d'une main tremblante.

20

Le jour de l'enterrement d'Ann, ce fut la fin de l'océan. Les premières victimes furent les petits poissons échoués avant le lever du soleil : anchois, éperlans, loups. Vers 9 heures, ce fut le tour des flétans, mulets, maquereaux, bonites, pastenagues, raies, requins de sable, requins bleus et renards de mer, que le flux rejeta sur le rivage. Gonflés, les yeux exorbités, les entrailles éjectées hors de la bouche, ils se retrouvèrent par centaines, gisant, déjà morts ou secoués d'un ultime soubresaut. Une demi-douzaine d'otaries se traînèrent aussi dans les basses eaux, près du *Poon's Locker*, poussant leurs derniers cris d'agonie avant de crever, ventre en l'air, dans l'atmosphère lugubre et voilée de brouillard. Les derniers à mourir furent les oiseaux de mer — canards, mouettes, pélicans, quelques hérons — qui, le cou ballant, et les pattes repliées, vinrent s'échouer sur les plages aux alentours de midi. A 14 heures, la puanteur était presque intenable.

Les anciens de la péninsule parlèrent de marée rouge, une surabondance mortelle de plancton qui prive les poissons d'oxygène. Mais on n'avait jamais vu une mouette crever d'un excès d'oxygène. Et la mer n'avait pas la couleur brun-orangé révélatrice d'un afflux de plancton. On annula les croisières et les circuits touristiques autour du port. Cependant, le ferry qui faisait la traversée de Newport à Catalina jeta l'ancre à 8 heures, comme d'habitude, fendant de sa proue la marée des milliers de cadavres ballottés par les eaux de la baie. A midi, l'EPA, le Service des eaux et forêts de Californie, la Commission côtière, la gendarmerie maritime, le Service maritime de la ville, le shérif, le maire, un assistant du gouverneur et la presse étaient sur place pour évaluer les dégâts.

Jim aperçut le spectacle depuis la fenêtre de son ancienne chambre, à l'étage de la grande maison. Il avait passé une nuit pénible et agitée, en sueur, hanté par la vision des cisailles, et plus tard, dans un demi-sommeil, par celle d'une main élevant une rose pourpre vers le ravissant visage de sa sœur. Il s'était levé avant l'aube, et avait épluché les dossiers de Kearns et Blodgett, encore une fois, en quête d'un élément révélateur qu'il n'aurait pas repéré, compris. Lorsqu'il avait enfin relevé les yeux, il avait vu miroiter les milliers de formes pâles qui, au sud, bordaient la baie. Dans les premières lueurs du jour, on aurait dit des pièces de monnaie, répandues hors d'un coffre au trésor. Vers le nord, une foule s'était rassemblée sur le trottoir, juste au-delà d'*Ann's Kids*. Becky Flynn se détachait à la lisière de cette foule, un téléphone portable plaqué contre son oreille. Des gens étaient encore en robe de chambre. Au rez-de-chaussée, le téléphone se mit à sonner.

Mais tout cela n'empêchait pas la traque contre Horton Goins. En se rendant au *Locker* pour déjeuner, Jim croisa un détachement qui opérait dans les motels aux abords du *El Mar*. Alors qu'il avalait son café à l'intérieur, Tillis et Oswitz firent leur entrée, brandissant des copies de la photo de Goins. Selon le journal du matin, on avait enregistré une hausse importante des ventes d'armes dans le secteur sud du comté ; le canard reproduisait encore la photo de Goins ; un article à la une racontait la mort d'un gosse de quinze ans abattu par son propre père tandis qu'il essayait de se faufiler dans la maison par la fenêtre de la chambre de sa sœur, après avoir découché. Plus tard, quand Jim emmena Virginia, Raymond et Becky au cimetière, ils durent, ainsi que des centaines d'autres automobilistes, s'arrêter au barrage routier mis en place pour coincer Goins. L'officier Hoch leur fit signe de poursuivre leur route, il avait le nez violacé et enflé et les deux yeux au beurre noir. Ray se fendit d'un commentaire mais Weir garda le silence. Il nourrissait en lui une rage muette. Les flics de la ville l'avaient tabassé. Il avait largué la police et on lui avait réservé un sale accueil à son retour. Et après ? Contre ses côtes, dans l'étui, le vieux .45 de Poon provoquait en lui une sensation étrange, tel un allié inopportun.

L'hélico de la police patrouillait dans le grondement de ses rotors, toujours audible, toujours présent...

Depuis la chapelle, dans les collines, on voyait la ville en contrebas et, au-delà, le Pacifique, horizon délavé ponctué de voiles. L'odeur des fleurs était si lourde que Jim étouffait. Tout semblait se dérouler au ralenti, et le moindre de ses mouvements éveillait une douleur. Le clan Cruz était installé en face, silhouettes en noir et, pour certaines, déjà en pleurs. Ernesto et Irena étaient assis sur le premier banc à gauche, immobiles et tassés. Raymond se tenait très droit dans son costume noir, le visage fermé, verrouillé contre quelque chose de terrible. Irena se tourna vers Jim, et sa tristesse était si insoutenable que Jim détourna les yeux. Il s'assit auprès de Virginia et prit sa grosse main noueuse dans la sienne.

Ce fut le révérend Matthew Martell qui prononça l'oraison funèbre, puis vinrent les adieux des amis. Accablé par le poids du chagrin, Jim regarda la silhouette en deuil de Becky qui, debout sur l'estrade, s'éclaircissait la gorge. « L'un des plus grands bonheurs de mon existence a été de connaître Ann Cruz », dit-elle. Sa voix était sur le point de se briser. Mais Jim savait qu'elle ne craquerait pas. C'était au combat que Becky manifestait le plus de cran. Sous sa voilette noire, ses yeux étaient d'un brun sombre et humide, et sa bouche rouge écarlate. Assailli de souvenirs cruels, saoulé par l'odeur puissante des fleurs, entouré par des gens qu'il connaissait depuis l'enfance, dans cette petite ville surpeuplée, Jim avait l'impression qu'elle ne s'adressait qu'à lui. Il se perdit en elle.

— Nous avons grandi ensemble. Quand je ne comprenais plus rien à rien, Ann voyait clair pour moi. Quand je doutais, elle m'apportait la certitude. Quand j'étais indécise et effrayée, elle faisait preuve de jugement et de courage. Et quand j'avais une décision à prendre, tiraillée entre le bien et le mal, je n'avais qu'à me demander ce qu'elle aurait fait à ma place, et je savais que ce serait juste. Elle m'aimait avec générosité et bonne humeur ; elle partageait mes joies et mes peines. Il y avait en elle une chose que Virginia et Poon ont transmise à tous leurs enfants, et si je devais donner un nom à cette chose, je dirais que c'est la dignité. Le refus de se laisser mater par les aléas de la vie. (Becky survola l'assistance du regard et fixa les yeux sur Jim.) Et avec cette dignité, la volonté de monter au créneau, d'agir en accord avec ses idées et de s'engager pour les défendre. Pendant tout le temps où je l'ai connue, Ann n'a jamais manifesté de cruauté gratuite. Elle ne se moquait jamais de quelqu'un qui était dépourvu des qualités qu'elle avait. Il n'y avait aucune arrogance, aucune vanité en elle. La seule dont elle se moquait, c'était elle-même, et elle ne s'en privait pas. Vous... (Becky essuya furtivement une larme.) Vous savez tous quelle récompense c'était de l'entendre rire, de voir cette étincelle dans ses yeux, et de lire son âme dans son regard. Je crois... je crois que l'endroit où Ann est allée sera meilleur pour elle et qu'elle nous laisse dans un monde appauvri par son absence. Si je prétendais qu'il n'y a pas de mots pour dire tout cela, je mentirais. Il y en a des milliers, il y en a de trop nombreux et de trop usés pour exprimer ce que nous ressentons. Il y en a qui ne peuvent pas porter un tel fardeau. C'est nous qui devons nous en charger. Je n'ajouterai qu'une chose : j'espère qu'au ciel, Dieu la traitera avec la douceur et le respect qu'elle méritait, et qu'Il ne lui a pas... offerts sur notre terre.

C'est mon espoir et mon réconfort. En l'honneur d'Ann, je continuerai à aimer, à sourire et à rire, et pour moi, elle sera à jamais présente parmi nous.

Tout en l'écoutant parler, Jim se posait les grandes questions habituelles : Qu'aurait-il dû remarquer ? Qu'aurait-il pu faire ? Pourquoi tant de misères étaient-elles réservées à ceux que Dieu était censé protéger ? Ann s'en allait-elle vraiment dans un monde meilleur, ou n'était-ce là qu'une fiction forgée par les vivants pour leur seul réconfort ?

Irena et Ernesto Cruz sanglotaient sans retenue, au moment où Becky descendit de l'estrade. Celle-ci riva son regard sur Jim en retournant s'asseoir, comme s'il était le seul point d'ancrage solide dans la tempête. Raymond avait la tête penchée, d'une immobilité de statue. Comme un flot houleux charriant des émotions, le chagrin emporta Weir. Becky passa un bras sous le sien. Il enfouit sa tête entre ses mains et les larmes lui montèrent aux yeux, intarissables.

Puis les parents et amis sortirent un à un et assistèrent à la mise en terre. Le sol fraîchement retourné fut recouvert d'une bâche noire. La tombe était nette, profonde. Par-dessus l'odeur des fleurs, des parfums et de la sueur, Jim sentait celle de la ville en contrebas : une odeur de mort, d'océan et de terre tiède.

Il ramena ses passagers à la grande maison pour les visites de condoléances. Trois stations de radio annoncèrent qu'on avait trouvé un taux de trichloréthylène largement toxique dans l'eau du port. Les plages étaient interdites jusqu'à nouvel ordre.

Weir, Virginia et Ray accueillaient les visiteurs sur le seuil. Jim serrait des mains, rendait des accolades et des baisers, marmonnait des remerciements. Toutes ces condoléances rouvraient chaque fois en lui une nouvelle blessure, ravivaient un nouveau chagrin. Le rythme étrangement ralenti du service funèbre pesait encore sur lui, comme si l'après-midi s'étirait à sa propre cadence, dans un tempo inconnu. Quand il accueillait les visiteurs — visages solennels, yeux humides, mentons tremblants — ils semblaient tous plus grands que nature. Raymond se tenait avec raideur à côté de lui ; il s'exprimait d'une voix calme, mais comme privée de vie. Il avait un sourire crispé. Sa vivacité habituelle avait disparu. Weir songea que de tous ceux qui se trouvaient dans la pièce, Ray était le seul qui avait encore plus horreur que lui de tout ça. Quand tout le monde fut là, il se joignit à la foule dans la salle et gagna le bar. Là, il se versa une double rasade de scotch, l'engloutit et prit une bière dans le frigo.

Le monde à ses yeux paraissait divisé en deux camps, eux et nous. « Nous » comportait Virginia, Raymond et sa famille, Becky, lui-même. « Eux » c'étaient tous les autres. Ils étaient là, dans cette maison, dans la maison d'Ann. Ils buvaient l'alcool de Virginia, ils avalaient sa nourriture. Ils étaient là, endimanchés, parlant de Dieu sait quoi, livrant leurs ambitions personnelles, leurs désirs, leurs mensonges, leurs trahisons, sous le toit qui avait abrité l'enfance d'Ann. Ils étaient là, à faire ce qu'elle ne ferait plus jamais, à l'honorer dans la mort alors qu'ils ne l'auraient jamais honorée ainsi dans la vie. Tas d'hypocrites, de tricheurs, pensa-t-il, vous arrivez trop tard. Bande d'enfoirés minables, d'inutiles, d'étrangers. Quel sacrilège ! Il scrutait chaque flic, lui envoyant un message sans équivoque : tu as changé les règles du jeu, hier ; tu paieras. Comment ? Ça, il n'en savait trop rien. Il avala sa bière et se versa un autre scotch. Il se sentait des envies de meurtre.

Il regarda Dale Blodgett franchir le seuil, repérer le contingent de flics dans un angle éloigné, et se diriger dans cette direction. Le Judas à la paupière tombante de Dennison, pensa-t-il. La brebis galeuse. Faisait-il partie de ses six agresseurs ? Impossible de le dire avec certitude. Futé d'avoir utilisé une

Jaguar. Il se servit un autre verre, regarda sa mère traverser la pièce pour rejoindre Blodgett. Tous deux restèrent dans les bras l'un de l'autre pendant un long moment. Le grand corps épais de Blodgett était, par contraste, une sorte d'hommage au corps mince, nerveux et bronzé de Virginia.

Becky survint auprès de lui et glissa un bras sous le sien.

— Gaffe à ce truc, lui dit-elle en désignant son verre. Tu as une petite mine, tu sais. L'air malheureux et perdu. Mais cramponne-toi quand même à ton remontant. Tu en auras besoin.

De l'autre côté de la pièce, Virginia lui décocha un curieux regard. Il s'apprêtait à la rejoindre lorsqu'il se rendit compte qu'elle observait Becky. Celle-ci le quitta et fendit la foule dans sa direction. Jim regarda Blodgett serrer Becky dans ses bras, plaquant ses grandes mains sur l'étoffe noire de sa robe. Il remarqua que Brian Dennison les regardait, lui aussi. Puis Becky s'écarta, suivit Virginia dans le couloir, jusque dans l'ancienne chambre d'Ann, où elles s'enfermèrent. Les politicards, songea Weir : ils ne s'arrêtent jamais.

Phil Kearns et Crystal se dirigèrent vers lui. Kearns avait tout de la gravure de mode, cheveux ramenés en arrière et lissés au gel, teint hâlé, costume en lin noir et chemise noire boutonnée jusqu'au col, pas de cravate. Crystal était petite, jolie, rosée par son bain de soleil matinal. Ellc adressa à Jim un léger sourire qui contenait une sorte d'invite.

Kearns lui parla d'Ann, et il sentit dans ses mots une tristesse sincère. Mais le jeune flic évitait de citer son prénom, un peu comme un type contraint d'empoigner quelque chose qu'il se refuse à toucher. Lorsque Crystal s'éloigna pour aller chercher à boire, Weir se planta devant Kearns, l'isolant du reste de la salle.

— Tu n'as pas répondu à quatre appels radio,

cette nuit-là, Phil. Entre minuit et demi et 1 heure moins 10. Explique-toi.

Kearns rougit, mais ses pupilles se contractèrent, réaction contradictoire.

— Faux ! Quand j'ai un appel radio, je réponds. Si je suis resté silencieux pendant vingt minutes, ça signifie que ma radio est restée silencieuse pendant vingt minutes. Bon sang, Weir, on est à un enterrement !

— L'emmerde, c'est que j'ai une copie de l'enregistrement des appels radio. Carol a essayé de te joindre à quatre reprises. Tu n'as pas répondu. Tout est consigné sur la bande. (Il y allait au bluff.) Je peux te la faire écouter quand tu veux.

— Le chef apprendra sûrement avec joie que cet enregistrement se balade dans tout Newport. A moins qu'il ne soit déjà au courant.

— Le chef peut aller se faire foutre, dit Jim. (Kearns le regarda d'un air amusé.) Je veux des réponses, Kearns. Si tu ne me les donnes pas, Dennison me les donnera. Si jamais il entend cet enregistrement, tu vas te faire remonter les bretelles, c'est moi qui te le dis.

Le visage de Kearns se dépouilla fugitivement de son expression autosatisfaite, révélant un air fourbe et dur. L'air de quelqu'un capable d'aller jusqu'au bout, songea Jim.

— Je parlerai à deux conditions. Primo, si tu me crois, tu ne rapporteras pas ce que j'ai dit à Dennison. Deuzio, tu me foutras la paix une fois pour toutes.

— Accordé.

— T'as tout l'air d'un mec prêt à accorder n'importe quoi à n'importe qui pour avoir ce qu'il veut.

— C'est exactement ça. Accouche, Kearns !

L'expression amusée de Kearns vira au mépris.

— J'ai raccompagné un citoyen chez lui.

Weir traduisit : citoyen mon œil, raccompagné

mon œil. L'histoire collerait-elle avec celle de Blodgett à propos d'une voiture radio hors secteur venant de la péninsule, cette nuit-là ?

— Tu es passé par le pont à minuit, en venant de la péninsule ?

— Non. Il était 11 heures et demie, et je ne me suis pas arrêté à Back Bay. Très bien ! Weir, ne me crois pas. Tu veux parler à mon alibi, elle te dira elle-même ce qui s'est passé. Je viens te chercher au *Whale's Tale* ce soir à 10 heures. Je veux que tu l'écoutes, et que tu l'écoutes bien. Et après ça, que tu disparaisses de mon existence.

— Quand as-tu essayé de séduire Ann ?

Un air provocant, rapace, naquit sur le visage de Kearns.

— Jamais !

Jim but une gorgée, sans cesser de l'examiner.

— Et pourquoi jamais ? Moi, à ta place, j'aurais essayé. A mon avis, elle te plaisait beaucoup. Ça te rendait dingue de la voir comme un animal en cage — ce sont tes propres termes — alors que tu pouvais la délivrer si facilement. Et tu sais pourquoi ? Parce que lorsque tu la regardais, tu voyais une femme qui en valait cinq comme *elle* — Jim désigna Crystal d'un mouvement de la tête — et qui t'aurait encore surpris. Tu voyais une femme, pas une gosse. Tu voyais quelqu'un qui était dans le même bateau que toi.

Le sergent scruta le visage de Jim, puis se détourna vers Crystal.

— Tu as raison. C'est ce que je voyais. Mais je n'ai pas cherché à en profiter, pas une seule fois, pas consciemment.

— Pourquoi ?

— Ray.

Kearns planta son regard dans celui de Weir. Son expression était à la fois assurée et tranquille. Weir sut qu'il voyait un homme sincère.

— Dis-moi ce que tu pensais d'elle, Kearns. Rien que pour moi. Je veux savoir ce que tu pensais d'Ann.

Kearns détourna le regard.

— Ann Cruz était la femme la plus désirable que j'aie jamais rencontrée.

— Mais tu ne le lui as jamais dit.

— Jamais !

— Et à Ray ?

Kearns lâcha un léger soupir.

— Non. Putain ! Weir, à quoi ça rime ? (Crystal revenait vers eux, pâle et ravissante fille de l'Oklahoma, désireuse de le rendre heureux, apportant deux coupes de champagne. Il l'évalua longuement du regard, puis revint Jim.) Toi, je ne sais pas, mais moi, je suis là pour pleurer ta sœur.

Il prit un verre et entraîna Crystal vers le coin des flics. Weir surprit le regard scrutateur de Dennison. Rien ne lui échappe, pensa-t-il.

Il but encore, puis se fraya un passage jusqu'à Dale Blodgett, debout et seul près du bar. Blodgett lui serra la main et s'excusa d'avoir manqué le service religieux. Son visage ridé et barré de cicatrices paraissait plus marqué que jamais. Son œil gauche à la paupière tombante se vrilla sur Weir.

— J'étais avec l'inspection sanitaire et les Services des eaux et forêts. On se demandait comment deux mille litres de trichlo ont pu arriver dans la baie.

— Comment savent-ils que c'est deux mille litres ?

— Première estimation, d'après les dégâts. La haute mer n'est pas encore touchée, juste le port. Ils disent que deux mille litres donneraient ce résultat-là. Ils vont trouver qui a déversé cette saloperie. Il y a peu d'entreprises qui sont autorisées à utiliser du trichlo, dans le secteur.

— Ça sert à quoi ?

— Solvant. Ça liquide à peu près n'importe quoi. Graisse, peinture, rouille.

— Cette histoire pourrait être un atout pour

Becky. Ça pourrait attirer un peu plus de gens sur son programme.

— On saura saisir l'occasion, dit Blodgett.

Il se servit une vodka on the rocks et grilla une cigarette. Jim entendit sonner le téléphone. Becky et Virginia s'éloignèrent de nouveau dans le couloir. Blodgett hocha la tête.

— Ça fait beaucoup de réunions top secret, pour un enterrement.

— Maman est comme ça.

— Une femme super. Alors, Weir, ton enquête sur les flics de Newport, ça gaze ?

— Génial ! On découvre des tas de trucs intéressants.

— Du genre ?

Jim ne répondit pas. Becky revenait dans le couloir, sans Virginia. Blodgett sourit.

— Dis-moi un peu, Weir ? Lequel de nous est coupable ?

Jim suivit la direction du regard de Blodgett, vers le coin de la poulaille. Une bonne moitié des types le dévisageaient maintenant, Innelman et Deak, Tillis, Bristol, d'autres flics qu'il n'avait jamais rencontrés. Dennison se tenait au milieu d'eux, le regard fixé sur Jim.

— J'en suis pas encore sûr. Mais je suis curieux d'une ou deux choses.

— Je refuse de parler sur les potes. Je te l'ai déjà dit, et je te le redis.

Jim remarqua que d'autres têtes se tournaient de leur côté. Il constata qu'il était drôlement dur, pour Blodgett, de faire partie du détachement de Dennison tout en restant fidèle à ses engagements politiques. Il fait une petite démonstration à mes dépens, pour prouver aux gars qu'il est des leurs, pensa-t-il. Il éleva suffisamment la voix pour être entendu dans leur coin.

— Le seul flic qui aiguise encore ma curiosité, Blodgett, c'est toi. Toi avec ta sale gueule et ton bateau de pêche sans le moindre matériel dedans. Toi et ton pote de Cheverton Sewer.

Le visage de Blodgett vira au rouge ; la paupière gauche descendit encore d'un cran. Il tourna le dos au groupe de flics. Ses dents irrégulières se découvraient.

— Tu m'as filé le train ? Ça me vexe. Oui, ça me vexe un max.

— Arrête, mon gros, tu vas me faire chialer.

Blodgett alluma une deuxième cigarette et cracha une bouffée de fumée à la gueule de Weir.

— Je m'offre une partie de pêche au thon pendant ma nuit de relâche, et tu m'espionnes. Je commence à te trouver vachement antipathique, Weir, tu sais ?

— Drôle de partie de pêche, Blodgett. On peut pas attraper grand-chose en cinquante minutes sans cannes ni appâts. T'as pris aucun poisson. T'as même pas essayé. Qu'est-ce qu'il y avait, sous la bâche ? Du matériel top secret ?

Blodgett grimaça un sourire haineux. Il agrippa l'épaule de Jim d'une main lourde.

— Si on allait faire un tour dehors, Weir ?

— J'adorerais ça. Et ôte ta paluche de mon épaule.

Ils se tinrent sur le trottoir, aux abords de la grande maison, près de la jetée, regardant fixement les poissons morts qui ballottaient en bordure du rivage. Les cadavres s'accumulaient à perte de vue dans la baie. La puanteur soulevait le cœur.

Blodgett sortit encore une fois son paquet de clopes.

— Tu poses trop de questions et tu fourres ton nez dans ce qui ne te regarde pas. Tu m'insultes. Mais je te dirai quand même ce qu'on faisait parce que tu es le fils de Virginia, et parce que tu es le genre de mec à qui il faut vraiment mettre les points sur les i. C'est pas un mal, ta mère est pareille. Weir, le trichloréthylène, c'est pas du nouveau, par ici. Le taux n'a cessé de grimper depuis le printemps dernier, quand les types de eaux et forêts sont venus faire un test de salinité et ont découvert pourquoi certains poissons crevaient. Ils n'ont trouvé que des traces, au départ. Virginia a alerté les services sanitaires et ils sont revenus tous les quinze jours, ils pensaient que les déversements avaient lieu environ une fois par mois. Le conseil municipal a été informé ; ils ont accordé à Dennison un budget mensuel supplémentaire de cinq cents dollars, prélevés sur les fonds généraux pour que quelqu'un fasse un tour de surveillance, de temps à autre. Ces cinq cents billets couvrent tout juste les frais d'essence de mon bateau, sans parler de l'usure inévitable, du joint de culasse qui a claqué l'autre nuit, ou de mon précieux foutu temps libre. Je le fais parce qu'il faut que ce soit fait. La patrouille de lutte contre la pollution, c'est moi tout seul, Weir, moi, et ceux qui acceptent de me donner un coup de main. On était dans la baie pour alpaguer ceux qui déversent des saloperies. On les a manqués. Un bateau, ça ne suffit pas. Dennison ne peut pas obtenir davantage de fric de la ville, et il ne grèvera pas notre budget avec l'achat d'un autre bateau, parce que quelques poissons crevés, c'est que dalle pour lui, il préfère acheter un hélico tout neuf ou quelques uniformes de plus. C'est l'une des raisons pour lesquelles Becky Flynn devrait être maire de cette ville. Et c'est l'unique raison pour laquelle je suis parti pêcher sans attirail l'autre nuit. Mon équipement est chez moi. Quand je pêche, *je pêche*, mec. J'y passe des jours entiers, et au Mexique. De toute façon, même si on me payait, je ne boufferais aucun poisson sorti des eaux de la baie. D'ailleurs, tout le monde va en faire autant pendant un sacré bout de temps, maintenant.

— Qu'est-ce qu'il y avait sous la bâche ?

— Oh ! putain de merde, Weir, mes fauteuils de combat. Qu'est-ce que tu veux qu'il y ait sur le pont arrière d'un bateau de pêche ?

— C'est qui, ton pote de Cheverton Sewer ?

Blodgett planta un doigt sur l'estomac de Weir. Celui-ci résista, refusant de céder du terrain.

— C'est pas tes oignons. Ça varie, cela dit. Certaines nuits, mon pote c'est Virginia Weir. Et d'autres nuits, c'était Ann. (Blodgett exhiba de nouveau ses dents chevalines.) C'était Ann et Virginia. Jamais Ann seule. Pas une fois !

— Elle était avec vous quand Virginia a prélevé les échantillons ?

— Ça fait partie de nos activités, on le fait chaque semaine. Annie est venue une fois ou deux.

— Alors, elle savait qu'il y avait des traces de trichlo, elle savait que quelqu'un déversait des saloperies dans la flotte ?

— Ann le savait.

Weir tenta d'imaginer le rôle que sa sœur avait pu jouer dans tout cela. Avait-elle découvert autre chose que ce que cherchaient Blodgett et Virginia ?

— Qu'est-ce qu'elle savait d'autre ? Pourquoi a-t-elle planqué des tubes dans son frigo ?

— Parce que Virginia le lui a demandé. Ce qu'elle savait d'autre ? Je n'en ai pas la moindre idée.

— La dernière fois que tu es sorti avec elle, c'était quand ?

— Il y a environ un mois.

— C'était la nuit où tu as prélevé les échantillons ?

Blodgett lui décocha un regard dur. Il eut un bref sourire crispé.

— Non. On a eu un sujet de distraction. On a repéré le bateau.

— Les pollueurs ? (Blodgett acquiesça.) Il ressemblait à quoi ?

— Difficile à dire, avec le brouillard. On n'a pas pu le rattraper.

— Où ça ?

— A deux milles en plein à l'ouest de l'embouchure du port.

Jim regarda un flétan se débattre sur le sable.

— Ann l'a vu aussi ?

— On l'a vu tous les trois. Ann, Virginia et moi.

Soudain, Jim comprit pourquoi Virginia n'avait pas claironné sa découverte.

— Vous avez tout raconté à Brian, mais il a refusé de rendre ça public parce qu'il aurait eu l'air d'avoir roupillé au boulot.

Blodgett acquiesça avec un grognement.

— Et moi aussi, Weir.

— Il espérait que le problème se réglerait de lui-même. Virginia espérait qu'il empirerait. Des traces de produit toxique, ça ne fait pas la une des journaux. Ce qui vient d'arriver, oui.

Blodgett désigna avec sa cigarette le port à l'agonie.

— Maintenant, c'est à qui jouera le mieux sa partie. Je mise sur Becky. (Il jaugea longuement Jim du regard.) Tu as l'esprit défiant. Ça me plaît. Mais tu te goures de cible. Tu devrais mettre tes idées au clair sur certains points.

— Par exemple ?

— Savoir qui sont tes amis, pour commencer.

— Ton conseil est censé faire de toi un de mes potes ?

— Mon conseil est censé t'amener à ne pas insister, et à aller au cœur de la question.

— Qui est ?

— Ta frangine avait un amant. C'est avec lui qu'elle était, la nuit où elle s'est fait refroidir. Trouve l'amant et tu tiendras l'assassin. Tout ça n'a rien à voir avec la pollution de l'océan.

— Comment sais-tu qu'elle trompait Ray ?

— Qu'est-ce qu'il te faut ? Habillée comme ça, et en bagnole à une heure pareille ? Un mec avec des fleurs et une saloperie d'épingle à cravate en diamant ? Aucune résistance quand il l'a emmenée là-bas. Aucune résistance plus tard. Allons, voyons ! Ann n'est pas allée là-bas avec un cinglé du genre d'Horton Goins. Elle n'est pas allée là-bas avec un copain flic de Raymond, et je me fous de ce que Mackie Ruff croit avoir vu. Tu la connaissais si mal, ta frangine ? Je la connaissais à peine, mais je sais que c'était une fille bien. Ann avait une autre vie. C'est de ça qu'elle est morte. Ça n'a rien à voir avec le petit Goins. Le D.A. marche avec Dennison pour l'instant, mais les choses seront différentes après le 5 juin. N'oublie pas que Frank D'Alba est district attorney depuis huit ans et que lui aussi voudrait bien être réélu. Dennison et lui sont en train de courir les gros titres, c'est tout.

— Et les photos que Goins a prises ? Et la fille dans l'Ohio ?

Blodgett soupira, regarda une fois de plus la baie à l'agonie.

— Je te dis ce qui me paraît être la vérité, c'est tout. Je ne crois pas que Goins soit coupable.

— Moi non plus, mais il la suivait. Ça ne peut pas être qu'une coïncidence.

— T'es p'têt' moins con que j'croyais. (Blodgett se pencha par-dessus la jetée, regardant toujours au loin, vers le continent.) Quelle saloperie ! lâcha-t-il. (Puis il se détourna vers Weir.) Jim, si je te prends à me coller aux fesses, à me tournicoter autour, je vais me foutre sérieusement en rogne. Je me fous de savoir de qui tu es le fils. Personne ne file Dale Blodgett. Personne ne m'espionne, personne ne met en cause ce que je fais. N'insiste pas et tiens tes distances. Ceci dit, je t'aiderai pour Ann, du mieux que je pourrai. Elle avait l'air de quelqu'un de très bien. C'est vraiment écœurant, toute l'affaire. Tout !

Ils contemplèrent la baie un moment. Blodgett expédia sa clope dans la flotte. Weir eut conscience qu'il l'observait. Il finit par reprendre la parole.

— Tu sais, ce fameux bateau ? Les pollueurs ? J'ai dit ça à personne, parce que je pense m'être gouré, que je veux m'être gouré. Je suppose que c'était une coïncidence, tu vois, c'est pas les bateaux qui manquent dans Newport Harbor. (Jim laissa venir.)

C'était un Bayliner de trente pieds. Equipé exactement comme celui-là.

Weir suivit la direction qu'indiquait le doigt pointé de Blodgett, jusqu'à l'appontement de Becky Flynn, où son bateau — *notre* ex-bateau, songea-t-il — dansait sur sa coque.

— J'y comprends que dalle, Weir, conclut Blodgett. J'en suis au point où j'aimerais autant ne plus rien savoir.

Ils rentrèrent au *Locker.*

Dennison se sépara d'Ernesto Cruz pour rejoindre Jim. Il était fagoté dans un costume bleu foncé à fines rayures, coûteux, mais trop étriqué pour son torse en forme de barrique. Il fronçait les sourcils et avait le visage en feu. Ex-capitaine devenu maire potentiel en l'espace d'une année, songea Jim. Mais Brian était capable de réussir son coup. Il faisait montre d'une assurance confondante, contagieuse. Et en un certain sens — peut-être à cause de son comportement modeste en public, ou du sempiternel air de vaincu dont il jouait de façon si désarmante — on lui pardonnait son péché d'ambition. On avait même envie de l'encourager.

Le chef posa une main sur l'épaule de Jim.

— Quelle journée ! Je suis sincèrement navré, Jim. Le service religieux était très émouvant.

— Qu'est-ce que vous avez tiré de l'épingle à cravate ?

— Le sang d'Ann, aucune empreinte. Nous travaillons toujours dessus, mais pour l'instant, ça ne donne rien.

Weir s'aperçut que les flics le regardaient de nouveau, mine de rien.

— Elle ressemble pas mal à la vôtre, hein ?

— Ouais, ouais ! Je pensais bien qu'un petit génie s'en apercevrait. La différence, c'est qu'on n'a pas trouvé la mienne sur le lieu du crime. (Dennison tâta son épingle à cravate. C'était une pierre bleu foncé, sertie d'or.) Va savoir où Ruff l'a vraiment dénichée, fit-il. Pour l'instant, je le crois. C'est un témoin exceptionnel, tu ne trouves pas ?

Jim suivit la direction qu'il indiquait du pouce, jusqu'à Ruff, qui s'évertuait à fourrer une bouteille de rhum dans son pantalon. Il s'obstinait à garder son verre plein à la main pour effectuer l'opération et le liquide se répandait par terre. Il tanguait comme un type pris dans un ouragan. Weir enregistra l'éclat de rire venu du coin de la flicaille, tandis que Dennison jetait un coup d'œil satisfait vers ses hommes.

Becky s'avança vers Jim et Dennison. Weir sentit le chef se raidir à son approche. Quel qu'il fût, le complot avec Virginia avait dû réussir.

Rayonnante, elle tendit sa main à Dennison qui la serra, avec un sourire cérémonieux.

— Rude circonscription pour vous, fit-elle.

— C'est sûr.

— C'est le cœur de la ville.

— C'est une grande ville, Mrs Flynn.

— Je dirais plutôt que c'est une petite cité, Chef. Et elle a besoin d'être administrée en tant que telle, par des gens qui y mettent du cœur.

— Nous verrons ce qu'en pensent les électeurs au mois de juin.

Becky survola la foule du regard avec ostentation, s'arrêtant sur le coin des flics.

— Lequel d'entre eux est coupable ?

Dennison s'étrangla bel et bien.

— *Quoi ?*

— Allons, Chef, fit-elle, dévorée de curiosité. Tout le monde est au courant de ce que Ruff a vu. Tout le monde sait que vous avez mis Jim ici présent sur l'affaire, l'enquête sur votre département. Tout le monde sait que votre secrétaire a photocopié des cartes de pointage et des dossiers personnels pour que Jim puisse étudier de près tout votre petit monde. Comme je vous le disais, c'est une petite ville.

Le regard hésitant de Dennison se porta sur Jim, et Becky devina sa question informulée.

— Il ne m'en a pas dit un traître mot, Brian, lâcha-t-elle. Il ne vous a pas trahi. C'est vous que j'interroge.

— Que voulez-vous savoir ?

— Je veux savoir si vous allez continuer à enquêter dans cette affaire.

— Bien sûr que oui.

— Après avoir coincé Goins ?

— Après, ça dépendra du D.A. S'il porte une inculpation, notre travail sera terminé. On ne peut pas poursuivre deux types si un seul est coupable.

— Précisément, fit Becky.

— Nous avons déjà un dossier solide contre lui, et nous ne l'avons même pas encore interrogé, dit Dennison. D'Alba a donné le feu vert à George Percy. Percy a de quoi porter une inculpation avec les éléments dont nous disposons pour l'instant.

Weir n'avait pas oublié George Percy, un assistant au procureur qu'il avait connu du temps où il bossait dans l'équipe du shérif. C'était un bonhomme agile, plein de bonne humeur, avec une épaisse chevelure noire qui avait l'air d'une perruque bon marché. Au tribunal, il était courtois, fourbe et rusé quand il le fallait. Il y avait en lui quelque chose qui évoquait le foyer domestique, les sorties du dimanche en famille. Les jurés l'aimaient bien, parce qu'ils se retrouvaient en lui.

Becky se mit à rire, retroussant les lèvres dans une moue railleuse. Cette expression avait toujours eu le don d'horripiler Jim lorsqu'il en avait été victime. Elle exprimait un tel dédain qu'on avait envie de prendre la fuite.

— Il a peut-être de quoi l'inculper, mais ça ne signifie pas qu'il puisse aller jusqu'au tribunal. Et quand bien même, il se retrouverait avec un procès long et houleux sur les bras.

— Qu'est-ce que c'est que cette salade ? s'enquit Dennison. Vous croyez Goins innocent ?

Becky haussa les épaules.

— Incluons ce point dans nos sujets de débat.

— J'examine la question, répliqua Dennison en rougissant.

— Vous avez besoin de l'opinion de Perokee pour savoir si vous pouvez débattre en public ? Il va falloir vous décider à mener votre barque tout seul, Chef. Vos atermoiements commencent à faire jaser.

Pas étonnant qu'il refuse de l'affronter dans un débat public, songea Jim, elle n'en ferait qu'une bouchée.

— Faut pas confondre l'hésitation avec la prudence et le bon sens, dit Dennison.

— Je me demande comment vous avez pu réussir à caser tout ça dans une même phrase, Chef.

— Il y a un tas de choses que vous ignorez.

— Allons, voyons !... acceptez un débat ! Mettons un peu d'animation dans ces élections.

— La politique n'est pas un numéro de cirque à mes yeux, Mrs Flynn. C'est une affaire sérieuse.

Betty acquiesça, légèrement condescendante.

— Je suis justement tentée de penser qu'il serait frivole d'inculper Horton Goins, dit-elle. Aucun indice matériel qui le relie au lieu du crime ; un témoin oculaire — si peu fiable qu'il soit — qui a vu un flic. Pas de mobile, à part sa maladie, que vous ne pouvez pas évoquer devant un tribunal parce que Goins a déjà purgé sa peine. Si nous obtenons un changement de juridiction, hors d'Orange County, la moitié de votre dossier d'accusation s'envolera en fumée.

Weir comprit soudain la nature précise de la déclaration de Becky. Il en fut abasourdi. Becky Flynn n'en finissait décidément pas de le surprendre. Il fallut à Dennison un instant supplémentaire pour piger.

— Vous avez l'intention de le *défendre* ?

— J'en ai l'intention. Du moins si vous lui passez les menottes au lieu de le buter. J'ai déjà vu ses parents.

Que peut-elle bien savoir ? se demanda Jim. Elle prend un risque inouï. Ou alors, elle a des éléments que nous ignorons.

L'expression chagrine de Dennison révéla l'étendue de son malaise. Il coula un regard vers ses hommes, quêtant sans doute instinctivement le soutien de Perokee.

— Dans ce cas, j'imagine que nous n'avons pas grand-chose à nous dire.

— De toute façon, j'aurai les informations lors de la communication du dossier.

Dennison hocha la tête, puis il fit une demi-révérence qui se voulait courtoise, et ne réussit qu'à paraître balourde.

— Bonne chance pour les élections, Mrs Flynn. Et pour le procès.

Weir vit s'enflammer son regard.

— Accordez un débat aux gens de cette ville, dit Becky. C'est le moins que vous puissiez faire, avec les finances de Cantrell pour vous soutenir.

— Le financement de ma campagne n'a rien de secret.

— Exception faite du nom du propriétaire de cette épingle à cravate. (Becky effleura le saphir qui fixait la cravate de Dennison à sa chemise.) Ce truc-là pourrait appartenir à n'importe qui.

Dennison ouvrit la bouche pour répliquer, mais se ravisa et partit. Becky jeta à Jim un regard espiègle. Une expression identique à celle d'Ann quand, du temps où ils étaient mômes, ils emmaillotaient les pattes du chat avec du papier adhésif. Elle avala une petite gorgée, puis une autre, vida son verre en n'y laissant que le glaçon. Elle se rapprocha de Jim pour lui parler. Il sentit l'odeur musquée de son parfum et de la sueur.

— Virginia et moi, on a trouvé qui a commandé les roses, murmura-t-elle.

Et le bout de sa langue, rafraîchi par la glace, effleura la courbe de son oreille. Il recula et attendit, plongeant le regard dans le brun profond des yeux de Becky. L'idée le traversa que l'attorney Flynn était pompette.

— Et ?

— Parle-moi, Weir. Je t'en prie, viens me parler.

Il lui offrit son bras, qu'elle prit, et ils se dirigèrent vers la porte de derrière.

21

Ils longèrent la ruelle jusqu'au carrefour suivant, et prirent le trottoir, à bonne distance des journalistes qui traînaient encore aux abords de la grande maison. Laurel Kenney était plantée sur la jetée, contemplant les poissons morts ou agonisants qui flottaient toujours en direction du rivage. Pour une fois, elle était sans voix.

Becky emmena Jim jusqu'à l'embarcadère proche de sa maison, et il monta sur le *Sea Urchin* pendant qu'elle ôtait ses chaussures à talons. Puis il l'aida à se hisser à bord. Il avait toujours aimé le Bayliner de trente pieds, rapide et agréable à piloter. Ils l'avaient acheté ensemble lorsque Becky avait obtenu son poste à l'assistance judiciaire et qu'il avait été nommé enquêteur, puis elle le lui avait racheté avant qu'il plaque l'équipe du shérif pour armer le *Lady Luck*, deux ans plus tard. Il remarqua avec plaisir qu'elle l'avait bien entretenu.

Il redescendit et défit les amarres pendant qu'elle ôtait la bâche de toile et faisait démarrer le moteur. Un instant plus tard, ils s'engageaient dans la baie, en direction de l'embouchure du port, au sud. Becky avait enfilé un vieux caban. Pieds nus, debout à la barre, les cheveux au vent, la soie noire de sa robe de deuil dépassant sous le trois-quarts dépenaillé, elle était merveilleuse pour Jim. Il vint près d'elle pour sentir la vibration familière du moteur se transmettre à tout son corps.

— Qui a acheté les roses ?

Becky parla sans quitter du regard la baie encombrée de yachts.

— On les a achetées par téléphone, avec une carte de société, samedi, la veille de la Fête des Mères. Chez *Petal Pusher*, à Los Angeles, ce qui explique qu'on ait mis si longtemps à retrouver le fleuriste. La carte de crédit émanait de Cheverton Sewer & Septic de Newport Beach. Le type qui a passé la commande s'appelle Dave Smith.

— Tu le connais ?

— Non.

— Tu lui as déjà parlé ?

— Pas question. Pas avant d'avoir effectué le boulot préparatoire.

— Parle-moi un peu de ça.

— Attends qu'on soit au large. Je veux sortir de ça.

Un petit requin des sables flottait ventre à l'air, pauvre forme luisante. Le long du rivage, le bilan des cadavres s'était alourdi. Portée par le vent, l'odeur était plus forte sur l'eau que sur la terre ferme. Le soleil se frayait un passage à travers l'épaisse couverture nuageuse et l'air pollué, jetant un manteau brunâtre sur la ville. Médusé, Jim vit une mouette fendre d'un vol épuisé ce ciel sinistre, puis replier soudain ses ailes, comme foudroyée par une balle, et sombrer à pic. Un instant plus tard, le *Sea Urchin* passa près d'elle, masse de plumes sans vie dont l'aile saillait selon un angle bizarre.

Becky se tourna vers Jim, révoltée.

— Si nous n'arrivons pas à retourner cette catastrophe à notre avantage, alors, nous sommes des crétins de première bourre, dit-elle avec un profond soupir. Ça me brise le cœur.

— Comment as-tu appris que j'enquêtais sur les flics ?

— Je me suis contentée de faire concorder les éléments. Le témoignage de Ruff, les visites de Dennison chez toi au petit matin, ces dossiers dans ta chambre.

Virginia avait craché le morceau, pensa Jim. Il aurait dû se douter qu'elle l'espionnerait.

— Comment se fait-il que tu n'aies pas fouillé dans les papiers ?

— Parce que tu aurais été en première ligne, Jim, dit-elle d'un air las. Je ne suis pas sans foi ni loi...

Elle m'aurait expédié en première ligne sans hésiter, si elle avait été sûre que je me laisserais canarder sans répliquer, se dit Weir. Il pensa aux journées misérables qu'il avait vécues dans sa cellule de Zihuatanejo, aux longues heures passées à mariner dans le bain de la nostalgie. La sensation d'être pris au piège dans une cellule de deux mètres sur trois pendant que Becky déambulait en liberté, indépendante, et peut-être même solitaire, l'avait presque rendu fou. Tout en suivant les allées et venues frénétiques des cafards sur les murs, il avait revécu tous les moments de leur dérive. Ces moments où ils s'étaient retranchés dans des positions inconciliables. Où chacun s'était empressé de faire du mal à l'autre pour ne pas être le premier à souffrir. Weir s'était attardé sur chaque épisode, essayant de comprendre comment il aurait pu mieux agir. Mais très vite, la pensée de ce gâchis, de toutes ces occasions manquées, l'avait plongé dans la dépression la plus noire, dans la peur et le désespoir. Pour finir, la maladie avait eu raison de tout. Allongé, tremblant de froid, il avait compris, dans la lucidité qui avait suivi la période de fièvre, que Becky et lui n'étaient arrivés à rien par pure incapacité à s'entendre. Ils étaient mal assortis, dépareillés, maudits par le sort, comme on voudra ! Quelque part en cours de route, la confiance s'était désagrégée. A la fin, ç'avait été une vilaine petite guerre. Mais la fièvre n'avait pas consumé son désir ; elle l'avait simplement réduit à ses composants élémentaires. Lorsqu'il était sorti de taule, lorsqu'il avait pris le car, puis le ferry, et qu'il avait fini par voir apparaître les lumières de son territoire familier, il avait compris que ce voyage lui donnait un étrange et nouvel espoir. Ni lui-même ni la fièvre n'avaient pu changer la donne : au fond de son cœur, il aimait Becky et l'avait toujours aimée.

Le *Sea Urchin* se rua entre les longues jetées de pierre qui encadraient l'entrée du port. La houle se porta à sa rencontre alors qu'il franchissait la frontière visible qui séparait la baie de la haute mer, le soulevant légèrement, l'attirant entre les mâchoires du Pacifique.

Becky s'assit derrière la barre, et Jim s'adossa au plat-bord luisant. Elle agita sa chevelure dans le vent et lui adressa un sourire vite réprimé.

— Cheverton Sewer appartient au groupe Cantrell, lequel appartient à la PacifiCo. Voilà tout le secret. Nous avons demandé à des enquêteurs paralégaux de reconstituer les liens.

Weir s'expliqua le curieux sourire de Becky : elle s'efforçait de dissimuler sa joie. Si elle réussissait à relier le meurtrier d'Ann au groupe de Cantrell, ce dernier se retrouverait en péril. Becky Flynn et son programme — dont Cantrell était l'adversaire acharné — voleraient vers la victoire. Quant à Dennison, il coulerait à pic avec les perdants.

— Jim, avant que tu dises quoi que ce soit, je tiens à préciser que nous comptons opérer avec la plus grande prudence dans cette histoire. Nous utiliserons la presse lorsque nous en aurons besoin, et pas avant. Nous avons décidé d'appliquer la politique du tout ou rien, Virginia et moi.

— C'est-à-dire ?

— Nous trouvons qui a tué Ann, et nous en tirons

parti. Nous n'essayons pas d'exploiter la chose pour l'instant. Si ce Dave Smith l'a assassinée, on veut le mettre kaputt d'abord.

— C'est pour ça que tu veux défendre Goins ?

— J'en ai besoin. Un, ça fournira aux médias un sujet inédit pour parler de moi. Le sondage du *Times* me donne trente-cinq pour cent des intentions de vote contre quarante-cinq à Dennison. A deux semaines des élections, un petit coup de pouce ne me fera pas de mal. Deux, si Goins a besoin d'un avocat, autant qu'il en ait un bon. Trois, si je suis le conseil de Goins, je peux engager mon propre enquêteur pour rassembler des preuves qui prouveront son innocence. C'est le seul moyen logique de porter un coup à Dave Cantrell et à la PacifiCo pendant ma campagne. (Weir sentit venir ce qui allait suivre.) Ça t'intéresse ? reprit Becky.

— Je m'intéresse à Dave Smith.

— Mais pas au soutien de ma campagne ?

— Si, tant que les deux ne font qu'un.

Elle lui décocha un regard appuyé, où se lisait un léger amusement.

— Je viens de te dire que c'est le cas.

— N'importe quel employé a pu se servir de cette carte de crédit, il suffit de connaître le numéro. Elle a pu être perdue, volée, empruntée.

— Tu vérifierais tout ça. Je ne suis pas débile. L'aurais-tu oublié ?

Le regard de Weir se perdit à l'horizon, couches superposées de gris.

— Tu es au courant des rondes spéciales de Blodgett dans la baie ? Pour alpaguer les pollueurs ?

— Bien sûr. Virginia l'accompagne quelquefois.

— Ann le faisait aussi.

— C'est fou ce qu'on apprend comme trucs, lorsqu'on reste un peu chez soi.

Weir ignora le coup bas. D'ailleurs, pour Becky, il n'y avait pas de coups bas. Il lui raconta l'épisode Blodgett : l'équipée maritime de cinquante minutes, le joint de culasse bousillé, le pote de Cheverton Sewer & Septic.

— *Tu en es bien sûr ?* lui demanda-t-elle.

— Non, j'ai rêvé.

— Dale Blodgett, Cheverton Sewer et Cantrell Development, énonça-t-elle d'un air songeur. Intéressant, non ?

— Ça soulève la question de Blodgett et Dennison.

Becky le regarda en hochant la tête.

— Blodgett a remué un certain nombre de choses... difficile de l'imaginer en train de jouer sur les deux tableaux.

— Dennison est sûrement capable de passer sur pas mal de choses, pour infiltrer un homme à lui dans ton entourage et celui de Virginia.

— Un point pour toi.

— Es-tu très liée avec lui ?

— J'ai toujours gardé mes distances. Il y a quelque chose qui me dérange chez ce type. Mais Virginia l'aime beaucoup.

— C'est pas son genre de se tromper sur quelqu'un.

— Personne n'est parfait, Jim.

— M'man et Ann étaient avec lui la nuit où il a repéré les pollueurs. Blodgett m'a dit que le bateau ressemblait tout à fait au tien.

Becky le dévisagea crûment.

— Et alors ?

Il l'examina avec attention. Elle ne trahit aucune émotion. Puis elle mit le moteur au ralenti pour le trajet du retour et vira à tribord. Le moteur gémit, la proue se leva et le petit bateau fit naître une gerbe d'écume. Il heurta violemment les rouleaux de houle. Le visage de Becky exprimait une fureur contenue. Elle dut hurler pour couvrir le bruit de la machine, les chocs sourds du bateau lancé contre les flots et le grondement des bourrasques.

— *Tu crois à cette histoire ? Tu fais confiance à Blodgett ?*

Weir chercha sa réponse pendant que les embruns lui fouettaient le visage et que le bateau fonçait vers l'ouest.

— *J'en ai peur!*

— *Exact! Tu as la trouille! C'est pour ça qu'il faut que tu mettes la main sur Dave Smith!*

— *Je n'ai même pas de licence!*

— *T'as pas besoin d'une foutue licence pour enquêter! J'aurais jamais cru que je devrais te supplier de trouver qui a tué...*

— *La ferme, Becky! Pour une fois dans ta vie, boucle-la!*

Becky vira sec en direction du port, adoptant une trajectoire de plus en plus resserrée, dans une ruée concentrique vertigineuse, jusqu'à ce que le *Sea Urchin* s'immobilise dans une mer d'écume. Weir en avait les côtes douloureuses. Quand il la regarda, il vit des larmes sur ses tempes. Elle coupa le moteur et enfouit son visage entre ses mains.

— Ça me fait horreur, Jim, dit-elle. Je déteste ce qui s'est passé, je déteste ce que je ressens, je déteste que tu ne me fasses pas confiance, et je déteste d'avoir si peur.

Il hésita avant de lui caresser les cheveux.

— Changeons de place, dit-il enfin. Je vais barrer.

Ils s'exécutèrent. Relevant son col, Becky se pelotonna dans le vieux caban. Elle frottait ses pieds nus l'un contre l'autre pour les réchauffer.

— Je croyais que mon petit excès d'alcool m'aurait réchauffée plus longtemps que ça, dit-elle.

— Viens là! (Il l'enlaça d'un bras et l'attira à lui. Elle se blottit contre son épaule, dans la vieille position familière. Ils avaient souvent plaisanté sur la façon dont ils s'emboîtaient si bien ensemble.) Tu ne vaux pas mieux que moi, tu gardes tout à l'intérieur.

— J'ai failli être une Weir, autrefois.

Becky avait toujours eu le chic pour rejeter sur lui la responsabilité de leur désunion, quand ça l'arrangeait. Ils avaient discuté de tout ça, certes ! Mais pour lui, ce sujet avait été laminé par l'excès de mots, comme un galet roulé par les flots. Pourtant, il restait en lui quelque chose de déchiqueté et d'inaccessible. Jim n'était jamais parvenu à décider si c'était la vérité ultime qui leur manquait, ou le mystère qu'il valait mieux ne pas percer. D'ailleurs, il soupçonnait depuis longtemps que dans certains domaines, la vérité était inutile. D'autres choses comptaient bien davantage. Par exemple, il avait compris pendant son lamentable séjour dans la taule mexicaine que pour continuer, il devait pardonner.

— Je sais qu'on en a discuté à n'en plus finir, mais je te pardonne, Becky, dit-il.

Il s'avisa qu'il parlait comme un curé.

— Eh bien, si ça peut te consoler, pendant que tu pourrissais en prison, je pourrissais à l'air libre. Tu m'as manqué, tu sais.

Deux sentiments contradictoires déferlèrent en lui : colère au jusant, amour à la marée montante.

— Peut-être qu'on pourrait tout oublier et recommencer, dit-il. De zéro.

Elle se serra davantage contre lui, mais ne répondit rien. Becky l'attorney n'allait sûrement pas se contenter de signer un contrat aussi simple. Il y avait toujours les clauses en petits caractères, songea-t-il.

— Tu aurais dû m'écrire.

— J'essayais de t'oublier, dit Becky.

— Et tu n'y as pas réussi ?

— Ça a été un lamentable échec.

Ses pieds reposaient sur le pont, les orteils repliés, nerveux, comme toujours. Jim songea que c'étaient, avec les siens, les seuls pieds au monde qu'il aurait su reconnaître sans voir le corps auquel ils se rattachaient. Cela comptait-il pour quelque chose ? Le bateau heurtait la houle avec un bruit sourd, à la dérive.

— J'ai pensé partir moi aussi, quand tu l'as fait,

dit-elle. Pendant un moment, il m'a semblé que tu avais raison de désirer autre chose et de chercher à l'avoir. J'avais toujours été heureuse de vivre à Newport. Mais, toi parti, j'ai regardé autour de moi et je me suis dit, d'accord, c'est une jolie petite ville, et après ?

— Garde-toi d'avouer ça aux électeurs.

— Oh ! Ça m'a passé au bout d'un mois. Tu comprends, quand on s'engage, ça résoud pas mal de questions. J'ai trente-sept ans et j'ai compris qu'on ne peut pas tout faire. Entreprendre une chose, c'est aussi renoncer à en entreprendre une autre.

— Amen !

— Je suis en train de changer, Jim. Je commence à désirer une famille, des gosses, toutes ces choses dont je ne voulais pas avant.

— J'espère que tu les auras. Ce serait bien qu'il existe quelques copies miniatures de toi.

Elle garda le silence un instant, puis reprit :

— Tu t'intéresses à ce genre de choses ?

— Oui.

— Pleinement, ou c'est seulement une partie de toi qui s'y intéresse, Jim ? L'ambivalence habituelle ?

— Une partie, je suppose. Pour être franc.

— Laquelle ?

— Celle qui se trouve ici en ce moment.

— Mais pas celle qui veut partir ailleurs, qui veut retrouver l'or d'un autre ?

Jim réfléchit.

— Ce n'est pas d'être ailleurs qui m'attire, bien que j'aime ça. Ce n'est pas la plongée, même si j'adore ça. Ce n'est même pas l'or d'un autre, même si j'encaisserais volontiers quelques milliers de dollars. C'est beaucoup plus simple. C'est... le fait d'être maître de mon temps.

— Oh ! bon sang, ne me ressors pas ce vieux refrain. De toute façon, on ne possède rien. On emprunte, c'est tout !

— L'illusion d'être maître de mon temps, alors.

— Mais tu pourrais t'offrir cette illusion n'importe où, non ? Dans une ville sympa avec une chic fille, et peut-être même avec un petit garçon auquel tu apprendrais à plonger et à naviguer ? Tu es un romantique, et c'est bien. Mais l'amour véritable résiste, se démène pour que les choses aillent bien. Admets une chose, Weir : tu ne m'as jamais eue longtemps entre les pattes. Ta laisse était plutôt longue.

— La longueur de la *laisse* que tu offrais n'est pas précisément un atout vendeur, Becky.

— Je sais. Bon sang ! Foutue laisse, gémit-elle.

L'espace d'un instant, elle parut désorientée. C'était une expression qu'il ne se rappelait pas lui avoir vue. Il comprit alors pour la première fois que Becky en avait fini avec sa jeunesse, qu'elle n'était plus la gosse qu'il avait connue, l'adolescente qu'il avait désirée, la jeune femme dont il s'était épris et qu'il avait failli épouser. Elle avait l'air de ce qu'elle était à présent : une femme de trente-sept ans sans mari ni famille, tourmentée par des impératifs biologiques, et dont la crainte première était précisément d'être en train de manquer sa vie.

Il lui dit qu'elle était belle. Elle le scruta du regard, puis se détourna vers la mer.

— Je sais que j'aurais pu rester encore un peu à tes côtés, Jim. Mais tu es si... si ombrageux. Tu ne me dis jamais ce que tu veux ou ce que tu ressens. Et tu es plus rancunier qu'un Sicilien.

— Je plaide coupable. Avec une explication.

— J'écoute.

— Défauts génétiques incontournables. De plus, je t'aimais.

Elle sourit, se serra encore plus près et soupira. Jim se demanda si c'était de l'exaspération, ou une sorte de contentement. Il y avait toujours en elle quelque chose d'insaisissable. Becky était une cible sans cesse mouvante. Elle avait lové son visage dans son cou et il sentait la douceur de sa joue. Le parfum de ses cheveux avait toujours été au nombre de ses odeurs préférées.

Il ferma les yeux un instant, puis les rouvrit pour regarder, à travers les mèches de cheveux de Becky rabattues par le vent, la ligne lointaine de l'horizon.

— Et si tu nous trouvais un récif, Weir ?

Il hésita, soupesant les conséquences.

— Ce n'est pas une mauvaise idée.

La cabine était fraîche et sentait le renfermé. Becky tira les rideaux qui masquaient les hublots et verrouilla la porte derrière eux. Elle leva sur lui son regard brun et grave, puis s'assit au bord de la couchette étroite, les mains croisées sur ses genoux, comme une écolière. Elle était toujours pelotonnée dans le caban, et sa chevelure était emmêlée.

— Tu vas bien ? s'enquit-elle. Tu te déplaces d'une drôle de façon et tu te tiens tout raide.

— Je suis tombé sur des flicards en colère, cette nuit, dit-il.

Il lui raconta l'histoire. Elle l'écouta, comme elle savait si bien le faire, et conclut que c'était la petite amie d'un des types qui avait joué les standardistes de la police de Newport, se rendant coupable d'usurpation d'identité en se faisant passer pour un officier de police. Elle lui conseilla d'engager des poursuites et d'assurer ses arrières dans le futur proche.

— Laisse tomber ça, tu veux ? lui dit-il. J'ai pas envie d'y penser pour le moment.

Elle donna une petite tape sur le matelas, à côté d'elle, et il s'assit. Il avait à peine pris place que la bouche de Becky trouva la sienne et que sa main remonta entre ses cuisses. En cela comme en tout, elle avait toujours été rapide au démarrage. Il explora les épaisseurs de laine et de soie avant de tendre deux doigts fiévreux qu'elle happa avec un plaisir sans vergogne. « *Oh ! Weir, tu es diabolique !* » Il se retrouva ensuite libéré et doucement renversé sur le dos ; elle défit agrafes et bretelles, se débarrassa de ses sous-vêtements et se mit à califourchon sur lui.

— Ô mon Dieu, dans quel état ils t'ont mis !

— On a dit qu'on laissait tomber le sujet.

— Très bien, on n'en parle plus.

Dans la cabine humide et glaciale, leurs deux corps unis brûlaient. Elle posa les mains sur son torse et prit position.

Jim eut l'impression d'être réexpédié d'un coup de canon dans le passé. Il pouvait anticiper chaque mouvement, chaque petit fragment de plaisir, ces retrouvailles créaient une clôture autour de ce qui s'était produit depuis leur brouille, transformaient ces années en expérience nécessaire, faisaient de la séparation une simple étape sur le chemin de leur amour. Au-delà, il y avait les doigts de Becky et leur incessant mouvement de va-et-vient. Il la regarda. Les yeux clos, la bouche ouverte, les cheveux alourdis par l'air salin, toujours enveloppée dans le vieux caban, sa robe déboutonnée révélant, sous la soie sombre, son corps pâle et lisse, ses seins ronds et lourds, elle remuait sur lui, en sueur. Quand elle jouit, elle ramena son poing contre sa bouche, comme une cantatrice libérant la note la plus aiguë. Il se tendit à son tour, prenant appui sur ses paumes et sur la plante de ses pieds.

Quelques minutes plus tard, il la regardait, allongée près de lui, baignée par la faible clarté qui filtrait par le hublot. Il avait oublié combien un bateau peut être un lieu intime et secret. Elle parla sans ouvrir les yeux. Il l'avait crue endormie.

— Est-ce que tu vas débusquer ce Dave Smith chez Cheverton Sewer ? Ou est-ce que je dois solliciter quelqu'un d'autre ?

— Tu connais déjà la réponse.

Elle esquissa un petit sourire.

— J'ai demandé deux cents dollars par jour à Emmett et Edith.

— Ça les mettra sur la paille, dit Jim. Je prendrai

les dépenses à ma charge pendant une semaine et je verrai ce que je peux dénicher. Mais je t'avertis tout de suite que je n'oublie ni les photos d'Ann qu'Horton a prises, ni que son physique correspond à celui du meurtrier, ni ce qu'il a fait dans l'Ohio. J'agis à ma guise.

— Finie la laisse, Weir.

— Alors, rends-moi un service : tiens-moi à l'écart des gros titres que tu obtiendras.

Elle lui serra la main.

— J'ai bien l'intention de les monopoliser. Je commence par une conférence de presse demain à 10 heures.

— Je te reconnais bien là.

— Sois présent, s'il te plaît.

— D'accord.

— Je t'aime toujours, Jim. Je t'aimais même quand je ne t'aimais pas. Je crois savoir où nous allons, et je sais où j'aimerais finir. Mon cœur revit, Jim. Je veux que tu restes avec moi. Reste ici, à Newport, avec moi...

Dans l'abandon d'après l'amour, Weir se vit comme un chevalier errant en quête du Graal, en l'occurrence, un dénommé Dave Smith. Alors que le *Sea Urchin* se balançait sur les flots, il songea qu'il lutterait de toutes ses forces pour atteindre la vérité et que, d'une certaine façon, lorsqu'il aurait trouvé l'assassin d'Ann, tout se remettrait en place.

Des voix au-dehors le tirèrent en sursaut de sa rêverie, et il bondit hors de la couchette, vers le hublot. Becky s'aplatit contre la paroi, refermant sa robe sur sa poitrine.

A travers la vitre, Jim distinguait le bateau de pêche : douze mètres de coque d'une blancheur éclatante, avec un pont uni, une cabine aux vitres occultées, et le nom d'*Enforcer II* en italiques bleues, à la proue. Il y avait trois hommes sur le pont ; un sur la plage, deux négligemment assis sur les fauteuils de combat. Il reconnut Tillis, Hoch et Oswitz ; il connaissait les autres de vue. Encore six types aujourd'hui, pensa-t-il. Mon numéro de chance.

— Qui est-ce, Jim ?

— Des flics de Newport.

— Merde !

Weir enfila son pantalon et sa chemise, sortit le .45 de Poon de son étui. Il éjecta le chargeur, en vérifia le contenu, puis chargea de nouveau l'arme, qu'il glissa dans la ceinture de son pantalon.

Lorsqu'il fut sur le pont, il constata que l'*Enforcer II* s'était encore rapproché. Le type sur la plage avant expédia un mégot dans l'eau, puis but à grands traits à même le goulot d'une bouteille. Les trois hommes accoudés au bastingage le regardaient comme des touristes qui auraient repéré une baleine. Ils tenaient tous des gobelets en plastique à la main.

— Ça va, là-dedans ? demanda Hoch lorsque le bateau fut à dix mètres.

— Mais oui, répondit Weir.

— On a pensé que vous étiez peut-être en détresse.

— Je viens de vous dire que non.

— De la compagnie en bas ? Variété femelle, p'têt' bien ?

— Pas que je sache.

— Curieux ! Pourtant, ça sent la bonne prise, par ici.

Des rires gras s'élevèrent, rapidement emportés par la brise. L'*Enforcer* n'était plus qu'à six mètres de la proue du *Sea Urchin*, moteur au ralenti. Le type installé sur la plage avant se leva, jeta sa bouteille par-dessus bord, et saisit une corde. Weir éprouva un bref instant d'étonnement en les voyant prêts à l'aborder. Il y avait de la java dans l'air.

— Ne vous avisez pas de monter à bord, lança-t-il.

— Vous avez peut-être besoin d'un coup de main, dit Tillis. Des ennuis de moteur ?

Becky choisit cet instant pour faire son apparition

sur le pont, de nouveau en robe de deuil sous son caban. Elle héla les intrus.

— Salut, les mecs !

Ce fut une explosion de hourras et de hurlements stupides, dans le plus pur style macho des westerns hollywoodiens. En un éclair, Weir entrevit le déclin de son pays. Le moteur du *Sea Urchin* se mit à gargouiller, puis cala. Génial ! pensa-t-il. Les beuglements redoublèrent et le type lança sa corde sur le pont du *Sea Urchin.*

— On va vous tirer, lança-t-il.

— Tu peux toujours courir, rétorqua Weir.

Il expédia le rouleau de corde à l'eau et jeta un rapide coup d'œil en direction de Becky. Elle trafiquait l'allumage d'un air insouciant, le genre d'expression qui vire en un clin d'œil du détachement à la panique. Mais Becky n'était pas du genre à paniquer. Elle capta son regard de ses yeux sereins et tenta de faire repartir le moteur.

— Hé ! les mecs, lança-t-elle, vous êtes des flics de Newport, non ?

— Rien que des gars ordinaires qui veulent secourir un bateau en détresse, brailla Oswitz. On cherche à se rendre utiles, *madame le Maire.*

— Alors, rassemblez vos QI et tirez-vous ! Si vous touchez à mon bateau, je vous file le train jusqu'à la limite des douze milles. Vous pouvez me faire confiance.

— On vous fait confiance madame le Maire. Dites, y a des nichons sous ce caban ?

Weir jeta à Becky un regard qui lui intimait de la fermer, mais elle était visiblement remontée : elle avait des couleurs et une lueur meurtrière brillait dans son regard. Il était dans sa nature de jeter de l'huile sur le feu.

— Vous n'en avez jamais vu ?

Le moteur du *Sea Urchin* finit par repartir. Hoch demanda s'il pouvait monter à bord pour mater un coup. Bien sûr, répondit Becky et, sous le regard médusé de Jim, elle se rapprocha de l'*Enforcer*. Le type qui se trouvait sur la plage avant sauta sur le pont du *Sea Urchin* et saisit la corde qu'on lui lançait. Weir fondit sur lui, l'empoigna par les cheveux et lui vissa le .45 dans l'oreille. Il fit pivoter son prisonnier de manière à faire face à l'*Enforcer* et cria :

— Je lui fais sauter la cervelle à la première occasion. Si un autre enfoiré saute sur ce pont, par exemple.

Becky était déjà passée en marche arrière et reculait. L'*Enforcer* se retrouva bientôt à dix mètres de distance. Les trois types sur le pont semblaient passablement éméchés. Oswitz regarda Hoch comme s'il quêtait un ordre. Jim plaqua au sol la tête de son prisonnier et lui mit un genou sur la nuque. Le flic avait dans les vingt-cinq ans et était mort de trouille. Tout le corps de Weir lui faisait mal.

— Comment tu t'appelles ?

Le jeune type fit un signe de dénégation. Jim pesa sur lui de tout son poids. L'autre remua frénétiquement la tête.

— Ton nom, bonhomme. Accouche !

— Non.

— Tu sais pas ton nom ?

Jim lui fourra un coup de genou dans la nuque, au risque de lui briser les vertèbres.

— Needham ! C'était une idée à eux. J'ai juste...

— Je vois ça, Needham.

Jim remit le type debout et lui fit le coup du lapin. Un coup parfait, qui laissa Needham tremblant et à sa merci ; puis il expédia l'intrus par-dessus bord. Ce fut une sensation formidable, comme si le contact de ses poings avec cette chair hostile était un moyen de trancher dans la saloperie et le mensonge, de le rapprocher de la vérité au sujet d'Ann. Il regarda Needham hoqueter et se débattre dans l'eau glacée, puis il se tourna vers Becky. « Grouille, Errol ! » fit-il.

22

La directrice administrative de Cheverton Sewer & Septic était une femme austère affublée d'un gros nez. Sur son bureau, la plaque annonçait : MARGE BUZZARD. Elle avait des cheveux grisonnants, épais et raides, tombant sur les épaules, et un chemisier blanc dont le col montant à ruchés évoquait les mœurs guindées de l'époque victorienne. Ses sourcils épais étaient très rapprochés. En la voyant, Weir pensa irrésistiblement à Charlie Watts en travelo sur le vieil album des Stones. Il y avait à sa gauche une ancienne pointeuse verdâtre. A sa droite, une fenêtre sale donnait sur le terrain gadouilleux qui faisait office de dépôt de matériel. Tout près d'elle, il y avait la photo encadrée d'un homme d'âge mûr. C'était apparemment le seul élément propre de tout le bureau.

Jim se présenta comme enquêteur pour le compte de l'attorney B. Flynn de Newport Beach et donna le nom de la personne qu'il cherchait.

— J'ai dix ans de maison, et c'est la première fois que j'entends parler d'un Dave Smith. Il n'y a personne de ce nom ici, déclara la femme d'un ton catégorique. Nous avons eu un Don Smith, en 1985, un gars de l'équipe de pompage. Il n'a pas tenu un mois.

— Vous avez une sacrée mémoire, Mrs... ça se prononce Busard, comme l'oiseau ?

— Miss Bu*zzard*, Mr Weir, comme « bazar » avec un « d ».

Weir composa une salade selon laquelle l'attorney Flynn avait établi un arrangement à l'amiable pour un client de Laguna Beach. A la suite de cet arrangement, le dénommé Dave Smith de Cheverton Sewer

& Septic se retrouvait créditeur d'une somme substantielle, qui lui revenait.

— De l'ordre de sept cent mille dollars, dit-il.

— Ainsi que je vous l'ai déjà expliqué, c'est impossible. Il n'y a pas de Dave Smith chez nous. Il n'y en a jamais eu.

— J'aimerais voir le directeur de chantier.

— Impossible ! Il est sur le chantier, et pour y parvenir, vous devez escalader la grille ou avoir mon autorisation. Et il est hors de question que je vous permette d'aller le déranger au sujet d'un employé qui ne fait pas partie de notre personnel. C'est le règlement.

— Il vient d'être modifié, dit Weir en franchissant le portillon de bois qui s'ouvrait dans le comptoir.

Marge Buzzard, qui était presque de sa taille, fut sur lui en un éclair. Elle lui barra le passage pour l'empêcher de franchir la porte de derrière. Jim lui planta son index sous le larynx d'un petit geste sec et l'écarta de son chemin. Il claqua la porte derrière lui, rabattit le loquet, et enferma la femme à l'intérieur. Puis il fourra la clef dans sa poche. Il l'entendit marteler la porte de ses poings tandis qu'il traversait le terrain, en direction de la caravane du chef de chantier. La Corvette rouge neuve qu'il avait vue lorsqu'il avait filé Blodgett était garée dehors, à l'ombre.

Après les camions-pompes et les générateurs, on apercevait le *Duty Free* installé sur sa remorque. Le compartiment moteur était ouvert et sur le pont, deux hommes qui assujettissaient les câbles de treuil disparaissaient dans l'ouverture. L'un d'eux — avec chemise de flanelle et casquette de base-ball — était le compagnon nocturne de Blodgett ; l'autre était un jeune blond très musclé à cheveux longs. Jim se rapprocha d'eux.

— Le chef de chantier est là ?

— C'est moi, répondit l'homme à la casquette de base-ball. (Il scruta Jim par-dessous sa visière, puis se remit à la tâche.) Y a pas de boulot, si c'est ce que vous cherchez.

— Je cherche à remettre de l'argent à quelqu'un, voilà ce que je cherche.

L'autre lui décocha un deuxième coup d'œil. Le jeunot baraqué hocha la tête.

— Z'avez qu'à l'apporter ici, dit le premier. Flanquez-le où vous voulez.

— Etes-vous Dave Smith ?

Les deux hommes étaient penchés sur les entrailles du *Duty Free*. Jim ne voyait que leurs culs, leurs jambes et leurs coudes. Lorsqu'ils se redressèrent et firent un signe, le treuil s'emballa et les câbles se tendirent. Jim regarda l'opérateur du treuil, tranquillement assis dans sa cabine, la cigarette au bec.

Il entendit claquer la porte du bureau et se détourna : Marge Buzzard traversait la cour dans sa direction d'un pas décidé, en balançant les bras, le regard braqué sur lui. Elle s'arrêta à moins d'un mètre de distance, le souffle court.

— Débarrassez-moi le plancher *immédiatement !* siffla-t-elle.

— Navré, miss, mais pour l'instant, je reste où je suis.

Elle lui désigna la grille.

— Vous allez partir séance tenante.

Les deux types qui travaillaient sur le moteur du *Duty Free* s'étaient redressés et suivaient la scène depuis le pont. Le blond souriait. L'autre, non.

Il escalada le bord du bateau, descendit et se dirigea vers Jim tout en s'essuyant les mains sur son pantalon. Il se présenta sous le nom de Lou Braga et lui tendit la main. Il était plus jeune que Jim ne l'avait cru tout d'abord, environ du même âge que lui. Une abondante chevelure brune et bouclée dépassait de sa casquette. Il avait un gros nez rond dans un visage tout en angles, et les yeux presque noirs. Sa poignée de main était vigoureuse.

— Ça va, Marge, je le connais.

— Je vous signale qu'il est entré sans mon autorisation.

— Je vais lui parler.

— J'aimerais mieux pas, dit-elle.

Et Jim remarqua le regard furibond qu'elle dardait sur Braga.

— C'est moi le patron, ici, alors c'est à moi de diriger cette opération. Merci, Marge. Ça ira.

Elle regarda Weir avec une haine non dissimulée, puis Braga.

— Ce genre de chose n'arrivait pas lorsque Dick était encore vivant.

— Il me manque à moi aussi, Marge. Vous pouvez retourner au bureau, je vais arranger ça.

Weir lui lança la clef. Elle le toisa d'un regard dédaigneux, puis fit volte-face et repartit à grands pas.

— Après ça, j'espère que vous n'allez pas essayer de me fourguer une encyclopédie, dit Braga. Je suis sur sa liste noire pour des mois, maintenant.

Weir expliqua sa mission, l'accord amiable et les sept cent mille billets qui revenaient à Dave Smith. Braga l'écouta attentivement en hochant la tête.

— Le hic, c'est qu'il y a pas de Dave Smith, ici.

— Vous savez où il est ?

— Puisque je vous dis qu'on n'a jamais eu un type de ce nom-là !

Jim se demanda si c'était le refrain obligé à Cheverton Sewer, ou si Becky et Virginia avaient pigé de travers.

— Il s'est servi d'une carte de crédit de Cheverton il y a quelques semaines, pour un petit achat. Il était habilité à s'en servir.

— Doit y avoir erreur. Vous savez, nous appartenons à une bonne dizaine de compagnies. Il travaille peut-être pour l'une d'entre elles.

— Il a annoncé Cheverton et a fourni le numéro de la carte et sa date d'expiration.

— Vous êtes inspecteur du fisc, ou quoi ?

— Je suis enquêteur judiciaire. J'aurais jamais cru que j'aurais tant de mal à remettre sept cent mille dollars à quelqu'un.

Braga hocha la tête, scrutant le visage de Weir. Puis il se détourna et regarda le moteur du *Duty Free* s'élever hors de son compartiment. Le blond costaud assujettit le câble, sauta à bas du bateau pour guider le bloc-moteur jusque sur la bâche étalée par terre.

— On dirait qu'il se débrouille très bien sans moi. Entrez donc, on va essayer de régler ça.

La caravane du chef de chantier était monacale : un calendrier sur le bureau, une vieille boîte à café remplie de crayons et de stylos, un piston de bagnole retourné plein de mégots, un téléphone plein de cambouis, les habituels posters de gonzesses à poil sur les parois, une photo de Braga et de sa famille sur le climatiseur. Il y avait aussi une ou deux photos jaunies d'expéditions de pêche en mer. Sur l'une d'elles, Dale Blodgett était planté à côté de Braga. Il brandissait une grosse sériole vers l'objectif pour la faire paraître plus énorme.

Ils s'assirent de chaque côté du vieux bureau métallique.

— Qu'est-ce qui se passe avec Marge ? demanda Jim.

Braga se mit à rire, découvrant deux rangées de dents blanches.

— Il y a trop longtemps qu'elle est là pour qu'on puisse s'en débarrasser. Tout le monde en a la trouille, sauf moi. Elle n'est pas mauvaise fille, mais la boîte, c'est tout son univers, alors elle monte la garde comme un doberman.

— Mr Cheverton est mort récemment ?

— Il y a cinq ans. Il était en train de creuser une fosse d'aisances quand les vitesses se sont enclenchées sur un des camions-pompes, et il était juste devant. Il a été renversé et a dégringolé dedans. Moche !

— C'est sa photo qu'elle a dans son bureau ?

— Vous laissez pas passer grand-chose, Weir. Vous êtes privé ?

— Non. Je fais juste des enquêtes préalables pour des attorneys.

— Vous avez été privé ?

— J'ai travaillé quelque temps dans l'équipe du shérif.

Braga hocha la tête, l'examinant de son regard noir et posé.

— Marge l'aimait à la folie. Elle n'était déjà pas facile, mais après la mort de Dick ! Elle arrête pas de faire reluire sa photo, comme si c'était celle de la Vierge Marie.

Weir accepta une cigarette. Braga s'en alluma une par la même occasion, plaça le cendrier-piston au milieu du bureau et poussa la pochette d'allumettes vers son vis-à-vis.

— Bon, pour ce qui est de ce Dave Smith, il doit y avoir une erreur. Comme je vous le disais, nos cartes de société sont émises par la direction, alors, allez savoir qui a réellement... Il a acheté quoi ?

Jim hésita.

— Un petit truc. De la quincaillerie, je crois.

— Si vous n'êtes pas du fisc, comment savez-vous qui crédite des trucs sur une carte Cheverton ?

— Je suis un enquêteur légal. Ces détails ne sont pas difficiles à savoir.

— Faut croire que non, fit Braga avec un haussement d'épaules. Mais merci pour le tuyau, cela dit. Si quelqu'un se sert d'une carte de crédit de la maison pour ses petits achats personnels, j'aime autant être averti. Quel est le numéro ?

Jim recopia le numéro que Becky lui avait communiqué. Braga le lorgna.

— Qu'est-ce que c'est que cette histoire d'arrangement ?

Jim resta dans le vague : action collective en justice, arrangement à l'amiable ; pas réussi à joindre le type chez lui de toute la semaine ; il avait déclaré travailler chez Cheverton. Lou Braga écouta sans l'interrompre, puis hocha lentement la tête.

— Ce doit être une erreur. Il s'est peut-être servi de nous pour avoir l'air réglo, ou va savoir... J'en sais rien. Mais il bosse pas ici, ça c'est sûr. (Il marqua un temps d'arrêt, comme s'il attendait quelque chose de Jim, avec une expression de curiosité réprimée. Puis il se redressa sur son siège et tira une bouffée.) Vous êtes le frère d'Ann Cruz, non ?

Jim acquiesça.

— Je suis vraiment désolé, mon vieux.

— Nous l'avons enterrée aujourd'hui.

— J'imagine qu'ils sont sûrs de la culpabilité de ce dingue de l'Ohio.

— Il n'y a pas beaucoup de preuves contre lui, pour tout dire. (Braga ne mordait pas.) Alors, reprit Jim, la famille enquête de son côté. Histoire de couvrir toutes les possibilités.

— Cette histoire de Dave Smith, ça n'aurait pas un rapport avec Ann ?

— Non, à moins que vous sachiez quelque chose que j'ignore.

Braga eut un sourire gêné. Il éleva les mains.

— Holà ! je réfléchissais tout haut, c'est tout. (Jim attendit.) Non, je ne sais rien. Mais votre salade a l'air bizarre. On dirait un de ces trucs que les flics inventent pour titiller le client.

— Combien y a-t-il de personnes autorisées à se servir des cartes de société Cheverton ?

— Ici, on est trois, Marge, moi, et Manny Rueda, le contremaître. Mais comme je vous disais, c'est la maison mère qui émet les cartes, alors ils peuvent mettre d'autres noms dessus.

— Qui est la maison mère ?

— On appartient à la Cantrell Development, qui appartient à la PacifiCo. Ce sont eux qui tirent les ficelles.

— Il y a un Dave Smith chez eux ?

— Ça, j'en sais foutre rien. Ecoutez, je peux passer

un coup de fil pour essayer de le savoir, si ça peut vous aider.

— J'apprécierais. Et Smith appréciera aussi, s'il voit rappliquer sept cent mille dollars. Est-ce que vous pensez à quelqu'un qui aurait pu se procurer le numéro dans vos dossiers et se servir de cette carte pour son propre compte, chez vous ?

Braga réfléchit.

— Y a deux bonnes douzaines de gars dans l'équipe. Il y en a qui sont bien, qui bossent chez nous depuis un bout de temps. Il y en a d'autres qui sont plutôt à cran. A ce niveau-là, on prend ce qu'on trouve. Il y a quelques mois, on a été cambriolés. Un junkie a très bien pu relever le numéro, s'il était assez futé pour ça.

— S'il vous venait un nom à l'esprit, ça ne vous ennuierait pas de me le transmettre ?

— Non. Vous pouvez y compter.

— J'aimerais bien avoir une liste de vos employés, aussi.

Braga secoua la tête.

— Ça, non ! Je le ferai pas. Si je reçois une injonction du tribunal, ce sera différent. Comprenez-moi, Weir. J'ai engagé la plupart des gars. Ce sont mes hommes.

Plus Jim Weir parlait avec Lou Braga, plus le bonhomme lui plaisait. Et plus il le croyait coincé entre un coin de mur et un pic à glace. Le pic à glace, c'était Dave Smith. Il était temps de donner un tour d'écrou.

— Vous connaissez ma mère ?

— J'en ai entendu causer.

— Vous avez un ami commun, Dale Blodgett.

Braga se contenta de hocher la tête.

— Quand vous ne pouvez pas accompagner Dale en patrouille — comme la nuit où vous avez bousillé le joint de culasse du *Duty Free* —, c'est elle qui sort avec lui. Ann y est allée elle aussi, quelquefois.

Braga le regarda, ébahi.

— Chaque fois que vous m'interrogez sur quelque

chose, on dirait que vous en savez plus long que moi sur la question. En fait, il y a vingt minutes qu'on parle, et j'crois pas vous avoir dit un seul truc que vous ne sachiez déjà. J'ai du boulot, moi, alors si vous êtes en train de vous payer ma tête, j'aime autant y retourner.

Jim se leva et suivit Braga jusqu'au terrain souillé d'huile.

— Il me faut ce Dave Smith, dit-il. A tout prix.

— Je peux rien pour vous, fit Braga.

Jim lui remit la carte de Becky, avec son propre numéro de téléphone inscrit au dos.

— Au cas où...

Braga acquiesça puis rejoignit le blond costaud près du moteur. Weir observa un moment les deux hommes qui ignorèrent sa présence. A quelques pas de lui, les bouées de sauvetage, les boîtes à outils, les bâches, le couvercle du moteur et la cuve à appâts du *Duty Free* étaient nettoyés et soigneusement rangés sur une bâche propre, prêts à être réinstallés à bord. Les fauteuils de combat avaient été ôtés du pont et étaient adossés à un vieux camion garé à l'ombre. Le bateau de surveillance, pensa-t-il. Le bateau de pêche qui ne prend jamais de poisson, et transporte une cuve à appâts sans poissons dedans. Pourquoi se donner la peine d'installer tout ça à bord ? se demanda-t-il.

— Hé ! Weir, tirez-vous, maintenant. Je vous ai dit que je ferais mon possible.

Jim adressa un signe à Lou Braga et se dirigea vers la grille. Il avait acquis deux convictions quand il s'assit au volant de sa camionnette. Marge le regardait par la fenêtre latérale de son bureau. Et Lou Braga irait trouver Dave Smith dès qu'il serait hors de vue.

Alors qu'il roulait dans la péninsule, deux voitures radio de la police de Newport le firent stopper sur le bas-côté. Deux agents s'approchèrent de la camionnette. L'un s'attarda à l'arrière pendant que l'autre venait jusqu'à la portière. Weir regarda le nom sur la plaque, Lansing, le pote de Blodgett qui avait bu du café avec lui pendant l'heure fatidique. Lansing demanda à voir le permis de Weir et passa à l'arrière pour la vérification. Le tout prit vingt minutes. Quand ce fut fini, Lansing lui colla une amende pour un feu arrière cassé.

— A la tienne ! lança-t-il avec un sourire en expédiant le double de la contravention dans la cabine de la camionnette. T'as pas trop sué là-dedans, mon biquet ?

23

Encore en costume de deuil, Raymond remontait le trottoir d'un pas vif, depuis sa maison, un sachet à provisions en papier à la main. Il le tenait à bonne distance, pincé entre le pouce et l'index, comme s'il contenait quelque chose d'infect ou de dangereux. Quoi que ce fût, c'était léger : le souffle du vent rabattait le sac en direction des eaux puantes de la baie. Ray semblait épuisé, mais son regard était aigu et clair.

— Il m'a écrit. D'abord, j'ai cru que c'était une blague. Mais c'est pas une blague. (Jim lisait la fébrilité sur son visage, le besoin de mouvement, de délivrance. Raymond sourit et agita le sac, comme si c'était une récompense attendue depuis longtemps.) C'est arrivé au courrier de l'après-midi.

Becky tendit la main pour prendre le sachet, mais Raymond secoua la tête.

— Non, dit-il, c'est déjà assez contaminé comme ça. Robbins l'attend.

Becky demanda ce que c'était. Mais Ray était trop survolté pour répondre. Son regard trahissait une excitation presque maniaque, et le sac tremblait entre ses doigts comme s'il avait contenu quelque chose de vivant.

— C'est du vrai de vrai. Je l'ai su dès que j'ai lu les premiers mots. Je sens cet enfoiré, mec, c'est lui.

Becky prit Ray par le bras et l'embrassa.

— Bonne chance, les enfants. Je ne crois pas qu'on apprécierait ma présence dans le royaume de Ken Robbins. Téléphonez-moi, s'il vous plaît.

Brian Dennison et Mike Perokee se trouvaient déjà dans le bureau avec Robbins, plongés dans une discussion à mi-voix qui prit fin brusquement lorsqu'ils entrèrent.

— Beau travail ! dit Perokee.

— Ça n'avait rien de sorcier de sortir le courrier de sa boîte aux lettres, fit Ray.

A cette heure tardive de la soirée, le labo de la Criminelle était désert. Le bruit de leurs pas se répercutait dans les couloirs et les plafonniers ne brillaient plus que pour les cadavres. Robbins les mena dans la salle d'analyse des cheveux et fibres, enfila une paire de gants en latex, et éclaira sa table d'examen. C'était une surface de verre, recouverte d'une feuille propre de papier kraft. Les tubes fluorescents projetaient une lumière nette par-dessous. Robbins souleva l'enveloppe à l'aide d'une pince et l'accrocha à un fil qui pendait, avec une pince à linge en plastique rouge, identique, remarqua Jim, à celles dont s'était servi Horton Goins dans sa chambre noire improvisée. Il décocha un regard à Dennison et à Raymond, mais ils ne réagirent pas. Coïncidence idiote, pensa-t-il. Ôte-toi ça de la tête. Robbins accrocha ensuite la lettre, trois pages d'écriture, trois feuillets. Il braqua sa loupe dessus, et son haleine forma de petits nuages de condensation sur la lentille, pendant qu'il parlait.

— Papier d'imprimante, format 18,5 × 28, alimentation automatique, marges vierges. Tout ce qu'il y a de plus courant. Imprimante matricielle vingt-quatre points, police de caractères « courrier dix », impression unidirectionnelle pour une meilleur qualité d'impression. Rien d'extravagant, juste la base. Bon !

Il tira un couteau de cuisine en inox à lame non dentelée du bocal d'alcool où il était immergé jusqu'à la garde et l'essuya avec un chiffon en coton. Son front était luisant de sueur.

— N'entretenez pas trop d'espoir, le papier ne retient pas grand-chose, en général. Redis-moi où tu l'as touché et quand, Ray.

Il tapota l'enveloppe avec le couteau, en opérant du haut vers le bas. Weir scrutait la lumière fluorescente, pour distinguer les débris qui en tomberaient, mais ne vit rien. Robbins effectua la même opération sur chaque feuillet, au recto, puis au verso.

— Que dalle, fit-il. On va peut-être avoir droit à un bonus à l'intérieur de l'enveloppe.

Utilisant de nouveau la pince, il la retourna tête-bêche et l'accrocha avec la pince à linge. Il souleva le rabat avec son index ganté, puis glissa le couteau à l'intérieur et écarta les pans. Il tapota l'extérieur avec son index, au fond, au milieu, au sommet.

— Des clous, dit-il. Vous bilez pas, il reste l'adhésif à vérifier, et le verso du timbre.

Il photographia ensuite les feuillets, manipulant son appareil avec l'aisance d'un dentiste. Il prit une seconde série de photos, puis des agrandissements, en mitraillant quatre fois chaque page. Lorsqu'il eut fini, il scruta tour à tour les feuillets avec sa loupe.

— « Le cœur lourd », marmonna-t-il, « mon traumatisme et ma peur... je suis un homme courageux... désarmé contre moi... » (Il dévisagea ses compagnons tour à tour.) Ces mecs ont toujours un style ampoulé.

— C'est authentique ? s'enquit Dennison.

— C'est la lettre authentique d'un authentique cinglé, déclara Robbins. Pour le reste, c'est à vous de décider.

Dans le labo des empreintes, où les mena Robbins, une fenêtre donnait sur le parking. Weir s'assit près d'une armoire remplie de fioles de produits chimiques, de poudres à relever les empreintes et d'aérosols. Un appareil laser, recouvert d'une housse pour la nuit, veillait dans un coin de la pièce. Robbins ôta la housse et mit l'appareil en marche.

— Il y a rarement des empreintes de crêtes par friction sur le papier, dit-il. Sauf s'ils utilisent un stylo défectueux ou ont un truc sur les mains : sang, produit alimentaire. Une fois, j'en ai obtenu une laissée par du lubrifiant à moteur. On va se servir du laser, voir si les chlorures de sodium et de potassium deviennent fluorescents. Les sécrétions corporelles, ajouta-t-il en guise d'explication.

Il travailla d'abord sur l'enveloppe, ajustant l'oculaire pour lire la scanographie.

— Des pâtés, les gars. Du genre de ceux que laisserait le postier. Non... rien de clair. (Il n'obtint pas davantage de résultat avec les feuillets.) Il a été prudent, il s'est servi d'un kleenex ou d'un autre truc en guise de buvard. L'enfoiré est prudent, mais pas autant que moi. Je vais te pulvériser un peu de poudre de perlimpimpin, et vous allez voir ce que vous allez voir. Ensuite, on fera une petite exposition à la chaleur.

Il prépara la solution, la mit dans l'atomiseur, accrocha de nouveau les feuilles et en humecta les deux faces.

— Kalb, qui s'occupe en général des empreintes latentes, a tendance à trop mouiller les trucs. Si on y va trop fort avec l'aérosol, ça brouille les crêtes. Après exposition à la chaleur, les substances grasses se révèlent en violet et en rose.

Les feuillets passèrent au four un à un, puis ce fut au tour de l'enveloppe. *Ouvrez-vous, petites violettes, ouvrez-vous au printemps.* Weir vit apparaître peu à peu des taches mauves, comme sur un cliché Polaroïd, en haut à droite au coin de la première page, et en haut à gauche, au verso de la dernière. Robbins les désigna en regardant Ray :

— Les tiennes ?

— Probable.

Robbins décrocha le téléphone, demanda à l'Identité un jeu complet des empreintes de Raymond Cruz et de Horton Goins.

— Il me les faut pour avant-hier, dit-il. (Il plaça convenablement la caméra et photographia les floraisons violettes.) Bon, si ça ne vous ennuie pas, j'aimerais lire ce truc avant l'arrivée des types de l'Identité.

Robbins lut lentement à voix haute, ponctuant certains passages de grognements, essuyant la sueur de son front avec une serviette en papier.

Cher Lt Cruz,

C'est le cœur lourd que je vous écris dans ce moment de grande douleur, commune à tous deux. Ma sympathie pour vous est sincère car je sais aujourd'hui ce que représente la perte d'un être tendrement aimé. Je sais aussi que pour vous, représentant de la loi, la mort de votre bien-aimée est comme une tumeur qui vous ronge l'âme, à cause de la fureur que cette perte déchaîne en vous, et à cause de l'impossibilité où vous êtes de me trouver, et même de me donner un nom.

Par cette lettre, ce sont des excuses que je vous adresse, et plus encore. C'est mon explication. Au cours de cette dernière semaine, alors que je me remettais de mon propre traumatisme et de ma peur, j'ai plusieurs fois songé à me rendre à vous. Mais j'étais dans l'impossibilité de le faire. Je suis un homme courageux, certes. Mais je n'ai pu me résoudre à me constituer prisonnier pour ne pas faire de mal à mes proches. Je suis un homme très aimé, entouré par ceux qui apprécient mon talent et mon énergie. Je dois aussi songer à eux, pas seulement à moi-même.

Mais à vous, Lt Cruz, je dois me confesser, et faire ce qui est en mon pouvoir pour soulager votre âme. Je sais que vous êtes tourmenté par la culpabilité et le chagrin. Savez-vous que nous avons croisé deux voitures radio, cette nuit-là, Ann et moi ? Je suis certain qu'en reconstituant les déplacements d'Ann vous avez dû deviner cette possibilité. Je vous dis ceci non pour amplifier votre angoisse et votre impuissance — et vous êtes véritablement impuissant contre moi — mais pour établir notre communion de sentiments. Si j'étais à votre place, quel ne serait pas mon enfer !

Tout d'abord, pour que vous soyez certain qu'il ne s'agit pas de la fausse confession d'un fou, laissez-moi vous dire ce que j'ai fait cette nuit-là. J'ai fait l'amour à votre femme, Ann Cruz, dans une jolie chambre donnant sur la mer. Cela m'a apporté satisfaction, presque sur tous les plans. Mais parce que cela ne satisfaisait pas toutes mes exigences, je l'ai poignardée vingt-sept fois avec un couteau de cuisine Kentucky Homestead — lame de 15 cm fraîchement aiguisée. Elle a très peu souffert car j'ai de la force. J'ai planté une rose pourpre à longue tige dans son vagin — un geste d'affection — et dix autres dans la ceinture de sa jupe, rouge et courte (elle l'avait mise pour me faire plaisir). La dernière, je l'ai en ma possession. Je l'ai transportée dans Back Bay, à environ deux cents mètres au nord de Galaxy Park, puis j'ai regagné ma voiture et je suis parti. Maintenant, vous savez que je vous dis la vérité.

Je connaissais Ann, très bien, bien mieux qu'elle-même ne se connaissait, et bien mieux que vous ne la connaissiez vous-même. Ne soyez pas surpris. Ann n'était pas une personne qu'on perçait à jour facilement. Il y avait en elle une grande zone d'ombre, inaccessible à la plupart des gens, même à vous. Mais j'avais su la voir, la déceler en elle parce que je suis un homme secret moi-même et que cela nous poussait l'un vers l'autre. Elle s'est totalement révélée à moi, à la fin. Elle s'est ouverte au sens plein du terme. J'ai été son mentor, son confesseur. Elle a été mon ange, et pour finir, mon supplice.

Pourquoi l'ai-je tuée ? Pour deux raisons. La première, c'est que je devais la protéger contre vous. Vous étiez son mensonge, vous étiez celui qui avait mené Ann aux frontières de la folie. Je savais qu'elle était sous votre influence, et qu'elle avait besoin de moi pour se protéger de vous. Elle m'a supplié de le faire. Vous avez essayé de la posséder, sans y réussir.

Savez-vous ce que c'est que de posséder totalement une femme ? Pendant de nombreuses années, je l'ai ignoré. Il y avait toujours de la distance chez elles, toujours une part d'elles-mêmes à laquelle je n'avais pas accès. Vous n'imaginez pas l'angoisse que j'éprouvais devant le monde secret d'Ann. Quelle tentation c'était pour moi, quel défi ! Il y a toujours entre l'homme et la femme une béance, une différence, une distance. La femme est pour nous l'éternel autre, Raymond. Et comment la passion véritable peut-elle s'accommoder de cela ? Ce que j'exige, c'est tout simplement la dévotion, la soumission et la capitulation totales. Je me suis demandé pendant des années comment cela pouvait être accompli. On ne peut le réaliser avec l'argent. On ne peut le réaliser avec l'amour et l'affection. Les femmes savent exploiter ces faiblesses en nous. On ne peut le réaliser par le sexe, si vigoureux qu'il soit, car pour la femme, il y a son plaisir, son moi, son altérité. Pouvez-vous comprendre mon besoin ? Pouvez-vous le cerner ? Je crois que vous le pouvez, si vous oubliez ce que vous a enseigné une société pusillanime pour ne vous souvenir que de ce que vous êtes.

Robbins leva les yeux vers Raymond qui, assis, fixait sans le voir le soir mourant, au-delà de la fenêtre. Weir lui trouva l'air si seul, si vulnérable ! Robbins reprit la lecture du document.

Oui, je lui ai fait l'amour, cette nuit-là, dans un abri confortable près de la mer. Je lui ai fait l'amour totalement. Je l'ai suppliée avec mon corps de m'accorder une reddition complète. J'ai réclamé de tout mon être son entière dévotion. J'ai aspiré à la posséder.

Et pourtant, elle a résisté.

Pouvez-vous seulement entrevoir ma douleur ?

Vous ne le pouvez pas, parce que vous n'avez jamais connu Ann dans toute sa profondeur. Vous n'avez jamais su quels immenses trésors étaient enfouis en elle. Et dans mon heure la plus sombre, j'ai eu la vision d'une Ann qui était mienne, que je possédais totalement. Si mon amour et ma semence ne pouvaient la convaincre, alors, je savais ce qui me restait à faire.

Vous savez, Raymond Cruz, qu'Ann attendait un enfant. Mon enfant. Elle vous a fait croire que c'était le vôtre, mais je connais la vérité, tout comme elle la connaissait. Et j'admettrai que la raison profonde de ma colère et de ma frustration, c'était ce mensonge qu'elle vous destinait plutôt que de me restituer ce grand don de la vie, celui que je lui avais fait ! Lorsqu'elle m'a dit cette nuit-là qu'elle porterait mon enfant comme s'il était le vôtre, et s'éloignerait de moi pour toujours afin de mettre en œuvre sa piètre comédie... je n'ai pas vu d'autre choix que de devenir son Dieu.

Je l'ai donc aimée purement. Nous avons roulé dans ma voiture, loin du poste de police et de vos pitoyables idées de justice, jusqu'à un endroit où nous étions déjà allés. Et après l'avoir étreinte, j'ai plongé le couteau dans son cœur. J'ai senti la palpitation des muscles à travers la lame et à travers mes doigts, entendu la vibration du métal qui la déchirait. Alors, je l'ai vue enfin sur son visage, cette capitulation, cette dépendance, cette sujétion totale qu'elle n'avait jamais eue. Ne fût-ce que pour un instant ! Cet instant-là, je l'avais attendu toute ma vie. Il justifiait tout ce que j'avais fait. Il la délivrait pour toujours de votre banal tourment, Raymond. Il y avait tant d'amour dans ses yeux, tant de soulagement, tant... de splendeur!

Robbins avait baissé la voix. Weir se sentait le cœur lourd, lourd de la terreur d'Ann. Raymond avait enfoui sa tête entre ses mains. Perokee fixait le parquet. Dennison semblait prier. Robbins poussa un faible soupir, et poursuivit sa lecture.

Et pourtant, mon cœur a soif d'elle, Lt Cruz, soif de ses caresses, de son rire, de sa chair et de son esprit. Je sais qu'il en est de même pour vous, parce que si vous l'avez aimée avec petitesse, si vous l'avez aimée imparfaitement, vous avez touché en l'approchant au cœur de toutes les femmes. Elle vous aimait elle aussi, dans sa confusion et sa faiblesse. Elle est morte comme elle a vécu. Par moi. D'une certaine façon, je lui ai donné ce qu'elle avait toujours désiré.

Je n'attends pas que vous compreniez cette brève explication. Vous n'êtes, après tout, qu'un simple officier de police. Les mots sont des outils si faibles pour expliquer l'amour. Mon désir sincère est que vous sachiez qu'Ann n'est pas morte en vain, mais qu'elle avait le cœur plein de moi. Ann était enfin complète.

Je me débats avec ce qui pèse sur mon propre cœur, avec le besoin de dire au monde ce que j'ai fait. C'est peut-être une chose aussi humble que la culpabilité, ou aussi simple que l'orgueil. Et si je cède un jour, Lt Cruz, c'est à vous que je me rendrai, et seulement à vous. Parce que vraiment, pour nous, il n'y avait qu'Ann. Vraiment, tout ce que nous avons fait, nous l'avons fait pour Ann. Elle est notre lien, même si nous nous sommes disputé son cœur et son âme avec duplicité et fureur.

Avec ma compréhension et ma sympathie,

Mr Night

Un silence lourd d'émotion tomba. Weir avait l'impression d'avoir été happé dans un cyclone furieux et d'être emprisonné dans son œil vertigineux.

— Brian, demanda Robbins, tu trouves qu'on dirait du Horton Goins ?

— J'ai l'impression d'entendre sa voix, fit Dennison. C'est tout à fait lui.

Robbins se tourna vers Raymond.

— Ray ?

— Ce n'est pas lui. Il est trop jeune. Mr Night connaissait Ann et elle le connaissait. Ce n'est pas Goins.

— Jim ? Ton avis ?

— Je suis d'accord avec Raymond. Goins n'a pas pu écrire ça.

— Mike ?

— Brian a raison, c'est Goins, jusque dans sa folie des grandeurs schizophrénique.

Robbins se renversa en arrière, croisa les bras et regarda de nouveau la lettre. Weir lui demanda ce qu'il pensait.

— Je réserve mon opinion, pour l'instant. Nous ferions mieux de nous concentrer sur le texte lui-même. Reprenons, d'accord ? D'abord, fureur et chagrin. Beaucoup de choses le tracassent.

— Il a besoin d'en parler, acquiesça Ray.

— Pas tant que ça, observa Dennison. En fait, il veut brouiller les choses.

— Je donne raison à Raymond, dit Robbins. C'est en partie la raison de sa lettre, le besoin de se confesser. Et l'autre partie ?

— Il cherche à conforter son assurance, dit Weir. Il brandit son trophée, il fanfaronne.

— C'est aussi mon idée, dit Robbins. Et, à propos de trophées, il a dû garder un autre souvenir que la fleur. Il croit qu'il l'aimait. Selon sa définition, c'était peut-être vrai.

— Son sac, dit Raymond. Tous les objets personnels, les odeurs.

— Sa chaussure, ajouta Jim.

Robbins acquiesça.

— Bonne intuition dans les deux cas. Bon, voilà ce que je vois. Bonne éducation, moyenne ou haute bourgeoisie. Il doit avoir un boulot important, peut-être même que ce baratin sur son talent correspond à la réalité. De toute évidence, il a accès à un ordinateur et à une imprimante, et sait s'en servir. Il n'est pas sujet à des visions ou à des hallucinations auditives. Raymond, il faut que je te pose franchement la question, qu'est-ce que c'est que cette histoire de liaison ? Ann avait-elle un amant ?

— Je n'ai jamais rien soupçonné, dit Ray d'un ton calme, jusqu'au moment où j'ai vu les photos d'Ann dans la limousine. Elle a été d'une discrétion totale là-dessus, si c'est vrai.

Si c'est vrai, songea Jim. Raymond a enterré aujourd'hui son épouse fidèle et il la veut fidèle jusqu'au bout.

— S'il la fréquentait vraiment, intervint Dennison. *Si* cette liaison ne se résume pas à une filature, appareil photo en main. Son trophée est peut-être une photo de ce qui s'est passé.

Robbins signifia son désaccord par un hochement de tête négatif.

— Ça nous faciliterait la tâche, pas de doute. Mais pourquoi irait-il inventer une liaison ?

— Pour renforcer son assurance, dit Dennison.

— Pour brouiller les pistes, intervint Perokee. Il a bâti cette liaison de toutes pièces. Il n'y a jamais eu d'idylle. Il l'a suivie, il l'a violée et il l'a tuée. Il *veut croire* à une liaison, c'est pour ça qu'il en parle.

— Possible, dit Robbins. Il a un narcissisme dévorant qui a besoin d'être alimenté. Mais quatre pages sur une femme qu'il aurait soi-disant aimée et soi-disant tuée ? Il s'agit de *ses* sentiments, de *ses* besoins, de *sa* folie. Il est plein de morgue. Quand ces mecs-là écrivent, il y a toujours du persiflage, aussi. Il nous défie, il nous nargue. Il ne faut pas oublier qu'il s'adresse à un flic.

Le silence rôda de nouveau dans la pièce. Ce fut Raymond qui reprit la parole.

— Goins se montrerait plus décousu.

— Ce n'est pas sûr, dit Robbins. J'ai encore relu son dossier hier. Ce type est insaisissable. Il est inculpé de viol et tentative de meurtre à l'âge de quinze ans, et deux ans plus tard, le voilà déjà en train d'enseigner la photographie aux malades de l'hôpital où il est interné. Il suit des cours par correspondance dans toutes les matières possibles et imaginables : astronomie, généalogie... bordel de merde ! Ses sujets favoris, ce sont les religieuses qui viennent en visite. Il fait leur portrait et le leur donne. Son seul contact avec les femmes, probablement. C'est peut-être comme ça qu'il a attrapé ce penchant mystique, lui, Dieu, et Ann, un ange. Lorsqu'ils l'ont interné, on venait de lui faire subir un test de QI et il avait obtenu quatre-vingt-six. On lui en a fait faire un autre à l'hosto, quatre ans plus tard, et il a obtenu cent trente-neuf. Goins est loin d'être bête. Je crois qu'il aurait pu écrire ça, mais ce n'est qu'une supposition, au stade où nous en sommes.

Dennison décocha un regard satisfait à Weir et à Raymond.

— Mais enfin, s'il était son amant, pourquoi la violer ?

— Il ne l'a pas violée, répondit Weir. (Certaines circonstances des brutalités subies par Ann le tracassaient depuis plusieurs jours. Dans ce nouveau contexte, l'hypothèse qu'il avait rejetée comme improbable prenait soudain un sens, sournois et cynique.) Nous avons supposé qu'il s'agissait d'un viol, mais elle était consentante. Yee a constaté des ecchymoses sur le pubis, mais il a dit qu'elles avaient été faites peu avant la mort, peut-être même après. Il l'a battue *après* l'amour, pour nous induire en erreur, pour donner à son acte une dimension qu'il n'avait pas.

— Stupide ! fit Dennison.

— Je suis parvenu à la même conclusion que Jim, dit Robbins d'un ton brusque. D'après le troisième paragraphe. Appelez ça comme vous voulez, Brian. Je ne crois pas qu'elle ait été violée.

— Et pourquoi l'a-t-il tuée, puisqu'il en était si amoureux, d'après vous ? demanda le chef en se levant.

Raymond prit la parole, achevant sa phrase presque dans un murmure :

— Annie s'est retrouvée embarquée dans une histoire dont elle n'est plus arrivée à se dépêtrer. Peut-être qu'elle a essayé de se libérer et que c'est ce qui l'a mis en rogne. Il ne parle que de ça... il n'arrête pas de répéter qu'il n'arrive jamais à... la *posséder*.

— Les roses, dit Weir. Il lui a envoyé les roses parce qu'il sentait qu'elle allait le plaquer. Il s'est mis sur son trente et un, costume, épingle à cravate en diamant. Ann a fait pareil. Elle lui a fait l'amour une dernière fois et lui a demandé s'il voulait bien l'emmener dans la baie pour une promenade au clair de lune. Elle avait l'intention de mettre franchement les choses sur le tapis. Les empreintes de pas ne trahissaient ni précipitation, ni lutte. Ils ont marché enlacés ; Ann réfléchissait à ce qu'elle allait dire, à la façon dont elle allait rompre ; elle ne voulait pas lui faire de mal ou le mettre en boule. Peut-être qu'ils en avaient déjà parlé, dans les grandes lignes, et que c'était censé être une longue soirée d'adieu. En tout cas, il savait à quoi s'attendre. Il était prêt.

— Mais pourquoi voulait-elle le plaquer ? demanda Dennison. *A supposer* qu'il y ait eu une liaison ?

— Simple ! répondit Weir. Elle avait découvert qu'elle était enceinte. L'enfant n'était pas de lui.

Une question informulée hanta la pièce. Personne ne semblait vouloir lui donner corps. Après un nouveau silence oppressant, Raymond se décida :

— C'était notre enfant. Ça, je le sais. On avait choisi des prénoms, prévu une fête, et tout...

— Comment Ann aurait-elle pu savoir ? interrogea Robbins. Avec certitude ?

Raymond réfléchit.

— Peut-être qu'elle n'a fait l'amour avec lui qu'en avril. C'est le 27 avril qu'elle a vu un médecin. La conception a donc eu lieu fin mars.

— Ça pourrait coller, dit Robbins. (Mais Weir décela une fausse note dans sa voix ; la dissimulation ne lui ressemblait guère.) Ça collerait aussi s'ils étaient amants depuis plus longtemps. Il était toujours dans le feu de la passion. Mais à peine avaient-ils consommé, qu'elle a voulu le plaquer. Il croyait l'aimer ; il a pensé qu'il n'était qu'une passade pour elle. Ça peut être un parfait déclencheur pour un type instable comme celui-là.

Dennison se mit à faire les cent pas.

— Un ramassis de conneries ! Si vous gobez ne serait-ce que la moitié de ce qu'il y a dans cette lettre, vous êtes de vrais gogos, les mecs. Ce type est *dingue*. Ça entre en ligne de compte, oui ou non ?

— Et comment ! fit Perokee.

— Je sais que ça contrarie vos hypothèses, observa Robbins. (Il se tourna vers Ray.) Juste pour pousser la supposition, mettons que l'enfant était de lui. Qu'aurait-elle fait, si elle l'avait su ?

Raymond se leva et regarda longuement par la fenêtre. Le soir était tombé. Les feux de circulation rampaient, en contrebas, sur le boulevard. Ray prit la parole à voix basse.

— Ann désirait passionnément avoir un enfant. Si un autre que moi l'avait mise enceinte, je crois... Je crois qu'elle aurait gardé l'enfant et m'aurait dit qu'il était de moi. Du moins, je crois... Peut-être que je cherche à me persuader qu'elle m'aimait plus que ce n'était le cas en réalité.

Il vint se rasseoir et regarda Robbins.

— Et à *lui*, que lui aurait-elle dit ?

— Elle se serait bien gardée de me faire ce genre

de confidences, dit Ray. Et puis, à quoi bon spéculer ? Et l'analyse du fœtus d'Ann ?

Weir regarda Robbins, dont le visage avait sensiblement pâli. Le médecin légiste croisa les bras, hocha lentement la tête.

— Nous avons réalisé les tests génétiques sur le sang qu'ils t'ont prélevé à l'hôpital et nous avons eu confirmation ce matin. Ray, l'enfant n'était pas de toi.

Jim regarda Raymond gagner de nouveau la fenêtre. Il semblait s'être recroquevillé dans son costume de deuil. Il se détourna pour regarder Jim, puis les autres, tour à tour. Il était livide.

— C'est chouette de l'apprendre. (Il s'avança vers sa chaise, décocha un coup de pied qui l'envoya valser contre le mur du fond.) Tu n'aurais pas pu me dire ça en face tout de suite ?

— Comment mesurer la portée de l'information, au point où nous en étions ? Et comment t'apprendre la nouvelle en douceur ? J'aurais préféré ne pas avoir à t'annoncer ça.

Raymond s'était rapproché de sa chaise renversée. Il l'empoigna, la redressa et s'effondra dessus, les bras croisés, le regard perdu. Puis il se ressaisit et se composa un visage.

— Le fait qu'il mentionne l'enfant signifie qu'elle lui avait dit qu'elle était enceinte, reprit-il doucement. Ann... ne devait pas savoir qui était le père, du moins pas avec certitude. Elle a dû supposer, *espérer* qu'il était de moi. Peut-être que je me flatte. Peut-être que ça lui était égal et qu'elle avait l'intention de faire de moi le père de ce gosse, même si je ne l'étais pas en réalité. Mais ça expliquerait pourquoi elle aurait cherché à rompre avec lui de manière... familiale, disons.

— Je suis d'accord avec ça, dit calmement Robbins.

Dennison parut prêt à parler mais ne pipa mot. Le silence s'abattit de nouveau sur la pièce. Weir regarda les feux de circulation en contrebas, examina les formes sombres des immeubles par la fenêtre. Puis la porte s'ouvrit et un coursier de l'Identité entra, apportant les jeux d'empreintes. Robbins compara celles de Raymond avec celles qui étaient apparues sur la lettre de Mr Night. Elles étaient identiques.

— Il nous reste deux possibilités, dit Robbins. Un, que notre homme se soit servi de sa salive pour coller l'enveloppe ou le timbre. Deux, qu'on récupère quelque chose *sous* le timbre. Il faudra un jour ou deux pour avoir les résultats sérologiques. On peut s'occuper du timbre séance tenante. Faites votre prière.

Weir regarda opérer Robbins, qui décolla le timbre à la vapeur : le petit rectangle de papier se recourba sur les bords, cédant peu à peu. Jim pensa qu'ils ne trouveraient sûrement pas la clef de l'affaire sous un malheureux timbre-poste. Raymond regardait toujours par la fenêtre, il le rejoignit et contempla lui aussi le spectacle. Une ville laide, par une nuit laide.

Il était conscient des mouvements de Robbins, saisissant l'enveloppe avec sa pince pour la replacer sur la table lumineuse. Dennison et Perokee se penchèrent, mains dans le dos. Soudain, ils parurent se figer. Robbins se tourna vers Jim et Ray.

— Il a laissé un cheveu sous le timbre, lâcha-t-il. Brun foncé.

Dix minutes plus tard, il avait effectué la comparaison avec l'échantillon que les flics avaient prélevé sur une brosse dans la salle de bains de Goins, chez ses parents, et celui qu'ils avaient récupéré sur un T-shirt au *El Mar*. Aucune correspondance. Robbins fit alors la comparaison avec le cheveu prélevé sur le chemisier d'Ann.

— Même bonhomme, énonça-t-il finalement. Je peux le relier avec Ann, je peux le relier avec la lettre. Tueur en liberté. Identité inconnue. Il me faut un type en chair et en os, messieurs.

Dennison resta songeur. Il adressa un regard à Perokee, qui parut y lire un signal.

— Goins a un QI de cent trente-neuf. Il est assez intelligent pour glisser le cheveu d'un autre type sous un timbre. C'est trop facile ! C'est trop gros ! Pour moi, c'est un coup monté...

— Perroquet, fit Jim, vous réussissez une imitation passable de Brian. Vous réussissez une imitation passable d'un type qui sait de quoi il cause. Mais au fond du fond, vous êtes con comme une bite et vous feriez mieux de vous cantonner à la rédaction de vos communiqués de presse.

Il était presque 20 heures lorsqu'ils quittèrent le labo de la Criminelle. Sur les marches humides de l'entrée, Dennison s'immobilisa et saisit Jim par le bras, l'entraîna à l'écart de Raymond et d'un Mike Perokee soudain dompté.

— J'ai une proposition pour toi, Jim. Je veux te remettre à ta vraie place : sur l'affaire. Tu serais sergent, salaire à l'échelon cinq. Responsable des enquêtes criminelles. Et tu pourrais te concentrer sur le meurtre d'Ann. Ça t'intéresse ?

— Non !

— Tu consens à dire pourquoi ?

— J'ai abandonné cette existence il y a cinq ans, dit Weir. Parce que ça ne me convient pas de pourchasser des gens pour les foutre en taule. Et puis vous voulez que je vous dise, Brian ? Certains de vos gars sont des enfoirés de connards.

Dennison le dévisagca d'un air soupçonneux pendant tout le temps qu'il lui raconta l'épisode nocturne des cisailles. Ainsi que sa rencontre « houleuse » avec la fine fleur de son département. Jim constata, tout en parlant, que le chef avait maigri, que son veston flottait sur ses épaules et que son pantalon avait tendance à descendre. Les lumières de la rue lui donnaient le teint cireux.

Il écouta attentivement, puis, à la surprise de Jim,

lui fit bel et bien des excuses. Il tira un tube de sa poche, prit une poignée de granulés contre les maux d'estomac, et la fourra dans sa bouche.

— Jim, bordel de merde !... J'en connais qui vont se faire assaisonner demain matin. Fais-moi confiance.

— Vous pourrez leur dire qu'au train où vont les choses, quelqu'un va se faire descendre, un de ces jours.

Il était clair que Brian Dennison était déjà dépassé par les événements. Sa campagne piétinait, son suspect courait toujours, et il n'était même pas foutu de tenir ses hommes.

— Tu vois bien que tu me serais utile, insista le chef. Tu as quitté le shérif en pleine ascension. Tu étais un bon. J'ai posé des questions ici et là. Tout le monde te trouvait bon. Je te donne une occasion d'exprimer tes talents.

— J'ai un nouveau métier et j'entends en tirer parti.

— La chasse au trésor ? fit Dennison. (Sa voix avait pris un accent presque suppliant.) Ou le boulot pour Becky Flynn ?

— Elle m'a demandé d'effectuer quelques recherches.

— Et tu as accepté ?

— Elle a des hypothèses intéressantes.

— Prête à les partager avec la police ?

— Pas pour l'instant. Elle donne une conférence de presse demain. Ça va sûrement faire le bonheur des médias.

Sur le parking, les vitres des bagnoles étaient embuées et, sous l'éclairage des lampadaires, les pare-brise devenus opaques évoquaient des miroirs crasseux.

— Tu pourrais vraiment m'être utile, Jim.

Le regard de Weir croisa de nouveau le regard anxieux de Dennison.

— Ce que vous voulez, c'est m'éjecter de l'enquête,

Brian. Vous voyez les choses d'une façon, et moi d'une autre. Si je travaillais pour vous je serais payé pour épouser vos vues. C'est non. Mais merci quand même.

— J'espère que le fait de changer de bord ne va pas te délier la langue à propos de notre petit arrangement.

— Sûrement pas. Mais vous avez constaté que Becky est au courant, tout comme vos hommes et une bonne moitié des gens de la mairie. Si les médias commencent à faire du raffut à propos de Ruff et d'une bagnole de flic, ne venez pas vous en prendre à moi.

— Non.

— Vous vous acharnez sur Goins. Un peu trop. Et vous le savez, d'ailleurs. Je vais finir par penser que vos types de la police des polices ont levé un vilain lièvre. Quelque chose à propos des vingt minutes que Kearns a passées loin de sa bagnole la nuit du meurtre, par exemple.

Dennison marqua un temps d'arrêt.

— La police des polices y va avec précaution, comme elle le doit. Mais je ne suis pas fana de la piste Goins. Il y a des trucs qui ne collent pas.

— J'ai remarqué.

— Je viens de me faire proprement rétamer.

— Ne dites pas ça à George Percy.

— Robbins le fera. Ecoute, Weir, ce ne sont pas deux malheureux cheveux qui vont blanchir Horton Goins. Ce mec est un dangereux fils de pute et tu le sais. Tu peux aller admirer dans mon dossier les clichés de ce qu'il a fait dans l'Ohio, si tu as besoin de te mettre les idées au clair sur le bonhomme. Un des seins de la gosse ne tenait plus que par un lambeau de peau. Il l'a violée selon la bonne vieille méthode et puis il a essayé de remettre ça avec son poing. Ça a provoqué le même genre d'ecchymoses que celles qu'on a constatées sur Ann, entre parenthèses. Un brave petit, hein ? Digne de confiance ! Innocent ! Un individu qui vous réchauffe le cœur...

— Attendons, Brian. Je parie que vous changerez d'avis sur un tas de choses après le 5 juin.

Dennison joua des sourcils.

— Tu ne devrais pas attacher trop d'importance à ça. C'est vrai, j'utilise cette affaire pour avoir une bonne couverture médiatique. Et Becky a trouvé le moyen d'en faire autant. Ta mère et elle vont faire un foin de tous les diables à propos de la pollution de la baie, et essayer de persuader les gens que s'ils ne votent pas pour la liste Flynn, ils ne feront pas mieux que les enfoirés qui ont déversé cette saloperie. C'est la politique politicienne, Jim. Dans un an, on aura tous repris notre petite vie, et plus personne ne se souviendra de ça.

— Je me fiche de la politique, dit Jim.

— C'est peut-être un tort.

Weir s'immobilisa, saisit Dennison par le bras et le fit pivoter face à lui.

— Tu sais ce que je pense ? Je pense que la politique, c'est un grand cirque bourré de connards qui ne s'occupent que de leurs fesses. Je pense que Newport a ce qu'elle mérite. Toi et tes amis promoteurs, vous pouvez l'emporter, si c'est ça que les élections décident. Tirez au sort le moindre centimètre carré et bradez-le. M'man et Becky peuvent conserver tout le fourbi dans du formol, si elles remportent cette élection. Mais Ann n'avait rien à voir avec la politique, ou alors, vous savez tous quelque chose que j'ignore. Quelqu'un l'a assassinée, et tout ce que vous cherchez, c'est à coller ça dans votre programme électoral. Je suis écœuré par toutes ces conneries, Brian ! Ecœuré par la façon dont vous vous servez de Goins, par la façon dont vous montez en épingle une moitié des indices et minimisez l'autre, par la façon dont vous montrez les dents, Becky et toi, comme deux chiens qui se disputent un os pourri. Est-ce qu'il y a quelqu'un qui s'occupe de la *vérité* ici ? Pour moi, ce qui compte, c'est d'alpaguer ce mec et de le coller au trou.

— Alors accepte de bosser avec moi. Ann serait à toi.

— Elle est déjà à moi.

Dennison s'immobilisa près de sa voiture, fourra ses poings dans ses poches et regarda Weir. Il réprima un frisson et rentra les épaules pour se protéger du froid.

— Virginia et Becky ont l'intention de porter des accusations à propos de ce déversement, hein ?

— Bon sang, Brian, qu'est-ce que je te disais ?

— Rends-moi un service, tu veux ?

— Non ! Non, Brian, je ne te rendrai pas de service. Ni à toi ni à qui que ce soit d'autre, bordel !

— Si Virginia sait qui a déversé cette saloperie, tu me le diras ? Dis-moi seulement si elle le sait. Elle a une petite idée, pas vrai ? Elles vont faire une déclaration, c'est ça ? Tout ce que je te demande, c'est de partager quelques informations.

Jim demeura un instant silencieux. Pas moyen de passer au travers, songea-t-il. Pas moyen de modifier la direction de deux bulldozers tels que Brian Dennison et Virginia Weir.

— Tu sais ce que c'est, ton problème, Weir ? Tu as la trouille de prendre tes responsabilités, de choisir un camp. Reste planté au milieu de la route, Jim, et tu te feras écrabouiller des deux côtés.

— J'suis pas sur votre route, Brian.

— Les seuls qui s'en tirent, ce sont les ivrognes et les enfants, dit le chef avec un sourire défait. La vie est plutôt dégueulasse, parfois.

Il monta dans sa voiture et abaissa la vitre embuée. Il tourna la clef de contact, mais le moteur toussota, refusant de partir.

— Je sais. Et je sais aussi que tu devrais remettre Ray au boulot. Il ne devrait pas être mêlé à l'enquête sur Annie. Ça lui fait pas du bien. Remets-le sur le terrain, là où est sa place.

La bagnole de Dennison se décida à démarrer.

— J'ai un cran d'avance sur toi. Ray est de service demain matin. (Il amena la Jaguar à la hauteur de Jim, faisant ronfler le moteur.) Je te communiquerai tout ce que j'apprends sur Ann si tu partages les informations de Becky et Virginia avec moi. Ça pourrait servir nos intérêts à tous les deux.

Weir hocha la tête.

— Tu sais quel est *ton* problème à toi, Brian ? Tu es un amateur.

Dennison eut un sourire mi-figue, mi-raisin.

— C'est ce qu'on verra.

Lorsque Jim monta dans la camionnette, Raymond l'y attendait déjà, le regard rivé sur le pare-brise embué.

— Ça va. C'est peut-être mieux si je cesse de croire que j'ai mis un ange en terre, aujourd'hui. C'est peut-être mieux si elle n'était pas enceinte de moi, s'il lui arrivait de déconner, comme tout le monde.

Weir resta un moment silencieux, puis finit par dire :

— Ce n'est peut-être pas grand-chose, mais le dernier soir, au *Whale*, son regard brillait lorsqu'elle parlait de toi. Elle voulait te téléphoner tout de suite pour t'annoncer que j'étais revenu. C'était d'abord à toi qu'elle pensait. Je crois qu'elle est morte en t'aimant, Ray, quoi qu'il ait pu se passer à la fin.

Raymond hocha la tête.

— Oui. Oui, merci.

Lorsqu'ils arrivèrent dans la péninsule, l'air ne fut plus que puanteur. Une équipe de patrouille de Newport Beach prit place derrière eux et les suivit. Raymond se redressa, se tourna vers Jim, puis regarda par la vitre. Il se mit à pianoter sur l'accoudoir.

— Qu'est-ce qu'il y a ? demanda Jim.

— Je veux plonger au fond de l'eau, bien au fond. Maintenant.

— On ne voit pas grand-chose la nuit, Ray.

— Je ne veux pas voir. Je ne veux plus rien voir.
Jim continua de rouler.
— D'accord, fit-il au bout d'un moment.

Ils prirent un des bateaux au *Poon's Locker* et naviguèrent jusqu'à Laguna. Weir entrevoyait à peine les lumières des maisons dans le brouillard. Ils jetèrent l'ancre au large de Moss Point et s'équipèrent. Jim vérifia le contenu de son sac de plongée et l'état du matériel. Ça pouvait aller. Les plongées nocturnes étaient toujours un peu étranges, et Ray n'en avait pas l'habitude.

— Ne t'éloigne surtout pas de moi, en bas, recommanda Jim.

— Il y a combien de profondeur, par ici ?

— Dans les vingt mètres. La faille des vingt-cinq mètres est à environ cinquante mètres d'ici, mais on ne va pas descendre là-bas. Reste au-dessus des vingt mètres.

Ils mirent leurs masques, levèrent le pouce et plongèrent. L'eau noire engloutit Jim. Le froid était paralysant. Il vous dessoûlait et faisait le net dans votre esprit. Jim savait ce que cherchait Ray. Son régulateur avait un débit régulier ; il descendit à cinq mètres, leva les yeux et regarda Ray descendre dans son sillage de bulles.

Weir trouva le filin de l'ancre pour se guider, alluma sa torche et entraîna Raymond dans sa descente. A douze mètres, la visibilité était pratiquement nulle. Il ne voyait que le faisceau de la torche sur le filin et l'ascension des bulles luminescentes. Raymond était à trois mètres au-dessus de lui. La pression augmenta.

Tandis qu'il descendait lentement, il éprouva cette étrange sensation d'irréalité qui s'emparait toujours de lui lorsqu'il était en plongée, ce remplacement de l'ordre familier par un ordre inconnu. En bas, c'était un autre monde, régi par d'autres lois et d'autres principes. En bas, on était dépouillé de tout privilège.

Raymond le rejoignit au niveau de l'ancre. La jauge de profondeur de Jim indiquait vingt et un mètres. Il savait où était la faille, mais Ray n'était pas en état pour ça. Pas ce soir. Peut-être jamais.

Ils échangèrent un nouveau signe de pouce. A travers le hublot, Jim voyait les yeux de Raymond, écarquillés et un peu effrayés. Ray luttait pour rester en bas. Comme beaucoup de gens, il laissait un peu trop d'air dans son gilet, comme si ce petit surplus allait lui donner un avantage pour remonter un peu plus de vingt mètres d'eau. Jim tendit le bras et appuya sur le bouton de dégonflage du compensateur de Ray. Raymond vint près de lui. Jim lui désigna les rochers, et il acquiesça.

La nuit, songea Weir, c'est le jour pour la plupart des créatures de la mer. Elles se nourrissent, voyagent et s'accouplent pendant la nuit ; les coraux et les anémones s'ouvrent ; un affleurement de roche qui paraîtrait abandonné le jour luira, fleurira et grouillera de vie dans les ténèbres. Il dériva au-dessus des rochers, le regard braqué sur le faisceau de sa torche. Il distingua un garibaldi orangé qui le lorgnait à l'abri d'une pierre brune arrondie, un flétan qui ondula sur le sable, les antennes d'un homard dans une faille profonde entre deux roches. Les herbes marines ondulaient de gauche à droite dans le courant. Deux maquereaux traversèrent son champ de vision. Jim regarda derrière lui : Ray était à dix mètres. C'est bon, pensa-t-il, ça va aller pour lui. Le tentacule d'une grosse pieuvre oscillait derrière un rocher. Jim nagea jusqu'à elle et capta l'animal dans le faisceau de sa torche. La pieuvre s'était en partie dissimulée sous la roche, mais n'avait pu y pénétrer tout entière. Trois tentacules ondoyaient comme des mèches de fouet au ralenti.

Jim sentait le courant le bercer. Il avait appris à se laisser porter, car alors, tout devenait facile et naturel, comme si une harmonie s'établissait entre les courants environnants et vos propres courants intérieurs. C'était lorsqu'on leur résistait qu'on s'attirait des ennuis et qu'on subissait leur puissance irrésistible. Voilà ce que Raymond devrait faire avec la vie, pensa-t-il. Se laisser porter un peu. Ne pas combattre à chaque pas.

Il vérifia son débit d'air, consulta sa jauge de profondeur et sa montre. Pile dix minutes au fond. Il se sentait bien. Quand il se retourna pour voir comment Ray s'en tirait, celui-ci avait disparu.

Il fit du sur place, laissant courir le faisceau de sa torche à travers les profondeurs surpeuplées. Il revint en arrière, effectuant des balayages devant lui. Le faisceau de lumière formait une sorte de corde blanche sur quelques mètres, puis s'effilochait dans les ténèbres. Il trouva le filin de l'ancre, mais pas Ray. Il remonta en surface, nagea jusqu'à la baleinière qui avait pivoté avec la houle. La lanterne brûlait à tribord, mais Ray n'était pas visible. Jim comprit en un éclair qu'il était allé à la faille.

Il redescendit le long de la corde et nagea vers l'ouest. La faille formait un précipice d'une trentaine de mètres, presque à pic. Une fois arrivé à l'aplomb de l'étroite vallée, il se laissa flotter au-dessus. Lorsque le courant était bon, on éprouvait toujours un léger vertige, la crainte de couler à pic pendant trente mètres. Mais ça n'arrivait pas. On restait suspendu, à regarder les fonds. On avait l'impression de voler.

Il repéra la silhouette de Raymond, en train de descendre. Sa jauge de profondeur indiquait vingt-quatre mètres. Son réservoir avait un peu plus de trois cents kg/cm^2 de pression. Ray allait se servir de son détendeur et aspirer à grands coups. Jim sentit la colère le gagner. Un plongeur ne laissait pas son partenaire en plan pour faire cavalier seul, pas la nuit. Pour sa propre sauvegarde. Et si le régulateur s'obstruait ? Si le hublot s'éjectait ? Si le tuyau souple s'accrochait à un rocher ? Si une crampe saisissait le plongeur ? Si on se perdait, tout simplement ?

Jim couvrit la distance avec des battements de jambes réguliers et puissants. La pression pesait sur ses côtes douloureuses. Par trente mètres de fond, Ray était encore à dix mètres de lui. Jim éprouva les premiers symptômes provoqués par l'accumulation d'azote dans le sang, à cause de la surcompression. Une sensation de légèreté. Certains appelaient ça l'ivresse des profondeurs. Ça vous amenait à vous laisser aller, à prendre des risques, à vous amuser, attitude dangereuse en profondeur. C'était un danger, et un bon plongeur ne l'oubliait jamais.

Jim rattrapa Raymond à cinquante mètres, le saisit par une palme et le remonta. Ray virevolta paresseusement, sourit, lui fit un signe du pouce. Jim secoua la tête. Menteur. On n'est pas bien par cinquante mètres de fond. Fou que tu es ! C'est trop profond, trop froid, trop sombre, et trop loin du bateau. Maintenant, on va être obligés de décompresser à la remontée, cinq paliers, trois minutes à chaque fois, à partir de trente mètres. Quinze minutes supplémentaires de froid, de gaspillage d'énergie et d'air. Jim leva le pouce en direction de la surface, deux fois. Ray acquiesça, partit vers le haut, puis fit une pirouette de dauphin et redescendit. Weir le happa par la cheville. Puis il le saisit par son gilet de la main droite, et le secoua. Ray souriait encore, saoulé par l'azote, et voulant se saouler davantage. Jim le prit par le menton et le força à le regarder. Il ne souriait plus, maintenant, mais le regardait d'un air tout chose, qui effraya Weir. C'était une expression de défaite. Ray s'en allait vers la reddition ultime.

Jim l'aida à remonter à trente mètres, puis chronométra la pause de décompression. Ray flottait, fixant la faille au-dessous de lui, comme s'il avait laissé quelque chose de précieux en bas.

A vingt et un mètres, ils se servirent du filin de l'ancre pour se maintenir. Lorsque Jim jeta son masque et ses palmes dans le *Whaler* et escalada le tribord arrière, il était frigorifié et grelottant. Il prit l'équipement de Ray, et l'aida à grimper. Il avait déjà lancé le moteur et remontait l'ancre au moment où Ray se débarrassa de son lest.

Ray posa sa ceinture, perdit l'équilibre sous le mouvement de la houle, et se laissa tomber sur le banc.

— T'en as déjà marre ? fit-il.

— C'était une belle connerie ! Tu es censé rester près de moi. Si tu veux déconner avec la vie, déconne avec la tienne.

Il regretta ces mots aussitôt qu'il les eut prononcés. Ce qu'il n'avait pas compris, c'était l'étendue du désespoir de Raymond, un désespoir qui le poussait à désirer en finir. Il était furieux contre lui-même. Etait-ce Raymond qui l'avait laissé tomber, ou le contraire ?

— Je n'ai pas voulu dire ça, fit-il.

— Tu as raison.

— Tu m'as foutu la trouille.

— Je me suis fait peur à moi aussi. Plus j'allais profond, plus j'avais envie de continuer comme ça. Pendant un moment, ça a été comme si je ne souffrais plus et que tout allait bien. On aurait dit un grand lessivage.

Jim mit les gaz et prit au nord, vers Newport. Le *Whaler* bondissait en avant et les lumières défilaient à toute vitesse.

— J'ai pigé un truc, dit Raymond. Je sais où Ann aurait gardé son journal. Ça m'est venu à trente-cinq mètres de fond. Aussi nettement qu'une vision.

Jim leva les yeux vers lui et attendit.

— Arrête-toi au *Sweetheart Deal* en revenant. C'est là qu'on le trouvera. C'est là qu'on trouvera qui était... qui était son amant.

24

Jim voyait la silhouette du *Sweetheart Deal* à une vingtaine de mètres devant eux. Il paressait sur ses amarres, son mât coiffé d'un nid de mouettes dressé vers le ciel, tel un crucifix avec sa couronne d'épines. Pas étonnant si les flics avaient négligé de le perquisitionner. Il avait l'air tout juste bon à servir de cage à un animal sauvage ou à finir en bois de chauffage. Balboa Island s'étendait au bout du rivage; puis c'était le continent et Coast Highway ; de l'autre côté, la façade de verre de la PacifiCo Tower rivalisait avec une colline proche. La lune, à l'aplomb, faisait comme un point sur un i.

Raymond était assis en face de Jim dans le canot pneumatique. Son visage pâle se détachait contre le ciel nocturne. Il était resté muet pendant le trajet de retour. Maintenant, les mots se bousculaient sur ses lèvres, incontrôlables.

— Je m'y attendais, dit-il. Je l'ai senti dès qu'on a déniché cette télécommande pour l'ouverture du garage. Je crois qu'au fond de moi, je savais que je ne lui suffisais pas. Quelquefois, ça me paraissait normal, c'était comme si elle... méritait mieux. Je lui pardonnais par avance. Tu sais, quand je rentrais du boulot, Annie me faisait parfois des surprises. Une nuit, il n'y a pas longtemps de ça, elle n'est pas venue m'ouvrir, comme d'habitude. Je suis allé dans la chambre et je l'ai trouvée allongée sur le lit, avec rien sur elle à part un peignoir transparent même pas fermé, un porte-jarretelles et un truc en dentelle. Elle était très maquillée, avec du rouge à lèvres, et elle s'était fait un chignon, comme j'aime. Il y avait une bouteille de vin blanc presque vide sur la table de nuit, et elle tenait le verre calé entre ses jambes.

Elle s'était fait les ongles en rouge, comme la bouche. Elle n'a rien dit — elle m'a juste attiré contre elle. C'était dans des moments comme ça que je la désirais le plus et pourtant, ça foirait. Je la voulais parce qu'elle me voulait, mais il y avait un court-circuit quelque part, et tout ça se transformait en peur. Mr Night n'a pas eu ce genre de problème.

» Cette nuit-là, j'ai réfléchi sur moi-même. Annie avait fini la bouteille, elle avait dégueulé et s'était endormie comme une masse. Pendant un moment, ça a été comme si je me regardais de l'extérieur, et ce que j'ai vu, c'est un type bien. Un bon flic. Un mec qui avait épousé sa petite amie de lycée et qui travaillait dur pour qu'elle vive à l'aise. Un mec qui faisait son droit. Un mec qui picolait pas tellement, et qui fumait pas tellement non plus. Et tu sais ce que je me suis demandé ? Je me suis demandé si ça n'aurait pas mieux marché — pour tous les deux — si je n'avais pas été un enfoiré de boy-scout.

Jim continua à manier les rames sans rien dire.

— Tu veux que je te dise ? Depuis que j'ai vu Annie là-bas, à Back Bay, j'ai cette sensation... l'idée que lorsque j'aurai descendu le type qui a fait ça, je serai... complet. Que je serai digne d'elle. Que toutes les fois où je n'ai pas pu lui donner ce qu'elle aurait voulu n'auront plus aucune importance. Que quand je le tuerai, je tuerai ce qui a échoué en moi. Que d'une certaine manière, elle a eu cette fin pour que je puisse devenir l'homme qu'elle a toujours voulu que je sois. C'est con, hein ?

— Ouais !

— Je dois te dire autre chose. Dès que j'ai lu cette lettre à propos d'Annie et lui, il y a eu comme une voix dans ma tête. Une voix qui dit qu'Annie a eu ce qu'elle méritait. Je me dégoûte de penser ça, mais je ne peux pas m'en empêcher.

— Il y a des pensées qui n'en valent pas la peine, dit Jim. Des pensées dont il n'y a rien à tirer.

Le clair de lune et les ténèbres taillaient à la serpe le visage de Raymond.

— Est-ce que tu es avec moi sur ce coup ? Si tu ne marches pas, ça m'aiderait de le savoir tout de suite.

Weir se demanda si Francisco Cruz avait posé la même question à ses hommes, ces hommes qui avaient fini par le livrer aux balles de Joaquim La Perla. Pendant un certain temps, en tout cas, la réponse avait dû être oui.

— Je suis avec toi, Ray.

— Parce que tu veux le tuer ?

— Parce que je ne veux pas qu'il te tue.

— Quand on aura franchi le point de non-retour, j'espère que tu ne perdras pas les pédales.

— Je l'espère, moi aussi, Ray.

Jim se hissa sur le *Sweetheart Deal* et lança le filin. Raymond grimpa, révélant avec sa torche les taches de rouille sur la coque. Jim prit la lanterne et le suivit, convaincu malgré lui par les arguments de Ray à propos du bateau : Ann s'était opposée à sa vente après la mort de Poon ; elle l'avait nettoyé une fois par an pour déjouer les rappels à l'ordre de la municipalité pour abandon d'épave ; elle s'était cramponnée à ce vestige en décomposition comme s'il était un lien direct avec Poon lui-même. Et en un sens, pensa Jim, c'était le cas. En pensée, il la vit stabiliser son canot contre la coque du *Sweetheart Deal*, atteindre le pont rugueux avec ses mains, en pensant que ce vieux navire flottait sur l'océan qui avait accueilli les cendres de Poon, et en se considérant peut-être elle-même comme une sorte de lien entre le monde sous-marin de Poon et celui dont elle était encore la citoyenne. Ann, la fille de Poon. Ann la libertaire, la secrète, la déloyale, comme lui.

Jim s'avisa qu'il n'avait pas posé les pieds sur le bateau depuis la mort de son père, il y avait dix ans de ça. Le pont ployait sous son pas. On sentait l'odeur de moisi et de la fiente des oiseaux qui s'amassait derrière le mât, à cause des vents dominants. Guidés par le faisceau de la torche, ils franchirent une porte grinçante à laquelle pendait un cadenas trop rouillé pour remplir encore son office, et pénétrèrent dans la cabine. Toujours secoué de frissons, Jim alluma la lanterne. Les manchons s'embrasèrent et la lumière lui révéla un spectacle auquel il ne s'attendait pas.

Le parquet de teck, refait à neuf, était propre et luisant. Les murs étaient fraîchement repeints de blanc, et des rideaux à ramages de couleurs vives masquaient les hublots. La table pliante était abaissée, et recouverte d'une nappe à carreaux roses et blancs. Un fauteuil de metteur en scène était poussé dessous. Une odeur ténue de fleurs sèches flottait dans l'air, diffusée par les innombrables sachets de pots-pourris suspendus dans les moindres recoins. Une rose pourpre était fichée dans un soliflore, elle était en soie. Le vase était flanqué de deux petits bougeoirs de verre munis de bougies à demi consumées. La couchette était faite avec soin, recouverte d'un couvre-lit qui rappelait le fond bleu des rideaux, avec un ou deux coussins rebondis et une couverture tricotée, repliée au pied du lit. Une demi-douzaine de peluches s'alignaient contre les coussins : des chiens aux oreilles tombantes, un lapin, un koala, un énorme Mickey.

— Je croyais... je croyais qu'elle avait jeté tout ça, dit Raymond. Ça date... d'il y a des années.

— Je me souviens de ce chien. Elle l'avait quand elle était gosse.

— Il n'y avait pas des rideaux comme ça, dans sa chambre ?

— Si. Et c'est m'man qui a tricoté cette couverture.

— Les coussins aussi me rappellent quelque chose.

— Ils ont une trentaine d'années, Ray.

— Bon sang ! c'est pas croyable.

Weir n'en revenait pas, lui non plus. Il avait l'impression de pénétrer dans la chambre d'enfant de sa sœur. Il regarda Raymond, qui restait bouche bée, une lueur d'incrédulité dansant dans son regard. Mais plus Jim regardait autour de lui, plus il se rendait compte que ce n'était pas la chambre d'une petite fille, mais d'une femme. Derrière la collection de chevaux miniatures placés sur l'étagère de la cuisine, il y avait une rangée de bouquins : les Hardy et Eliot qu'Ann avait toujours aimés, trois titres de Neruda, deux de Marianne Moore, les grands romans de Marquez, et Fitzgerald, Toni Morrison, Joan Didion, Ann Tyler, Elisabeth George. Deux bouteilles de vin maintenaient les livres à chaque bout : des médocs coûteux. A côté, il y avait un paquet de cigarettes, d'où dépassaient deux filtres, comme une invite. Sur le paquet, un briquet argenté. Contre la paroi, une grosse tablette de chocolat belge, intacte.

L'attention de Jim se reporta sur la table. A son extrémité, loin du fauteuil, un verre à scotch — il reconnut un des anciens verres de Poon — rempli de crayons et de stylos. Il regarda Raymond qui dit :

— C'est là où elle écrivait. Son journal ne doit pas être bien loin.

Mais le journal relié de cuir n'était nulle part en vue. Ils explorèrent les tiroirs et les placards, l'espace entre la couchette et les banquettes, la petite étagère des toilettes, les compartiments sous le plan de travail. Il n'était ni derrière une peluche, ni sous le coussin rond qu'Ann avait placé sur le fauteuil de metteur en scène, ni ailleurs.

— A l'extérieur, dit Jim.

— Elle ne l'aurait pas laissé dehors, objecta Raymond.

— Ecoute, Ray, il n'est pas ici. Je vais voir à l'extérieur.

A la lueur de la lanterne, Jim ouvrit les deux compartiments de cale. La torche de Raymond balaya les gilets et les bouées de sauvetage, les balises flottantes et les fils de nylon, les vieilles couvertures de laine verte, les fusées éclairantes, les fusils à harpon, le matériel de pêche et le vieux .22 à levier de Poon.

Ils déplièrent les couvertures, sortirent les ceintures et les gilets, puis remirent tout en place.

— Le compartiment moteur, suggéra Weir.

— Ça va être une ruine, dit Raymond.

Et il ne restait en effet de ce qui avait été un superbe diesel qu'un amas rouillé et crasseux, ratatiné et noirci. Jim élevait la lanterne pour mieux voir quand il aperçut un coin de plastique dépassant de sous les fils électriques. Quand il tira dessus, ça faillit lui échapper. La chose avait un poids et une épaisseur surprenants. Il l'extirpa avec précaution. Le petit ballot bien ficelé abritait un sac d'épicerie plié en deux qui pesait une bonne livre.

— On vient de toucher le jackpot, dit-il.

— Portons-le à l'intérieur.

Jim posa le paquet sur la table d'Ann, défit soigneusement l'emballage et écarta l'ouverture du sac à deux mains. Raymond braqua sa torche à l'intérieur. Weir vit aussitôt qu'il n'y avait pas trace du journal. Ce qu'il y avait, c'était une petite liasse de lettres réunies avec de la ficelle, et une pile de vieux cahiers d'écolier de toutes les couleurs. Il sortit les lettres, dénoua la ficelle et les étala sur la table.

La première enveloppe dactylographiée était adressée à Ann Cruz, à une boîte postale de Balboa. Jim reconnut le numéro, un des vieux secrets de Polichinelle de Poon, et qu'il croyait enterré avec son père. 15 mai, disait le cachet de la poste, la veille de la mort d'Ann.

Ma très chère Ann,

Ta décision me laisse brisé et défait, mais en ceci comme en tout, je suis et serai toujours avec toi. Je t'attendrai sur n'importe quel rivage éloigné. Va retrouver ton mari, si tu veux ; peut-être que cela vaut mieux. S'il te plaît, chérie, pas un mot du Duty Free*, à personne, jamais.*

Avec amour et affection,

Mr Night

Pendant l'heure qui suivit, tandis que Dwight Innelman et Roger Deak prélevaient des échantillons et effectuaient le relevé d'empreintes, Jim et Raymond lurent les lettres adressées à Ann, les maintenant sous la clarté de la lampe avec leurs mains gantées de caoutchouc, à la recherche de la phrase, du mot qui auraient révélé l'identité de Mr Night. Mais on aurait dit qu'elles avaient été écrites en prévision d'une enquête : elles restaient vagues et obscures.

A la fin, trois choses seules étaient claires pour Weir : Mr Night aimait Ann avec passion, avec emportement ; elle était enceinte de lui, et ils se connaissaient depuis un bon quart de siècle ; elle avait l'intention de mettre fin à leur liaison.

Il croisa le regard de Raymond, un regard si chargé de honte et de désespoir qu'il voulut détourner les yeux. Mais Raymond le devança. Il regarda la lettre qu'il tenait à la main avec l'expression épuisée d'un homme dont la pauvre flottille de croyances vient d'être naufragée par une tempête de faits cruels et indéniables.

Dwight Innelman se pencha par-dessus la table, tenant un des verres de vin.

— C'est plein d'empreintes, fit-il. Regardez-moi ça !

Jim examina la poudre blanche, vit l'empreinte de pouce à mi-hauteur, les volutes de deux autres doigts, à l'opposé. Raymond le regarda.

— Qu'est-ce qu'elle savait sur le *Duty Free*, qui flanquait la trouille à Mr Night ? lui demanda-t-il.

— Elle a vu les pollueurs. Blodgett dit qu'ils n'étaient pas assez près pour les identifier, mais il est possible qu'il se goure. Peut-être qu'Ann a reconnu le bateau.

Weir se rappela les insinuations du sergent : c'était Becky qui déversait les substances toxiques, ou du moins, une personne utilisant son bateau. Non, pensa-t-il. Résiste.

— Dave Smith ? suggéra Raymond.

— Alias Mr Night.

Jim se leva.

— Où tu vas ?

— Phil Kearns nous doit un alibi, dit-il.

Une demi-heure plus tard, douchés et changés, à l'arrêt devant le *Whale's Tale*, ils regardaient le sergent Kearns s'éloigner du bas-côté dans une Miata décapotable flambant neuve. Jim le suivit sur le boulevard, puis prit à gauche. Le brouillard s'installait de nouveau ; la circulation était très fluide. Une énorme lune trônait dans le ciel telle une araignée dans sa toile de nuages. Après avoir traversé la péninsule sur trois bons kilomètres, Kearns s'engagea dans une allée presque entièrement dissimulée par des avocatiers et des orangers plantés serrés. Jim se gara le long du trottoir. Kearns lui adressa un signe de tête en fermant sa portière et disparut sous le feuillage qui cernait la vieille maison. Il portait un costume en lin couleur pastel, et était nu-pieds dans ses mocassins.

— Il devrait arrêter de mater la télé, commenta Raymond. Et je te parie que son alibi est une poulette.

— C'est pas ce qui lui manque.

Ray hocha la tête et se mit à pianoter sur le volant. Weir regarda à l'extérieur. Il voyait une portion de fenêtre éclairée à l'étage, à travers les arbres, et une silhouette postée derrière. Kearns ? La fille ?

Un instant plus tard, Kearns ressortit, précédé d'une jeune fille aux cheveux blond lumineux. Alors que le couple venait vers la camionnette, Weir logea sa serviette sous le siège et Ray sortit pour les laisser monter. La fille s'assit près de Jim. Kearns se glissa à côté d'elle, et Ray à côté de lui. Elle portait des chaussures de sport, d'épaisses chaussettes dans lesquelles était fourré le bas de son jean délavé, un T-shirt et un blouson en jean. Ses cheveux étaient relevés au sommet de sa tête par un élastique, et retombaient au petit bonheur autour de son visage. Elle avait un front haut, un petit nez rond, des lèvres roses boudeuses. Ses grands yeux exprimaient l'assurance d'une fille habituée à plaire aux hommes et convaincue de pouvoir toujours s'en tirer avec son physique et un sourire. Elle avait l'air plutôt évaporée. Jim lui donnait dans les seize ans.

— Je suis Lucinda Fostes, dit-elle.

— Jim Weir.

— Super.

Jim démarra et revint vers le boulevard.

— Jim aimerait te poser quelques questions à propos de lundi soir, dit Kearns. Réponds-lui franchement. Tu n'as ni à cacher quoi que ce soit, ni à chercher à me protéger d'une façon quelconque. Vu ?

— Mouais ! fit Lucinda en mâchouillant son chewing-gum. J't'écoute.

— Dis-moi ce que tu faisais à minuit.

Elle fit claquer une bulle de chewing-gum et se pencha pour désigner une fenêtre.

— Ma copine Kimber crèche juste là. Elle a plein de fric.

— La nuit de dimanche à lundi, Lucinda, lui rappela Kearns.

— Pourquoi tu lui racontes pas toi-même ?

— Il veut que ce soit toi qui le fasses. Vas-y !

— Oh ! bon, ça va. (Elle se carra sur le siège, croisa les mains sur ses genoux et haussa ostensiblement les épaules.) D'accord, j'suis allée chez *Fry's* — au marché, quoi — et j'ai demandé à un mec qu'il m'achète un pack de six. Et puis j'suis allée dans la 13e pour picoler. J'étais plutôt en rogne contre mon mec, Sean, alors j'ai vidé quatre canettes, puis j'suis passée chez lui dans la 20e Rue. Il était pas là, à ce que son paternel m'a dit. Alors, je me suis enfilé les deux autres vite fait et je suis allée prendre un burger chez *Charlie's Chili*.

— Tout ça avant minuit ? demanda Jim.

— Ben, vers les 11 heures et quart. Bon, et puis après avoir bouffé, j'ai traîné un moment devant chez *Rumple* pour entendre l'orchestre. Avant, j'y allais, mais ils m'ont demandé ma carte d'identité, le mois dernier, et j'suis interdite d'entrée, maintenant. Alors, après ça, je me suis baladée un peu, en direction de Newport Boulevard.

— En direction opposée à la péninsule ?

— J'sais pas. J'm'y retrouve pas bien entre la péninsule, le continent, les îles et tout ça. J'ai juste marché, quoi, vers Costa Mesa, par là. Je sortais du pont quand Phil s'est arrêté dans sa bagnole radio pour parler.

— Tu connais Phil depuis quand ?

— Ben... (Elle fit claquer son chewing-gum.) Quelques mois. C'est mon pote.

— Et puis ?

— Il m'a dit que je ferais mieux de rentrer chez moi parce qu'il était presque 11 heures et demie, et je lui ai dit que j'étais énervée. Alors il m'a dit de monter avec lui et qu'on ferait une petite balade avant qu'il me ramène chez moi. J'ai dit d'accord.

Lucinda se détourna, regardant défiler la 15e Rue. Weir repéra *Fry's Market*, à l'angle, là où elle s'était procuré sa bière. Il jeta un coup d'œil à Ray.

— C'est les coins où on aime bien traîner l'été, reprit-elle. Les mecs sont cool, y a plein de types baraqués. Lauren crèche ici. C'était la copine de Sean, avant.

— Où avez-vous été ?

— Ben, on a passé le pont, et puis on a descendu Coast Highway vers Balboa Island. On a traversé par le ferry et Phil m'a raccompagnée à la maison. Il était 1 heure et demie quand j'suis rentrée. Je me rappelle parce que Mamy m'a fait une réflexion le lendemain. Je dois rentrer à une heure dernier carat, en principe.

— Une heure et quarante-cinq minutes pour aller du pont au ferry et à la péninsule ? observa Raymond d'un ton tranchant. Il ne faut pas plus d'une demi-heure en temps normal. Et vous n'avez pris que le dernier ferry.

Lucinda fit claquer une bulle de chewing-gum et dévisagea tour à tour Kearns, Ray et Jim. Weir regarda tressauter sa queue-de-cheval au rythme des cahots de la route. Elle dit à Kearns quelque chose qu'il n'entendit pas. Celui-ci répondit :

— Continue.

— Ben, fit-elle, on a comme qui dirait marché.

— Comme qui dirait marché...

— Ouais ! Et parlé. C'est *lui* qui a parlé. Phil me dit toujours d'arrêter de déconner et de faire quelque chose de mon existence. Il me dit toujours de pas faire ça avec le premier venu. Baiser, je veux dire. Il me dit que si j'ai de bonnes notes et que je fais un ou deux ans de fac, je pourrai avoir un job de bureau au commissariat. On démarre à neuf cent soixante par mois, alors c'est pas mal, comme paie.

L'heure en question, pensa Weir. Kearns est hors du coup si Lucinda ne ment pas. L'idée le traversa qu'elle était incapable de mentir pour quelqu'un d'autre qu'elle-même. Elle n'était pas assez compliquée pour ça. Elle se pencha vers Kearns, lui murmura quelque chose, puis se tourna de nouveau vers Jim.

— Et puis je ferais aussi bien de te dire que j'ai essayé de me faire sauter par lui dans la bagnole, mais il n'a pas voulu. De toute façon, j'ai dix-huit ans et je fais ce que je veux.

— Je m'en doute, dit Weir.

— D'autres questions ? fit-elle.

— Non.

Il regarda Kearns, affalé contre le siège, qui le lorgnait d'un sale œil. Il coula un regard vers Lucinda, puis revint sur Weir, avec une expression de regret, dans le genre : regarde ce que j'ai raté. Jim fit soudain demi-tour sur Coast Highway et repartit en direction de Balboa.

— C'est géant ! fit Lucinda.

— Tu es sûr que tu n'as pas d'autres questions à lui poser ? dit Kearns. Accouche, Weir. C'est maintenant ou jamais. Après ça, tu me fous la paix une fois pour toutes. C'est notre marché. Je vais être obligé de raconter cette foutue histoire à la police des polices. Si ça peut te faire plaisir...

— Ça va comme ça.

Jim revint vers le boulevard en silence, pendant que Lucinda faisait la visite guidée pour Ray et pour lui. Apparemment, Kearns avait déjà eu droit à ce numéro. Elle connaissait pratiquement tout le monde dans la péninsule : Colin crèche ici, Ryan là, Kate et Max dans le coin. Une idée le frappa.

— Tu connais pas mal de monde, hein, Lucinda ?

— Ben, je vis ici depuis un an et j'y suis venue tous les étés depuis l'âge de dix ans.

— Tu vois beaucoup de gens.

— Bof ! comme tout le monde, quoi.

Il tira la mallette de dessous le siège — heurtant involontairement les jambes de Lucinda, ce qui la fit pouffer —, l'installa sur ses genoux et l'ouvrit. Les agrandissements de la photo de Goins étaient sur le dessus. Il alluma le plafonnier, rabattit le couvercle de la mallette et y posa le cliché.

— Et lui, tu le connais ?

— Joseph ?

Weir sentit l'adrénaline se ruer dans ses veines. Le regard ardent de Raymond capta le sien en un éclair. Il freina à mort au beau milieu de la chaussée et se tourna vers Lucinda Fostes.

— Oui, Joseph, fit-il. Où est-ce qu'on peut le trouver ?

Lucinda prit la photographie et l'examina tout en mâchonnant son chewing-gum.

— C'est qui, la bonne femme ?

— Sa mère. Tu sais où il est ?

Elle soupira, posa le cliché sur la mallette et

regarda Jim. Une expression à la fois vague et exaspérée passa sur sa figure, puis disparut.

— Y s'appelle Joseph Gray et il a une Porsche bleue qui est au garage. C'est le nouveau pensionnaire de Mamy. Il a emménagé hier.

Weir appuya sur le champignon. Du coin de l'œil, il vit Phil Kearns défaire la courroie de sécurité de son étui. Il freina à mort et s'arrêta devant une boutique d'alcool. Raymond était descendu avant l'arrêt complet de la camionnette et expulsait un type d'une cabine téléphonique pour réclamer des unités de soutien. Trente secondes plus tard, il était de nouveau à bord et Weir démarrait sur les chapeaux de roues.

— Ouah ! super ! fit Lucinda.

— C'était sa lumière que j'ai vue à l'étage ? demanda Weir.

— Je suppose, dit-elle avec appréhension.

— Il y a combien de pièces en haut ?

— Ma chambre, la sienne et la salle de bains.

— Il est sur la droite, côté rue ?

— *Ouais.* Vous êtes après lui ou quoi ?

— Quand on sera là-bas, tu resteras dans la camionnette, dit Weir. Tu ne sors pas d'ici, tu m'as bien compris ?

— Ouais ! Mais dis donc... elle va vite, ta tire. Qu'est-ce qu'il a fait ? Il a fait *quoi*, Joseph ?

— La ferme, dit Kearns. Je prends la porte de derrière, Jim. Vous deux, allez-y par-devant. Il y a une autre sortie, Lucinda ?

— Non. Hé ! les mecs, vous êtes drôlement excités.

— Qui il y a à la maison, à part ta grand-mère ?

— Personne, en principe, dit-elle en s'arc-boutant contre le tableau de bord pendant que Weir brûlait un feu rouge.

— Il est armé ? demanda Kearns.

— J'en sais rien.

— Pas de bagnole ? demanda Weir.

— Elle est au garage.

— Qu'est-ce que tu vas faire quand je stopperai la camionnette, Lucinda ?

— *Rester dedans.* Putain... quand les copains sauront ça !

— Ray, t'as un flingue ?

— Arme de cheville. Allons-y !

Jim ralentit devant la maison, vira dans l'allée, éteignit les feux et le moteur et fourra les clefs de contact dans sa poche. Il regarda une dernière fois Lucinda.

— Je bouge pas, dit-elle. T'inquiète...

Sur le porche, ils attendirent dix secondes, pour donner à Kearns le temps de gagner la porte de derrière. Puis Ray essaya d'ouvrir la porte. Elle était ouverte. Il s'avança à l'intérieur. Après le vestibule, Jim aperçut dans le séjour une vieille femme aux cheveux blancs, endormie sur le divan. L'escalier était à droite. Il entendit Kearns dans la cuisine, vit son ombre se profiler sur le sol. Il grimpa les marches qui craquaient deux par deux, une main sur la rampe, l'autre sur le vieux .45 de son père. Ray était derrière lui. Jim s'immobilisa sur le palier. La chambre de Lucinda, côté cour, était plongée dans le noir. En face, la porte de celle de Goins était fermée, un rai de lumière filtrait sous le panneau de bois. Jim se plaqua contre le mur, ôta le cran de sécurité, saisit le bouton et tourna. Il sentit presque aussitôt la butée. La porte était verrouillée. Il recula, s'apprêtant à charger, mais Ray le devança et enfonça la porte.

Elle céda dans un craquement sinistre et se rabattit contre le mur avec un bruit sec. Accroupi, Jim balança son arme de gauche à droite, balayant la pièce du regard le plus rapidement possible. Ray se déplaça sur la gauche. Jim pivota vers la droite et recula dans un angle tout en scrutant la pièce à travers la mire de l'automatique. Les rideaux de la fenêtre ouverte ondulèrent vers l'intérieur. Il plongea, l'arme braquée sous le lit, roula sur lui-même, se releva et courut hors de la pièce, droit sur la salle de bains, jusqu'à la chambre odorante de Lucinda, où s'accumulaient posters de rock stars, animaux en peluche et vêtements épars. Raymond s'y trouvait déjà, rengainant son arme dans son étui de cheville.

De retour dans la chambre de Goins, Jim examina les lieux : l'ordinateur sur le bureau, le carton à côté du lit, la paire de lunettes démodée posée sur l'oreiller avec un bout de papier dessous qui disait : « J'ai retrouvé vos lunettes, Mrs Fostes. Affectueusement, Joseph. » Debout près de la fenêtre, Jim jaugea la distance qui séparait l'embrasure de la grosse branche d'un avocatier. Deux mètres, grand maximum, pas bien sorcier...

Kearns déboula avec son 9 mm automatique.

— Il a mis les voiles, fit Jim.

— J'appelle les unités de surveillance. La fenêtre ?

— C'est ce que je crois.

— *Merde !*

— Il peut pas aller bien loin. Grouille, Phil !

Weir patienta dans la chambre de Goins pendant que Kearns allait téléphoner dans celle de Lucinda. Il rangea son revolver et s'agenouilla devant la boîte posée près du lit. Chemises, shorts, deux appareils photo, une planche-contact, rasoir et crème à raser, brosse à cheveux et brosse à dents, et deux paires de tennis à carreaux noirs et blancs. Une ombre sur le seuil le mit en alerte. Mrs Fostes, louchant affreusement, tournait la tête dans sa direction.

— Mais *qui* êtes-vous ?

— Police, Mrs Fostes, plus ou moins. Je suis désolé.

Elle s'avança lentement, alors que Kearns apparaissait dans le couloir, arborant une expression qui disait : « Allons-y ! » Raymond se faufila lui aussi derrière elle sans être vu et s'engagea dans l'escalier.

— Où est ma petite-fille ?

— Elle va bien. Elle arrive tout de suite.

— Est-ce que Joseph est là ?

— Il est parti. Je ne crois pas qu'il reviendra.

Les yeux las de Mrs Fostes tentèrent de se fixer sur Jim. Il alla prendre les lunettes sur l'oreiller et les lui plaça sur le nez.

— Où les avez-vous trouvées ? demanda-t-elle.

— C'est Joseph. Si jamais vous le revoyez, avertissez immédiatement la police. (Il entendait le pas de Kearns dévalant l'escalier, et la voix de Lucinda en bas dans le vestibule.)

— Pourquoi devrais-je vous téléphoner ?

— Il est soupçonné de meurtre, Mrs Fostes.

— Ô mon Dieu ! (Elle regarda autour d'elle, comme si le fait d'avoir recouvré la vue était un don du ciel.) Il avait quelque chose de bizarre. Mais il a été assez chic pour me rendre mes lunettes, n'est-ce pas ?

25

Pédalant rapidement, tenant bien serré le guidon du vélo qu'il avait emprunté, Joseph filait à travers la brume et les lumières brouillées de Bayside Drive, attiré vers sa destination comme par un aimant. Chaque lumière qui agressait son regard, chaque voiture qui le croisait de près, chaque regard deviné derrière les fenêtres sombres lui semblait alerter ses poursuivants, leur souffler : *Le tueur que vous cherchez roule en direction du sud, dans Bayside. Encerclez-le, capturez-le, et abattez-le.*

Il se félicitait une fois de plus d'avoir étudié si longuement la carte de la ville alors qu'il repérait les déplacements d'Ann au cours de ces semaines grisantes et solitaires. Il roulait dans la nuit — des plaques de lierre sombre, le couvercle du brouillard et l'abri des maisons serrées tout le long du chemin dans Corona del Mar — jusqu'à La Rencontre.

Ses jambes lui brûlaient et ses poumons semblaient près d'éclater, mais il s'efforçait de garder le rythme. Ses mains étaient poissées de sang et les élancements irradiaient jusque dans ses avant-bras. *En avant, montée, descente, garde ta droite, j'ai été un imbécile de croire que je pouvais habiter dans la maison d'une fille branchée sur les flics.*

Il sentait le baluchon calé sur son dos — le journal d'Ann, son meilleur 35 mm, dix rouleaux de pellicule, quelques portraits glissés dans le *National Geographic,* une paire de chaussettes propres et deux T-shirts, deux avocats mûrs cueillis sur l'arbre par lequel il s'était enfui.

A l'angle de Marguerite, il attendit le feu vert alors que sa poitrine lui brûlait et que ses jambes tremblaient sous l'effort. Lorsqu'il s'éloigna du bord du trottoir, ses genoux lâchèrent et il s'étala sur le passage piétons, la bicyclette sur lui. Deux jeunes gens sortis du café du coin l'aidèrent à se relever, le dévisagèrent et lui dirent d'y aller mollo. Tant de lumières, pensa-t-il. Tant de bruit. Tant de monde. Le casque me dissimule un peu. Accroche-toi, Joseph, tu n'es plus un gamin. Mets un pied devant l'autre... Il finit par remonter en selle et se remettre en route, pédalant sur la longue route qui grimpait jusqu'à Ann, jusqu'à La Rencontre. Ann serait là, mais lui, se montrerait-il ? Avait-il reçu la lettre ? L'avait-elle convaincu ? Il chassa cette pensée de son esprit. Il était si épuisé que rien ne lui semblait pouvoir tourner mal. Il regarda sa montre : il était en avance.

Joseph se tenait au pied de la sépulture d'Ann, petit rectangle de terre plus sombre que la terre alentour. Pourquoi n'y avait-il pas de pierre tombale ? Il s'adressa à elle en pensée, lui parla, tenta de lui apporter du réconfort, mais les mots, qui venaient pourtant du plus profond de son cœur, paraissaient insuffisants et misérables. Il était dur d'admettre qu'ils étaient tous deux séparés par quelques pieds de terre alors qu'il avait accompli tant d'efforts, qu'il était venu de si loin, qu'il l'avait côtoyée de si près. C'était bon de se sentir proche d'elle. C'était un peu comme si une toute petite goutte de bonheur s'ajoutait à l'océan de sa confusion, et une petite goutte, c'était toujours mieux que rien.

Il monta jusqu'au grand mausolée de marbre, s'assit, adossé à la paroi froide, et regarda l'allée par laquelle *il* arriverait d'ici quelques minutes, selon les termes de la lettre — si toutefois il venait. Sa poitrine lui faisait mal, ses mains en sang étaient enflées et douloureuses. Il ferma les yeux et écouta le murmure des morts. Il est encore temps de partir, songea-t-il. Il lui restait assez d'argent pour prendre le car et aller n'importe où. Emmett et Edith pourraient l'aider à s'enfuir — ou refuseraient-ils ? Non, il ne faut pas. C'est la voie que j'ai choisie.

Les battements de son cœur reprirent un rythme régulier, Joseph fouilla dans son paquetage et en tira l'exemplaire en lambeaux du *National Geographic* daté de janvier 1987. Il s'ouvrit automatiquement à sa page à lui. Son cerveau était photographié là, représenté avec les étranges couleurs de la scanographie. Il regarda le cliché pour la... combien ? la millionième fois de sa vie ? Son cerveau était un tourbillon de jaune et de vert, où le thalamus coupable figurait en rouge sang sur fond blanc. C'est ça, pensa-t-il, la source de la schizophrénie, la clef de moi-même. Il relut la légende, même s'il la connaissait par cœur depuis longtemps.

Une fenêtre s'entrouvre sur la maladie mentale (ci-dessus) avec cette scanographie du cerveau d'un grand schizophrène. Chez les gens normaux, l'hyperactivité du thalamus (en rouge, à droite) est compensée par une activité correspondante du lobe frontal. Sur le lobe frontal de ce jeune homme, la scanographie met en évidence une caractéristique que les chercheurs découvrent de plus en plus fréquemment chez les malades mentaux — la suppression de cette acti-

vité. Le lobe (en haut, en bleu foncé) montre une faible activité métabolique. Les scientifiques cherchent maintenant à savoir si l'inactivité de la zone frontale du cerveau et l'hyperactivité du thalamus sont d'origine génétique. Les découvertes du Dr Winston Field, de l'université de Californie-Irvine (en haut, à droite) semblent indiquer que la schizophrénie pourrait avoir des causes virales qui remonteraient à la vie fœtale. Deux pour cent d'Américains souffrent de schizophrénie.

Joseph regarda longuement la photo, essayant d'imaginer dans son cerveau réel l'apaisement, la décélération de toute cette... *vitesse*. C'était cette impression-là que ça faisait, à l'intérieur : que tout allait plus vite qu'il ne l'aurait fallu, que ça dérapait et brûlait, qu'une partie donnait de la bande, comme une voiture de course dont un pneu aurait continué à rouler alors que tout le reste crachotait dans la fumée d'un incendie. *C'est ça la raison*, pensa-t-il. C'est pour ça que je suis ce que je suis. Je ne suis pas cruel. Je ne suis pas haineux. C'est juste les connexions qui ne se font pas comme il faut. C'est un défaut de fonctionnement.

Il replia le magazine et le fourra dans son baluchon. Il se sentait mieux. Mais même s'il y avait cette photo de sa maladie, Joseph ne parvenait jamais à trouver totalement le repos. Il y avait toujours une partie de lui-même qui avait peur de l'autre partie. Ce qui le terrifiait le plus, c'était cette étrange sensation de distance qui s'emparait parfois de lui et semblait littéralement le tirer à quelques pas de la réalité. Aujourd'hui, il pouvait contrôler cette fuite dans l'irréel avec les médicaments. Ce qui l'épouvantait, c'était qu'à un moment donné, il n'avait plus conscience de lui-même et n'aurait même pas pu dire où il était, ce qu'il faisait, ou comment il était arrivé là où il était. L'une des premières fois où c'était arrivé, c'était avec Lucy Galen, à Hardin County. Il se souvenait de l'histoire qu'il lui avait racontée sur le marais, l'argent qu'il avait trouvé dans la valise. Il se souvenait qu'elle les avait emmenés là-bas en voiture, et se rappelait un fait étrange : il avait emporté un couteau. Mais ensuite, il n'y avait plus ni clarté, ni souvenir, ni rien. Il avait oublié leur marche dans le marais, il avait oublié qu'il avait sorti le couteau, et qu'il l'avait poignardée à plusieurs reprises, comme Lucy l'avait déclaré. Il ne se rappelait rien du viol, rien... pas même de l'avoir touchée, si peu que ce fût.

Ni d'avoir touché Ann Cruz. Non, pensa-t-il, *je n'ai pas fait ça. Je n'ai pas fait ça. Pas ça...*

Il regarda fixement la tombe d'Ann. J'étais si bête, si jeune ! J'étais tellement dans l'erreur, pensa-t-il, rien, non, rien de tout ça n'aurait jamais dû arriver. Tout avait commencé à changer deux ans après Lucy, avec le Dr Nancy Hayes, au Lima State Hospital. Grâce à elle, il s'était lentement, douloureusement reconstitué une identité ; grâce à elle, il avait vu le Dr Field, qui avait diagnostiqué pour la première fois son problème et lui avait donné les bons médicaments. Avec le recul, songea Joseph, c'est étrange de penser que tout commence lorsqu'on sait qui on est. On ne connaît rien à la vie — même avec une photo en couleurs de son propre cerveau — tant qu'on ne sait pas qui on est, et d'où on vient. Tout ce qui est bon et bien découle de ça.

Le ronflement du moteur augmentait à mesure que la voiture gravissait la route sinueuse du cimetière, pénétrait dans le parking, virait en direction de la chapelle. Une portière s'ouvrit et se referma. Puis, après un silence, on entendit le claquement sec des pas sur le ciment. Il est venu, pensa Joseph.

Il s'adossa au marbre froid de la crypte et remonta les genoux contre sa poitrine. Le bruit de pas se rapprochait sur l'allée de gravier, de plus en plus fort, et l'homme le dépassa pour aller vers Ann. Vu de dos, il paraissait grand, large d'épaules, mais mince. Il portait un pardessus. Ses mains étaient fourrées dans ses poches. Dissimulait-il une arme ? L'homme continua son chemin jusqu'à la tombe d'Ann, s'arrêta devant, comme Joseph s'y était arrêté, tête baissée, sans retirer ses mains de ses poches. Il resta ainsi un long moment, regarda une fois sur sa gauche, une fois sur sa droite, une fois derrière lui, par où il était venu.

Joseph sentait son cœur tressauter dans sa poitrine. Il se leva, et dit : « Je suis là. » L'homme tourna la tête, puis son corps tout entier pivota vers lui. Joseph perçut une menace, mais avança tout de même dans l'allée. Chaque pas le rapprochait de lui, et il fut bientôt assez près pour voir la mèche brune que le vent soulevait sur son front, pour voir les lignes d'ombre autour de sa bouche. Un millier de voix intérieures lui hurlaient un millier de messages différents. Dans ce grondement, il s'entendit parler.

— Je suis Joseph Goins.

— Bonsoir, Joseph.

— Tout ce que j'ai dit dans ma lettre est vrai. Les documents que j'ai recopiés étaient authentiques. Ils ne savent pas que je les ai lus.

— Je veux bien vous croire. Venez plus près.

Il y avait tant d'honnêteté dans sa voix. Joseph s'avança sous le clair de lune. Le regard de l'homme se vrilla dans le sien. C'était un des regards les plus durs qu'il eût jamais affrontés. Il était plus pénétrant que celui de n'importe quel médecin, mais plus curieux et miséricordieux que celui de n'importe quel flic.

— Je ne sais pas très bien ce que je veux, dit Joseph.

— Je crois que je comprends ce que vous voulez. Une partie de ce que vous voulez.

— Je n'ai pas tué Ann. Je n'aurais jamais tué Ann.

L'homme ne dit rien. Pouvait-il l'en blâmer ?

— Je l'ai suivie pendant neuf semaines, et j'ai pris

des photos d'elle. Je ne savais pas trop... quoi faire. Je l'ai vue de près une fois, une seule.

L'homme contempla la tombe un long moment.

— Je comprends peut-être ce que vous éprouvez.

— J'ai peur. La police est partout. Est-ce que vous les avez amenés avec vous ?

L'homme secoua la tête.

— Non. Il y a des choses à votre sujet, Joseph, que je ne veux pas qu'elle apprenne.

— Et au sujet d'Ann ?

— Oui. Des choses au sujet d'Ann.

— Est-ce que vous voulez que je m'en aille ?

L'homme hésita.

— J'espérais que vous ne viendriez pas. Mais vous êtes là.

— Vous l'espériez assez pour chercher à me tuer ?

Long silence.

— Non. Bien sûr que non.

De nouveau le regard dur : il semblait le disséquer.

— Je ne sais plus quoi dire.

— Est-ce que vous avez un abri sûr ?

— Non.

— Je peux vous en donner un, si vous voulez.

Le cœur de Joseph fit un bond. Il ne s'était jamais autorisé à entretenir un espoir aussi fou. Etait-ce un mensonge ?

— J'ai besoin d'un abri.

— Est-ce que vous garderez le silence, jusqu'à ce que nous trouvions quoi faire ?

— Je garderai le silence.

— Vous pouvez approcher davantage.

— Vos mains me font peur.

L'homme les ôta lentement de ses poches, et les laissa retomber. Il avait un beau visage, marqué, triste, qui lui rappelait le sien. Il tendit la main. Elle était forte, humide, assurée.

— Est-ce que vous m'avez vu cette nuit-là ?

— Oui, monsieur. J'ai vu beaucoup de choses cette nuit-là.

— Vous devez avoir peur.

— Je ne crois pas que je l'aie tuée. Je n'aurais pas fait ça.

— Non. Il faut y aller, Joseph.

— Attendez que je prenne mes affaires.

Alors que Joseph allait prendre son baluchon près de la bicyclette, il se retourna pour regarder Mr Cantrell, debout et silencieux, recueilli devant la sépulture d'Ann, sa mère. D'une façon incompréhensible, Joseph Goins connut plus de paix en cet instant qu'au cours des vingt-quatre années déroutantes et angoissées qui l'avaient conduit jusque-là.

26

5 AVRIL

Première tentation. Petites pensées d'abord, toujours agréables, toujours jugulables. Mais la trahison et l'amour surviennent tous deux par degrés. Ils sont pareils à deux serpents qui gobent la souris du mariage par les deux bouts. Pour être honnête — honnête envers moi-même —, je dois dire que je pense constamment à David. Pour l'essentiel, je me demande qui il est vraiment, comment il a réussi à m'émouvoir si profondément après une séparation de vingt-cinq ans. Je veux mettre à nu le changement qui s'est opéré en lui, savoir, pour moi-même, quel a été pour lui le prix du pouvoir et du succès. Je veux savoir ce qu'il cache. Est-ce que nous ne cachons pas tous quelque chose ? Mais quelquefois, je n'arrive à penser à rien d'autre qu'à : *Et si ?* Et si nous nous étions enfuis comme nous le voulions ; et si nous avions eu cette petite fille et qu'elle soit née vivante ; et si nous nous étions mariés comme nous nous l'étions promis lorsque nous étions des gosses ignorants et follement amoureux ? Je désire le voir. Pas pour avoir une intimité avec lui, sincèrement, mais juste pour savoir. Qui est cet homme ? Qui suis-je, moi, qui suis toujours et encore attirée par lui ?

Pendant ces trois dernières semaines, je l'ai vu sept fois, toujours la nuit, après le travail. Il est venu deux fois souper tard, et en pareille occasion, nous sommes polis et cérémonieux, bien sûr. On s'écrit presque tous les jours. Il signe ses lettres Mr Night parce que nous avons plaisanté sur le fait que nous n'existons pas au grand jour. Les trois premières fois où nous nous sommes vus, c'était dans la limousine, mais je lui ai balancé une vanne : je préférais que ça se passe à une échelle plus humaine. Alors, me voilà, marchant dans la ruelle à 23 h 30, par une nuit froide et venteuse, et il n'y a pas de limousine en vue. Il n'y a qu'une vieille coccinelle Volkswagen, et David est au volant, emmitouflé dans un épais manteau. Pas de coton d'Egypte ou de lin italien, rien qu'une paire de jeans délavés, une chemise décolorée et un veston. Mais les vitres de la coccinelle sont fumées, pour que personne ne puisse voir à l'intérieur. Du David tout craché. On est descendus dans Balboa jusqu'au PCH, et puis on a roulé vers le sud, dans Back Bay. Il avait apporté une bouteille de cognac dans un sac en papier kraft, qui passait de l'un à l'autre. Ça coupait un peu le froid et me montait à la tête. On a franchi une barrière grillagée et on s'est engagés sur un dock privé.

Je lui ai passé la bouteille et il a bu un coup. La vue de C. David Cantrell avalant une lampée d'alcool au goulot d'une bouteille enveloppée dans un sachet de papier brun était un spectacle extraordinaire.

Alors, nous avons marché dans Back Bay avec le souffle du vent dans le dos, et en nous repassant la bouteille. Quand nous nous sommes retrouvés au diable, il s'est tourné vers moi, m'a offert le bras, et je l'ai pris. Ann, m'a-t-il dit, je n'arrive pas à t'enlever de ma cervelle. Quand je t'ai vue sur le *Lady of the*

Bay, quelque chose a fait un bond au-dedans de moi, et j'en ignorais la présence. Je me lève le matin, et tu es là. La journée se passe, et dès que je ne suis pas concentré sur une chose précise, tu es encore là. Je vais me coucher, à quelques centimètres de Christy, et je ne pense qu'à toi. Quelquefois, j'ai peur qu'elle n'entende mes pensées.

Tu pourrais être surpris, ai-je dit.

Il m'a jeté un regard aigu, et nous avons encore marché. La lune était bas au-dessus des collines, une parfaite moitié, comme si on l'avait tranchée avec un couteau et que l'autre partie était tombée du ciel.

Je peux te poser une question ? m'a-t-il dit.

Il a paru broyer du noir un instant. Qu'est-ce qui fait qu'un homme broie du noir ? S'il te plaît, pose-moi une question, lui ai-je dit.

Qu'est-ce que... qu'est-ce que tu *fais* ici ?

J'ai été étonnée de constater à quel point je n'avais guère envie qu'on me pose cette question. Je m'étais arrangée pour l'éviter. Pas vraiment pour l'éviter, mais pour glisser dessus, la considérer comme un mystère révélé, une fleur qu'il ne fallait pas cueillir. Mais dès qu'il me l'eut posée, je connus la réponse. Je lui demandai s'il se souvenait du *Seabreeze*.

Il m'a regardée, et son visage était pâle dans les ténèbres. Je sus qu'il se rappelait *notre* endroit, un misérable motel de la péninsule, ni vue, ni piscine, ni télé. C'était là qu'il m'avait prise lorsque j'avais quinze ans et qu'il en avait vingt et un, et allait encore en fac. Notre petit nid d'amour, notre monde de draps humides, de sueur et d'odeurs. Aujourd'hui, on dirait l'histoire d'un homme presque fait profitant d'une très jeune fille, et peut-être pourrait-on prouver devant un tribunal que ce n'était pas autre chose. Mais ce n'était pas ça du tout. C'était le moment et le lieu où j'ai éprouvé pour la première fois de l'amour pour un homme, et c'était un amour si simple et si pur que je ne l'ai jamais oublié. Une nuit, nous avions passé des heures dans les bras l'un de l'autre — comme les autres fois — et nous avons su que le moment était venu. Je n'avais pas peur. J'étais affamée. Je ne cherchais pas le plaisir, mais un accomplissement. Je lui ai dit que j'étais prête, et il a dénoué mes bras et mes jambes qui l'emprisonnaient, et il m'a caressée du haut en bas avec ses mains tièdes, patientes, et une éternité plus tard, il m'a embrassée et j'ai guidé ce membre dur et humide au-dedans de moi et je me suis sentie totalement, absolument envahie, transpercée, possédée. Je me sentais précipitée dans les profondeurs sombres de l'espace. Je sentais Ann la jeune fille se détacher de moi. Et sa chute n'était pas une chute angoissée, mais satisfaite, et à sa place, j'ai senti pour la première fois Ann la femme naître à la vie. Je me sentais tremblante, abandonnée et, étrangement, investie d'un pouvoir. Ce que je me rappelle surtout, à propos de cette nuit-là, c'était de savoir que j'étais à présent une femme, dans un monde simple, réduit et rempli d'amour, et que ce monde ne serait jamais plus aussi rassurant, aussi complet, aussi accueillant. Ce sont là des moments qu'il faut honorer. Neuf mois plus tard, vie et amour, vérité et conséquences, naissance et mort, tout cela s'est joué dans cette salle stérile d'hôpital avec ces silhouettes masquées, les employés du destin. Et pas une seule fois, même lorsque la douleur ou les drogues ont finalement eu raison de moi, je n'ai regretté ce qui s'était passé.

Je me demandais si je pourrais encore éprouver ce que j'ai éprouvé alors, dis-je. Je sais qu'il est difficile d'énoncer quelque chose de plus ridicule. Il faut croire que je me suis abêtie au cours de ces vingt-cinq dernières années.

Non, dit doucement David, non.

Et Raymond, mon époux, mon compagnon, mon frère, mon homme ? Cher Raymond, si tu devais lire un jour ces lignes, ton cœur se briserait peut-être, mais si je pouvais expliquer les choses comme il faut, tu comprendrais que je n'ai jamais cherché à faire ce que j'ai fait à tes dépens. Est-ce là le plus grand de tous mes mensonges ? Peut-être. J'admettrai ceci : mon amour pour Raymond n'a jamais été pareil à mon amour pour David. Pour moi, Raymond était un refuge après la perte de P'tit chou et de David, une façon d'écarter de moi ce que j'avais éprouvé au *Seabreeze*. David était un monde ; Raymond était un living-room. Mais j'avais tant besoin de ce living ! Et si je n'ai jamais éprouvé pour lui ce que je savais être capable de ressentir, cela n'a pas une seule fois voulu dire que j'étais incapable de le traiter avec bonté et respect, de l'aider à se construire en tant qu'homme, d'être fière de lui, de reporter entièrement sur lui mon affection. Cela ne signifie pas que j'aie failli une seule fois à mon devoir de femme et d'amie. Qu'il me soit jamais arrivé de caresser ses cheveux noirs autrement qu'avec tendresse, ou de chercher à le diminuer pour avoir barre sur lui. J'ai investi en lui toute ma confiance, l'ultime confiance, peut-être. Je croyais qu'il m'aimerait toujours, même quand le temps viendrait où il voudrait un enfant que je ne pourrais pas lui donner. Et il y avait aussi une autre différence entre les deux hommes, qui est devenue de plus en plus importante pour moi au fil des années. David avait peut-être éveillé quelque chose que je ne pouvais plus retrouver, mais Raymond *avait besoin* de moi. J'avais peut-être eu le besoin éperdu d'être dans l'orbite d'un monde plus vaste que moi. Mais j'étais honorée que Raymond éprouve cette même chose envers moi. Deux personnes ne peuvent pas se porter un amour égal. J'aimais Raymond moins qu'il ne m'aimait, mais jamais — du moins jusqu'à aujourd'hui — je n'en ai tiré avantage. Il y a des années, les regards de Raymond se sont durcis et ses gestes ont été gagnés par la nervosité de la colère. Il est devenu de plus en plus distant et son silence s'est installé des semaines durant. La lutte pour l'existence a fini par l'émousser et j'ai cessé d'être — dans son cœur — celle qu'il voulait satisfaire, pour devenir celle qu'il avait l'obligation, épuisante et irréalisable, de satisfaire. Je n'ai pas une seule fois exigé quelque chose ou manifesté de déception. Il y a six mois, lorsqu'il a cessé de me faire l'amour, de me toucher même, je l'ai laissé suivre son propre élan sans me plaindre. C'était le moins que pouvait faire une femme stérile pour l'homme qu'elle avait épousé. Mais en ce moment, aussi incroyable que ça puisse paraître, je peux dire que plus je pense à David — et à ce qui s'est passé cette nuit-là —, plus je crois que mon mariage n'est pas remis en cause. Je crois que mon mariage est assez solide pour encaisser ça. Et si je me trompe, il y aura beaucoup de souffrance à venir, pour nous tous.

Nous avons donc roulé jusqu'au *Seabreeze*. J'avais réservé. Même chambre, même odeur d'océan, même bruit de circulation à quelques mètres de distance, même atmosphère humide et moisie, mêmes verres et petites savonnettes roses. Tout était pareil, plus petit seulement. Quand nous nous sommes enlacés, c'était comme si on se retrouvait depuis des milliers de kilomètres de distance. J'étais totalement terrifiée. La chambre tournoyait, et je tournoyais avec elle, autour de David, le centre fixe. C'était si grotesque que j'ai presque ri, mais il m'a embrassée. Et puis, lentement, j'ai retrouvé ses caractéristiques familières : les muscles tendus de son cou, la longueur de ses cils quand il fermait les yeux, son avidité patiente, l'odeur réconfortante de son haleine malgré le cognac, tout comme vingt-cinq ans plus tôt ! Alors je n'ai plus eu envie de rire, je me suis jetée dans le tourbillon, et l'ai laissé m'entraîner vers le lit.

L'ai-je retrouvée, cette sensation que j'avais éprouvée tant d'années auparavant ?

En partie. Ce que j'ai ressenti cette fois, après, ce n'était pas que j'avais toute la vie devant moi, mais qu'elle avait très profondément changé. Je sentais de nouveau le côté perdu de cet homme, son irrésistible attraction. Mais alors que j'étais allongée près de lui et regardais la nuit froide et claire, j'ai su que nous avions devant nous non un amour qui promettait l'union, le mariage et une famille, mais un amour qui promettait un immense chagrin, beaucoup de confusion et de la trahison. Et pourtant, pendant quelques instants, j'ai été une autre femme ; je n'étais plus Ann Cruz, avec deux boulots, un mari lointain et la vie routinière que j'avais menée toute mon existence dans le même quartier. J'étais Ann Weir, une femme désirante et désirée.

Et laisse-moi te dire ceci, cher Ange — même si tu ne le liras jamais —, j'ai su, cette nuit-là, la nuit bénie du 23 mars, que tu étais en moi et commençais à grandir. Aucun médecin au monde ne peut dire ce que *sait* une femme.

Je savais. J'avais l'impression d'être dans un rêve caressé depuis toujours. Et sur ce petit lit de motel, j'ai dit une prière de remerciement pour *toi*. Et j'ai demandé à Dieu de m'inspirer la conduite à suivre, moi, cette Marie non vierge et enceinte que son époux n'avait pas touchée depuis plusieurs mois.

Joseph Goins marqua la page du journal et s'approcha de la grande porte vitrée coulissante. Il apercevait à travers les lattes des jalousies le bleu lumineux et suave de la piscine, les palmiers et l'oiseau de paradis éclairés par en dessous, les pelouses fuyant vers le brouillard et les ténèbres. Quelque part, loin en contrebas, on entendait le fracas de l'océan.

Ce trajet en voiture avait été le voyage le plus remarquable de toute son existence, pas le trajet en lui-même, mais les pensées qu'il avait remuées tout en roulant. En descendant les collines du cimetière à côté de *Mr Cantrell*. En descendant Coast Highway pour finir par franchir une grille dont l'ouverture se commandait à distance et longer une allée bordée de pins jusqu'à la construction de bois et de verre édifiée autour d'une énorme fontaine. Mr Cantrell avait dit qu'il occupait rarement cette maison, même si elle était entretenue. Que pour l'instant, c'était la sienne. Il y avait aussi un certain Dale, qui veillerait à tout ce dont il aurait besoin. Dale était un type baraqué aux yeux très clairs et au visage couturé. Avant même de repérer l'imperceptible renflement du revolver au creux de ses reins, Joseph avait su que c'était un homme capable d'aller très loin. Mais il y avait une certaine honnêteté dans sa poignée de main. Dale dit qu'il resterait jusqu'au matin. Mr Cantrell lui dit qu'il resterait aussi longtemps qu'il l'aurait décidé.

David Cantrell l'avait étreint une fois, plutôt cérémonieusement, puis avait rejoint sa voiture. Dale l'avait mené dans sa chambre et avait disparu. Aussi désorienté qu'un esclave mandingue tout frais débarqué à Key West, Joseph s'était assis dans le fauteuil de rotin de sa nouvelle « maison ». Les idées l'avaient traversé comme des étoiles filantes. Son cœur n'avait cessé de faire des bonds chaotiques, tantôt lents, tantôt rapides, parfois près de s'arrêter de battre. Joseph avait besoin de concentration. Il avait besoin d'un but. Il avait besoin de sa mère.

A présent, il regardait par la fenêtre, de nouveau aux prises avec la confusion, l'attraction de possibilités trop nombreuses. En contrebas, Dale traversa le coin de la piscine. Quel drôle de type, pensa Joseph. Il retourna vers le lit et reprit la lecture du journal.

6 AVRIL

Je ne peux pas m'arrêter. Je ne *veux* pas m'arrêter. Les nuits où je ne peux pas le voir, j'ai l'impression que mon corps serait capable de flotter jusque là-bas contre ma volonté. Je ne peux pas y aller lorsque Raymond est de ronde dans la péninsule, ce serait un risque insensé. Quand je ne vais pas chez David, je vais jusqu'au *Sweetheart Deal* dans un des canots pneumatiques de m'man, et j'écris mon journal. Nous nous retrouvons dans sa maison du bord de mer au bas de la péninsule, maintenant — moins risqué que le *Seabreeze* et beaucoup plus agréable aussi. Quelquefois, nous allons à bord de son yacht, le *Lady of the Bay*. C'est sur *son* bateau que nous nous sommes rencontrés de nouveau, et il m'a fallu des semaines pour le réaliser ! J'arrive là-bas à 23 heures, après le travail, et j'utilise la télécommande qu'il m'a donnée pour me faufiler dans le garage sans être vue ; et puis je me douche à l'étage, me change ou pas, et l'attends dans la grande chambre. Parfois, si je suis en retard, je me change au travail, dans le vestiaire, et me glisse jusqu'à ma voiture en espérant n'être vue de personne. Il arrive toujours à 23 h 30. Ensuite, nous avons une heure à nous, et puis je dois de nouveau me doucher et me rhabiller, les jambes tremblantes, et je rentre à la maison. Une heure. C'est pour cette heure-là que je vis, et tout ce temps, Cher Ange, je sens ta présence tiède et patiente au-dedans de moi. Toi, mon miracle des miracles, ma vie secrète !

A ma grande émotion, Raymond a paru plus heureux ces jours-ci qu'à n'importe quel moment de l'année écoulée. Il y a une intimité renaissante dans son regard, une légèreté douce et grandissante lorsque nous parlons. Je le surprends parfois à me regarder quand il croit que je ne le vois pas. On dirait qu'il lui revient un peu de son ancienne adoration. C'est merveilleux de voir ça. Et si nécessaire, d'une importance si capitale, pour ce que je veux accomplir.

Cher Ange, je dois te dire ce que je compte faire. Je n'ai jamais eu aucun doute à ce sujet. De la plus étrange des façons, *tu* m'as apporté tout ce que j'ai jamais désiré dans l'existence et, de la plus étrange des façons, *tu* as apporté la même chose à Raymond.

Je crois qu'on me surveille. Je suis la première à admettre que j'ai peur, immensément peur d'être découverte, mais tout de même, si je mets cette peur de côté et m'en tiens aux faits, je suis obligée de penser qu'on me surveille.

La première fois, c'était en février, au travail. J'étais occupée à renouer le lacet de Tyler, et je sentais un regard posé sur moi. Quand j'ai levé les yeux, j'ai vu ce gosse sur le trottoir, immobile, alors qu'un troupeau de touristes le dépassait, et qui rivait ses yeux sur moi et Tyler. Il s'est détourné, a rejoint le troupeau, et a disparu. Je dis ce gosse. Il avait l'air d'avoir vingt ans, un jeune comme tant d'autres.

Et puis, un ou deux jours plus tard, j'ai encore eu la même sensation. Quand j'ai regardé autour de moi, je n'ai vu personne. Jusqu'au moment où j'ai aperçu un de ces petits canots de location. Il y avait un homme assis dedans, avec un appareil photo qu'il braquait droit sur moi. Un grand yacht est passé devant lui et lorsque j'ai pu voir de nouveau, le canot était parti. J'ai d'abord pensé à Raymond. Il avait engagé quelqu'un pour me photographier et révéler mon infidélité. Mais pourquoi me photographier avec les enfants ? Alors je me suis demandé si c'était David. Mais pourquoi aurait-il voulu qu'on me photographie ?

J'ai questionné Ray à ce sujet, et il m'a assuré que je me faisais des idées. Il m'a tout de même dit que le meilleur moyen de démasquer une filature était de revenir fréquemment sur ses pas et de regarder quelles personnes étaient toujours derrière vous. J'ai essayé tant que j'ai pu. Ça n'a jamais marché. Comme je l'ai dit à Ray, ce n'est pas qu'on me suit, c'est qu'on me *surveille.*

Il a répondu que ça signifiait que j'avais mauvaise conscience. Nous nous étions levés tôt, Ray s'apprêtait à partir en cours pour passer un examen, je devais aller à la garderie.

Mais je n'ai *pas* mauvaise conscience, lui ai-je répondu. Tu imagines, Cher Ange, à quel point je me sentais coupable en fait.

C'est peut-être que tu crois ne pas être coupable, a-t-il dit avec un sourire.

Bon, alors dis-moi de quoi je me sens si coupable ? Bon sang, je me demande si j'ai rougi. Je dois admettre que je suis une bonne menteuse. Comme Poon.

Je n'en sais rien, ce serait à toi de me le dire.

Il me regardait avec un intérêt paisible. J'ai acquiescé, jeté un coup d'œil sur le journal posé devant nous, et réfléchi avant de parler. La seule chose dont je me sente coupable, c'est de ne pas pouvoir te donner d'enfant.

Alors, tu te serais sentie suivie — surveillée — depuis quinze ans. C'est le cas ?

Non, lui ai-je dit, juste depuis deux semaines.

Ray est resté un moment silencieux, le nez baissé sur le journal. Je pourrais mettre au point une surveillance, a-t-il proposé.

Je lui ai dit de n'en rien faire. Mon Dieu ! Imagine un peu...

Je parle sérieusement, a-t-il dit. Pendant un moment, il a eu l'air d'un petit garçon qui *joue* à être sérieux. Il y a quelque chose de si bien, de si sincère chez Raymond. S'il fallait donner un nom à ce quelque chose, je l'appellerais la générosité. Même s'il croit que je me fais des idées, il a la générosité de placer son incrédulité entre parenthèses et de se mettre à ma place. Jim — ton oncle Jim — a toujours dit que Raymond est un bon flic parce qu'il a le sens de l'anticipation. Moi, je pense que c'est un bon flic parce qu'il peut se mettre à la place du méchant. Quelquefois, j'ai l'impression que ça m'a brisé le cœur de le trahir. Mais ce n'est pas vrai, parce que ma trahison t'a apporté à nous, Cher Ange, toi, notre grand cadeau.

Un long silence. Raymond qui me regarde. Je peux te dire, en tant que femme de trente-neuf ans qui n'est pas tout à fait idiote, que Raymond Cruz a le regard le plus pénétrant qui soit.

Il se passe quelque chose, Ann ?

C'est-à-dire, chéri ? Je ne comprends pas ta question.

C'est à *toi* que je la pose, Ann.

Eh bien... non. Je me sens bien. Mis à part cette sensation d'être épiée.

Il a attendu. Raymond est capable d'attendre pendant des heures. Mais moi aussi je sais faire monter les enchères.

Tu as peut-être raison, ai-je dit. Je suis toujours prête à parler d'adoption.

Il a de nouveau baissé les yeux sur son journal, bu son café, secoué la tête. C'était non.

Il y a des années que je propose une adoption. Il m'est arrivé d'avoir presque l'impression de tenir le petit fardeau braillard dans mes bras. Mais tout au fond, chaque fois que j'ai imaginé la scène et su que cet enfant ne serait ni le mien ni le sien, toute joie s'en est allée pour ne laisser qu'un sentiment de mensonge. Même si je me suis obstinée à proposer cette solution à Raymond, avec toute la constance dont je suis capable, ça n'a jamais été avec la conviction que j'aurais voulu avoir. Qu'il aurait voulu que j'aie.

Mais au-delà, il y a l'autre raison pour laquelle nous n'avons jamais adopté d'enfant. La raison principale. L'espoir. Nous avions encore moins de quarante ans tous les deux. Nous étions encore en bonne santé, même si mon utérus avait été détruit — abîmé, je le sais maintenant — par l'infection, après P'tit chou. Raymond croyait que la cicatrice et les dégâts avaient été causés par l'appendicectomie que j'avais subie en France. Quand les gynécologues me déclarèrent stérile, je feignis d'être aussi choquée et déçue que lui. Et par bien des façons, je l'étais. Mais il reste toujours cette grande, éternelle et salutaire illusion qu'on appelle l'espoir, et Raymond ne l'a jamais perdue. Dès l'instant où nous avons « découvert » que je ne pouvais pas avoir d'enfants, il n'a jamais capitulé. Il n'a jamais admis la défaite. Il me lisait tous les récits bibliques sur ces femmes stériles auxquelles Dieu avait fait don de filles et de fils. Il priait avec moi pendant de longues heures, suppliant qu'on lui donne un fils. Il n'y a que ces deux dernières années que j'en suis venue à penser qu'il commençait à douter. Lorsqu'il s'est soudain inscrit à l'école de droit, lorsque ses étreintes ont commencé à se faire rares, ses mots à tarir, et que son intérêt pour moi en tant que femme a paru sombrer sous le poids des fardeaux qui écrasent un homme honnête et confiant. Et moi ? De quel droit l'aurais-je blâmé ? Je voudrais pouvoir te dire un jour, Cher Ange, qu'avant ton arrivée, j'avais commencé à perdre moi aussi toute espérance. Espérance. Nous te donnerons peut-être ce nom, si tu es une fille.

Nous pourrions continuer à essayer, ai-je dit.

Je le voudrais bien, a-t-il dit en rougissant jusqu'aux oreilles. Il a lampé son café, s'est levé et s'est penché pour m'embrasser sur la joue.

Je suis en retard, chérie. Passe une bonne journée.

Toi aussi. Je vais bien, chéri. Ne t'inquiète pas. Cette impression d'être épiée est encore un effet de mon imagination.

Je t'aime, a-t-il dit. Moi aussi, je t'aime, ai-je répondu. Il y avait plus de vérité dans ces mots que je ne croyais, Cher Ange.

15 AVRIL

Je suis enceinte de trois semaines, ainsi que l'a confirmé le test que j'ai acheté à la pharmacie. Bien entendu, je le savais déjà !

Je me suis arrêtée à l'église Sainte-Mary, je me suis agenouillée et j'ai prié. J'ai prié avec une main sur mon ventre pour sentir ta présence, Cher Ange, pour sentir ta présence. Et j'ai prié pour que Raymond me fasse l'amour, *très bientôt.*

17 AVRIL

David m'a écoutée, assis sur le lit. D'abord, il n'y a pas cru. Puis peu à peu, il a commencé à comprendre. Je lui ai dit que j'avais décidé de te garder, Cher Ange. Pour Raymond, et comme l'enfant de Raymond. Je lui ai dit que pendant quelque temps — assez longtemps sans doute — nous ne devrions pas nous voir. C'était tout simplement trop dangereux, et trop difficile pour moi. Il m'a écoutée, puis est venu me prendre dans ses bras, et j'ai sangloté contre son épaule. J'ignore si c'était de joie ou de tristesse, peut-être les deux. Puis il s'est écarté de moi, m'a regardée, et m'a dit qu'il m'aiderait par tous les moyens. Aime-moi, lui ai-je dit. Reste mon ami.

Je t'aime, a-t-il dit. Tu peux compter sur moi.

Il a gagné la fenêtre et, le dos tourné, a longuement regardé la mer, comme s'il contemplait un avenir qu'il n'avait pas lui-même prévu, développé, créé. Un avenir qu'on lui imposait, et non pas qu'il imposait aux autres. C'était bien le cas. Il semblait si désemparé...

Je lui ai juré, Cher Ange, que ton avenir était entre mes mains, et les miennes seules. Que tu avais déjà une famille, que nous formerions une petite galaxie autonome loin de lui. Que nous étions en réalité une famille de quatre et que je resterais liée à lui par l'amour et par toi, Cher Ange, jusqu'au jour de ma mort. Et lorsque je l'ai regardé, j'ai vu sur son visage l'empreinte de la déception et de la défaite.

Je comprends les hommes. Je comprends que l'ambition soit un désir plus fort que l'amour. Je comprends que pour être un grand bloqueur de base-ball, il faille aimer plus que tout une petite balle blanche. Que pour être un grand général, il faille aimer le risque de la guerre plus que la paix. Et que pour être promoteur immobilier, il faille aimer les immeubles, la terre et l'argent plus que vous ne pourrez jamais aimer une serveuse d'âge mûr que vous avez sautée à vingt ans, et sautée encore vingt-cinq ans plus tard, dans un motel sentant le moisi. Aussi, je comprends ce qu'il a dit ensuite. Mais je n'oublierai jamais à quel point il m'a paru petit, à quel point il m'a paru mesquin et ratatiné.

Tu ne parleras jamais du *Duty Free*, n'est-ce pas ?

Le *Duty Free*. C'était un joli petit chris-craft qui appartenait à Dale, un flic de Newport. M'man l'accompagnait pendant les rondes de la patrouille chargée de la lutte contre la pollution, pour essayer de découvrir qui déversait une substance toxique dans le port. J'y suis allée moi aussi avec eux, deux fois. Une fois, nous avons aperçu le bateau des pollueurs, mais je n'ai rien pu distinguer dans la brume. En fait, seul Dale l'avait vu, ou du moins c'était ce qu'il avait prétendu. Une autre fois, j'ai voulu l'accompagner, parce que j'étais seule à la maison une nuit où je ne pouvais pas aller rejoindre David, et que j'étais sur les nerfs. Alors, je suis allée là où ils gardent le *Duty Free*, là où nous étions allées les retrouver, m'man et moi, à Cheverton Sewer & Septic. Et j'ai vu Dale et Louis Braga remplir la cuve avec des boîtes de la Blake-Hollis Chemical, et charger aussi un tas de bidons de cinquante-cinq gallons. Ils ont changé de couleur lorsque je me suis avancée vers eux pour leur demander si je pouvais les accompagner. Mais j'ai joué les imbéciles. J'ai fait comme si je ne les avais pas vus charger les bidons et les recouvrir d'une bâche. Et lorsqu'ils m'ont dit que le temps n'était pas fameux et que je ferais mieux de renoncer, j'ai dit d'accord, je me suis excusée et ai détalé. Bien entendu, je savais à qui appartenait la Blake-Hollis. Alors, la nuit suivante, sur un ton frivole, j'ai dit à David que je connaissais son secret : la patrouille antipollution polluait le port plus qu'elle ne luttait pour sa propreté, et s'il avait un cœur aussi grand que je le pensais, il arrêterait ça tout de suite. Puisque c'est *lui*, le patron de la Blake-Hollis.

Tu n'imagines pas, Cher Ange, l'expression qu'à eue ton père en entendant ça. Il était fou de rage. Je croyais être capable, alors, de discerner s'il était innocent, ou s'il essayait seulement de se persuader qu'il l'était. Il m'a demandé tout ce que je savais sur le *Duty Free*, et me l'a fait répéter plusieurs fois. Ce que j'avais vu. Qui était là. Il a même pris des notes. Et tout en arpentant la chambre, il m'adressait des regards pleins de haine. Ensuite, plus tard, d'un air dégagé, il m'a demandé si j'avais parlé à m'man de ce que j'avais vu.

Je lui ai dit que non. Et que je ne lui en parlerais pas. Je ne mélange pas la politique et l'amour, Cher Ange, et j'espère que tu ne le feras jamais. En ce qui me concernait, David aurait pu demander à ses hommes de main de déverser leurs saletés quelque part ailleurs. Je lui ai dit que je lui rendais service, parce que au fond de moi, j'étais certaine que tôt ou tard, m'man ou quelqu'un dans son genre le prendrait sur le fait. Il a répété qu'il ignorait tout du déversement de déchets par l'une de ses compagnies, mais qu'il s'en occuperait.

Je n'étais pas certaine alors qu'il me disait la vérité, mais depuis ce jour-là, je n'ai jamais eu une seule raison valable de douter de sa sincérité. David est trop précautionneux. Une chose aussi énorme ne serait jamais venue à la connaissance de quelqu'un, s'il en avait été l'instigateur. Et puis, les poissons ne crevaient pas par milliers. Et pour ce que j'en savais, les bidons auraient aussi bien pu être remplis de flotte. Et puis, un type qui donne chaque année des millions de dollars aux organismes de charité, aux hôpitaux et à l'université n'avait peut-être rien à voir avec ce que fabriquait Dale avec les déchets de la Blake-Hollis Chemical.

Mais j'ai été étonnée d'avoir mis le doigt sur un point aussi sensible. J'ai décidé de laisser filer. On ne m'a pas envoyée sur terre pour faire la leçon à David Cantrell, ai-je pensé. D'autres plus puissants — sur la terre et au ciel — s'en chargeront. Pourtant, elle s'est manifestée de nouveau, le jour où je lui ai parlé de toi, cette peur incroyable que lui causait ce que j'avais vu. Cher Ange, j'ai eu honte pour nous deux.

David, ai-je dit calmement, ton secret mourra avec moi.

18 AVRIL

Raymond m'a trouvée en larmes dans la salle de bains, ce matin, assise sur les toilettes. Ses yeux se sont posés sur moi, ce regard sombre et tranchant, et j'ai failli tout lui dire. Failli. Mais j'ai fait diversion, et pour la énième fois je lui ai dit que j'étais désespérée de ne pouvoir lui donner d'enfant.

Et c'est arrivé, ce que je désirais si désespérément depuis si longtemps, ce dont j'avais besoin pour accomplir mon projet. Il s'est penché vers moi, m'a relevée et a embrassé les larmes qui coulaient sur mon visage défait. Il m'a emmenée dans notre petite chambre glaciale, m'a mise sous les couvertures, s'est allongé, nu, auprès de moi, et a couvert chaque pouce de mon corps avec ses lèvres tendres, et m'a fait l'amour. Et lorsque je l'ai regardé, lui, Raymond — mon époux, mon frère, mon homme —, il pleurait aussi, de grosses larmes qui roulaient sur ses joues.

Et quand ça a été fini, il m'a dit, Ann, est-ce qu'on pourrait tout recommencer ? Est-ce qu'on peut tout recommencer et s'aimer comme avant, s'il te plaît ? Il y a si longtemps, j'ai tant envie de toi, et tu es ce que j'aime le plus au monde.

Les réponses sont étonnamment claires une fois que les questions ont été posées. Depuis le commencement de toute cette histoire, j'avais toujours su ce que j'attendais de Raymond, et ce à quoi je voulais que nous arrivions un jour.

Oui, s'il te plaît, lui ai-je dit, oui, faisons ça.

Jamais de ma vie je n'ai prononcé une phrase aussi sincère, aussi remplie d'espoir.

J'attendrai deux semaines avant de faire un autre test de grossesse. Nous le suivrons ensemble, comme ça, ma surprise sera aussi la sienne. Nous donnerons une soirée pour annoncer l'impossible !

Joseph cocha la page et glissa le journal sous le lit. Dehors, c'était le moment le plus ténébreux, tout peuplé de silence. Il était 3 heures du matin.

Incroyable ! songea-t-il. Ann n'a pas senti ce qui allait se passer. Alors qu'il me suffit de lire, pour savoir.

27

Dans la lueur trompeuse de l'aube, Jim rentra sa camionnette dans le garage de Virginia et en sortit, exténué. Il avait déposé Ray au poste et Kearns chez Lucinda. Il avait mal partout, ses pensées dérivaient, sans but. Ils avaient passé quatre heures à patrouiller dans la péninsule, l'île et le continent, espérant repérer Horton Goins, mais il s'était volatilisé.

Jim franchit le seuil de la grande maison et sentit aussitôt qu'elle était déserte. M'man doit être au *Locker*, pensa-t-il. Elle s'apprête à recevoir la foule du petit déjeuner. Mais il y avait une pancarte, sur la fenêtre du *Poon's Locker*, qui annonçait FERMETURE POUR LA JOURNÉE. Jim remarqua le caractère hâtif de l'écriture de sa mère, jeta un coup d'œil à travers la vitre fumée sur l'intérieur sans vie : chaises encore sur les tables, poivrières et salières sur un plateau, attendant d'être remplies, gril net et vide. De retour à la maison, il trouva le mot qu'elle lui avait laissé sur la table de la cuisine : « Je serai de retour d'ici un jour ou deux. Des patriotes ont dérobé cette cassette chez les promoteurs, et je veux que tu la regardes attentivement. Vois si tu trouves pourquoi ils ont décidé de refilmer ça. Affections, m'man. »

C'était une vidéocassette standard. L'étiquette indiquait : « OUI À L'EXPANSION ! spot pour 1er-5 juin ». Jim l'emporta dans le living, la glissa dans l'appareil et appuya sur « play », maussade.

David C. Cantrell — mince, très soigné, portant chemise blanche, cravate à rayures et chandail ouvert — se tenait sur un pont autoroutier du San Diego Freeway. Derrière lui, une marée de voitures, bloquées dans les deux sens, à perte de vue. Cantrell, les bras croisés, d'un air d'intransigeance amicale, déclarait que c'était la situation quotidienne dans la région côtière d'Orange County, grâce à une croissance inattendue, une économie en plein essor, un style de vie convoité par la nation tout entière. Les impôts avaient financé cette autoroute, disait-il, et les nouveaux résidents seraient prêts à payer encore des millions pour avoir le privilège de vivre dans la région. On avait déjà prévu de consacrer des fonds à l'amélioration de la circulation sur cette voie, et sur bien d'autres. Mais cela n'aurait lieu, bien entendu, que *si* la Proposition A était mise en échec. Ce programme, affirmait-il, aggraverait les problèmes de circulation dans le comté plus que n'importe quelle expansion. L'arrêt des constructions immobilières signifiait : pas de nouvelles entreprises, pas de nouveaux impôts, pas de moyens financiers pour résoudre les problèmes. Soudain l'image changeait. On était toujours sur le même pont, mais à une autre heure de la journée — 6 heures du matin, estima Weir. Derrière Cantrell, le trafic était fluide. Il décroisait les bras, posait les mains sur la rambarde et se penchait en avant. Ne vous laissez pas embobiner, disait-il, votez « non » à la Proposition A. *Oui à l'expansion !* Confiez le soin de régler les problèmes du comté à des experts et non à la bureaucratie élitiste qui nous a menés là où nous en sommes. Cantrell souriait. Une voix *off* annonça que ce spot était financé par le Comité pour l'amélioration de la circulation. Puis l'écran devint noir.

Weir soupira, se demanda quand sa mère renoncerait enfin à essayer de le convertir. Où était-elle encore partie ? Dans la baie, pour prélever des échantillons ? *Regarde attentivement...* Il rembobina et visionna de nouveau la cassette. Eh bien, quoi ? Des bobards pour les gogos. La salade était aussi ancienne que le comté lui-même : un pays de rêve vendu à un trop grand nombre de rêveurs. Peut-être qu'ils allaient refilmer ça parce que Cantrell était mal coiffé.

Jim était assis sur la digue, un gobelet de café sur les genoux, lorsqu'une voiture de police s'engagea derrière lui dans la ruelle et s'arrêta. Vêtu de son uniforme et prêt pour le service de jour, Raymond en descendit et lui adressa un signe de tête. Il se rapprocha de la jetée.

— Du neuf sur Goins ? demanda Jim.

— On travaille sur les gares et l'aéroport. Les fédéraux ont sa photo et une description. Une bonne femme qui habite en bas de la rue de Lucinda dit qu'on a volé le vélo de son fils, la nuit dernière. C'est sûrement lui. (Raymond s'assit auprès de Jim et chaussa ses lunettes.) Regarde-moi toutes ces bestioles. Quelle honte !

Weir regarda un cormoran échoué sur le rivage. Ses pattes palmées s'étaient repliées dans la mort, comme de petits parapluies.

— Quel effet ça fait, d'être de retour au boulot ?

Raymond ne répondit pas tout de suite. Sa radio crépita et il augmenta le volume pour écouter, puis le baissa de nouveau.

— Ça va.

— Mais ?

Raymond haussa les épaules.

— Que dirais-tu de faire une tournée avec un flic de Newport ?

— Que ça serait comme au bon vieux temps, Ray, fit Jim en avalant son café avant d'expédier le gobelet dans une poubelle.

— C'est ce qu'on dit toujours. Mais ça sonne rudement faux, en ce moment.

Ils patrouillèrent dans Balboa en direction du Wedge, dépassèrent le quartier commerçant et pénétrèrent dans le quartier des riches. Raymond était silencieux. A la fois calme et sur le qui-vive, à sa manière bien à lui. Pour un instant, Jim se crut revenu dix ans en arrière, à l'époque où ils bossaient en duo dans les rangs des hommes du shérif. Ils n'avaient pas encore atteint la trentaine alors, débordaient d'enthousiasme et étaient persuadés que leur existence ne pouvait avancer que dans une seule direction : vers le haut. Quelle bénédiction que la jeunesse !

— Bon, comme je disais, l'idée, c'était de me remettre au boulot pour éviter de trop penser.

— Ça ne te ressemble guère, Ray.

— Ouais ! Attrape un peu la pile de papiers qui se trouve sous le registre de verbalisation, là, sur le siège...

Weir souleva le registre et saisit ce qui se trouvait dessous. La pile lui échappa des mains et s'éparpilla comme un jeu de cartes tout neuf : les photos d'Ann prises par Horton Goins. Alors comme ça, pensa-t-il, Raymond a passé ses deux premières heures de patrouille à bosser sur l'enquête. Rien de surprenant.

— Je ne te ferai pas de reproches, dit-il.

— Ça ne servirait à rien, Jim. Examine la photo du dessus et dis-moi ce que tu en tires.

Weir prit le cliché : Ann montant dans la limousine par une froide nuit de mars.

— C'était quoi, la légende, déjà ?

— Balade, 21 mars.

— Elle est vraiment heureuse de voir ce type. Regarde sa robe. Ses chaussures sont nickel.

— Et pour ce qui est du mec en question ?

— Il peut s'offrir une bagnole avec chauffeur.

— Comment sais-tu que c'est la sienne et pas une voiture de service ?

— Par l'attitude du chauffeur. Il détourne les yeux. Il montre à son patron qu'il a pigé le caractère confidentiel de l'entrevue.

— C'est exactement ce que j'ai pensé la première fois que j'ai vu le cliché, fit Raymond en acquiesçant. Innelman a fait établir la liste des propriétaires de toutes les maisons qui se trouvent dans le secteur où on a retrouvé la Toyota d'Ann. C'est le premier truc que j'ai épluché ce matin. Regarde sur la deuxième page, vers le milieu, et vois si tu trouves un nom que tu peux rattacher à Cheverton Sewer & Septic.

Weir prit le listing et le consulta. Le nom de David C. Cantrell figurait au milieu de la seconde page.

— Cantrell. Cheverton Sewer & Septic lui appartient.

— Exact. Et un mec de Cheverton qui soi-disant n'y bosse pas a envoyé les roses et écrit à Ann. Mr Night, Dave Smith. Fais la déduction.

— Dave Cantrell.

Raymond était un peu pâle et trahissait une grande agitation.

— Il y a deux jours, Innelman a eu les reçus des paiements effectués par carte de crédit au *Whale's Tale*, la dernière nuit où Ann y a travaillé. Je les ai trouvés dans une pile de rapports de trente centimètres d'épaisseur. Cantrell a mangé là-bas, seul. Il a payé trente-six dollars pour le repas et en a laissé quatorze de pourboire pour Ann. Je n'y ai pas attaché grande importance jusqu'au moment où j'ai vu le listing. Et maintenant, tout ça n'arrête pas de s'agiter dans ma tête.

Jim réfléchit, mais quelle que fût la façon dont il assemblait les éléments, ça ne se goupillait pas.

— Annie s'opposait à tout ce que défend Cantrell. Je n'y crois pas.

Ray acquiesça, puis s'éclaircit la gorge.

— Jim... mettons franchement les choses au point, d'accord ? Ann était une femme formidable, elle était intelligente, belle, bonne, mais elle en avait marre de moi, marre de notre petite maison glaciale, marre de tout. Je crois qu'on est obligés de l'admettre. A sa place, qu'est-ce que tu aurais voulu, toi ? Quel aurait été l'antidote à tout ça ?

— Quelque chose de différent. Quelqu'un d'entièrement différent.

— Pour moi aussi.

Jim se renversa sur son siège pendant que Raymond répondait à un appel du standard : trouble de l'ordre public sur la 56e. Cruz demanda à Carol de refiler ça à l'unité 5.

— Dommage que cette télécommande de garage soit au labo, fit Jim. On aurait pu tenter une petite expérience.

Raymond le regarda, sourit, ouvrit la boîte à gants, en tira le boîtier et deux piles neuves.

— J'ai récupéré ça il y a une heure. Je l'ai jusqu'à midi.

Ils revinrent vers la résidence en bord de mer de Cantrell. C'était une demeure vaste mais ordinaire, dans le style des années 50. Stucs, angles nets, toits plats. Elle était peinte en blanc. Raymond remontait l'allée vers l'entrée du garage lorsqu'il poussa un juron et ralentit.

— Accroupis-toi en vitesse, partenaire. Disparais complètement.

Weir se laissa glisser à bas de son siège et se heurta au fusil fixé sous le tableau de bord.

— De la compagnie ?

— Hum ! Cantrell a des gardes partout. J'en vois

un dans l'allée, près de la maison, et un dans la rue. Je parie qu'il y a aussi quelqu'un devant, pour surveiller l'entrée.

— Des voitures radio ?

— Pas du tout ! Conduites intérieures sombres avec des types en civil dedans. On croirait des fédés. Je crois que je vais faire un petit test et continuer de rouler.

Jim regarda Raymond lever la télécommande, appuyer plusieurs fois sur le bouton.

— Montée, arrêt et descente, fit-il. Ça marche. C'est la sienne. (Il se remit à rouler.)

— Pourquoi l'aurait-il laissée dans la voiture ? demanda Jim.

— Un oubli. Tout comme il a oublié un cheveu sous le timbre, tout comme il a oublié d'emmener la bagnole loin de son quartier. Il venait de la poignarder vingt-sept fois... alors Dieu seul sait ce qui se passait dans sa tête.

— A mon avis, on devrait faire un tour aux services de sécurité de la PacifiCo, du côté de l'aéroport.

— T'as rien perdu de tes dons, Jim. Je pensais juste la même chose. T'aurais peut-être dû accepter l'offre de Brian.

Weir sentit la voiture accélérer hors de l'allée d'accès et s'engager sur le boulevard. Il se redressa. Raymond le regarda de derrière ses lunettes.

— Les trois quarts des braves citoyens que je connais font surveiller leurs maisons par des vigiles privés.

Raymond indiqua leur destination au standard et remonta Balboa Boulevard. Dix minutes plus tard, ils étaient devant les grilles d'enceinte de la compagnie de sécurité de la PacifiCo, près de l'aéroport. On voyait au centre du terrain un bâtiment neuf, dont la pancarte indiquait : PACIFICO — SERVICES DE SÉCURITÉ. Une poignée de jeeps, deux berlines Buick foncées, et une bonne douzaine de voitures radio étaient éparpillées autour de l'immeuble, avec l'emblème de la PacifiCo sur la portière avant.

— La bagnole de flic de Mackie Ruff, dit Ray.

— C'est aussi mon avis.

— La boucle est bouclée, lâcha Weir dans une poussée d'adrénaline : les roses rouges et Dave Smith, Dave Smith et Cheverton, Cheverton et Cantrell Development, Cantrell Development et la PacifiCo, la PacifiCo et Cantrell en personne. Annie, qu'est-ce que tu as fait ? Et qu'est-ce que viennent faire Marge Buzzard, Dale Blodgett et Louis Braga dans tout ça ?

— A toi de le dire, fit Ray.

— Ils avaient une liaison. Elle l'a retrouvé après le boulot pour lui annoncer qu'elle était enceinte et que c'était fini entre eux. Tu te souviens de ce que disait la lettre ? Que Mr Night était doué et talentueux ? Ça colle, Ray. Ils étaient peut-être déjà allés se balader dans Back Bay avant. Il l'y a emmenée une dernière fois, certain de pouvoir la persuader de rester avec lui. Il lui avait envoyé des fleurs — le jour de la Fête des Mères. C'était sa façon à lui de lui dire que, enceinte ou non, il la voulait. Et puis, ça s'est passé exactement comme dans la lettre. Il a voulu la posséder, mais Ann n'était pas à vendre. Il est devenu fou de rage.

Raymond hochait lentement la tête.

— La voiture d'Ann a été forcée, dit-il. Et on n'a pas retrouvé son sac. Parce qu'elle l'a laissé dans sa voiture à *lui*. Quand il est rentré chez lui, il a dû sortir la Toyota de son garage. Mais elle était verrouillée. Alors, il a forcé la portière et l'a déplacée quelques blocs plus loin.

Jim sentit une nouvelle poussée d'adrénaline.

— Non. Elle n'a pas pu entrer au garage, parce qu'il n'y avait plus de piles dans la télécommande. Il les avait enlevées. Alors, elle s'est garée aussi près de chez lui qu'elle a pu. Il ne voulait pas qu'elle puisse s'introduire dans son garage, cette nuit-là. Il a bousillé la portière pour faire croire qu'un inconnu avait emmené Ann. Mais il a oublié de se débarrasser de la télécommande.

Raymond était pâle et en rage. Ils restèrent tous les deux un long moment silencieux.

— Eh bien, finit par dire Raymond, nous y sommes. David C. Cantrell. Il est bel homme, non ? Riche. Un homme riche, beau et puissant qui a pris ma femme et s'en est amusé comme d'un jouet. Bon sang ! Attends un peu que Dennison apprenne ça. Il va détester la bonne nouvelle.

— Pour l'instant, Dennison ne fera que nous mettre des bâtons dans les roues, nous n'avons que des présomptions, Ray. Il faut qu'on relie Cantrell au lieu du crime. Il faut qu'on le relie à Back Bay. A cette nuit-là. A Annie. Patience ! Ne dis rien à Brian pour le moment. Il nous faut des preuves.

— Il faut avoir ce type.

Raymond descendit MacArthur en direction de Coast Highway.

— Procédons par étapes, Ray. Nous ne savons rien encore. Nous ne sommes pas sûrs. Quand on le sera, alors, on bougera.

Raymond essuya la sueur sur son visage. Il avait repris quelques couleurs.

— J'aurai sa peau.

— Francisco a pensé la même chose, il y a cent ans de ça. Mais il a tout fait de travers. Patience, Ray ! On lui réglera son compte.

— Francisco n'avait pas ce que j'ai. Un ami comme toi.

Le soleil filtrait doucement à travers la brume, réchauffant les abords de la maison de Becky, où une équipe de volontaires arborant des T-shirts marqués VOTEZ FLYNN procédait au nettoyage de la plage — la candidate s'étant arrangée pour que l'opération coïncide avec l'arrivée des journalistes à sa conférence de presse de 10 heures. Posté près de la haie du jardin, Jim regardait les équipes de nettoyage entasser les poissons morts dans des sacs. La conférence de presse battait son plein derrière lui, dans un feu croisé de questions/réponses.

— Pourquoi avez-vous accepté l'affaire Goins ?

— Ce n'en est pas encore une. J'essaie d'éviter une erreur judiciaire. Horton Goins est innocent et je peux le prouver.

— Qui a tué Ann Cruz ?

— C'est à la police de le déterminer. Mon travail consiste à défendre les droits d'un jeune homme de vingt-quatre ans qu'on traque pour un crime qu'il n'a pas commis.

— Et que faites-vous de ce qu'il a fait en Ohio ?

— Cette histoire date d'il y a neuf ans.

— La police détient des photos d'Ann, prises par Goins.

— Prendre des clichés sur le vif est depuis toujours l'essence même du métier de photographe. Goins est un photographe amateur passionné depuis cinq ans. Nous montrerons ces photos pour ce qu'elles sont : celles d'une jeune femme croquée par un admirateur. La police a aussi trouvé des photos de bateaux, de curiosités locales, d'enfants, de mer, de mouettes, de maisons, de touristes, de chiens, de couchers de soleil et de vagues. Je n'ai pas lu un seul mot à ce sujet dans les journaux que vous publiez, pas entendu un seul mot là-dessus dans les émissions que vous diffusez.

— Miss Flynn, la démarche qui consiste à représenter un accusé...

— Un *suspect.*

— ... avant même qu'il ne soit arrêté ou inculpé pourrait laisser supposer qu'il s'agit d'un acte publicitaire destiné à promouvoir votre campagne.

— Et c'est le cas. L'une des choses que j'ai promises en tant que candidate à la mairie de cette ville, c'est de protéger les innocents et de châtier les coupables. Donc, de veiller à ce qu'Horton Goins ne soit pas jugé pour un crime qu'il n'a pas commis.

— Pourquoi vous dévouer à une cause aussi impopulaire ?

— Puisqu'elle est si impopulaire, comment expliquez-vous votre présence ici ?

— Avez-vous des informations personnelles sur le meurtre, étant donné vos relations avec la victime ?

— Oui. Et je n'étais pas *en relation* avec la victime. C'était ma meilleure amie.

— Quelles sont ces informations, sur le plan général ?

— Je ne fais jamais de généralisations.

— Tout le monde peut faire des promesses, miss Flynn.

— C'est pourquoi je préfère parler de choses précises, Marcia. Nous avons la preuve qu'Ann Cruz était harcelée par un employé de Cheverton Sewer, à Newport Beach.

— Quelle preuve ?

— Je me refuse à le préciser tant que cet homme ne sera pas identifié. Cela ne saurait tarder, c'est l'affaire de quarante-huit heures.

Bon Dieu! pensa Weir. La ferme, Becky. Tout ce que tu vas obtenir, c'est qu'il prenne le maquis. Il s'avisa qu'elle attaquerait Cantrell de toute façon, qu'ils aient ou non de quoi lui faire subir un interrogatoire.

— Harcelée comment ?

— Il la suivait, lui écrivait des lettres suggestives, lui envoyait des cadeaux, et il est possible qu'il y ait eu confrontation physique entre eux.

— Est-ce qu'il l'a tuée ?

— C'est à George Percy, le substitut du procureur, et à Brian Dennison de le découvrir.

— Vous n'êtes pas d'accord avec la façon dont le chef de la police a mené cette affaire ?

— Je suis en désaccord avec ses méthodes dans tous les domaines. Regardez cette baie. Des milliers de poissons morts, des centaines d'oiseaux morts, une eau si polluée que même les requins ne tiennent pas le coup. Brian Dennison a une équipe antipollution composée *d'une seule* personne, qui ne travaille qu'à temps partiel, qui ne touche pratiquement rien pour ses efforts, qui doit fournir elle-même le bateau. Le bateau a souffert de plusieurs avaries lors d'une patrouille, il y a quelques nuits de ça. La note se monte à 1 200 dollars, et ni le département de Brian Dennison ni le conseil municipal de cette ville n'en paieront le premier sou. En fait, je suis en train de m'arranger pour acquitter la facture moi-même. Pendant ce temps, Brian Dennison a demandé des fonds pour financer dix nouvelles unités de patrouille, payer huit agents supplémentaires, changer l'équipement informatique du poste de police et financer une rallonge en heures de vol pour cet hélicoptère qui coûte cinq cents dollars de l'heure et dont il est si entiché. On réclame six millions et demi de dommages et intérêts à son département pour brutalités diverses, et la majorité des plaintes émanent de citoyens de cette péninsule, qui contribuent pourtant à l'essor de cette ville. Brian Dennison peut diriger son département comme il lui plaît, mais je ne crois pas une seule seconde qu'il devrait appliquer ses douteux talents à la conduite des affaires de notre cité. J'aimerais vous montrer quelque chose. Regardez ! Voici Art. C'est une petite mouette qui a avalé assez de trichloréthylène pour tomber malade et qui en mourra peut-être.

Jim regarda derrière lui, à travers la haie, et vit Becky câliner une mouette. Elle caressa le corps de l'oiseau et tourna sa tête déconcertée vers les caméras. L'impudeur de Becky le stupéfiait à tous les coups, même si elle l'avait essentiellement acquise à l'école de Virginia. C'est peut-être pour ça que les hommes épousent leur mère, songea-t-il.

— Mes volontaires l'ont ramassée hier, dans un recoin où elle s'était blottie près de la jetée. C'est de cela que je veux parler, lorsque j'affirme que nous devons contrôler la croissance de cette ville et nous décider à prendre soin de ce qui nous reste. Nous considérons que nous avons hérité cet endroit de nos parents. Mais en réalité, nous l'empruntons à nos enfants. Tant qu'Art ne pourra pas plonger dans notre baie et s'y nourrir convenablement, nous aurons fort à faire. La campagne de Brian Dennison est financée par David C. Cantrell et tous les autres gros promoteurs, dont le seul but est de tirer d'énormes profits de notre région. Kathryn Thompson diffuse un tract de propagande pour un de ses projets immobiliers, où les aménagements envisagés sont baptisés de noms d'oiseaux. Détruire les oiseaux et donner leurs noms aux immeubles. Voilà qui, à mes yeux, symbolise parfaitement l'arrogance du cartel des promoteurs.

— Pourquoi n'avez-vous pas un débat avec Dennison ?

— C'est à *lui* qu'il faut poser la question. C'est lui qui le refuse. Merci, ce sera tout ! Je vais donner la becquée à Art. Je ne manquerai pas de vous donner de mes nouvelles.

Des murmures de mécontentement s'élevèrent quand la porte d'entrée de Becky claqua sèchement. Weir s'avança vers la grille. Il avait envie d'étrangler Becky. Un groupe de reporters de la presse écrite se rua vers les cabines téléphoniques les plus proches. Quelques équipes de télévision se bousculaient pour filmer les équipes de nettoyage, en quête du meilleur angle.

— Un commentaire pour la 5, Mr Weir ?

C'était Laurel Kenney. Elle tendait son micro sous le nez de Jim. Derrière elle, le cameraman braquait sur lui l'œil géant de son objectif.

— Aucun commentaire.

— La mort de votre sœur est-elle un cheval de bataille électoral pour Becky Flynn ?

— Précisez votre pensée.
— C'est la vôtre qui m'intéresse, Mr Weir.
— Tout ce que je pourrais dire actuellement serait forcément mal interprété. Pas de commentaire.
— Y a-t-il toujours des liens intimes entre Becky Flynn et vous ?
Trois ou quatre personnes entourèrent Jim ; des calepins s'ouvrirent, des caméras ronronnèrent et des flashes crépitèrent : une autre caméra vidéo fit son apparition. Laurel rapprocha son micro.
— Avez-vous toujours une liaison avec Becky Flynn, Mr Weir ?
— Oh ! Bon sang, Laurel... Qui croyez-vous que ça puisse intéresser ?
— Pensez-vous que Brian Dennison a mené une enquête transparente et impartiale ?
— Désolé, je n'ai pas à répondre...
Soudain, Weir s'avisa qu'une silhouette fendait la petite foule des reporters. Massive, affublée d'un chemisier à ruchés, ses épais cheveux grisonnants relevés en un chignon sévère, Marge Buzzard écarta Laurel Kenney de sa main en forme de battoir, puis retourna sa colère contre les cameramen, les pourchassant jusqu'à ce qu'ils aient battu en retraite à bonne distance. Ils filmaient toujours. Elle revint sur ses pas à grandes enjambées rageuses, concentrant sa fureur sur Jim.
— *Suivez-moi !* ordonna-t-elle d'un ton impérieux. Ça suffit de raconter des mensonges sur Cheverton Sewer & Septic.
— Vous m'avez l'air en pleine forme, ce matin, dit Weir en saisissant un de ses bras tremblants. Venez donc par ici.
La poussant devant lui comme un bouclier, il la guida sur le trottoir au-delà des caméras ronronnantes. Ils dépassèrent la maison de Raymond, la garderie, l'angle du *Poon's Locker*, et parvinrent enfin à la porte de derrière, dans l'antre frais de la réserve. Marge Buzzard le toisa, furieuse.

— Vous ne savez plus ce que vous faites.

— J'étais derrière la haie.

— Alors, c'est la garce qui vous sert de petite amie qui ne sait pas ce qu'elle fait.

Marge lui pointa un doigt sous le nez. Il le saisit, le tordit, et la fit reculer jusque dans le café désert.

— Ne recommencez jamais, Marge. Si vous voulez qu'on s'entende, tous les deux, apprenez un peu les bonnes manières. Maintenant, posez vos fesses sur une chaise, taisez-vous et reprenez-vous ! Je vais préparer du café.

Il la libéra et lui avança une chaise. Il l'observa en attendant que le café passe. Elle se tenait très raide, sans toucher le dossier, le menton relevé, une main sur les genoux, de l'autre se tamponnant les yeux avec un mouchoir de dentelle. Weir en conclut que — pour reprendre une expression favorite de Poon — Marge Buzzard était folle comme un lapin. Il la trouvait sympathique. Il posa la tasse de café chaud devant elle, ainsi que de la crème et du sucre.

— Je devine que vous avez quelque chose à me dire, fit-il. Je suis tout ouïe.

Marge le regarda bien en face d'un air soupçonneux et défiant. Comparée à elle, Virginia était la confiance incarnée. Ce qui ne l'empêcha pas de se remettre à renifler, émettant un petit son plaintif parfaitement enfantin, accompagné d'un tremblement du menton.

— J'en ai assez de vous autres, dit-elle enfin.

— Qui ça, « nous autres », Marge ?

— Les gens qui n'ont aucun respect pour rien, les arnaqueurs, les pipelettes, les voleurs, les ingrats... les gens, tous tant qu'ils sont.

— Je ne vous suis pas. Reprenez au commencement.

— Cheverton Sewer & Septic a été fondée en 1959 par Richard Cheverton, énonça Marge en flanquant son sac sur ses genoux. Nous l'appelions Dickie. J'ai été sa première et unique secrétaire. Sa femme...

enfin, c'est une autre affaire. C'était vraiment un chic type et notre entreprise était honnête. *Honnête*, Mr Weir, vous m'entendez ?

— Oui, répondit-il en remarquant qu'elle ne portait pas d'alliance.

— En 1986, lorsque notre société a été rachetée par Cantrell Development pour être intégrée à la PacifiCo, nous avions un chiffre d'affaires annuel de 5,8 millions de dollars contre 2,6 millions de dépenses. C'était une petite entreprise de cinquante-six employés, et ça gazait. (Elle se tamponna de nouveau les yeux. Jim commençait à comprendre pourquoi le bilan financier d'une entreprise de construction d'égouts revêtait tant d'importance à ses yeux.) Après 1986, nous avons maintenu notre rentabilité pendant encore deux ans, mais nous avons été finalement absorbés par le département de louage d'ouvrage de Cantrell Development. Nous n'étions plus qu'une branche des services d'exploitation de la PacifiCo. Notre rentabilité est subitement devenue... (Elle renifla de nouveau, puis se redressa et regarda Jim.) Non prioritaire.

— Vous m'en voyez désolé.

— Pas de persiflage avec moi. Ça vous paraît stupide, mais pour moi, Cheverton Sewer & Septic était un mode de vie. (Weir garda le silence.) Ils nous ont dépouillés. Ils ont mis fin à nos activités d'assainissement. On ne faisait plus appel à nous que pour installer les canalisations d'égout des nouveaux lotissements de la PacifiCo. Et même là, ils n'hésitaient pas à faire travailler la concurrence si les devis étaient inférieurs aux nôtres. Le département dont nous faisions partie réalisait d'énormes profits, et les nôtres y étaient intégrés sans distinction. Nous n'avions pas le droit de répondre à des appels d'offres extérieurs, alors, quand d'autres faisaient construire, nous ne bougions pas. J'ai continué à tenir des livres de comptes comme si nous étions une entreprise viable, et je peux vous dire que si on nous l'avait permis, nous aurions poursuivi notre croissance au taux annuel de six pour cent. Bien entendu, ces registres n'ont aucune valeur.

— Non.

— Non. Au moment de notre rachat par la PacifiCo, ils nous ont envoyé leur laquais, Louis Braga. Et il a eu droit à mille petites attentions de la part des grands patrons. Dickie, qui avait conservé les fonctions de directeur, n'y comprenait rien, et quand il posait des questions, il n'obtenait jamais de réponse.

— Des attentions ?

— Mr Braga recevait des enveloppes scellées en provenance du siège de la PacifiCo. Et aussi des coups de téléphone. Il utilisait une carte de société au nom de Cheverton Sewer & Septic, même si nous n'étions plus qu'une division de la PacifiCo. Et voyez-vous, Mr Weir, une fois par mois, lorsque je m'occupais des factures et des traites à payer, je passais tout ça au peigne fin. Un mois sur deux, il y avait un versement de 9 000 dollars en liquide, effectué avec notre carte, au crédit d'un dénommé Dave Smith, de Cheverton. Braga me disait de payer et de faire apparaître ça dans nos écritures comme honoraires de consultant. J'ai voulu savoir pour quel motif il fallait remettre 9 000 dollars appartenant à Mr Cheverton à un type qui ne travaillait pas chez nous. Des gens du siège m'ont convoquée à Newport. Ils m'ont dit de ne pas « modifier » leur système de comptabilité. Ils ont ajouté que Mr Braga était parfaitement au courant de leurs méthodes si j'avais d'autres questions à poser. La semaine suivante, j'ai eu une augmentation. Mais je sais qu'ils m'auraient renvoyée si Mr Cheverton n'avait pas pris ma défense.

— Donc, Braga et Smith pouvaient se servir de la carte. Qui connaissait le numéro de compte de Cheverton, à la PacifiCo ?

— Je n'en ai aucune idée. Sur le plan de la comptabilité, nous n'avons jamais été intégrés à la PacifiCo. C'est ce qu'ils appellent une carte FF, pour « faux frais ». Tout le reste, ce sont des comptes B, pour « frais de bureau », ou D pour « divers », V pour « frais de voyage », des trucs comme ça. Ce sont tous des comptes de crédit fournisseurs. Mais la PacifiCo peut se permettre de tirer 9 000 dollars tous les deux mois sur une carte de crédit réservée aux faux frais, elle. On peut tout se permettre, avec un chiffre d'affaires de 600 millions.

Jim patienta un instant pendant que Marge dépliait un coin de son mouchoir pour se tamponner les yeux. Il était temps de passer à une petite enquête.

— Est-ce que Mr Smith recevait du courrier à Cheverton ?

— A l'occasion. Les lettres portaient souvent la mention « personnel et confidentiel ». Je n'ai jamais ouvert une enveloppe adressée à Mr Smith. La PacifiCo m'avait donné l'ordre de ne pas le faire. Je les remettais directement à Mr Braga.

Les lettres d'Ann à Cantrell, pensa Weir.

— Il n'y a jamais eu de Dave Smith ?

— C'est ce que je vous ai *dit* lorsque vous êtes venu, souligna Marge d'un air presque blessé.

— Mais vous couvrez ce type depuis cinq ans.

Elle acquiesça et ses yeux se remplirent à nouveau de larmes.

— Quand Mr Cheverton est mort, fin 86, je me suis juré de continuer à servir l'entreprise et de faire ce que je pourrais pour lui rendre son intégrité première. Mais plus rien n'est pareil. C'est une honte ! La seule chose qui n'ait pas changé, c'est la photo de lui que je garde dans mon bureau. Mr Cheverton avait horreur de ce qui se passait dans son ancienne entreprise et je ne tolérerai pas qu'on salisse davantage sa mémoire. Ni vous, ni cette putain de candidate maire, ni les journaux.

— Est-ce que les retraits cash de 9 000 dollars se produisent toujours ?

— Oui, tous les deux mois.

— Qui prend l'argent liquide ?

— Mr Braga, je suppose. (Marge se redressa et braqua son terrible regard sur Jim.) J'ignore totalement où il passe après que ce monsieur l'a touché.

— Totalement, Marge ? Vous ignorez où passe cet argent ? *Vous ?*

Une expression suppliante passa fugitivement sur le visage de Marge, puis disparut.

— Oui, je l'ignore.

— Ah ! (Elle lui décocha un regard, puis détourna les yeux.) Mais vous avez vu quelque chose d'anormal, c'est ça ? Vous n'êtes pas une imbécile, Marge. Vous avez traîné après une journée de travail, c'est ça ? Vous avez épluché les registres de comptes pour voir s'il y avait une explication légitime à ça ? Ou fait un petit tour en douce, la nuit ou le week-end, pour voir ce qui se tramait ? En souvenir de Mr Cheverton ? J'y suis ?

Elle fit un signe affirmatif.

— Je veux défendre Mr Cheverton, et non jeter la suspicion.

— Réveillez-vous, Marge. Vous avez affaire à des manipulateurs.

— Je le sais ! (Elle se tamponna de nouveau les yeux.) Mais si vous saviez comme il est difficile de savoir quand il faut se battre, et quand il faut faire marche arrière. Il arrive toujours un moment où il ne vous reste que vos propres convictions pour continuer.

— C'est vrai !

Laisse-lui un peu de champ, pensa-t-il. Il patienta en sirotant son café. Marge Buzzard lui décocha un bref regard, puis se remit à contempler sa tasse.

— J'envisage de prendre ma retraite, dit-elle enfin. Les choses ne sont plus comme avant. Plus du tout.

— C'est affreux, de perdre quelqu'un qu'on aime.

Un éclair d'indignation flamba dans son regard.

— C'était l'homme le meilleur que j'aie jamais connu. Honnête, attentionné ! Il... méritait mieux que ce que la vie lui a apporté. Oui, je l'aimais. Mais ça n'a jamais été en dehors des convenances. Il était marié, et moi... célibataire. Je respecte le mariage, Mr Weir, que ce soit le mien ou celui de quelqu'un d'autre. Enfin, si j'avais été mariée, s'entend.

— Tout le monde n'a pas des sentiments aussi nobles.

— Je suis laide, Mr Weir, mais j'ai quelques solides qualités. De la loyauté, de la conviction, et une certaine dose de courage, quand il le faut.

— J'ai admiré la façon dont vous avez tenté de m'éconduire, dit Jim.

— Et me voilà en train de vous révéler ce que je me suis escrimée à vous dissimuler.

— Pourquoi ?

— J'avais vu les journaux et je savais qui vous étiez, lorsque vous êtes venu nous questionner sur Smith, dit-elle. J'avais entendu parler de la conférence de presse de Becky Flynn et je pensais qu'elle voulait essayer de se servir de nous. Mais je suis bouleversée par ce qui est arrivé à votre sœur, et bien que j'aie la certitude qu'il n'y a aucun rapport entre les vols commis à Cheverton Sewer et Ann, sa mort m'a tout de même amenée à comprendre l'importance de... (Elle n'acheva pas sa phrase et reprit la parole sans le regarder.) Louis Braga a donné de l'argent à un policier du nom de Blodgett au moins deux fois. Un jour que je l'attendais dans sa caravane, je l'ai entendu mettre le liquide dans un sachet d'épicerie, et une autre fois où je travaillais tard, je l'ai vu remettre un sac identique à Blodgett. Je ne peux pas affirmer que c'est lui qui a empoché tous les paiements, mais pour deux d'entre eux, j'en suis sûre. Je soupçonne que ça a dû être pareil pour les autres.

— Et pourquoi Blodgett touche-t-il 9 000 dollars de la PacifiCo ?

— *C'est l'argent de Cheverton !*

— De Cheverton, je veux dire...

Marge l'examina un instant avec une attention soutenue.

— J'ai mon idée. (Elle ouvrit son sac sur ses genoux, et en tira un petit flacon.) La cuve du *Duty Free* a été remplie avec cette substance, la semaine dernière. Il y avait encore six gros bidons. Après chaque visite d'un camion de la Hollis-Chemical, le bateau fait une sortie. Je le sais parce que le lendemain, Louis Braga n'arrive qu'au début de l'après-midi, et que le bateau n'est plus là. Je crois que cette... substance est livrée par le camion de la Blake-Hollis Chemical. Le lendemain, lorsque le *Duty Free* reparaît, la cuve est vide, et les bidons aussi.

— Est-ce que la Blake-Hollis fait partie de la PacifiCo ?

— C'est une filiale.

Elle lui tendit le flacon, mais il refusa d'y toucher. Il lui demanda d'enlever le bouchon. Le liquide avait une odeur âcre et inconnue et l'aspect de l'eau. Du solvant, pensa-t-il.

— C'est probablement du trichloréthylène. C'est comme ça qu'il a atterri dans la baie.

— C'est ce que je crois. Je vais vous laisser ça pour que vous le fassiez analyser et procédiez comme vous le jugerez bon. Je ne *suis pas disposée* à dire ce que je sais à la police. Pas à la police de Newport Beach. Pas quand un homme comme Dale Blodgett est chargé de la lutte antipollution.

— Et à un grand jury fédéral ?

— Plus haut ce sera, mieux ça vaudra, Mr Weir.

— Miss Buzzard, vous ne pouvez pas laisser ce truc-là chez moi. Gardez-le et mettez-le en lieu sûr. Ne laissez personne le toucher. Si vous tenez à prouver que cette substance a été déversée dans la baie, il va falloir que vous rendiez compte de cet échantillon. Vous me comprenez ? (Elle hocha la tête.) Maintenant, je vais vous poser une question très importante, et je vous demanderai de bien réfléchir avant de répondre. Avez-vous jamais vu ma sœur Ann à Cheverton ? Prête à partir, ou s'embarquant sur le *Duty Free* ? Elle était grande, blonde, jolie, vous avez sûrement vu sa photo dans la presse. Elle aurait pu venir seule ou en compagnie d'une femme plus âgée. Réfléchissez, s'il vous plaît.

Marge braqua sur lui son regard farouche.

— Jamais !

— Réfléchissez bien.

— Jamais. J'ai une très bonne mémoire. Mais voici ce dont je me souviens. Un jour, il y a environ un mois, Blodgett est venu voir Louis. C'est ce jour où j'ai vu Braga lui donner le sac avec l'argent, le lendemain du jour où ils avaient fait une sortie en bateau. Ils bavardaient et rigolaient dans le bureau de Louis. J'étais en train d'arroser ces malheureux géraniums qui sont devant sa caravane, parce qu'il ne faut pas compter sur lui pour s'en charger. Voici la transcription de ce que j'ai entendu, grosso modo. Louis a dit : « Il était moins cinq, hier. » Blodgett a répondu : « Elle ne s'est doutée de rien. » Braga : « Elle est passée tout près du camion en arrivant. » Blodgett a dit : « C'est pas les camions qui manquent dans la cour. T'en fais pas. Si ç'avait été sa mère, y aurait eu de quoi se biler. C'est Virginia qu'il faut surveiller. »

— Virginia ?

— Oui. « C'est Virginia qu'il faut surveiller. » Je suis formelle. Qui est-ce ?

— Virginia, c'est ma mère. La mère d'Ann. Elles accompagnaient quelquefois Blodgett pendant sa ronde. Ann a voulu les accompagner une nuit où ils devaient déverser des déchets toxiques.

— Ô mon Dieu... Et maintenant, elle est morte.

— Ne faites rien pour l'instant, dit Jim en se levant. Conduisez-vous comme à l'habitude. Attendez que je prenne contact avec vous. Est-ce que Braga ou Blodgett se doutent de ce que vous savez ?

— J'ai toujours été un modèle de circonspection à Cheverton.

— Vous avez bien agi, Marge.

Marge se leva à son tour et rajusta sa tenue.

— Je me fais l'effet d'être Judas, dit-elle.

— Judas a trahi le Christ, rétorqua Weir. Vous,

vous m'avez dénoncé deux profiteurs qui sont peut-être aussi des assassins.

— Je crois que je vais prendre quelques jours de congé et envoyer ma lettre de démission.

— N'en faites rien pour l'instant. Comportez-vous comme si tout était normal.

— Normal ? Elle est bien bonne ! On va être assaillis par les journalistes à cause de ce que cette garce de Mrs Flynn a déclaré. Nous avons un point en commun, Mr Weir. Nous travaillons tous les deux pour des manipulateurs.

— Ne passez pas les bornes, Marge.

— Ça n'a jamais été mon style. Ma lettre de démission est presque prête. Je vais la finir et l'envoyer.

— Non ! Si vous leur mettez la puce à l'oreille, vous pourriez le payer cher. Je suis sérieux, Marge. Ces gens-là ne plaisantent pas.

— De toute façon, je leur dois un préavis, dit-elle. Je ne quitterai pas la compagnie de Mr Cheverton sans ce minimum d'égards.

— Attendez encore un mois. D'accord ?

Marge Buzzard poussa un soupir.

— Après toutes les années que j'ai passées à Cheverton, je ne suis plus à un mois près. C'est entendu.

— Ça vous sauve peut-être la vie.

Weir maintenait ouverte la lourde porte de derrière pour laisser passer Marge Buzzard, lorsque Becky fit son entrée. Les deux femmes se dévisagèrent pendant un instant.

— Vous ne manquez pas d'air, fit Marge.

— Vous pouvez m'appelez Becky, Mrs... ?

— *Buzzard* avec un *d*, comme bazarder.

Becky lui serra la main, non sans décocher un regard inquiet à Jim. Marge expulsa un soupir tremblé, et passa fièrement devant elle pour sortir.

— Tu as regardé ? demanda Becky à Weir.

— Tu vas un peu trop vite en besogne.

— Je ne te parle pas de la conférence de presse mais de la cassette que Virginia t'a laissée.

— Oui, je l'ai regardée.

Elle l'observa un instant, puis soupira, essuyant d'un revers de main son front baigné de sueur.

— Tu n'as rien remarqué, alors... Jim, la machine est en route, maintenant. Tu dois l'accepter.

— A mon avis, les choses s'emballent inutilement. Nous ne pouvons pas faire le lien entre Cantrell et le bouquet de roses, pas encore. Nous pouvons dire qu'il avait une liaison avec Ann, mais nous n'en avons aucune preuve. Nous n'avons rien qui nous permette de le relier à Back Bay. Rien ! Si tu ne mets pas un bémol à ton petit numéro, tu vas tout faire rater. Il s'arrangera pour nous échapper.

Un sourire rusé fleurit sur le visage de Becky.

— Suis-moi, Jim. Je vais t'apprendre à *regarder.*

De retour dans la grande maison, elle logea la cassette dans le magnéto et déclencha l'appareil. Weir s'installa au bureau de Virginia, en s'efforçant d'ignorer ses regards impatients. Pendant que les images défilaient, il tenta de repérer ce qu'il avait pu laisser passer. Au moment où Cantrell se penchait par-dessus la rambarde du pont pour entamer son morceau de bravoure, son pull suivit le mouvement, sa cravate se souleva. Soudain intrigué, mais incapable de préciser ce qui le dérangeait, Weir stoppa le déroulement de la bande, revint en arrière, et refit défiler la séquence. Cantrell s'inclinait, son pull flottait, sa cravate ébauchait le même mouvement, puis s'immobilisait, retenue par l'épingle. *L'épingle à cravate.* La caméra captait un petit reflet lumineux, remontait vers le visage de Cantrell, et la petite zone brillante disparaissait de l'écran. Weir repassa une troisième fois la séquence et fit un arrêt sur image. C'était un peu flou. Mais la forme de l'épingle correspondait ; la taille aussi. Il sentit s'accélérer les battements de son cœur.

— On le tient, fit-il. Il était à Back Bay.

— On est à cent lieues de le tenir. Mais il était bien là-bas, ça c'est sûr.

Jim était sur le point d'appeler Robbins lorsque la sonnerie du téléphone retentit. Il décrocha.

— Jim Weir ?
— Lui-même.
— Ici David Cantrell.
Jim garda le silence. Cantrell marqua une pause.
— Je crois que nous avons un certain nombre de choses à nous dire, fit-il enfin.
— Je le crois aussi, convint Weir.
— Pouvez-vous me rejoindre devant le cinéma de Balboa, d'ici une demi-heure ?
— J'y serai. J'espère que vous ne serez pas coincé dans les embouteillages, lâcha Jim, et il raccrocha.
Becky l'observa avec attention.
— C'était lui ?
— C'était lui.
Le petit sourire retors et usé réapparut sur le visage de Becky. Ce petit sourire qu'il avait toujours eu en horreur. Elle poussa un soupir appuyé. Puis elle se leva et vint s'agenouiller auprès de lui.
— A partir de maintenant, il ne faut pas qu'il y ait de ratés. Il faut que tu passes par Dennison pour être en cheville avec Robbins, et Brian ne collabore pas volontiers. En fait, il fera tout ce qui est en son pouvoir pour protéger les arpions de Cantrell. Nous avons besoin du district attorney, et j'ai mes entrées auprès de lui. Nous allons choper ce mec, Jim. Nous allons le faire pendre.
Weir se renversa sur son siège et contempla le plafond. Le faire pendre ? songea-t-il. Ray va le buter, oui.

28

Comme enfantée par le brouillard, la limousine argentée surgit. Weir attendait sous la marquise de la salle de spectacle, à l'écart des volutes de brume qui se rassemblaient vers le trottoir et le nappaient de ténèbres naissantes. Un homme grand, aux cheveux coupés ras, vêtu d'un costume gris, sortit de la bagnole, adressa un signe d'invite à Weir avec un sourire crispé. Il extirpa un détecteur de métaux de sa poche et l'ausculta, devant, puis de dos.

— C'est ce que j'appelle être à la coule, fit Weir.

— Navré pour ce petit inconvénient, monsieur.

— Je ne suis pas armé.

— Nous nous inquiétons plutôt d'un micro émetteur, monsieur.

— Je n'en porte aucun.

Le type adressa au conducteur un regard qui signifiait : RAS, inoffensif. Il relogea le détecteur dans sa poche et ouvrit la portière à Jim. « Je vous en prie, monsieur. » Weir monta et s'assit. Cantrell était installé dans l'angle le plus éloigné. Un plafonnier projetait une lumière douce sur le *New York Times* qu'il tenait sur ses genoux. Une odeur de cuir et d'eau de Cologne imprégnait la bagnole. L'ensemble puait le Pouvoir.

— Dave Cantrell, dit son hôte à Jim en lui tendant une main manucurée.

Sa voix était cérémonieuse et douce.

— Jim Weir.

— Je suis heureux que vous ayez accepté de venir. Je suis certain que vous êtes un homme très occupé.

— A dire vrai, les affaires tournent plutôt au ralenti, ces derniers temps.

— Je comprends. Vous avez eu beaucoup de soucis.

— Vous aussi, sans doute.

Cantrell l'examina et une expression de surprise passa fugitivement sur son visage.

— Eh bien, oui, en effet. Jim, je tiens à vous dire à quel point je suis navré de ce qui est arrivé à votre sœur. C'était une de mes préférées, au *Whale's Tale*. Elle avait l'art d'égayer une soirée. Je suis... sincèrement, profondément affecté par sa mort. C'est vrai.

L'expression de Cantrell était en parfaite harmonie avec les mots qu'il venait de prononcer. Il avait l'air malheureux et accablé. Etonnant, songea Weir.

L'idée le traversa que ce type était peut-être assez fou pour écrire à Raymond une lettre signée Mr Night et en penser chaque mot.

— Je suis touché par l'étendue de votre chagrin, Dave.

Cantrell eut un hochement de tête et le dévisagea. Il était de taille et de stature moyennes et portait un costume bleu marine, une chemise rose, une cravate au motif abstrait hardi, des mocassins et des chaussettes assorties à la chemise. Sur son visage hâlé, de fines rides restaient présentes aux coins de sa bouche même lorsqu'il ne souriait pas. Il avait des cheveux brun foncé, ondulés, coiffés en arrière pour dégager un haut front. Ses yeux étaient bleus, et ses paupières légèrement abaissées aux coins extérieurs, ce qui lui donnait une expression de compréhension désabusée. Il avait des mains fortes aux veines saillantes ; son alliance était mince et sans prétention. Il avait l'air d'un homme accoutumé à prendre des décisions qui ne plaisaient pas toujours, et à vivre avec. Weir le trouvait tout à fait semblable à ce qu'il était à la télé.

La voiture s'engagea dans Balboa Boulevard.

— Je m'excuse pour la fouille, dit Cantrell. J'aimerais que les choses se passent de façon aussi conviviale que possible.

— Le mot s'applique mal à un garde du corps.

— Et à un micro enregistreur. (Cantrell se pencha vers lui avec un regard franc.) Je n'ignore pas vos liens avec Becky Flynn, et avec Virginia, bien entendu. Je suis un homme prudent. Si ça s'apparente à la suspicion, je vous en fais mes excuses.

La limousine fit demi-tour après le ferry, puis remonta le boulevard en sens inverse. Weir se carra sur son siège, bien décidé à jouer serré. Que Cantrell abatte son jeu d'abord. Et puis il lui administrerait une raclée, si c'était ce qu'il cherchait. En attendant, il voulait deux choses. La première serait facile à avoir ; la seconde, peut-être pas.

— Je m'efforce de rester à l'écart de la politique, dit-il. Ce n'est pas mon truc.

— On ne peut pas en dire autant de Becky Flynn. J'ai regardé une diffusion de sa conférence de presse sur la chaîne câblée locale. Les médias vont adorer ça. Elle me tire dessus à boulets rouges à travers Cheverton et ce qu'elle a déniché sur ces gens-là. Ses accusations vous semblent solides ?

— Ma foi, oui.

— Je m'y attendais. Puisque vous enquêtez pour elle.

— Elle a un client à défendre et c'est en ça que je l'aide. Son travail d'attorney pour Horton Goins l'a conduite chez Cheverton, entre autres.

— Qu'avez-vous découvert ?

— Ce qu'elle a déclaré aux journalistes.

— Il y a sûrement autre chose, sinon elle n'aurait pas été aussi téméraire.

— Nous verrons, fit Weir en haussant les épaules.

— Je n'en doute pas, connaissant Becky comme je la connais. Et je lui souhaite de réussir dans son entreprise, car je crois qu'Horton Goins n'est que partiellement coupable. (Weir se garda de réagir.) La police de Newport Beach et le district attorney ont de sérieux éléments contre lui. Brian Dennison et George Percy sont des types compétents.

Jim observa de nouveau Cantrell. Il joue son rôle, pensa-t-il. Aucune surprise. Cantrell se carra sur son siège. Le rayon de lumière diffusé par le plafonnier effleurait son épaule, puis tombait sur le journal posé sur ses genoux. Un cheveu accroché à son veston, sur l'épaule, remuait doucement sous le souffle du climatiseur.

— Quoi qu'il en soit, reprit Cantrell, je crois qu'on s'est servi de Goins pour perpétrer le crime. Ce sont mes adversaires politiques qui l'ont engagé, et payé grassement, je suppose. Il paraît que les fleurs qu'on a trouvées sur Ann auraient été commandées par un employé d'une de mes compagnies. On les a commandées par téléphone, ça aurait donc pu être n'importe qui. Il suffit d'avoir accès au numéro de compte. C'est le cas de quatre-vingts personnes à la PacifiCo. Et il y en a deux de plus à Cheverton. Une utilisation frauduleuse ? Ça nous donne des centaines de suspects. N'importe quel individu extérieur à l'entreprise a pu se servir de cette carte. Il suffisait de s'être procuré le numéro, ce qui n'a rien de sorcier. Celui qui a employé Horton Goins aurait très bien pu s'en servir. Seulement voilà, qui est le titulaire du compte ? Cheverton. Et à qui appartient Cheverton ? A moi. Vous me suivez, Mr Weir ?

— Jusqu'ici, oui.

— Point numéro deux. On a volé une épingle à cravate dans ma résidence du bord de mer, le mois dernier, ainsi que d'autres objets. Et voilà qu'on la retrouve sur le lieu du crime, par la grâce d'un certain Mackie Ruff. Un inspecteur, Innelman, est remonté jusqu'à la joaillerie où ma femme l'a achetée.

— On la voit également sur votre spot de propagande contre la Proposition A.

— Je sais. C'est Goins qui l'a déposée sur le lieu du crime, comme on le lui a ordonné. Je suis formel là-dessus.

— Et on peut savoir pourquoi ?

Cantrell se pencha en avant.

— Parce que je n'étais pas là-bas, Jim, dit-il. Je ne l'ai pas tuée. Je ne la connaissais pas. Il lui arrivait de me servir au *Whale*, et nous nous entendions bien. Mes relations avec elle étaient strictement professionnelles. C'était une jeune femme ravissante, intelligente et je l'aimais beaucoup. Je ne l'ai jamais touchée. Je ne lui ai jamais fait d'avances, et elle ne m'en a jamais fait. Et je n'ai pas l'intention de laisser faire ceux qui cherchent à me piéger. Vous m'entendez ?

— Je vous entends. Continuez !

— Il ne m'échappe pas — pas plus qu'à vous ou à Becky — qu'on a trouvé la voiture d'Ann non loin de ma résidence en bord de mer. Ni que j'ai dîné au restaurant où elle travaillait la nuit où on l'a assassinée. La police est au courant. Vous aussi ?

— Oui. Et personne ne vous a accusé d'avoir tué Ann. Vous êtes le premier à en parler.

— Mr Weir, soyez aussi honnête avec moi que je le suis avec vous. Je ne suis pas un imbécile. Becky s'apprête à porter cette accusation. C'est sa carte maîtresse pour l'élection, et elle se sert de vous pour réunir des preuves.

— Vous prétendez que Becky cherche à monter une accusation contre vous ?

Cantrell garda un long moment le silence.

— Mr Weir, je ne suis pas aussi impatient d'accuser mes accusateurs qu'ils le sont de me piéger. Si je savais qui se cache derrière tout ça, j'irais immédiatement trouver Brian Dennison et George Percy. Pour l'instant, mon suspect numéro un est Becky Flynn. Il se pourrait qu'elle ait d'autres raisons de défendre Goins que des motifs purement médiatiques. Vous avez pensé à ça ? Il n'est pas impossible qu'elle devienne son propre avocat, ou celui de gens qui sympathisent avec ses idées. Bien entendu, tout serait encore mieux pour elle si Goins se faisait descendre, n'est-ce pas ?

— Vous ne me convaincrez jamais que Becky a fait assassiner sa meilleure amie. Je la connais depuis plus de trente ans. Elle a fréquenté Ann pendant aussi longtemps.

— Et moi, je la connaissais depuis quelques mois, en tant que serveuse. Où est *mon* mobile ?

Jim eut un léger sourire.

— Votre conscience vous tourmente, on dirait. Il n'y a pas assez d'éléments pour vous inculper.

Cantrell le regarda en hochant la tête. La colère flamba dans son regard.

— Becky n'a aucun besoin de me faire *inculper*. En tant qu'attorney, elle sait très bien que son dossier ne tient pas la route. Tout ce qu'elle veut, c'est me diffamer, me relier au meurtre par tous les moyens, me soumettre aux harcèlements de la presse d'ici le 5 juin. Bon sang, Weir, ouvrez les yeux. On se sert de vous, et on se sert de moi. Par ailleurs, puisque vous avez abordé le sujet, sachez que vous ignorez tout de ma conscience.

Weir vit dans son regard qu'il n'avait pas décoléré.

— Vous avez raison sur ce point, lâcha-t-il.

Il tira de sa poche une des photos de Goins et la lui tendit. Cantrell la prit, plaçant son pouce directement sur le cliché, en bas à droite.

— Horton Goins, dit-il.

— Vous l'avez vu ?

— Hein ? Cette photo est dans tous les journaux du pays depuis une semaine et vous me demandez si j'ai vu ce type ?

— Je suppose que je dois traduire par « non ».

Cantrell lui restitua le cliché en hochant la tête. « Les connards », murmura-t-il pour lui-même. Jim regarda de nouveau le portrait, puis le remit dans sa poche. Et d'une, songea-t-il. Je tiens l'empreinte.

— Désolé, fit-il. Une revérification n'est jamais inutile. (Cantrell regarda par la vitre pendant un moment; il semblait avoir oublié la présence de Weir.) Je crois que vous seriez content qu'on arrête Goins, reprit Jim. Il pourra désigner ses commanditaires, si George Percy le secoue suffisamment à l'interrogatoire. Enfin, si commanditaires il y a ! Mais au total, je parie que vous n'aimeriez pas qu'il se passe quelque chose avant le 5 juin.

Cantrell acquiesça.

— Dennison se sert de Goins pour donner bonne opinion de lui, et Becky en fait autant. C'est normal. Ce que je veux dire, c'est que plus Becky brandit des soi-disant preuves de ma liaison avec Ann, plus ça me confirme dans l'idée qu'on cherche à monter un coup contre moi. Je vous demande de réfléchir à cette hypothèse. (Il examina Jim depuis son refuge, dans l'angle de la banquette. Le cheveu palpitait toujours dans le souffle du climatiseur, sur son épaule.) Ecoutez, Weir, il y a des choses plus importantes que le résultat de cette élection. Une femme a perdu la vie.

Un homme innocent — moi — est mis en accusation. Oubliez les batailles électorales. Vous ne croyez pas Goins coupable. Très bien ! Si Goins ne l'a pas tuée, il s'en tirera. Mais pour ce qui me concerne, vous devez faire un choix, Becky et vous. Ou vous renoncez, où vous menez l'enquête à fond pour découvrir la vérité.

— Qui est ?

— Je ne la connaissais pas. Je ne l'ai pas tuée. Point final.

— Où étiez-vous la nuit où on l'a assassinée ?

— Dans ma résidence du bord de mer. J'ai revu un de nos spots électoraux.

— Seul ?

— Seul jusqu'à environ minuit. Et puis je suis retourné chez moi. Ma femme était avec moi à partir de minuit, mais il me déplairait souverainement qu'on l'oblige à en témoigner. Et puisque nous voilà sur ce sujet, j'aimerais vous signifier une ou deux choses, Mr Weir. Vous avez le droit de vous faire votre propre opinion, même si elle ne se base sur aucun élément recevable. Mais s'il arrivait qu'il soit question de ma « liaison » avec Ann dans la presse ou qu'on en parle à ma femme, je considérerais cela comme une attaque personnelle. J'utiliserais tous les moyens qui sont en mon pouvoir, toute mon influence, toute la puissance de mon empire personnel pour vous briser, vous, Becky et votre mère. Sans la moindre hésitation. J'aime détruire mes ennemis presque autant que j'aime récompenser mes amis, Mr Weir. C'est un de mes grands défauts. Pour commencer, mes avocats ont préparé une poursuite en diffamation qui vous ruinera jusqu'au dernier cent que je gagne le procès ou pas. Et je le gagnerai. Je compte demander cent millions de dollars de dommages et intérêts, et plus si la Proposition A l'emporte grâce au scandale. Les accusés seront Becky Flynn, Jim Weir et Virginia Weir, à titre de directrice du comité électoral pour la Proposition A. Si vous perdez les élections, je veillerai à ce que

Brian Dennison exerce le droit d'expropriation de la ville dans votre quartier et à ce qu'on rase en priorité la maison de Becky, celle de Virginia, le *Poon's Locker, Ann's Kids*, et la maison de Raymond. Il est en mon pouvoir de le faire, et je le ferai. Vous l'avez peut-être oublié, mais ces terrains sont à moi. Vous n'êtes que mes *locataires*. J'ai demandé à vous rencontrer pour lever certains soupçons. Je pensais que vous étiez un homme raisonnable et je ne vois aucune raison de changer d'avis. Je vous demande d'avoir assez de respect à mon égard pour examiner toutes les possibilités, avant de porter une accusation qui ferait votre perte et celle de tous vos amis. Vous pensez peut-être que j'ai trouvé un moyen commode de gagner une élection dont le résultat aura de si grandes conséquences sur mes activités. Mais croyez-moi, je vous écraserai et je vous ruinerai. J'espère que je suis clair.

Cantrell frappa contre la vitre de séparation et le chauffeur effectua un nouveau virage en U, reprenant la voie express en sens inverse. Jim regarda défiler de nouveau Coast Highway. Il aperçut les yachts du port de plaisance tandis qu'ils revenaient vers le pont de la péninsule.

— Jolie petite ville, hein ? fit-il.

Le visage de Cantrell se durcit encore plus.

— Je sais ce que vous pensez, dit-il. Que vous êtes dans une pompeuse limousine occupée par un immonde salopard. Que l'avenir que je réserve à ce comté est une abomination. Que les gens de mon espèce ne pensent qu'à faire des dollars, à entasser de plus en plus de gens dans des espaces de plus en plus restreints pour tirer le maximum de fric de cette terre, et qu'ils sont en train de détruire ce qui était autrefois une jolie ville sans prétention.

— Bien sûr que c'est ce que je pense. N'importe qui serait de cet avis.

— Alors, réfléchissez à ceci : au cours des vingt dernières années, j'ai bâti plus de 80 000 maisons dans ce comté. Des gens y vivent, y aiment, y élèvent une famille. Les demeures que je leur ai construites les abritent hiver comme été, elles sont solides et leur valeur ne cesse d'augmenter chaque année. Je fais travailler 2 500 personnes, de l'architecte au veilleur de nuit. Je paie 65 millions de dollars d'impôts par an, je verse 8 millions de dollars à diverses organisations caritatives et artistiques, un million supplémentaire aux écoles et universités, et j'ai proposé de construire un lieu d'accueil pour les sans-abri, mais les propriétaires de cette région me l'interdisent parce qu'ils *ne veulent pas de ça dans leur voisinage.* Vous appelez ça du racket ? Je ne suis pas un gangster. Enfin, bordel ! j'essaie de construire des logements, c'est tout.

Jim le regarda se réinstaller plus confortablement dans son fauteuil de cuir.

— Il y a des limites à ne pas franchir, dit-il. Vient un moment où trop c'est trop. Où on vend une illusion, rien de plus. Je ne crois pas qu'un homme comme vous sache où se trouve la limite.

— Parce que Becky le sait, elle ? Et Virginia aussi ?

— Je crois, oui. Elles vivent ici. Cette terre n'est pas un programme électoral, pour elles. Vous essayez de vous faire passer pour un artiste. Mais vous n'êtes qu'un marchand.

— En voilà des grands sentiments, pour un parasite qui voudrait gagner sa vie avec l'or pour lequel d'autres hommes sont morts.

— Et j'en mourrai aussi, si je fais ce métier-là assez longtemps. J'assume le risque. Etes-vous prêt à mourir pour le projet de redéveloppement de Balboa ? Ou bien irez-vous parasiter ailleurs lorsque l'affaire cessera d'être juteuse ? (Jim resta silencieux un long moment. Le quartier familier défila devant ses yeux, derrière les vitres fumées de la limousine.) Dommage que vous n'ayez pas mieux connu Ann, dit-il finalement. C'était une fille adorable. Intelligente, heureuse de vivre, travaillant dur. Elle ne se plaignait jamais. Vous auriez eu de la sympathie pour elle.

— *J'avais* de la sympathie pour elle.

— Saviez-vous qu'elle était enceinte, lorsqu'elle est morte ?

L'air choqué de Cantrell parut factice.

— Non. Avait-elle des enfants ?

— Vous savez bien que non. (Cantrell garda le silence.) Ann a grandi ici, dans ce quartier. Chaque fois que je regarde autour de moi, je regarde ce qu'elle a regardé, ou ce qu'elle aurait aimé voir. (Cantrell le dévisagea sans mot dire. Jim lorgna le cheveu qui remuait sur son veston. Il pointa une maison du doigt.) Tenez ! Cette maison, par exemple. C'est là qu'elle a fait son premier boulot de baby-sitting.

Cantrell examina le cottage avec plus d'attention qu'il ne s'y attendait, puis se retourna vers lui.

— Ce doit être agréable, de grandir dans une aussi jolie demeure.

— Et là, au coin, elle a fait une chute en patins à roulettes et il a fallu lui faire six points de suture. Là, c'était la maison de sa meilleure amie, Becky Flynn.

Cantrell hochait la tête, à présent, le regard perdu. Lorsqu'il reprit la parole, ce fut d'une voix neutre, blanche.

— Ce que j'aimais le plus, chez Ann, c'était son humour. Elle faisait passer des choses qui auraient été cruelles dans la bouche de n'importe qui d'autre. Elle ne s'épargnait pas, elle non plus. Elle avait le don de me remonter le moral lorsque je dînais au restaurant.

— Et c'est là, dit Jim, qu'on a recueilli notre premier chien.

Lorsque Cantrell se détourna pour regarder, il se pencha légèrement vers lui pour désigner précisément l'endroit. De l'autre main, il saisit délicatement le cheveu accroché au veston, puis replia son poing dessus. Il sourit lorsque Cantrell lui demanda le nom de l'animal.

— Cassius, dit-il. Ann avait pioché ça dans Shakespeare. Elle aimait la lecture. Elle aimait écrire, aussi.

— Ah, oui ? Ecoutez, Jim, je suis navré de ce qui est arrivé à Ann. Croyez-le, je vous en prie. Je n'avais pas l'intention de vous parler aussi durement. Toute cette histoire d'élections, de campagne de presse et de diffamation n'a pas grand rapport avec Ann. Avec la femme de chair et de sang. Ne les laissez pas vous mettre en laisse. Vous me faites l'effet d'être un type bien. Et je n'avais pas de liaison avec votre sœur.

— Mais vous aviez de la sympathie pour elle.

— Oui, je vous l'ai dit. Elle était...

Sa voix se brisa, il lâcha un soupir. Il regarda par la vitre pendant tout le trajet du retour. Lorsqu'ils furent revenus devant le cinéma, la voiture se gara le long du trottoir. Le type au crâne rasé expédia un mégot sur l'asphalte, puis quitta l'abri de la marquise pour ouvrir la portière.

— Si je peux vous aider, faites-le-moi savoir, dit Cantrell en tendant la main à Weir. Vous pourrez me trouver dans ma résidence du bord de mer pendant un soir ou deux. Je suis sûr que Becky connaît le numéro de téléphone et l'adresse.

Tenant toujours le cheveu emprisonné dans son poing droit, Jim se contenta de regarder la main qu'il lui tendait.

— Mr Weir, vous devriez savoir que je peux passer à l'action très vite, conclut-il.

Jim sortit, laissant le garde du corps refermer la portière. Alors qu'il traversait Balboa Boulevard, une voix hurlait au-dedans de lui que le cheveu qu'il tenait dans sa main serrée serait identique à celui qu'ils avaient trouvé sur la lettre de Mr Night.

29

La première chose que vit Jim en ouvrant la porte du bureau de Ken Robbins, ce fut le visage défait, mécontent et en sueur de Brian Dennison. Le chef haussa les sourcils avec un mélange d'étonnement et de lassitude à sa vue, et s'interrompit au beau milieu de sa phrase. Derrière le bureau, les mains croisées sur l'estomac, Robbins paraissait épuisé. Raymond, enlevé à son service et toujours en uniforme, avait un air de chien battu.

— Assieds-toi, Jim, dit finalement Robbins. Nous étions justement en train de parler de... eh bien... Brian, tu devrais peut-être jouer cartes sur table.

Weir s'assit. Dennison se leva rapidement pour mieux lui faire face. Raymond lui adressa un regard buté. Le chef heurta la poitrine de Jim de son index épais.

— Je pense que Becky Flynn cherche à diffamer Dave Cantrell. Sa conférence de presse n'était que de l'enculage de mouches. Elle ne recule devant aucune insinuation pour rétamer ses adversaires !

— On dirait qu'elle ne t'a pas raté, toi non plus, fit Weir.

— En tout cas, elle ne canarde pas toute seule, rétorqua Dennison.

— Je travaille pour elle, je te l'ai dit.

— Qui t'a tuyauté sur le *Sweetheart Deal* ?

— Moi, intervint Raymond. C'était mon idée. On cherchait le journal d'Ann, et c'était le seul endroit où on n'avait pas regardé.

— Et ce joli petit paquet de lettres de Mr Night était là, bien au chaud, à vous attendre ? rétorqua Dennison.

Jim ne voyait pas trop où il voulait en venir, mais il devinait déjà qu'on avait écrit ces lettres et celle que Ray avait reçue sur le même ordinateur.

— Elles étaient planquées dans le compartiment moteur, enveloppées dans du plastique.

— Ce ne serait pas Becky qui t'aurait soufflé de regarder là ?

— Non. (Weir regarda Robbins, qui suivait l'échange, impassible.) Becky n'a jamais parlé du *Sweetheart Deal.*

Dennison secoua la tête d'un air écœuré.

— Tu sais, Innelman était remonté jusqu'à Cheverton bien avant vous, au sujet de ces roses. Cantrell a fait faire une enquête interne, cet après-midi.

— Et ça a donné quoi ?

Dennison eut un geste de démarcheur à domicile balayant une objection.

— 2 500 employés entrent et sortent quotidiennement de la PacifiCo Tower. N'importe lequel d'entre eux aurait pu se procurer ce numéro, et tu le sais. Lorsque Cantrell l'aura trouvé, Flynn ira au tapis. Dis-moi un peu, Jim, qui a eu l'idée de bigophoner à *Petal Pusher* ? Becky ?

— Je crois que c'est m'man.

— Voilà un distingo qui ne change pas grand-chose. (Dennison se rassit, hocha la tête et se pencha vers Jim.) Et maintenant, Becky veut défendre Horton Goins... *gratos*. C'est-y pas touchant, ça ?

— Goins n'a pas un rond.

Dennison émit par les narines un soupir bref et dédaigneux. Il avait un regard dur et furieux.

— Comme c'est généreux ! J'ai entre les mains un joli petit relevé détaillé de la compagnie du téléphone, Weir. Cette chère Becky a appelé les Goins pour la première fois le 21 mai, la veille du jour où elle a annoncé qu'elle se chargeait de sa défense. L'appel a été passé de chez Becky, pas de son bureau. Et ils ont reçu des appels passés de *chez toi* les 20, 21 et 23 mai. Explique-toi.

Weir n'avait pas téléphoné à Goins. Ça n'avait pu être que Virginia.

— Je ne peux pas.

— Et explique-moi autre chose, Weir. Ta mère se trouvait dans le living des Goins le jour où Innelman y est passé avec l'épingle à cravate. Comment se fait-il que vous soyez si copains avec le suspect numéro un du meurtre de ta sœur, tous les trois ?

Weir s'efforça de trouver un lien logique, mais en vain. Les appels de Becky étaient compréhensibles. Pas ceux de Virginia.

— Je ne comprends pas.

— Moi non plus. Et le *Poon's Locker* est fermé depuis ce matin. Où est Virginia ?

— J'en ai pas la moindre idée.

Dennison le dévisagea longuement, en silence.

— Nous avons vu la bande vidéo. Cantrell a déclaré le vol de cette épingle à cravate il y a un mois. On l'a embarquée avec tout un tas d'autres choses à la suite d'un cambriolage dans sa résidence en bord de mer. Je peux te montrer les formulaires de déclaration pour le prouver. Il joue franc jeu, Weir. On cherche à le piéger, et on se sert de toi pour y parvenir.

Jim hocha la tête, sortit le sachet de preuves de sa poche, et le posa sur le bureau de Robbins.

— S'il correspond à celui qui était sous le timbre, alors j'ai débusqué votre assassin.

Dennison happa le sachet, scruta le cheveu qui s'y trouvait, puis le réexpédia à Jim.

— Il n'est pas question que tu utilises le matériel ou les employés de ce comté pour les besoins de ta petite campagne électorale. Tu n'as aucune autorité ici. Rien de ce que tu peux rapporter n'a de valeur légale. Et je nierai catégoriquement que tu as eu la moindre relation avec ce département. Même si tu détiens de quoi flanquer quelqu'un en taule, tu as bousillé toi-même les indices en te mêlant de ça. Je t'ai proposé un job, Weir. Un moyen légal de régler cette affaire. Et tu m'as envoyé me faire foutre. Allez ! Jim, arrache-toi d'ici, dégage et tâche de sauver ta peau, bordel de merde ! C'est terminé pour toi, ici...

Le chef regarda Robbins, qui haussa les épaules.

— Il a raison, Jim, dit-il. Je ne peux plus t'aider.

Weir remit sur le bureau le sachet contenant le cheveu de Cantrell et la photo où il avait laissé une empreinte digitale. Robbins fit un geste de dénégation. Dennison abattit son poing sur la table avec fureur.

— Et je suis au courant pour ce boîtier de télécommande que vous avez barboté au bureau des pièces à conviction ! Maintenant, les indices se rattachent au *mari* de la victime ! Je vous préviens, s'il le faut, je porterai plainte pour obstruction à l'enquête !

Raymond baissa le nez. Robbins lâcha un soupir. Mais Dennison n'en avait pas fini.

— Je te repose la question, Jim : où est ta mère ?

— Je n'en sais rien.

— A ta place, je me débrouillerais pour le savoir.

Weir comprit qu'il n'y avait plus qu'un seul moyen pour mater Dennison. Faire jouer l'autorité d'un membre de son entourage. Il pourrait peut-être convaincre George Percy. Sinon, le patron de Percy, D'Alba. Et si le DA refusait d'écouter, il remonterait jusqu'au procureur fédéral. Lequel serait enchanté d'interroger Marge Buzzard, qui permettrait de reconstituer la filière « Smith »-Blodgett-Cantrell-Ann-Mr Night. Mais pour l'instant, il devait plier et se taire. Pris entre ses propres soupçons et la nécessité de protéger sa carrière, Raymond était neutralisé. Weir se retrouvait seul.

Le téléphone sonna. Robbins décrocha, le tendit à Dennison, qui écouta ce qu'on lui disait en silence. Lorsqu'il parla, ce fut d'une voix basse, tendue. Puis son visage terreux s'empourpra. *« Où ça ? Vous êtes sûr ? Ne touchez à rien, j'arrive dans vingt minutes. Prévenez Perokee et envoyez Innelman. »*

Il rendit le récepteur à Robbins et se leva. Il adressa un curieux sourire à Raymond et à Jim.

— Très bien, Weir. Tu veux tout savoir ? Tu veux démêler cette affaire à toi tout seul ? Eh bien, magne-toi le cul et suis-moi, puisque tu es si sûr de tenir la vérité.

Ils arrivèrent à l'usine après quinze minutes de trajet dans le brouillard. Le grand bâtiment se trouvait dans la zone industrielle, à tout juste un kilomètre de Cheverton Sewer & Septic. Weir et Raymond franchirent le seuil, traversèrent un couloir à la suite de Dennison et pénétrèrent dans l'atelier. C'était un gigantesque hangar aéré par un mécanisme de soufflerie. L'éclairage au néon accentuait l'aspect lugubre de ce décor industriel à demi ténébreux. D'énormes cuves bordaient le périmètre : argent, nickel, cuivre, tourbillons furieux de vapeurs et de métal en fusion. La chaleur était intense. Les ouvriers avaient été rassemblés contre un mur et patientaient en fumant et buvant du café. Ils les regardèrent passer avec curiosité alors qu'ils se dirigeaient vers l'extrémité du hangar.

Trois flics en uniforme, bras croisés, étrangement respectueux, montaient la garde à distance d'une profonde fosse où bouillonnait une masse argentée. Perokee regardait le spectacle, à l'écart. A quelques pas, un corps était recouvert d'une bâche de plastique jaune.

L'un des flics murmura quelque chose à l'oreille du chef, adressa un signe à Jim et à Raymond, et les conduisit vers le long banc d'acier qui longeait la fosse.

— Il devait déjà être là-dedans ce matin. Lorsqu'ils ont eu besoin de l'utiliser, vers midi, ils ont découvert la fosse et ils l'ont vu. Fusion à 1 200 degrés, à ce que m'a dit le contremaître, alors... enfin, vous verrez. Le mot est là, sur le banc, sous la chaussure.

Dennison s'approcha du corps et le sergent fit signe à ses hommes. Ils retirèrent la bâche et restèrent de côté, détournant le regard.

Difficile de concevoir quelque chose d'aussi dénaturé et d'aussi humain à la fois. L'argent avait dévoré la majeure partie de la chair, laissant à la place une couche suintante de métal brillant. Les yeux étaient des flaques d'argent solidifié. Le visage, un masque brillant et parcheminé qui enrobait les contours d'un crâne plutôt que d'un visage : ni bouche, ni oreilles, pas de nez ; juste la protubérance des pommettes, du menton, de ce qui avait été un front et des arcades sourcilières. Le corps n'était que le moulage argenté et noirci d'un corps humain torturé. Seules

les chaussures de jogging avaient survécu au métal dévorant. Ainsi revêtues de leur couche argentée, elles semblaient destinées à quelque expédition lunaire.

Weir reprit son souffle et suivit Dennison jusqu'au banc. Le billet d'adieu était placé sous une espadrille rouge, qu'il reconnut aussitôt : elle avait appartenu à Ann. Il put lire sans difficulté, par-dessus l'épaule du chef :

Je regrette pour Lucy Galen. Je regrette pour Ann Cruz. Je n'ai pas pu m'en empêcher, alors, je crois qu'il vaut mieux que je disparaisse. Maman et papa, j'espère que vous comprendrez. Je vous laisse mes photos. Joseph Goins.

Dennison regarda Raymond, puis Jim. Il planta ses mains sur ses hanches et hocha la tête.

— Je suis désolé, Ray. Vraiment désolé. Ô bon Dieu ! Prends ta journée. Rentre chez toi. Saoule-toi si ça te chante.

Mais Raymond s'éloignait déjà, quittant le hangar. Jim le rattrapa sur le parking, près de son vieux break. Son menton tremblait et il était en sueur.

— Ah ! c'est foutrement commode, dit-il à Jim. Pour Dennison, pour Cantrell. Pour tout le monde. Sauf pour Horton Goins. Ô bon Dieu ! Tu as vu ce...

Weir sentit l'indignation et la colère s'amasser au-dedans de lui. Du calme, pensa-t-il. Tu dois garder la tête froide.

— On a encore des possibilités, Ray. On a des preuves contre Cantrell, et le DA est loin d'être un con. On n'a pas dit notre dernier mot. Foutre, non !

— L'enquête est close.

— *Leur* enquête. Pas la nôtre.

Raymond s'essuya le front d'un revers de main et émit un profond soupir.

— Bon, très bien. C'est Goins. L'affaire est entendue. Ça peut tout aussi bien être Goins.

Weir le saisit par les épaules, le secoua rudement et le plaqua contre sa bagnole.

— Ce n'est pas Goins et tu le sais. Il faut qu'on s'introduise dans la baraque de Cantrell. Il suffit de faire du barouf devant l'entrée pour que je puisse me faufiler par le garage. Alors, écoute ! Prends ta voiture radio et va chercher Mackie. Retrouve-moi sur le boulevard à un bloc de la résidence de Cantrell, d'ici une heure.

— Et toi ?

— Je dois d'abord faire un saut à Costa Mesa.

— B'jour, Mr Weird, dit Edith Goins. (Elle se tamponnait délicatement les yeux avec un mouchoir roulé en boule.)

— Bonjour, Edith. Je peux entrer ?

Elle s'écarta du seuil et Jim s'avança dans le living. Emmett était assis à sa place habituelle, dans sa robe de chambre noire, à l'abri dans son coin d'ombre. Il avait une boîte de Kleenex sur les genoux. Jim s'installa sur le divan, écouta un instant les reniflements d'Edith.

— Je suis navré pour vous deux, dit-il. Vous avez... Vous en avez vu de dures.

Ses paroles compatissantes provoquèrent chez Edith un nouveau flot de larmes.

— C'est comme si on avait tout raté. Comme si on avait élevé un assassin, qui a tué deux jeunes femmes et s'est tué lui-même. Si... si vous saviez comme je suis déçue. Je croyais vraiment que tout irait bien, maintenant. Oh ! Mr Weird, je suis tellement navrée pour ce qu'Horton a fait à votre sœur.

— Il ne l'a pas tuée, Edith.

Pendant les minutes qui suivirent, Jim usa de tout son pouvoir de persuasion pour convaincre les Goins qu'on accusait leur fils injustement. Peu à peu, les larmes d'Edith tarirent et elle écouta avidement ce qu'il avait à leur dire. Elle hochait la tête pendant qu'il parlait de la bataille politique qui se déroulait à Newport, de Cantrell et d'Ann, de la façon — jusque-là inexplicable — dont Horton avait suivi sa sœur.

— Je peux croire à tout ça, dit Edith. C'est un baume pour mon pauvre cœur. Mais qu'est-ce qu'on peut y faire, maintenant ? On n'a sûrement pas intérêt à s'en prendre à tous ces gros bonnets.

— D'abord, vous pouvez me dire ce que ma mère vous voulait lorsqu'elle est venue vous voir ?

— Vous parlez donc pas avec vot' maman ? s'enquit Edith.

— Elle n'avait pas très envie de discuter de cette visite. Elle savait que je viendrais vous voir pour préparer la défense d'Horton, et elle a dû se dire...

— Au fait, merci de pas nous avoir réclamé d'argent. On est complètement fauchés, avec ces 4 900 dollars par mois que nous coûte le Clozaryl. On n'est pas ici depuis assez longtemps pour avoir droit aux remboursements de sécurité sociale.

— C'était tout naturel. Bien, alors, que voulait-elle ?

— Elle s'intéressait surtout à Horton. Elle a voulu savoir chez qui il était, avant qu'on l'ait.

— Et alors ?

— On ne savait pas grand-chose. Juste qu'il venait d'une ferme de la région de Dayton et que sa mère voulait plus de lui. Horton supportait pas de s'occuper des cochons, ou un truc comme ça. Son père était paralysé et le petit était un trop gros souci pour la famille. Si je me rappelle bien, ils avaient déjà adopté quatre autres gosses. La mère avait une « conduite répréhensible » avec Horton, à ce qu'il paraît. J'ai raconté tout ça à vot' maman.

Weir tenta de deviner le but de Virginia.

— Et de quoi d'autre avez-vous parlé ?

— De Lucy, dit Edith en s'essuyant à nouveau les yeux.

— Lucy, à Hardin County ?

— C'est ça. Lucy Galen, qu'Horton a agressée dans le marais.

— Que lui avez-vous dit ?

— Juste ça, et qu'aux dernières nouvelles, Lucy était au Manor View Sanitarium. Mais ça date d'il y a huit ans.

Emmett bougea dans son coin d'ombre.

— Je ne crois pas qu'Horton ait tué votre sœur, fit-il.

— Pourquoi ça, Em ?

— Il était trop heureux. Il se plaisait beaucoup en Californie. Il n'avait plus cette colère qu'il avait quand il était petit. Peut-être que ça venait des médicaments, mais c'est un bon traitement qu'ils lui ont donné. C'est pas que je veux dire que la police se goure sur ce genre de choses, en général, mais je crois pas qu'Horton l'ait tuée. J'y crois pas.

Jim marqua une pause.

— M'man est partie depuis hier, maintenant. Sans dire où elle allait. Est-ce qu'elle vous a donné la moindre indication...

— Pas à moi, dit Edith. Elle est pas très bavarde, votre maman. Elle fait que de poser des questions et elle écoute. On peut pas dire qu'elle fait la conversation comme tout le monde. Elle voulait des vieilles photos d'Horton, alors on lui en a donné un paquet. Elle a dit qu'elle nous les rendrait.

La logique de Virginia échappait à celle de Weir, et son imagination ne lui soufflait pas grand-chose de plus. Plus il retournait les éléments dans son esprit, moins ça prenait de sens. Il resta assis un moment auprès d'Edith et Emmett, consulta sa montre, puis leur renouvela ses condoléances et partit.

Il s'arrêta dans une cabine téléphonique et appela Trish, à l'agence de voyages Peninsula Travel. Trish organisait depuis toujours tous les voyages de Weir. Elle confirma que Virginia avait pris l'avion pour Dayton, dans l'Ohio, la veille à 21 heures. Un aller simple avec escale à Chicago. Elle n'avait pas réservé de retour. « Elle m'a dit que ce voyage était top secret », précisa Trish.

Weir raccrocha, composa le numéro de la PacifiCo et demanda C. David Cantrell. Trois secrétaires différentes relayèrent son appel, puis il eut Cantrell en ligne.

— Ici, Jim Weir.

— Oui ?

— Joli travail, pour Goins. Ses parents se lamentent dans un petit appartement sordide de Costa Mesa, en se demandant quelle erreur ils ont bien pu commettre. C'est vous qui avez fait ça, je le sais.

Cantrell marqua une pause, puis raccrocha.

Trente minutes plus tard, Jim était installé à l'arrière de la voiture radio de Raymond, à un bloc de la résidence en bord de mer de Cantrell. Mackie Ruff était assis à l'avant auprès de Ray et lui répétait pour la troisième fois ses instructions : longer le trottoir, s'approcher de la porte d'entrée de Cantrell, frapper, et si on ne répond pas, commencer à tambouriner. Lorsque les gardes rappliquent en courant, faire du barouf. N'importe quelle java, pourvu que ça dure une bonne minute. Et puis se barrer. A 17 h 18 précises, se repointer et remettre ça.

— J'ai tout bien retenu ? demanda-t-il.

— Parfait, fit Ray. Allez, go !

— Et j'pourrai garder cette super-montre-chrono ?

— Tu auras droit à encore plus que ça, Mackie. Allez, *file !*

Lorsque Mackie fut parti dans la bonne direction après avoir avalé une bonne lampée de vodka pour se donner du cœur au ventre, Weir passa devant, à côté de Raymond. Il tenait à la main la télécommande du garage. Sur les genoux, une mallette avec les outils indispensables : le caméscope de Becky, une torche, des cisailles, des gants de latex, un pied-de-biche, et un exemplaire du *Times* du jour. Raymond s'engagea lentement dans l'allée. Weir se tassa au bas de son siège. Il sentit la voiture stopper et regarda Ray effectuer la manœuvre pour se garer.

— Je vois les deux bagnoles de sécurité, Jim. Les deux gorilles sont en train de m'observer. Je vais rester ici un petit moment, faire semblant de rédiger un rapport. Lorsque je les verrai s'en aller, je t'avertirai. Je serai derrière le garage à 17 h 18. Jusque-là, je ne peux que patrouiller, alors tu seras livré à toi-même. Si je vois que les types de la sécurité entrent y faire une ronde, je donnerai deux coups d'avertisseur et tu me rejoindras ici. (Le moteur se mit au repos. Raymond griffonna quelque chose sur son carnet de verbalisation, en levant les yeux de temps à autre.) Le garde numéro un sort de la bagnole et va vers la maison, énonça-t-il. Numéro deux parle dans sa radio. Ça y est, il se barre. Tiens-toi prêt, Jim... maintenant !

Weir s'exécuta. A dix pas du garage, il appuya sur le déclencheur et la porte commença à s'ouvrir. Le cœur battant, il s'avança calmement dans l'entrée, tenant la mallette à la main. Combien de temps pour couper l'alarme ? se demandait-il. Trente secondes ? Une minute ? Il entra, rappuya sur le bouton pour déclencher la fermeture. Lorsqu'il fut enfermé à l'intérieur, il se mit au travail avec le pied-de-biche, força sans peine la vieille serrure, trouva le système de sécurité et coupa les fils. Sa respiration était courte. Son dos trempé de sueur. Il mit les gants de latex et inspecta le garage.

Le spectacle était conforme à ce qu'on pouvait attendre : pas de fenêtre ; une vieille boîte à outils contre le mur, des outils de jardinage et de bricolage, soigneusement rangés contre la paroi du fond ; une tondeuse à gazon, un jerricane d'essence ; deux bicyclettes adossées au mur de communication avec la partie habitation ; une poubelle à côté.

Du calme, du sang-froid, se dit-il. Il explora le contenu de la poubelle. Emballages de traiteur, canettes vides, bouteille de champagne vide. Il plaça le *Times* en évidence contre la porte de communication avec les appartements, sortit le caméscope et filma la poubelle, terminant par un gros plan sur le champagne. Il était 16 h 20. Il lui restait cinquante-huit minutes.

Il filma la cuisine, où il ne dénicha rien. Pas de couteaux à découper au mur, pas davantage dans les tiroirs. Les avait-on enlevés ? Comment coupait-il son steak ? Son pain ?

Il délaissa le grand living-room et monta lentement à l'étage. Il entendait Mackie Ruff au-dehors, brailler de sa voix perçante que David Cantrell devait faire quelque chose pour les sans-abri. Les gardes essayaient de le calmer, mais Mackie poussait la sono.

Il parvint sur le palier et passa en revue les deux premières chambres, dans le couloir. Elles étaient nettes, visiblement inoccupées. La troisième était la chambre principale, une vaste pièce agrémentée d'une véranda couverte aménagée en bureau. Il y avait la place de loger un ordinateur, mais Cantrell n'en avait pas. Pourquoi ? Jim resta immobile un instant au milieu de la pièce, écoutant le grondement de l'océan en contrebas. *J'ai fait l'amour à votre femme, Ann Cruz, dans une jolie chambre donnant sur la mer.* Il examina l'édredon gonflé, les oreillers, le lit à baldaquin en acajou. *Parce que cela ne satisfaisait pas toutes mes exigences, je l'ai poignardée vingt-sept fois avec un couteau de cuisine Kentucky Homestead — lame de 15 cm fraîchement aiguisée.* Pendant un instant, il comprit pourquoi Raymond voulait tuer cet homme. Je comprends Raymond. Je le comprends. Il fouilla les tiroirs des deux tables de nuit. Rien que de très ordinaire. Il filma la chambre en mettant l'édition du journal en vue. Il était 16 h 30.

Il se rendit dans le bureau, s'assit dans le fauteuil. Une idée lui vint. Il trouva à droite du bureau ce qu'il cherchait : quatre empreintes bien nettes dans l'épaisseur du tapis, faites par un support à roulettes soutenant quelque chose de lourd. Un ordinateur ? Il filma le tapis, bien qu'il fût conscient qu'on ne verrait pas ces marques à l'image.

Il installa la caméra au sol, puis ouvrit le premier tiroir du bureau. Tout y était bien en ordre : boîtes de trombones, timbres, crayons et taille-crayon électrique, clefs soigneusement étiquetées et rangées dans une boîte en carton — « entrée », « coffre Mercedes », « malle de Christy », « garage », etc. Il y avait un .357 Smith enveloppé dans un tissu graisseux, un paquet de cartouches. Il l'ouvrit, six balles manquaient. Logées dans le revolver. Il filma le contenu du tiroir, et passa au suivant.

Il songeait aux paroles de Robbins. *Et à propos de trophées, il a dû garder un autre souvenir d'elle que la fleur. Il croit qu'il l'aimait. Selon sa définition, c'était peut-être vrai.* Il a gardé quelque chose d'autre, pensa-t-il. Pas seulement la chaussure. Quelque chose d'intime, de personnel.

Mais il ne trouva rien dans les tiroirs du bureau, ni dans les commodes, les armoires ou les placards. Rien dans les chambres d'amis, ni dans le living, la cuisine ou le garage. Il tenta de se concentrer. Que fait un type qui se prétend victime d'un coup monté ? se demanda-t-il. Il cherche les preuves qu'on a cachées chez lui. Et quand il les a trouvées ? Il les détruit. Non ! Il les cache. Il ne les détruit pas, parce qu'elles dénoncent celui qui l'a piégé. Du moins, c'est ce qu'il croit. Il les conserve pour prouver un jour son innocence. *Elle a été mon Ange. Et pour finir, mon supplice.* Je sais que tu les as gardées pour une autre raison, David. Tu les as gardées parce qu'il n'y a pas de coup monté. Excepté celui que tu as réservé à Horton Goins. Tu as tout gardé parce que tu veux te sentir près d'elle. Parce que tu veux quelque chose que tu puisses sentir, toucher, serrer contre toi.

Il fouilla la cuisine de fond en comble, ne négligeant aucun recoin, aucune cachette possible, aucun ustensile ou appareil ménager, explorant jusqu'au contenu de la poubelle. Il opéra de même dans toutes les autres pièces, retournant les coussins, explorant les étagères, les piles de vêtements, le dessous du lit, n'oubliant même pas de soulever la couche de mousse qui recouvrait la terre d'un pot de fougères. Il remuait tout, furetait partout, avec une concentration intense et une hâte anxieuse, le regard brûlant, les mains moites sous les gants de latex, attentif à remettre chaque chose dans l'état où il l'avait trouvée, autant que possible, du moins. Il consulta sa montre. 17 heures.

Où ? se demandait-il. C'est ici, dans la propriété. Mais pas sur son territoire à *lui*. Où est-ce caché ?

Une bagnole s'engagea dans l'allée et il alla lorgner à travers les volets. Il distingua l'emblème de la PacifiCo sur la portière du conducteur, le fusil en appui contre le tableau de bord. La voiture s'arrêta. Le conducteur porta négligemment le regard sur la porte du garage, puis vers le premier étage. Un visage rude d'homme vieillissant. Un ex-flic, se dit-il. Le type sortit de la bagnole, ferma la portière et s'avança vers la maison.

Une idée lui vint. Cantrell est un manipulateur. Il s'est servi d'Ann. De Goins. De qui d'autre se servirait-il ? De quelqu'un de proche. Sa femme. Christy. « Malle de Christy ». Il était 17 h 14.

Il s'éloigna de la fenêtre, traversa la pièce et prit la clef dans le tiroir. Au-dehors, le moteur de la bagnole tournait toujours au ralenti. Weir alla de nouveau regarder à la fenêtre. Le garde était remonté en voiture. Contact radio ? Que faisait-il ? Il écrivait ? Fumait une clope ? Difficile à dire.

Weir dévala l'escalier jusqu'au rez-de-chaussée, traversa la cuisine et déboula dans le garage. Il entendait vrombir le moteur de la bagnole de surveillance, à quelques mètres à peine. Ray n'allait pas tarder à se pointer. Encore deux minutes.

La malle de Christy était posée sur le sol, à côté d'une lourde caisse à outils en acier. Le cadenas était rouillé et la clef pénétra dans la serrure avec un raclement. Il souleva le couvercle et répertoria le contenu du premier compartiment. Des albums de souvenirs, des animaux en peluche, des fleurs séchées, bien rangées. Il souleva le premier plateau et le déposa à côté de lui, sur le sol. Il entendit la portière de la bagnole se rouvrir et entrevit l'ombre des chaussures du garde, qui longeait la porte du garage. Il essuya son visage en sueur sur sa chemise et se remit à vider la malle. Les chaussures repartirent en sens inverse, s'arrêtèrent, revinrent.

Les gorilles sont de nouveau en poste, maintenant. Ils ne prendront pas contact avec ce mec. Bon Dieu ! Où est Ray ?

Du calme. Cool, mec. C'est là. Là-dedans. Tu vas trouver...

Une lueur orangée embrasa l'asphalte, au ras de l'embrasure. La portière de la tire s'ouvrit une fois de plus, puis se referma en claquant. Une autre voiture approchait : sûrement Raymond. Puis des voix s'élevèrent. Ray et le type, dans une conversation complice, genre « eux et nous ». Débarrasse-moi de ce salopard, pensa-t-il. Mais pas tout de suite. Laisse-moi deux minutes.

Il ne trouva ce qu'il cherchait qu'après avoir entièrement vidé la malle. C'était là, tout au fond, dans un coin, sous ce monceau de souvenirs. Il le saisit, prit le portefeuille, l'ouvrit rapidement là où elle rangeait son permis de conduire. Le sac d'Ann. Son portefeuille. Sa photographie. C'était une petite pochette de soirée en satin blanc, avec une chaîne dorée. Le satin était maculé de sang. Il y avait du sang séché et agglutiné sur les maillons de la chaîne. La douzième rose était enfilée dans l'un d'eux.

Il filma l'ensemble, disposé sur le journal, avec la date bien en évidence. Lorsqu'il eut tout remis en place au fond de la malle, il y relogea le reste des affaires, replaça le cadenas et verrouilla le tout.

Il se laissa aller contre le mur, les yeux clos, écoutant le ronronnement du moteur, au-dehors. Un instant, il se revit suspendu par les pieds à la poutre du bâtiment désert, ligoté. Ses oreilles bourdonnaient et il sentait l'odeur âcre de sa propre haleine.

Puis l'une des voitures démarra et il entendit le crissement des pneus sur l'asphalte. Raymond lança un bonsoir au type. Une ombre filtra sous la porte, puis disparut.

Il remonta en courant à l'étage et remit la clef de

la malle dans le tiroir du bureau. Il était 17 h 30. Il s'immobilisa un instant dans le living, se demandant s'il ne laissait pas derrière lui quelque détail révélateur. La voix tonitruante et avinée de Mackie Ruff retentit au portail. « *Les S.D.F. ont leur dignité ! Nous avons nos droits, comme tout le monde !* » Les gorilles répliquèrent.

Dans l'entrée, Jim reconnecta les fils de l'alarme et les fit disparaître dans leur gaine de plastique. « *Dieu aime les pauvres ! Sinon, il nous aurait pas faits si nombreux !* »

Jim verrouilla la porte d'accès aux pièces d'habitation, déclencha l'ouverture du garage avec la télécommande et s'éloigna dans l'allée, dans le soir naissant, vers la bagnole de Raymond, postée en attente. Il expédia la mallette sur le siège, par la vitre ouverte et s'esquiva rapidement le long de l'allée. Le pouce levé, Ray lui adressa un signe de tête entendu.

Quelques minutes plus tard, il était sur le boulevard, à l'abri des glycines dont l'ombre s'allongeait sur le trottoir. Ses genoux s'entrechoquaient. La voiture radio s'avança lentement vers lui et s'immobilisa. Jim monta et se retourna pour regarder Ruff. Le visage rougeaud de Mackie était rayonnant, ses yeux écarquillés d'excitation.

— Génial, ce boulot, fit-il. Vous auriez pas besoin d'un démerdard dans mon genre, les gars ?

30

Becky pénétra en trombe dans la grande maison, ses talons claquèrent sur le parquet de bois, et elle posa son attaché-case sur le divan.

— Je vois George Percy dans une heure. Qu'est-ce que tu as ramené ?

Assis dans le fauteuil de Virginia, Weir lui apprit les derniers développements de l'affaire.

— *Génial!* Bon. Où est la bande vidéo ?

— Là, fit-il en désignant la table basse d'un mouvement de menton.

— Qu'est-ce qui ne va pas, Weir ? Je connais cet air-là.

Seul dans la grande maison, en attendant l'arrivée de Becky, Weir avait longuement repensé à leur vie commune. Il savait maintenant que ce qu'ils avaient échoué à tisser entre eux, tout au long de ces années, c'était la confiance. Une confiance absolue, inattaquable. Ni l'un ni l'autre n'avaient remarqué ce manque. Ils avaient continué comme ça, sur trois pattes, pour ainsi dire. Et ça avait fini par tout envahir, et par détruire tout ce qu'ils avaient réussi à bâtir sans la confiance : la bonne volonté, l'amitié et l'amour. Chacun s'était servi de cette carence pour imposer son pouvoir, chacun à sa manière, et à des époques différentes.

Becky se tenait debout devant lui.

— Vas-y ! Mets-toi à table...

— Tu avais un métro d'avance dans cette affaire, Becky. C'est toi qui as parlé à Edith et Emmett. Et m'man aussi, d'ailleurs. C'est vous deux qui avez retrouvé l'origine des roses. C'est toi qui pensais qu'Ann avait un amant. Toi qui as fait surgir d'un Dave Smith imaginaire un Dave Cantrell bien vivant. Toi qui m'as engagé pour défendre Horton. Mais tout ce que j'ai déniché, ce sont des preuves qui accablent Cantrell. Tu t'es servie d'Horton Goins pour faire ta petite démonstration. C'est encore toi qui savais que je trouverais quelque chose chez Cantrell. J'aimerais pouvoir croire que tu as une intelligence supérieure et une veine du diable. C'est ce que je dois penser ?

Becky resta plantée devant lui, comme pétrifiée. Puis elle s'assit lentement en face de lui.

— Tu as eu une conversation avec Brian Dennison, on dirait.

— Ce n'est pas une réponse.

— Très bien ! Oui, c'est ce que tu dois penser. Mais je reconnais avoir... tiré parti de certaines situations, disons. Je savais qu'Horton Goins était innocent et je me suis servie de lui.

— Comment le savais-tu ?

— C'est si important pour toi ?

— Et comment !

Becky fixa ses grands yeux bruns sur lui, puis baissa les paupières. Elle finit par redresser la tête.

— Ann m'a confié au mois de mars qu'elle sortait avec Cantrell.

— Et tu t'es servie de moi pour atteindre le bonhomme ?

— *Servie* de toi ? Es-tu bien sûr que c'est le mot qui convient, Jim ? Pour t'avoir mené jusqu'à l'homme qui a assassiné ta sœur ? Je ne pouvais certes pas aller trouver Dennison. Je n'allais pas non plus alerter Percy sans avoir de preuves à lui apporter. Maintenant, on les a, ces preuves, mais Cantrell a manigancé un faux suicide et une confession qui le mettent sans doute définitivement à l'abri.

— Tu aurais pu me dire franchement ce que tu savais.

— Et si mon hypothèse s'était révélée fausse ? Ça aurait fait de toi un conspirateur. Je t'ai laissé libre, Jim. Je t'ai laissé découvrir les choses... de façon réaliste.

— De façon réaliste ! Des trucs que tu savais depuis le début.

— Pas tous ! Annie m'avait mise au courant, pour Cantrell. Je lui avais juré sur ma tête — enfin, elle plaisantait à demi — que je ne le dirais à personne. J'ai été horrifiée, même s'il faut reconnaître qu'il ne manque pas de... séduction. Elle avait eu une brève aventure avec lui, quand elle allait encore au lycée. Je la comprenais. Elle m'a dit qu'elle avait l'impression d'avoir retrouvé ses quinze ans. Annie était jolie, bonne et forte, Jim. Elle s'ennuyait, elle en avait assez de Raymond, il lui fallait autre chose. Ça ne la rabaissait en rien à mes yeux, et ça ne la rabaissera jamais. Je t'ai montré la voie pour Cantrell, mais c'est toi qui as fait le travail.

— Et tu avais deviné qu'il l'avait tuée ?

Elle acquiesça.

— Et tu avais deviné qu'il avait gardé quelque chose chez lui ? Le sac d'Annie, par exemple ?

Becky acquiesça de nouveau, puis baissa la tête.

— J'avais raison.

— Et l'épingle à cravate ?

Elle le dévisagea, intriguée, et ne répondit rien.

— Il y a eu un cambriolage chez Cantrell au mois d'avril. L'épingle à cravate a été volée avec d'autres choses.

— Non. Je sais à quoi tu penses. Non ! Je n'aurais jamais fait une chose pareille.

A la lumière, Becky accusait son âge. Jim vit le changement qui s'était opéré en elle, et qui était d'ailleurs naturel : elle était moins souple, moins apte à esquiver les coups durs. Pendant un moment, elle parut presque effondrée. Mais il retrouvait aussi ce qu'il voyait en elle depuis bientôt trente ans : au fond, sa nature la portait à l'action, au défi, à la conquête. Becky était une combattante.

— Où est m'man ?

— Je... elle m'a dit qu'elle se rendait dans l'Ohio. Mais c'est tout, Jim. Ça a un rapport avec Goins, mais je ne saurais pas te dire lequel.

— Et les roses ?

— C'est lui qui les a commandées, pas moi. (Elle secoua la tête, évitant son regard.) Jim, je t'en prie.

Il y eut un long silence.

— Et le *Sweetheart Deal* ? C'est toi qui as soufflé cette idée à Raymond ?

— Non. Il y a pensé tout seul. J'ignorais que Cantrell lui avait écrit.

— Et les déclarations de Blodgett, qui prétend avoir vu le *Sea Urchin* la nuit où il traquait les pollueurs ? Cette affaire de pollution de la baie vous profite plutôt, à m'man et à toi.

Cette fois, le visage de Becky exprimait la plus franche colère.

— Je préfère oublier ce que tu viens de dire. Ne me répète jamais ça !

Elle se leva, épousseta quelque fil invisible sur son tailleur marine, prit la cassette vidéo et son attaché-case, s'immobilisa de nouveau devant Jim.

— Voilà, tu sais pratiquement toute la vérité. Je vais te dire le reste maintenant, pour que tout soit bien net. Je sais qu'il y a eu des femmes dans ta vie depuis que nous nous sommes séparés, mais je ne t'ai jamais questionné là-dessus. Je suppose que les conquêtes ne t'ont pas manqué non plus, au Mexique. Tu ne m'as jamais interrogée sur les types que je fréquentais, et j'ai apprécié. Mais il y avait quelqu'un. Il s'appelle George Percy. Je l'ai plaqué le lendemain du jour où tu es revenu me voir chez moi, parce que j'ai su dès ce moment-là que je te reprendrais. Cela dit, George ne va certainement pas être emballé par ce qu'on a dégotté sur Cantrell. Si j'étais aussi futée et veinarde que j'aimerais l'être, j'aurais attendu encore une semaine ou deux pour le larguer. (Elle se pencha vers lui, posa une main sur sa cuisse et l'embrassa légèrement sur les lèvres.) D'un autre côté, va savoir ce qu'un mec est capable de faire pour récupérer une femme qu'il aime. Souhaite-moi bonne chance.

— Bonne chance, Becky.

— Fais-moi confiance, Jim. Fais-moi confiance jusqu'au bout, cette fois. J'en ai vraiment besoin.

Il la rassura mais tout en parlant, il n'était pas sûr de penser ce qu'il disait. Et si la défiance était d'abord née dans son propre cœur ? Dès le début ? La foi vient plus facilement aux hommes que la confiance.

— Reste avec moi, Jim. J'ai besoin d'un compagnon à mes côtés. Tout le long du chemin. Je voudrais que ce soit toi.

Il la regarda, mais ne répondit rien.

— Retrouve-moi au Bal de la Démolition, dit-elle.

31

Le Bal de la Démolition battait son plein lorsque Jim pénétra dans la *Eight Peso Cantina* à 22 heures. Les fenêtres avaient été condamnées avec des planches et de faux avis de démolition étaient placardés sur les parois de bois. Une grue avait été installée dans l'allée, à côté du café, et sa flèche pointait par-dessus le toit. Un symbole de dollar en papier alu pendait, gigantesque, à la place de la boule de démolition.

L'hélico de la police de Newport plana au-dessus du café pendant longtemps, bruyant, très bas dans le ciel, le faisceau de ses projecteurs braqué sur les arrivants.

A l'intérieur, le décor était un champ de ruines : lames de bois fendues, éboulis de ciment d'où émergeaient des tiges de fer rouillées, amas de gravats dont l'accès était interdit par des cônes rouges alignés en cordon, pour éviter que les gens ne trébuchent dessus. Le châssis vitré du toit avait été retiré et une bordure déchiquetée de papier mâché collée sur le pourtour. La brise de mai s'engouffrait agréablement par l'ouverture.

Weir entra et s'avança pour saluer les hôtes de la soirée. Ernesto et Irena. Irena portait une robe fuchsia très habillée et une étole de soie assortie, Nesto, un vieux smoking aux coudes lustrés. Son costume de mariage, sans doute. Ils lui désignèrent l'angle le plus éloigné de la salle, où il aperçut Raymond, de dos, semblant écraser une femme minuscule dans un recoin encombré de gravats. Près d'eux, une ampoule clignotait sur un chevalet de scieur de bois. Vêtues avec plus ou moins de recherche, une centaine de personnes se bousculaient dans la salle. C'étaient des voisins pour la plupart, les visages familiers qui l'avaient réconforté lors des enterrements de Poon, de Jake, d'Ann. Les autres étaient les partisans de la Proposition A venus de tout le comté : râleurs, adversaires du « développement » à tout crin.

Raymond, en veste de smoking blanc et nœud papillon, le rejoignit au milieu de la foule, une coupe de champagne à la main.

— Des nouvelles ?

— Pas encore.

Ray le regarda d'un air impavide, puis eut un léger hochement de tête.

— Si quelqu'un peut convaincre Percy, c'est bien Becky.

— C'est loin d'être dans la poche, Ray. Je suis inquiet.

— Que peut bien dire un procureur en voyant le sac d'Ann sur un film vidéo ?

— Il peut dire que le film en question a été réalisé au cours d'un cambriolage. Pas un juge ne délivrera de mandat de perquisition. Le reste dépend de ce que le procureur a dans le ventre — et de son boss.

— Cantrell a soutenu la candidature de D'Alba aux deux dernières élections.

— C'est exactement ce à quoi je pense.

— On dirait qu'il n'y a pas un seul type qui puisse se permettre de laisser plonger Dave Cantrell, dans ce comté.

— C'est à ça que se heurte Becky, en ce moment même.

— J'ai besoin de boire encore un coup.

Ray s'éloigna vers le bar et Jim le vit vider d'un trait un verre de champagne, puis encore un autre. Seul au comptoir, en tenue de cérémonie, ses yeux dans ceux de Jim par-dessus son verre levé, il semblait minuscule, seul et à la dérive.

L'orchestre se groupa sur l'estrade et entama un air populaire. L'accordéoniste paraissait avoir à peine douze ans. Derrière les musiciens, une toile de fond représentait de gros gravats colorés, tous surmontés de croix de cimetière où figuraient les noms d'une affaire familiale ou d'une maison condamnées à la disparition par le plan de développement. Dans l'angle le plus proche de la rue, on avait installé un box où un sémillant vieillard vendait des billets de tombola, pour l'octroi du prix de la soirée : une mini de marque japonaise. Weir se demanda qui avait fait don de la bagnole, jusqu'au moment où il fut assez près pour lire la pancarte : CHEVERTON SEWER & SEPTIC. Les billets valaient cent dollars pièce et se vendaient bien, apparemment.

Becky fit son entrée une heure plus tard. Elle portait une robe de velours noir très décolletée dans le dos et de très longs gants qui gainaient ses bras jusqu'au-dessus du coude. Ses cheveux, ramenés sur un côté, étaient retenus par un peigne en strass. Elle avait mis un rouge à lèvres foncé, et ses yeux étaient deux grands lacs bruns et mystérieux où Weir aurait eu envie de se perdre.

— Mon Dieu ! ce que tu es belle, dit-il.

— Tout ça rien que pour vous, Mr Weir. Viens, sortons ! J'ai à te parler.

Ils allèrent se planter sur le trottoir, face à la baie.

— George est en train de fourguer le paquet à D'Alba. Il ne tentera rien, ni dans un sens ni dans l'autre, sans l'appui de son patron. Je sens qu'il est de notre côté.

— Et D'Alba, du côté de Cantrell.

Becky acquiesça, puis lui fit face. Elle posa les mains sur ses bras et l'attira doucement à elle. Son regard captait la lumière des lampadaires et on pouvait y lire comme une douleur récente. Elle s'abandonna contre l'épaule de Jim et resta ainsi un long moment, le tenant serré contre elle.

— Danse avec moi, dit-elle.

Ils allèrent se mêler aux danseurs et retrouvèrent d'instinct un pas de danse du passé. Alors que le décor tournoyait autour d'eux, Jim eut la sensation, pour la première fois depuis des années, que les pièces du puzzle de sa vie commençaient à se mettre en place. Et brièvement, il s'abandonna à une pensée qui l'avait traversé des dizaines de fois depuis qu'il était de retour chez lui, un avenir rêvé, un truc trop beau pour être vrai. Un fils. Une fille. Les Weir. Sa famille. Il serrait contre lui le corps tiède et souple de Becky et même la disparition d'Ann semblait pouvoir s'accorder avec ce rêve, y apporter non pas une absence, mais le souvenir des années où elle était vivante et des moments qu'ils avaient partagés.

— Je ne savais pas ce que je manquais, dit-il.

— Moi, je m'en doutais un peu.

— Mme le Maire pourra-t-elle inclure une vie amoureuse dans un emploi du temps déjà très chargé ?

— Pour toi, je suis prête à ajourner tout ce qu'on voudra.

— Fais-en profiter Raymond tout de suite. Il a l'air perdu, tout seul au bar.

Becky regarda l'horloge, puis Nesto, campé derrière le comptoir. Il secoua la tête. Percy n'avait pas encore téléphoné.

Jim se réfugia dans un box vide et but encore du champagne. A mesure que l'alcool faisait son effet, il s'abandonnait dans son siège, regardant au-dehors, par les interstices des barres de bois clouées en travers de la fenêtre. La nuit était humide. Des halos nimbaient les lampadaires et une couche de buée s'était formée sur la baie vitrée donnant sur la mer. Il voyait osciller doucement les mâts des yachts et les formes fantomatiques de leurs coques. Au-delà, la PacifiCo Tower se dressait contre un ciel sans étoiles. Tour de Babel, pensa-t-il. Tour du mensonge, du pillage et de la mort. Je vais t'abattre, droit dans la mer stérile de cette petite cité.

Ray et Becky dansaient avec l'aisance que donne une vieille amitié. Raymond bougeait avec une retenue respectueuse qu'il n'avait jamais eue avec Ann. Avec Ann, il y avait toujours eu plus d'intensité, d'érotisme, d'abandon. A un moment donné, Ray pivota sur lui-même au rythme de la danse et son regard se riva passagèrement sur celui de Weir. Ce regard rappela aussitôt à Jim que la perte que Raymond avait subie était la plus cruelle, la plus terrible, et que ses souvenirs seraient à jamais teintés d'amertume à cause de la trahison d'Ann. Ray détourna les yeux.

Et Jim comprit aussi que désormais, Ray et lui dériveraient chacun de son côté. Déjà, il prenait du recul, lorsqu'il était avec son ami. Il éprouvait le besoin de le fuir, pour se protéger. C'était le poids de la mort d'Ann, le poids de la tragédie qui les avait tous meurtris. Mais les choses ne s'arrêtaient pas là. Raymond trouverait une autre femme, et lorsque ça arriverait, il devrait ensevelir au plus profond une part de son passé pour conserver encore une chance de bonheur, une chance de refaire sa vie. Jim vit qu'il deviendrait pour Raymond ce que Raymond commençait déjà à être pour lui : un vivant rappel du chagrin, un symbole de tristesse, un compagnon de route dont il ne pourrait plus partager le chemin. Comment empêcher ça d'arriver ? se demanda-t-il.

Becky entraîna Ray hors de la piste de danse, jusqu'au bar. Nesto lui tendit le téléphone. Jim la vit hocher la tête, se raidir, hocher encore la tête, et rendre l'appareil à Nesto. Elle rejoignit Weir à la table, entraînant Ray à sa suite.

— D'Alba est en train de réfléchir, annonça-t-elle. George leur a accordé encore une heure. Cette attente est intolérable. Quelqu'un a une cigarette ? Ah ! c'est l'heure du discours. Cette femme est extraordinaire...

Weir lui alluma une cigarette. Installés tous les trois dans le box, ils regardèrent deux jeunes types pousser la vieille dame en chaise roulante jusque sur l'estrade. Le petit accordéoniste lui approcha le micro et se retira avec une demi-révérence. Il y eut quelques applaudissements aussitôt annihilés par le regard dévorant de cette femme, qui fixait la foule de ses yeux ardents. Ses cheveux blancs et duveteux, illuminés par les spots de la scène, formaient un halo autour de sa tête. Ses mains, posées sur ses genoux, abritaient un verre de scotch offert par Irena. Un silence total se fit dans la salle.

— Merci de m'accueillir ici ce soir, dit-elle. Je suis arrivée à un âge où mes modestes divagations sont applaudies en public et ridiculisées en privé. Mais j'accepte bien volontiers ma défroque. Mon nom est Doris Tharp. Vous m'avez invitée pour parler de la Proposition A, n'est-ce pas ? (Elle leva son verre de scotch et en but une gorgée. Ses yeux bleu acier scrutaient la foule. Jim eut la sensation qu'elle lisait les pensées les plus secrètes de chacun. Le silence était tel, dans la salle, qu'on entendait le clapotis de la mer.) Nous sommes une nation pourrie par l'excès, reprit-elle. Une nation fatiguée du trop-plein, repue d'ennui. Nous sommes un peuple qui n'a pas d'idées. Seulement des opinions. Nous sommes obnubilés par la croyance que nous savons ce qui est bon pour le monde, mais nous ne savons même pas ce qui est bon pour nous-mêmes. La famille américaine moyenne regarde la télévision sept heures par jour. Les directeurs de chaîne défendent la soupe qu'ils nous servent en disant : « C'est ce que les gens veulent. » Le Cartel de Medellin nous vend « ce que les gens veulent ». Le Président nous dit à la télévision qu'il faut stopper le trafic de drogue parce que « c'est ce que les gens veulent ». Laissez-moi vous dire une chose : les gens veulent tout. Nous sommes des thésauriseurs, des goinfres et des avares. Nous autres, Californiens, nous produisons plus de déchets par habitant que n'importe quel autre Etat de la nation, que n'importe quelle autre civilisation de l'histoire de notre planète. Mais nous voulons encore davantage. Nous voulons même des choses qui n'existent pas encore. Oui, nous voulons cela aussi.

» Vous tous qui êtes ici, qui voulez stopper l'expansion urbaine et préserver ce qui vous reste, si c'est là tout ce que votre imagination peut concevoir, alors allez-y, et avec ma bénédiction. Mais n'oubliez pas que vous avez l'obligation d'ajouter quelque chose de bien à ce qui reste. N'oubliez pas ce qui vous a conduits là où vous êtes. N'oubliez pas que les toits qui vous abritent ont été bâtis par ces hommes que vous avez vous-mêmes honorés, courtisés et engagés pour vous protéger des intempéries. N'oubliez pas que c'est *nous* qui sommes les constructeurs, *nous* qui sommes les gaspilleurs, *nous* qui sommes les invités insatiables pillant l'hôte généreux.

» Narcisse est mort de l'admiration qu'il se portait, et je crains bien qu'il ne nous arrive la même chose. Nous n'avons aucune supériorité morale. Nous ne sommes pas les grands amis de la Terre. Mais regardez-nous donc, nous voilà réunis ici ce soir pour défendre nos petits intérêts, rien de plus. Notre devoir est de partager, et non d'accumuler. D'offrir, et non de partir avec la caisse. Pourquoi ? Parce que nous avons reçu plutôt que donné. Parce que nous avons refusé plutôt que d'accueillir. Et parce que ce n'est pas le salut qu'il nous faut. Ce dont nous avons besoin, c'est de décence. A vous tous, merci.

Il y eut un silence, comme une hésitation intimidée, puis les applaudissements éclatèrent, rares d'abord, puis de plus en plus nourris juqu'à ce que, pour finir, les murs eux-mêmes semblent participer à l'enthousiasme général. Becky se leva, et tout le monde l'imita. Jim regarda Doris Tharp quitter la scène dans son fauteuil poussé par les deux jeunes gens. Elle confia son verre à l'un d'eux, puis se propulsa à travers la foule, jusqu'au seuil.

Nesto faisait des signes frénétiques derrière le comptoir. Becky bondit dans sa direction, se frayant hardiment le passage en jouant des coudes. Elle saisit le téléphone. Elle resta un long moment immobile. Puis elle raccrocha, dit quelques mots à Nesto, et revint au box. Elle se planta devant Jim et Raymond, essuya une larme et hocha la tête.

— C'est non. Ils sont prêts à réexaminer les preuves qui figurent déjà au dossier si on peut leur fournir un nouvel angle d'approche. Mais pour le reste, c'est non. S'il vous plaît, l'un de vous deux veut bien venir danser avec moi ?

Pendant l'heure qui suivit, Raymond, Jim et Becky se déchaînèrent sur la piste où la foule s'éclaircit peu à peu ; ils finirent par avoir la salle à eux et Becky domina la scène, se démenant dans une chorégraphie rageuse et presque terrifiante. Puis elle s'arrêta, décoiffée, le visage défait et la peau luisante de sueur. Lorsque l'orchestre annonça la dernière danse, elle prit Jim et Raymond chacun par un bras et les entraîna vers le seuil.

— Ramenez-moi à la maison, dit-elle. On a du pain sur la planche.

L'hélico de la police effectua une ultime ronde, les capta un moment dans la lumière de ses projecteurs, puis vira dans un grondement et disparut.

Assis dans le living de Becky, dans le silence lugubre du petit matin, ils épluchaient pour la énième fois les rapports des flics sur l'examen du lieu du crime, les interrogatoires, les rapports du labo, les conclusions du coroner, les récents articles de presse sur Cantrell, le rapport annuel de la PacifiCo que Becky s'était procuré grâce à une « amie » dans la place, et tous les documents possibles et imaginables ayant trait à l'affaire, de près ou de loin, à la recherche de l'élément qu'ils détenaient sans le voir, et qui leur permettrait de mettre Cantrell en accusation.

Raymond regarda son ami par-dessus ses lunettes et reposa le rapport qu'il lisait.

— Jim ?

— Je t'écoute.

— Tuons-le cette nuit.

Weir scruta le visage impavide de Ray.

— Volontiers.

— Je suis sérieux. On entre avec la télécommande, on le tire du lit, on l'embarque sur un des skiffs de Virginia, on le zigouille et on le fout à la flotte, ligoté à des haltères. J'en ai à la maison.

Sous le masque impénétrable de Raymond, Jim déchiffra un désir qui, un instant, le mit mal à l'aise.

Juge de paix, pensa-t-il. Ray et Francisco, pourchassant leurs rêves perdus sur le sol aride du destin, comme des chevaliers errants, en marche vers la balle mortelle qui les frapperait au détour du chemin. Cette fin sanglante conviendrait-elle mieux à Raymond qu'une existence passée à boire jour après jour la coupe amère et empoisonnée d'une vérité qui n'était pas bonne à dire ?

Mais pour Jim, Raymond était l'ami, le frère, le compagnon dans la tragédie. Et la vie réclame des vivants.

— Non. Je refuse d'aller sur la chaise électrique pour Cantrell. Et je ne te laisserai pas y monter, toi non plus. Il n'en vaut pas la peine.

— Ann en valait la peine.

— Rien de ce que tu feras ne pourra la ressusciter, Ray. Rien ! Jamais ! Et surtout pas ça...

Le plus étrange des sourires apparut sur le visage de Raymond. Il exprimait une telle indifférence que Weir en eut froid dans le dos.

— Je pensais à haute voix, Jim, c'est tout.

— Si tu as d'autres idées comme celle-là, fais-le-moi savoir.

— Promis !

Becky reparut avec du café. Elle se laissa tomber sur le sofa et saisit le rapport annuel de la PacifiCo.

— Prenez encore un peu de café, dit-elle. C'est là-dedans. C'est forcément quelque part. Robbins détient déjà quelque chose contre Cantrell, on n'a pas encore réussi à le dénicher, c'est tout. Regardez encore...

A 5 heures, Weir déambula un moment dans la maison pour rester éveillé. Il erra dans les pièces pleines du souvenir heureux et amer à la fois de son amour pour une femme. Un bouquet de roses rouges ornait la table de nuit de Becky. Il s'assit sur le lit et contempla les fleurs, des fleurs à jamais souillées à ses yeux. Il ferma les yeux un instant et, de nouveau, revit l'image qui l'avait si souvent hanté dans ses rêves, au cours de la semaine écoulée. Celle d'une main élevant une rose rouge vers le visage souriant et plein d'espoir de sa sœur.

Sa tête dodelina et il sursauta. Il avait les paupières si lourdes ! Un moment, rien qu'un moment de repos. Mais le repos se dérobait, bien sûr. La main tenait la rose. Une main d'homme. Les pétales sont rouges et bien éclos. Le visage d'Ann se transforme. A sa place il voit la chair secrète, entre ses jambes. La main s'ensanglante. Vision impie.

Weir se redressa d'un bond et se remit à arpenter le living. Et lorsqu'il regarda de nouveau le bouquet dans le vase de Becky, il comprit en un éclair ce qu'il n'avait cessé d'avoir sous les yeux depuis le début. Il s'immobilisa. Se reformula ce qu'il venait de saisir à l'instant, encore et encore. Il tendit le bras, prit une rose dans le bouquet. Sa main trembla lorsqu'il saisit la fleur juste au-dessous des pétales, emprisonnant le calice entre ses doigts.

Il n'avait pas lâché la fleur lorsqu'il revint dans le living, accueilli par les regards soudain inquiets de Ray et de Becky.

— On dirait que tu viens de voir un fantôme, dit-elle.

— Donne-moi le numéro personnel de Ken Robbins. Ça y est, je le tiens. Je sais ce que nous n'avions pas encore vu.

Il téléphona et obtint la femme de Robbins. Elle lui expliqua d'une voix ensommeillée que son mari souffrait d'insomnie et qu'il était déjà parti au labo. Il était 5 h 30. Weir s'excusa et téléphona au labo de la Criminelle. Robbins décrocha dès la seconde sonnerie.

— Ken, ici Jim Weir. Va prendre la rose dans le frigo.

— Pourquoi ?

— On le tient. On avait la preuve dès le début et on ne s'en rendait même pas compte. Ken, je t'en prie, va chercher cette rose.

Robbins resta un instant silencieux.

— Tu n'es plus sur l'affaire, Jim. Dennison a été

formel. Je n'ai plus le droit d'examiner des indices pour ton compte. J'ai les mains liées, tu le sais bien.

— Ecoute, Ken. Ce n'est pas moi qui t'apporte ça. Tu l'as déjà, et ce sont les flics de Newport qui te l'ont remise. C'est une preuve bien tangible, irréfutable, et en plus, elle se trouve à quelques mètres de toi, dans ce frigo. Je t'en supplie, Ken. Prends cette rose et pose-la sur ta table d'examen. Eclaire-la bien et prends une pince.

Nouveau silence.

— Bon ! Ne quitte pas...

Becky restait immobile près de la cheminée. Debout devant la fenêtre, Raymond regardait en direction de la haie de lauriers-roses. Robbins revint en ligne deux minutes plus tard.

— D'accord ! Elle est sur la table, elle est éclairée et j'ai une pince à la main. Et maintenant, tu vas me dire ce que je vais faire à cette fichue rose que je ne lui aie pas déjà fait !

— Nous avons négligé un élément parce qu'il n'était pas directement visible. Les petites feuilles vertes, juste au-dessous des pétales, elles sont comment ?

— Il n'y a pas le moindre truc vert sur ce machin. C'est marron, c'est tout.

— Les sépales marron, alors. Est-ce que tu les vois ?

— *Ils sont enfouis sous les pétales, Weir.*

Weir palpa la rose entre ses doigts. Etait-ce sa propre main qui lui était apparue dans le rêve ?

— Est-ce qu'ils sont rabattus contre la tige ?

— Oui, Jim. Exactement comme ils étaient quand je l'aie eue la première fois.

— Mais ils n'étaient pas comme ça lorsque la fleur a été mise là où elle était. Ils se sont repliés au moment où on l'a enfoncée et se sont rabattus contre la tige. Soulève les pétales et retourne-les avec ta pince. Dis-moi ce que tu vois.

Robbins posa le récepteur. Weir entendit le bruit des gants de latex qu'il enfilait, puis le cliquetis des instruments métalliques qu'il remuait dans un tiroir. Son cœur battait à se rompre. Becky n'avait pas bougé. Raymond lui faisait face et un début de sourire apparaissait sur son visage. Une longue minute s'écoula. Puis Robbins reprit le récepteur et s'éclaircit la gorge.

— Weir ? C'est superbe ! Une empreinte partielle de pouce et sans doute d'un index, imprimée sur le sang séché. L'eau de mer a fait office de conservateur et comme gravé l'empreinte. Je... c'est à peine croyable ! Je t'embauche dans mon équipe quand tu veux...

— Je veux que tu les compares à celles de Cantrell.

— On ne lui a jamais relevé ses empreintes.

— La photo que je t'ai laissée... avec le cheveu dans le sachet. Cantrell a placé son pouce à mi-hauteur, sur le côté droit. Ça devrait être clair comme de l'eau de roche. Tu as toujours la photo, hein ?

— Dennison a voulu que je la jette. Je... enfin, je ne lui ai pas tout à fait obéi. Donne-moi un petit quart d'heure.

— Je suis chez Becky.

Il épela le numéro et raccrocha. Becky le regardait d'un air de profonde perplexité. Raymond eut un large sourire et l'étreignit. Une étreinte puissante comme jamais. Et en même temps, il lui parut vidé. Il le suivit des yeux tandis qu'il s'éloignait vers la baie, regardait au-dehors un moment, puis revenait s'asseoir sur le canapé.

— On devrait peut-être prendre un verre, dit Becky.

— On devrait attendre le coup de fil de Robbins, fit Weir.

Ray décocha un coup d'œil à Becky, puis se leva et se dirigea vers la porte.

— J'ai besoin d'être seul, dit-il.

Jim remarqua l'étrangeté de son expression.

— Ne fais pas tout foirer, Ray ! On est trop près du but. On a eu du mal à en arriver là.

Raymond eut un faible sourire.

— Je veux dire une action de grâces sous les étoiles, c'est tout.

— Reste avec nous, lui dit Becky. S'il te plaît...

Raymond les dévisagea tour à tour, soudain gagné par la colère.

— Arrêtez de vous biler comme ça ! Je n'ai *aucune* intention de tout foutre en l'air. C'est juré ! Je vais juste m'asseoir sur la jetée et regarder se lever le jour où nous allons démolir le salaud qui a assassiné ma femme. Je ne ferais foirer ça pour rien au monde ! Si vous ne me croyez pas, c'est votre problème. Vous n'avez qu'à garder un œil sur moi, si ça vous chante.

Quinze minutes s'écoulèrent pendant lesquelles Weir arpenta le living, en jetant de temps à autre un coup d'œil par la fenêtre sur la silhouette de Raymond. Assis sur la jetée au pied d'un lampadaire, celui-ci regardait la baie et la PacifiCo Tower. Quelles terribles visions pouvaient le tourmenter ? Le jour commençait à poindre, dissipant les ténèbres.

Un quart d'heure plus tard, Robbins rappela. Sa voix avait perdu son intonation excitée et il s'exprima très lentement. Weir se rappela que c'était sa manière à lui de faire durer le plaisir, de savourer le travail bien fait. Robbins ne vivait que pour son job.

— Je tiens de quoi le boucler, dit-il. La correspondance est parfaite.

— Alors, qu'est-ce qu'on fait, maintenant ? demanda Jim qui se laissait gagner par le soulagement.

— Je ne sais pas trop, Weir. J'ai fait la comparaison deux fois avec l'empreinte de la photo, mais ça ne collait pas. Alors, j'ai fait un double contrôle sur ordinateur avec les empreintes au fichier, et effectué moi-même deux visualisations. Ce sont les empreintes de Raymond Cruz.

Weir raccrocha et regarda de nouveau Raymond, par la fenêtre. Raymond qui attendait la révélation de la vérité. Raymond qui savait.

Il ferma les yeux un instant, pour dire adieu à l'univers familier, au monde qu'il avait connu. Puis il les rouvrit sur un monde devenu concevable. Mais il ne parvenait pas à y croire.

— Qu'est-ce qui ne va pas ?

Il dépassa Becky, sortit et traversa l'allée du jardin, franchit la barrière grinçante. La veste de smoking de Raymond était disposée de façon convaincante sur deux morceaux de bois récupérés sur la plage et appuyés contre le lampadaire. Raymond n'était plus là.

32

Becky surgit de l'allée et prit le boulevard à travers la péninsule. Elle roulait à tombeau ouvert en direction de la résidence de Cantrell. Le ciel avait viré du noir à l'indigo et se colorait d'orange à l'est. Jim Weir regardait défiler le quartier derrière le pare-brise. Plus rien n'était pareil. Il avait conscience de foncer vers le sud dans la voiture de Becky, à la poursuite d'une chose qu'il ne voulait pas savoir. Il avait la sensation d'être emporté par un courant violent loin de ce qui lui était familier, loin de tout ce à quoi il avait cru jusqu'alors. Il lui semblait presque voir s'amenuiser et disparaître toutes les choses du passé sur un rivage qui s'éloignait de lui à toute vitesse.

— Et s'ils ne sont pas là-bas ? demanda Becky.

— Cantrell m'a dit qu'il y serait. Je connais Raymond. Il veut lui régler son compte.

— Ô mon Dieu, Jim ! Ce n'est pas possible. Il doit y avoir une erreur. Ray n'a pas pu faire ça. Il y a forcément une erreur quelque part.

Le break de Raymond était garé derrière la résidence de Cantrell en bord de mer. La maison était plongée dans l'obscurité, exception faite de la lumière qui brûlait à l'étage, dans la grande chambre. Une vitre avait été brisée sur une porte-fenêtre qui était entrouverte.

— Il est à l'intérieur, dit Jim, et l'alarme doit être en train d'alerter les services de sécurité de la PacifiCo. Ne bouge pas d'ici.

— Ne fais pas le con, Jim, bon sang ! Préviens la police. Elle est là pour ça. Tu n'es sûr de rien. Et s'il a tué Ann, qu'est-ce qui va l'empêcher de te descendre, toi ? (Weir tira le .45 de son étui.) Et moi, qu'est-ce que je suis censée faire, bon sang ! s'écria Becky.

— Reste ici !

— Tu es complètement fou.

Il se glissa à l'intérieur de la maison, s'accorda un instant pour s'accoutumer à la pénombre, puis traversa silencieusement le living, en direction de l'escalier. Le silence régnait. Il monta sans hâte, appelant Raymond d'une voix calme. Ses tempes battaient, une sorte de bourdonnement métallique vibrait dans ses oreilles. A l'étage, le lit était défait, la salle de bains vide, et l'atmosphère était celle d'un lieu désert. « Ray ? » Il ouvrit le tiroir du bureau : le revolver était à sa place, à côté de la boîte de munitions. Raymond l'a eu par surprise et l'a tiré du lit, songea-t-il.

Il scruta la plage par la fenêtre ouverte. On n'apercevait qu'un pêcheur avec son chien. La fenêtre de derrière, elle, donnait sur les demeures du front de mer, les mâts des yachts ancrés dans la baie. Un léger panache de fumée blanche s'élevait au-dessus de la poupe du *Lady of the Bay*, le plus gros bateau qu'il pouvait apercevoir, celui de Cantrell. Le yacht s'éloigna du dock dans le grondement puissant de ses moteurs. Le volet vibra juste sous le nez de Weir.

Il dévala les marches quatre à quatre et se rua dans la voiture de Becky.

— Au *Sea Urchin*, dit-il. Vite !

— Raymond a pris le bateau, c'est ça ?

— Il quitte le port. Grouille, Becky !

Quinze minutes plus tard, ils volaient vers le milieu de la baie. A la barre, Weir louvoyait entre les yachts, les amarres et les balises flottantes. Il souleva une gerbe d'eau dans son sillage lorsqu'il s'engagea pleins gaz dans une ouverture vers la mer libre. Il apercevait au loin devant eux le sillage d'écume du *Lady of the Bay*, sur le point de disparaître à l'extrémité du port. Becky se tenait auprès de lui, toujours vêtue de sa robe de velours noir, serrant ses bras autour d'elle pour se protéger du froid. Jim hurla par-dessus le grondement du moteur :

— Remonte l'ancre et coupe le filin à ras ! Il y a un couteau dans la boîte à outils !

Becky disparut dans la cabine, puis reparut sur le pont avant.

— Comment vas-tu monter à bord ?

— Remonte l'ancre, bon sang !

— C'est fait !

— Coupe le filin !

— C'est fait, merde !

Jim distinguait maintenant la poupe du yacht de Cantrell, entre les deux jetées de l'embouchure du port. Le gros bateau prenait de la vitesse à l'approche de la haute mer. Au-delà des jetées, la houle bordée d'écume roulait de façon tumultueuse et l'eau était presque noire.

— Becky, viens par ici !

Elle faillit basculer par-dessus bord dans la brusque embardée du petit bateau, tandis qu'elle saisissait la main qu'il lui tendait et se laissait hisser sur la passerelle. Il lui hurlait déjà les directives qui lui venaient à l'esprit pour réussir la manœuvre : « Serre-le de près ! Tiens-toi bord à bord et reviens dessus en marche arrière ! Vas-y en douceur, le courant est traître ! » Il bondit sur le pont et s'accroupit pour garder l'équilibre, saisit l'ancre de la main droite et dévida le filin de la gauche. Devant, le *Lady of the Bay* entrait dans la pleine mer avec une nonchalance majestueuse, sans ralentir. Becky fit virer le *Sea Urchin*, naviguant avec la houle, puis augmenta les gaz pour s'élancer vers le yacht. Le moteur gémit lorsqu'ils heurtèrent la houle, et la proue s'éleva au-dessus de l'eau. Ils retombèrent dans une violente embardée qui faillit expédier Weir par-dessus bord. Lorsqu'il regarda Becky, elle était accroupie comme un sprinter, les cheveux au vent, incarnation de l'intrépidité. Elle fit faire machine arrière au *Sea Urchin*, puis coupa les gaz. Le petit bateau oscilla sur la houle, s'éleva, tangua dangereusement, fut de nouveau soulevé par les remous, dans le sillage du yacht. C'était comme si une main énorme l'élevait vers le ciel. Au moment où la proue se dressait au maximum, Weir lança l'ancre sur le *Lady of the Bay*, donna une saccade pour caler les griffes et, tandis que le *Sea Urchin* amorçait sa redescente, il s'élança, suspendu au filin, commençant déjà à grimper avec l'espoir que l'ancre, comme un grappin, s'était arrimée à quelque chose de solide. On l'aurait cru accroché à la queue d'un monstrueux serpent de mer. Il s'abattit durement contre la coque, aspirant malgré lui les fumées d'échappement. Il grimpa à la force du poignet, arc-bouté, les pieds dérapant contre la coque mouillée. Il atteignit enfin les plats-bords de teck et parvint à saisir la rambarde. Il attendit une pause de l'océan, et à l'instant même où le yacht s'enfonçait au creux d'une vague, il se hissa en équilibre sur la rambarde et bascula sur le pont.

Il atterrit sans ménagement, roula sur lui-même, se stabilisa et se mit debout. Ray l'attendait, à trois mètres de là, son .357 Magnum à la main. Il y avait du sang sur la veste blanche de son smoking. Il baissa son arme.

— Ça fait drôlement plaisir de te voir. (Il regarda le *Sea Urchin*, héla Becky et leva le pouce dans sa direction. Weir se détourna pour voir le *Sea Urchin* dériver et osciller dangereusement dans le courant. Becky les regardait, postée sur la passerelle. Raymond fourra le pistolet dans sa ceinture et regarda tranquillement son ami.) Ne t'en fais pas, les empreintes sur la rose ne sont pas à moi. C'est ce que Robbins t'a dit, hein ?

— C'est ce qu'il m'a dit, oui !

Ray soupira, hocha la tête. Ses épaules s'affaissèrent et son regard se perdit au loin, vers le rivage.

— Je n'aurais jamais cru que Robbins marcherait avec eux. Je me demande comment ils ont réussi à le faire plier. Je le croyais plus costaud.

— Marcherait avec qui ?

— Dennison. Cantrell. Perokee. Ils ont tout manipulé depuis le début. Tu ne l'as pas encore compris ?

Jim eut l'impression qu'il venait de sauter d'un plongeoir pour se retrouver suspendu en l'air à mi-course. L'espoir lui interdisait de plonger. La crainte l'empêchait de se retrouver propulsé en arrière.

— Ce sont tes empreintes, Ray. Les tiennes, et celles de personne d'autre.

Raymond s'approcha de lui, l'empoigna par les épaules et le secoua avec violence.

— Mais réfléchis, Jim ! C'est exactement ce qu'ils veulent que tu croies !

L'arme logée dans la ceinture de Raymond était à portée de la main de Weir, irrésistiblement attirée vers la crosse.

— Vas-y ! Vas-y, prends-le, ce flingue, si tu veux, dit Raymond. Mais *réfléchis un peu*, Jim. Réfléchis d'abord ! Regarde comme tout colle impeccablement pour eux, maintenant. Cantrell a tué Annie, Dennison a couvert le meurtre, ils ont arraché une confession à leur suspect numéro un, et l'ont effacé. C'est parfait ! Sauf deux choses : toi et moi. Ils savaient qu'on ne marcherait jamais, quelles que soient les preuves qu'ils aient pu accumuler contre Goins. Tu l'as dit sans ménagement à Dennison, dans le bureau de Robbins. Alors, qu'est-ce qu'ils font ? Ils essaient de nous dresser l'un contre l'autre, comme deux coqs de combat. Vas-y ! Sors-le, ce flingue, de ta veste, et bute-moi. Ou sers-toi du mien. C'est exactement ce qu'ils attendent.

Weir était dans l'incapacité de parler. Le bourdonnement s'arrêta brusquement dans ses oreilles. Et le calme se fit en lui. Tout devenait clair.

— Tu n'es pas obligé de me croire, Jim. J'en ferais peut-être autant à ta place. Viens donc poser la question à Cantrell. Viens ! Allons droit à la source.

Ray se détourna et grimpa à l'échelle qui donnait accès à la passerelle. Dans la cabine, Weir embrassa le spectacle d'un regard : le sol moquetté, les lambris cossus des parois, les instruments et les sièges du capitaine et du pilote, le compas indiquant une trajectoire sud, le gouvernail en pilotage automatique, et, affalé contre la paroi, encore en robe de chambre, David Cantrell. Une tache écarlate s'élargissait sur son épaule droite. Ses yeux se rivèrent sur ceux de Jim, sauvages. Il grimaçait en silence.

Raymond marcha jusqu'à lui et lui donna un léger coup de pied.

— Dis à Jim ce que tu m'as expliqué il y a un instant. Et n'oublie pas le passage qui concerne les empreintes sur une certaine rose.

Les yeux de Cantrell errèrent de Jim à Raymond, puis revinrent sur Jim.

— Je ne lui ai jamais... jamais fait de mal. Jamais !

— Jamais fait de mal ? fit Raymond en le toisant, les mains sur les hanches. Vingt-sept coups de couteau, mais tu ne lui as jamais fait de mal. Oh ! Bon Dieu, mec !

Il s'écarta de quelques pas et avant que Jim ait pu prévenir son geste, dégaina en un éclair et fracassa l'autre épaule de Cantrell. Un lambeau de muscle et de chair gicla contre la cloison. Cantrell poussa un hurlement, enfonça ses pieds dans la moquette et poussa, comme pour se glisser dans une fente de la paroi. Raymond le contempla, puis se tourna vers Jim.

— Un numéro pour son nouveau public. Il croit encore pouvoir dresser deux amis l'un contre l'autre. De l'arrogance. De l'arrogance à l'état pur.

Ray regarda de nouveau Cantrell, qui leva une main pour se protéger en murmurant : « Non ! » Raymond tira, et pendant une fraction de seconde Weir entrevit le regard terrorisé de Cantrell dans le trou béant de cette main suppliante.

— Qu'est-ce que tu attends ? dit Ray. Il ne va pas tarder à crever. Viens donc ! Goûte un peu cette vengeance que nous attendions.

— Je suis prêt, dit Jim.

— C'est bien ce que je pensais.

Avec une totale lucidité de cœur et d'esprit, Jim sortit son arme de son étui, s'avança, empoigna fermement le canon et abattit violemment et rapidement le .45 sur le crâne de Raymond Cruz. Il envoya valser le Magnum et précipita Ray contre la paroi, une fois, deux, trois fois, avec brutalité, avant de le clouer au mur. Il lui planta son .45 au creux de la gorge.

— C'est terminé, l'ami. Tu l'as tuée et tu as piégé Cantrell. Ce sont tes empreintes, Ray. Celles de personne d'autre.

Raymond dodelinait de la tête, ses yeux roulaient dans leurs orbites. Weir lui fracassa les côtes d'un crochet du gauche, le releva et le maintint contre la paroi.

— Robbins est incapable de mentir, même pour dix millions de dollars, tu le sais, et je le sais. Cantrell ne mentira même pas pour sauver sa peau, et pourtant, il n'ignore pas que c'est l'unique chance qui lui reste. (Il vit que le regard de Raymond se brouillait de nouveau. Il se sentit soulevé d'une énergie terrible. Il balança encore Ray contre la paroi, enfonçant le revolver sous sa mâchoire.) Regarde-moi, Ray. *Regarde-moi !* Chaque fois que je faisais défiler la scène dans mon esprit — Annie à Back Bay — je voyais que ça ne collait pas. Je sais ce que c'est, maintenant. Elle ne s'est pas débattue, hein ? Et tu sais pourquoi ? Parce que c'est toi qui l'as emmenée là-bas. C'est toi qui l'as entraînée dans ce sentier. Annie pouvait penser beaucoup de choses, mais s'il y en a une qui ne lui serait jamais venue à l'esprit, c'était que tu pourrais lui faire du mal. Elle aurait résisté à un môme comme Goins, pour défendre la vie de son enfant. Elle aurait arraché les yeux à Cantrell. Mais elle ne se serait pas battue contre toi. Tu étais le seul en qui elle avait confiance à ce point-là.

— Jamais je n'aurais trahi sa confiance, dit Raymond.

Weir le cogna encore contre le mur.

— Tu as fait pire que ça. Tu t'es servi de cette confiance. C'est *toi* qui as retiré les piles de la télécommande, cette nuit-là, pour qu'elle ne puisse pas utiliser le garage. Tu t'es changé directement dans ta voiture de patrouille. Tu as mis des vêtements civils et tu l'as abordée avec les fleurs que Cantrell lui avait envoyées. Tu portais des chaussures qui appartenaient à Cantrell. Tu avais déjà falsifié tes registres d'activité, pour te donner un alibi entre minuit et 1 heure. Et tu l'as suppliée de monter dans ta bagnole. « Rien qu'une minute, Ann, il faut que je te parle. » Et elle avait suffisamment confiance en toi pour t'écouter.

— Non.

— Si ! Mais tu venais peu ou prou de la surprendre dans le lit d'un autre, hein ? Alors, elle avait peur. Elle avait si peur qu'elle ne s'est pas rendu compte que tu passais des appels bidon au standard. Le temps d'arriver à Back Bay, tu avais regagné toute sa confiance. C'est à tes côtés qu'elle a descendu le chemin. Pas de lutte. Tu la tenais enlacée. Mais qu'est-ce que tu lui as raconté, Ray ? Hein ? Qu'est-ce que tu lui as dit pour qu'elle croie que tout allait bien ? Tu t'y es pris comment ?

Raymond tentait de s'échapper, mais Weir le tenait solidement et le canon du .45 restait fiché contre sa gorge.

— *Comment ?*

— Non !

— *Comment ?*

Raymond leva un genou vers le bas-ventre de Weir, mais Jim prévint le geste et lui flanqua un coup de poing dans le sternum. Il ploya sous le choc et s'effondra. Weir ne chercha pas à le retenir. Ray se rétablit sur les mains et les genoux et leva la tête. Son visage était méconnaissable, déformé par une expression de férocité que Weir ne lui avait jamais vue.

— Je lui ai dit que j'étais au courant depuis le début, pour Cantrell. Et que je... que je lui pardonnais. Elle n'a jamais su résister à ce mot-là.

Le dernier doute fut anéanti dans l'esprit de Weir.

— Oh ! merde, Ray. Ô bon Dieu ! Non. *Non !*

Raymond lorgna son arme. Jim l'envoya valser d'un coup de pied. Un gémissement grave et désespéré monta de la gorge de Cantrell. Weir s'approcha du tableau de bord, désenclencha le pilote automatique et fit redémarrer le moteur. Affalé contre le mur, Ray le regarda faire, livide, la mâchoire serrée. Son regard errait à la recherche d'un trou où se cacher.

— Depuis quand tu étais au courant, pour eux deux ?

— Je savais tout d'elle. J'étais son mari, bon Dieu ! Son mari pour le meilleur et pour le pire, comme ils disent dans leur baratin de merde.

— Tu t'es introduit chez Cantrell deux fois. Une fois pour voler l'épingle à cravate et une paire de chaussures. Et une autre fois pour y planquer les affaires d'Annie.

— Trois fois. La première, c'était pour voir le lit où elle m'avait trompé.

Weir attendit longtemps avant de poser la question suivante. Dans le silence, il n'entendait que le souffle rauque de Cantrell, et le clapotis de l'eau contre la coque du grand yacht.

— Tu t'es entraîné, hein ? Tu t'es *entraîné* à te servir d'un couteau de la main droite.

— Exact. (Ray détourna les yeux.) Je me suis beaucoup exercé. J'avais un sac de boxe dans le garage. Quand il a été trop plein de trous, je l'ai foutu dans la benne à ordures.

— Elle croyait en toi, Ray. Et toi, tu l'as massacrée

comme un chien. Ô bon Dieu ! Je te ferais sauter la cervelle, si ça pouvait changer quelque chose.

— Vas-y, fit Raymond sans expression. Bute-moi. Je suis prêt.

Mais Weir était incapable de passer à l'acte. Ça ne pouvait pas finir comme ça, pas encore. Il y avait tant de choses qu'il ne comprenait pas.

— Mais pourquoi, Ray ? C'était Annie, bon sang ! *Pourquoi ?*

— Je me suis expliqué tout ça à moi-même dans la lettre. Je l'ai envoyée pour qu'on identifie l'imprimante de Cantrell, mais c'était aussi pour... essayer d'y voir clair.

Weir se rappelait les sentiments troubles de Mr Night, mais c'était la voix de Raymond qui les exprimait dans sa pensée, cette fois. *Alors je l'ai vue enfin sur son visage, cette capitulation, cette dépendance, cette totale sujétion qu'elle n'avait jamais eue. Ne fût-ce que pour un instant !*

— Capitulation, dépendance ? Qu'est-ce que c'est que ces conneries ? C'était ta femme. Vous aviez une vie ensemble.

Raymond parut déconcerté.

— C'était comme un cancer qui se développait dans ma tête, Jim. Je désirais tellement me confier à toi. J'ai voulu en finir, une fois, et je t'ai demandé de m'emmener. Lorsqu'on est descendus en plongée, tout ce que je voulais, c'était continuer à descendre, ne jamais remonter à la surface. Tu as compris que je voulais en finir mais tu ne savais pas pourquoi. (Il fit pivoter le menton de Cantrell avec un doigt.) Il clignote encore, hein ?

— Ôte ta chemise et arrête l'hémorragie.

— Laisse-le crever.

— Obéis, Ray !

Raymond ôta sa chemise ensanglantée, en déchira des morceaux, et les enfonça dans les plaies de Cantrell. Celui-ci hurla, s'arc-bouta et s'évanouit.

— Ce mec a bousillé ma vie, fit-il. Et maintenant, j'essaie de sauver la sienne. J'ai été au courant dès le début, pour eux deux. Il n'y avait qu'à regarder Ann. Et puis il y avait ces vêtements qui revenaient de la teinturerie, et qu'elle n'avait pas portés pour moi. Et ses petites avances, lorsqu'elle a voulu me faire passer pour le père. Je savais bien que ce n'était pas moi. Et son sale petit bateau et sa connerie de journal. J'ai mis mon propre téléphone sur écoute pour connaître leur système de rendez-vous, et puis j'ai ôté le micro et je l'ai flanqué à la flotte le jour où je l'ai tuée. Ann arrivait à se cacher des choses à elle-même, alors elle s'est imaginé pouvoir en faire autant avec moi. Mais pour quelqu'un d'aussi faux et d'aussi dissimulé, elle n'était vraiment pas prudente. La première nuit — c'était le 23 mars — j'ai senti l'odeur de ce type sur elle lorsqu'elle est rentrée à la maison. Elle s'était douchée, mais ça ne changeait rien. Elle gardait cette odeur sur elle. Le bébé a été le dernier coup, Jim. Ce n'était pas le mien, c'était le sien à lui. Est-ce que tu as une idée de la douleur que j'ai pu ressentir ?

— Tu me parles de *ta* douleur ?

Ray le regarda longuement, comme pour se raccrocher à lui par la pensée. Mais son regard était devenu opaque maintenant, comme vidé de sa lucidité et de son énergie.

— Oui, de ma douleur. Je n'arrivais pas à croire qu'elle ait pu me faire ça.

— Alors, tu l'as tuée. Ô bon Dieu ! Ray... c'était *Ann !*

— Il y a un certain nombre de choses qu'un homme ne peut pas encaisser, dit Ray, le regard perdu. On ne peut pas lui voler sa femme, faire joujou avec, et la lui rendre, enceinte de l'enfant qu'on lui a fait. J'ai essayé d'encaisser mais je n'ai pas pu. Et plus ça me dévorait, plus je crevais d'envie d'avoir droit à un peu de justice. Tu ne vas pas comprendre, mais pour moi, Ann était la preuve que j'étais un type bien. Quand elle était à moi, je croyais que j'avais une certaine valeur. Elle était ma... validation. Lorsqu'elle m'a trahi, je me suis effondré.

— Tu as toujours été un type bien, Ray. Tu étais le seul à ne pas le croire.

— J'en sais rien. Ces trucs-là, on les porte en soi, ou pas.

— Lorsque tu as épousé ma sœur, mon unique sœur, je t'ai soutenu. Je ne t'ai jamais fait défaut, chaque fois que tu en as eu besoin. Tu n'as jamais eu à me prouver quoi que ce soit, Ray. Tu as raison, je ne te comprends pas.

Raymond contempla encore Cantrell, puis se redressa péniblement sur les mains et les genoux, se mit lentement debout, son regard rivé à Jim.

— Tu ne comprends pas parce que tu ne te laisses jamais aller. Tu restes toujours à mi-chemin. Demande à Becky. Nous avons souvent parlé de ta tendance à la dérive. Tu es un type bien, un type fort, honnête, mais tu as peur d'aller au fond des choses. S'il y a une chose qu'on doit me reconnaître, Jim, c'est que j'ai toujours voulu aller jusqu'au bout. Tu veux que je te dise un truc bizarre ? Lorsque j'ai découvert qu'elle était enceinte de ce salopard, qu'elle avait l'intention de m'abuser, j'ai eu le sentiment que tout ce en quoi j'avais cru n'était qu'un vaste mensonge. Je suis resté comme un idiot, avec son journal entre les mains, et j'ai pleuré comme un môme. Et tu ne peux pas savoir à quel point j'étais furieux. Je ne croyais plus en elle ; je ne croyais plus au Dieu que je priais depuis trente ans. Je ne croyais plus ni en mon boulot, ni à la loi, ni à rien. Tout ce que je voyais, c'était que je vivais en accord avec des choses qui s'étaient écroulées sans que je le sache. Je me faisais l'effet d'un pauvre imbécile. Et puis, après l'avoir tuée, toutes ces choses sont revenues en force. C'est pour ça que je l'ai frappée tant de fois, pour tuer toutes ces anciennes croyances. Mais ça n'a servi à rien. Une fois qu'elle a été morte, tout s'est remis en place. Comme avant. Elle me manquait et je me faisais horreur. Je croyais de nouveau en Dieu et je savais qu'Il allait m'anéantir. Il a fallu que je tue Ann pour retrouver la foi. Non que je me soucie encore du salut de mon âme. J'ai été si près de tout t'avouer, Jim, la nuit où nous sommes allés jusqu'à la faille... Je suis désolé. Mais je ne suis pas assez sentimental pour m'imaginer que ça changera quoi que ce soit de le dire. Je suis prêt à porter ce fardeau. Je l'ai toujours été. (Ray baissa les yeux vers Cantrell.) Tu peux tirer, si tu veux. Mais je monte respirer un coup sur le pont.

Il dépassa Jim et sortit sur la passerelle. Jim le suivit à trois marches de distance. Il tenait toujours son revolver. Il estima qu'ils devaient être à cinq ou six milles au large, à dix milles au sud de Newport. La houle était toujours très forte. Le *Sea Urchin* oscillait sur les vagues, à un quart de mille. Il apercevait le point minuscule que formait Becky sur la passerelle. Raymond regarda en direction du rivage, puis se tourna vers lui.

— Ann s'est fait faire un gosse par Cantrell lorsqu'elle avait quinze ans. Je n'en savais rien avant de lire son journal. Le voyage en France ? Elle n'est jamais allée en France. Elle est allée au fin fond de l'Etat de New York et a accouché d'un enfant mort-né. Elle m'avait dit que la cicatrice était le résultat d'une opération. Je l'ai crue. Et voilà que vingt-cinq ans plus tard, le même type la remet enceinte. Tu n'imagines pas à quel point on avait voulu un enfant, tous les deux. Comment voulais-tu que je réagisse ? Je vais te dire ce que j'ai pensé : que Dieu était un ignoble vieux salaud qui jouait des tours aux hommes pour se distraire.

— Comment as-tu réussi à avoir Goins ?

— Je n'ai rien à voir là-dedans. Je crois que c'est Cantrell qui a manigancé ça. Ne me demande pas comment il a réussi à mettre la main dessus alors que tout un département de flics n'y arrivait pas. Ne me demande pas comment il l'a convaincu d'écrire cette confession et de se jeter dans un bain d'argent en fusion. Peut-être que quelqu'un a réussi à faire croire à Goins qu'il était coupable. Ce mec était dingue.

Raymond baissa les yeux. Longtemps. Puis les releva et scruta le rivage. Loin au nord, Newport n'était plus qu'une zone grise improbable à la limite des terres.

— Nous avons eu de bons moments, hein ? dit Ray. (Jim ne répondit pas.) J'aurais voulu que ça finisse mieux. Qu'est-ce que tu comptes faire ?

— Quel choix me laisses-tu, Ray ? Ou je me sers de ce flingue pour descendre mon meilleur ami, ou je te ramène là-bas pour que tu ailles croupir en taule.

— J'ai repensé à Francisco, ces derniers temps, dit Raymond. Je crois que sa femme était amoureuse de Joaquin. C'est pour ça que ses hommes l'ont laissé tomber au dernier moment. Ils ont pris parti pour elle.

— Peut-être.

— On caille, sans rien sur le dos, dit Ray en frictionnant ses bras nus. A ton avis, quelle est la température de l'eau ?

— Pas plus de 15 degrés.

— Je tiendrais combien de temps ?

— Peut-être deux heures. La moitié du temps qu'il te faudrait pour revenir au rivage.

— Pas une seule chance ?

— Pas une.

— Tu me laisses tenter le coup ? (Weir le regarda. Raymond avait un drôle de petit sourire. Celui qu'il avait lorsqu'il ramenait un suspect menottes aux poignets.) On est toujours amis, Jim ?

Un long moment de silence s'écoula entre les deux hommes. Le pâle soleil réchauffait doucement le pont du grand yacht. Weir regarda la silhouette du *Sea Urchin,* les gros nuages gris, le minuscule bout de côte, au loin, vers Newport. Il était profondément las.

Pendant un instant, il vit sur le visage de Raymond un chagrin absolu, une désolation sans mélange. Etrangement, c'était ce qu'il avait désiré voir. Ray prit une profonde inspiration. « Merci », dit-il. Et il monta sur le plat-bord et se jeta à l'eau.

Jim attendit un instant, puis s'avança jusqu'à la rambarde. Il s'en était douté : Ray se dirigeait résolument vers l'est, loin du rivage. Il allait à brasses rapides, et la houle le heurtait avec violence. Il est difficile de dire à quel point une mer peut être mauvaise tant qu'on n'a pas vu un homme s'y débattre pour survivre. C'était un spectacle terrible.

Jim regarda un long moment. La houle contraignait Raymond au surplace, le déportant tantôt au nord, tantôt à l'est, en dépit de sa résolution à aller dans une autre direction. Weir retourna dans la cabine pour examiner Cantrell. Sous l'effet du choc, il saignait moins et respirait faiblement. Jim déchira d'autre bandes de tissu dans la chemise de Raymond et le pansa comme il put, avant de l'envelopper dans deux couvertures. Ensuite il vira à tribord, se rapprocha de Raymond et ressortit sur la passerelle. Ray nageait sur le dos, maintenant, s'efforçant de conserver son énergie, mais ses mouvements faiblissaient déjà. La mer était trop grosse, trop froide, trop vaste. On ne pouvait y survivre. Becky s'était rapprochée elle aussi, de l'autre côté. Postée sur la passerelle du *Sea Urchin*, elle regardait Jim sans comprendre. Il lui fit signe de rester où elle était.

En regardant lutter Raymond, tout en bas, il le revit à l'âge de seize ans, attendant, au pied de l'escalier, qu'Ann descende dans sa robe de bal. Quel bonheur, sur ce visage d'adolescent ! Il le revit à côté d'Ann, face au prêtre, et l'entendit dire : « Oui. » Avec quelle conviction, quelle foi ! Il le revit encore grimper sur l'un des bateaux de Poon, et le supplier de le laisser l'accompagner pour la journée. Il était si enthousiaste, si plein de vie. Lorsqu'il ne réussit plus à supporter le spectacle, il prit une bouée de sauvetage et la lui lança. Raymond la saisit et s'y cramponna, à bout de souffle. Becky manœuvra le *Sea Urchin*, pour se rapprocher, mais Ray restait sur le dos, abandonné, sans cesser de regarder Jim. Weir noua une corde à la rambarde, et expédia toute la longueur dans l'eau. Elle se déploya sous le vent et atterrit dans une gerbe d'eau près du bateau. Raymond le regardait toujours. « La prochaine fois », dit-il. C'est à peine si Weir l'entendit.

Puis Ray prit une inspiration et plongea sous les flots, disparaissant aussitôt dans les eaux grises. Cinq minutes plus tard — cinq minutes pendant lesquelles Weir crut qu'une éternité s'écoulait — il remonta, sur le ventre, nimbé d'un halo scintillant de bulles qui crevèrent à la surface.

Weir rapprocha encore le yacht, fit descendre un canot de sauvetage, descendit lui-même par l'échelle, et hissa le corps de Ray à bord.

Becky le regardait faire, non loin de là. Puis elle aborda le *Lady of the Bay* et passa le voyage de retour à parler à Dave Cantrell, l'exhortant à lutter pour ne pas mourir.

Le garde-côte *Point Divide,* alerté par Becky, les rejoignit à deux milles du port. Ils allongèrent Cantrell sur une civière et le prirent à leur bord. Personne ne semblait savoir quoi faire de Raymond, excepté Jim, qui dit qu'il le ramènerait au port.

33

Quand Jim fut de retour à la grande maison, le soir était tombé. Virginia n'était toujours pas rentrée. Il se doucha, évita le téléphone pour échapper aux journalistes, et se rendit chez Becky.

Elle était occupée à répondre à une interview au téléphone. Elle expliquait que les événements allaient bien au-delà des problèmes politiques, et que David Cantrell avait été torturé par un homme rendu fou de douleur par les désillusions et la trahison.

— Assez ! dit-elle à Jim en raccrochant. Sortons d'ici.

Ils emmenèrent le *Sea Urchin* au-delà des docks, et

jetèrent l'ancre près du rivage, sous le vent de Balboa Island. Là, la brise était assez forte pour chasser au loin l'odeur pestilentielle de l'océan. Becky avait pris de quoi dîner : du pain, une bouteille de vin, de la viande froide et des oranges. Ils prirent leur repas sur le pont, dans le soleil couchant, puis, lorsque le vent fraîchit, se réfugièrent dans la cabine et se blottirent l'un contre l'autre sur l'étroite couchette. Jim rêva qu'il était sous l'eau et que ses paupières closes étaient scellées pour toujours. Il avait beau tenter de les ouvrir, c'était impossible. Une ancre énorme était attachée à ses pieds. Il ne luttait plus, il se laissait entraîner au fond, attiré par l'idée qu'il trouverait peut-être la personne qu'il cherchait dans l'univers sous-marin. Lorsqu'il se réveilla, il était 21 heures. Becky chassait une mèche de cheveux de son front baigné de sueur, le visage penché sur lui dans la pénombre de la cabine.

Ils regardèrent les infos locales à la télévision, dans la grande maison. Il n'y était question que de Cantrell et de Raymond : le DA avait déjà reconnu que le promoteur immobilier avait eu une liaison avec la femme du lieutenant Cruz et que toute l'affaire était probablement l'histoire « d'un triangle passionnel qui s'était résolue dans la tragédie ». Les suppositions abjectes allaient bon train. Personne ne s'expliquait le suicide d'Horton Goins et la confession qu'il avait laissée derrière lui. Becky, dans sa robe de velours noir maculée du sang de Cantrell, brandissait une main devant l'objectif d'une caméra en disant : « Pas de commentaire. » Le visage triste et défait de Brian Dennison apparaissait ensuite. Une enquête approfondie était en cours, disait-il, centrée sur les activités du lieutenant Cruz au cours du mois écoulé. Il admettait presque à contrecœur que le suicide d'Horton Goins était « réexaminé sous un autre angle », et qu'il restait bien des points obscurs à élucider. Il paraissait au bout du rouleau, trop exténué pour s'en soucier. Un porte-parole du Hoag Hospital déclarait que Cantrell était en réanimation, mais que ses jours n'étaient pas en danger.

Une information sans rapport avec l'affaire fut communiquée à 22 h 10 : un homme était mort à 20 h 30 dans Back Bay, dans l'explosion de son bateau. Les premières constatations avaient permis de conclure à une fuite d'essence, et à une explosion provoquée par une cigarette.

Jim entendit le bruit de la porte d'entrée, la voix de Virginia résonna dans le vestibule.

— Ô mon Dieu ! fit Becky.

Jim se retourna et examina fixement le jeune homme qui l'accompagnait, et qui ne lui adressa qu'un bref regard en retour. Ce qui le frappa, chez Goins, c'était qu'il était moins une présence qu'une sorte d'absence. Le simple fait d'exister semblait le mettre à l'écart, engendrer en lui un irrémédiable « mal-être ». On le devinait infiniment renfermé et secret. Il tenait un petit baluchon dans la main droite.

— Jim, Becky, dit Virginia, je vous présente Joseph. Il expliquera tout au D.A. demain matin. Après on verra. (Elle vint vers Jim et l'étreignit plus longuement et plus tendrement qu'elle ne l'avait jamais fait.) Ça va aller, dit-elle, tout ira bien.

— Où étais-tu passée ?

— Assieds-toi. Ecoute.

Au cours de l'heure qui suivit, Virginia lui expliqua comment elle avait réagi lorsqu'elle avait su qu'Ann attendait un enfant de David Cantrell. Elle avait alors pensé qu'il valait mieux qu'Annie, qui n'avait que quinze ans, croie que l'enfant était mort, en ignore même le sexe, car elle oublierait ainsi plus facilement ce qui s'était passé. Lorsque Jim lui avait montré la photo d'Horton, son imagination s'était emballée, d'où sa visite à Edith et Emmett ; qui l'avait conduite au cabinet d'avocats de Los Angeles qui s'était occupé de l'adoption ; à Lucy et jusqu'à la « famille » d'origine de Joseph, qui avait toujours une ferme à Dayton ; et enfin, à une veuve du nom de

Kate Hanf, qui avait la première adopté Joseph, vingt-cinq ans plus tôt.

Weir l'écoutait, sans voix. Il avait l'impression de pénétrer dans un monde archaïque dont il ignorait l'existence, et où, à son insu, s'étaient accumulés les mensonges et les secrets. *Ann avait un fils !*

Lorsque Virginia eut terminé, elle le regarda, puis détourna les yeux. C'était la première fois qu'il lui voyait arborer le visage de la honte. C'était aussi la première fois qu'il décelait en elle le besoin d'être approuvée par lui. Il réfléchit longuement avant de parler.

— M'man, tu n'en as pas marre, parfois, de vouloir régenter le monde ?

— Je n'ai jamais voulu...

— Personne ne *peut* vouloir ça ! Jamais.

— Il n'y avait pas d'autre moyen de régler les choses convenablement.

Jim la foudroya du regard mais, déjà, elle ne le regardait plus.

— Tu aurais dû me le dire. Si j'avais été au courant, pour Cantrell et Annie, j'aurais peut-être pu empêcher que ça se termine aussi lamentablement. Tu aurais dû être honnête, au lieu de tout dissimuler.

— Je voulais la protéger de ce que les autres penseraient.

— Tu voulais te protéger *toi*, de ce que les autres penseraient.

— Jim...

— Admets-le ! C'est le moins que tu puisses faire.

— Tu as raison, chuchota Virginia. Mais je croyais bien faire. Je considère toute cette période comme... la plus grande honte de mon existence. Quand je lui ai enlevé son enfant, je n'ai pas pensé que c'était le seul qu'elle aurait jamais. Je n'ai pas pensé que je lui enlevais la seule chose qui aurait pu empêcher tout ça. Je croyais bien faire... répéta-t-elle.

Dans le silence qui suivit, Jim écouta la respiration saccadée de sa mère, le bruit de la mer au-dehors, les sourds battements de son propre cœur.

Et Joseph, les yeux rivés sur ses chaussures, lui raconta comment il avait suivi des cours de généalogie à l'hôpital, comment il en était venu à s'interroger sur ses origines ; comment il avait réussi un jour à consulter son dossier alors qu'un grave incident avait éloigné le personnel pour quelques minutes, et comment il avait découvert ce qu'il pressentait déjà : qu'il n'avait jamais connu ses véritables parents. Il avait ensuite passé des heures à consulter des microfiches, pour découvrir tout ce qu'il était possible de savoir sur Virginia Weir et Blake Cantrell, dont il avait lu les noms sur le dossier d'adoption, qui étaient restés gravés dans son esprit de façon indélébile. La voix de Joseph se modifia lorsqu'il en vint à parler d'Ann, de la première fois où il l'avait vue, jouant avec les enfants dans la cour de la garderie.

— Je ne sais toujours pas pourquoi, dit-il, mais je n'ai pas osé l'aborder. Je ne savais pas quoi dire, j'avais peur qu'elle ne me croie pas. J'avais peur de la blesser en lui révélant qui j'étais. Alors, je me suis mis à la suivre, à l'observer, et à la prendre en photo. Je ne lui ai adressé la parole qu'une fois. Pour lui demander l'heure. Elle m'a répondu « dix heures et quart ». Ce sont les seuls mots qu'on ait jamais échangés en vingt-quatre ans. J'avais si peur. Et puis, presque tout de suite, elle est morte.

Joseph déclara qu'il y avait dans la façon dont elle était morte quelque chose qu'il « comprenait ». Il lui avait fallu quelques jours pour se décider à essayer d'entrer en contact avec son père. Mais cela s'était avéré difficile. Alors, il lui avait écrit une lettre avec l'ordinateur de Mrs Fostes pour lui proposer le rendez-vous au cimetière.

Cantrell était venu et l'avait caché dans une grande maison de Laguna, au bord de la mer. Un certain Dale était chargé de s'occuper de lui et de lui donner tout ce qu'il désirait, mais il avait vite compris qu'il était davantage son gardien que son serviteur.

— Ce matin vers 10 heures, dit-il, Dale est venu

sans... sans mon père, et m'a dit qu'il m'avait arrangé une entrevue avec ma grand-mère, Virginia.

Virginia se pencha sur son siège.

— Lorsque j'ai eu confirmation de mes soupçons au sujet de Joseph, dit-elle, je me suis doutée qu'il entrerait en contact avec Cantrell. David a nié, mais j'ai réussi à retrouver la cachette. Seulement, lorsque je suis arrivée à la maison, Cantrell était parti et Blodgett n'était pas du tout disposé à libérer Joseph. En fait, il savait que l'enquête sur la pollution de la baie aboutirait à lui à un moment ou à un autre. Il s'est mis à table et m'a révélé que Louis Braga et lui déversaient des substances toxiques dans l'océan. Je devais persuader Becky de laisser tomber et lui remettre 50 000 dollars en liquide en échange de Joseph. Faute de quoi, il le tuerait.

— Alors, qu'est-ce que tu as fait ? demanda Jim.

— J'ai dit oui à tout, je suis partie et ensuite j'ai annoncé à Blodgett que j'avais mis l'argent sur une des balises lumineuses, au bout de la jetée. Mais d'abord, il devait me rendre mon petit-fils pour que je lui précise laquelle. Il a prétendu qu'il ne me croyait pas, ce qui était exactement ce à quoi je m'attendais. Il m'a emmenée là-bas, et ça aussi, je l'avais prévu. Bien entendu, Joseph était sur le bateau lui aussi. Blodgett se doutait que les flics ne tarderaient pas à fouiller toutes les résidences de Cantrell. Au beau milieu de la baie, un accident idiot est arrivé : une gaffe a heurté le crâne de cet imbécile de Dale Blodgett. Des allumettes sont entrées en contact avec de l'essence. Joseph et moi, nous avons eu de la veine, nous avons réussi à sauter par-dessus bord et à nager jusqu'à l'endroit où était garée ma voiture. On a abandonné nos gilets de sauvetage et on s'est réfugiés dans le petit trou de Mackie Ruff pendant que les flics se démenaient et que la police maritime éteignait l'incendie. Mackie nous a donné une couverture et un peu de rhum, et il a fait du feu pour sécher nos vêtements. Il dit qu'il est flic remplaçant, maintenant. Quand le ramdam s'est calmé, on est partis en bagnole. C'est la première et la dernière fois que je raconte cette histoire. Il n'y aura ni questions ni discussions. Il fallait le faire, point final. C'est Joseph qui livrera la version officielle.

Joseph leva ses yeux clairs sur Jim.

— Ta mère et moi, nous avons été... réunis par Mr Blodgett au bout du quai. Il est allé chercher l'argent, et son bateau a explosé. On a nagé pour se porter à son secours, mais on n'a rien pu faire.

— Tu oublies quelque chose, intervint Virginia, du ton sur lequel elle reprenait Jim lorsqu'il se trompait dans sa table de multiplication, quand il était gosse.

— Plus tard, on a pris un des bateaux à louer au *Locker*, et on est allés récupérer l'argent.

Jim devait avouer que l'histoire était plutôt bien ficelée. Dennison avait trop de pain sur la planche pour s'intéresser en priorité aux faits et gestes de Virginia Weir. Lorsque Marge Buzzard témoignerait devant le grand jury, Braga serait le seul à rendre des comptes et à plonger. Peut-être.

— Alors, c'était Blodgett qui déversait des saloperies ?

— Et il en était fier. Ça durait depuis des années. Il a commencé bien avant de travailler à la Section antipollution. Il y avait dix ans qu'il travaillait pour Dave Cantrell à titre privé. Cantrell utilisait du trichlo en pagaille pour la peinture des maisons qu'il faisait construire. Il avait chargé Blodgett et Braga de s'occuper des déchets et les payait avec le pognon de Cheverton. C'était uniquement pour ne pas y mêler la PacifiCo, pour le cas où quelqu'un comme Becky aurait voulu en tirer parti. Tout était censé être fait dans les règles : autorisations, licences, transport dans une entreprise de Long Beach tous les deux mois pour stockage. Il y avait 2 000 dollars à se partager pour Blodgett et Braga, et l'entreprise de Long Beach recevait 7 000 dollars. En fait, Dale et Braga se partageaient le pognon de la compagnie de traitement des déchets et jetaient leurs saloperies à dix milles des côtes au lieu de les transporter à Long Beach. Tout a marché comme sur des roulettes jusqu'au jour où Annie et moi avons trouvé des traces de substances toxiques. Ça s'est vraiment gâté le jour ou le *Duty Free* a eu une avarie au milieu du port et qu'ils n'ont pas eu d'autre choix que de déverser le chargement ou de le ramener à Cheverton. Ils ont paniqué et ils ont tout largué.

— Mais de quoi avaient-ils peur ? fit Jim. Puisque c'était Blodgett lui-même qui effectuait la surveillance antipollution ?

— Ils avaient la trouille de Cantrell, dit Virginia. Annie les avait vus charger le *Duty Free* à Cheverton et ils pensaient qu'elle lui en avait parlé. Cantrell croyait que tout était légal. Lorsque Annie l'a mis au courant, il leur est tombé dessus.

— Et pourquoi Blodgett t'a-t-il raconté tout ça ?

— Parce qu'il avait l'intention de nous tuer après avoir eu l'argent, dit Joseph. (Il baissa la tête en rougissant, serra ses mains l'une contre l'autre. Il ajouta à voix basse :) Je l'ai su rien qu'à sa façon de bouger.

— Et Dennison ? demanda Becky. Est-ce qu'on peut le couler ?

— Lui non plus n'était pas au courant de ce que fabriquait Blodgett. Il était bien trop occupé par sa conquête du pouvoir pour s'occuper de ce que faisaient ses hommes. Et puis Dale le tenait au courant de tout ce qu'on faisait sur le plan politique. Dale avait aussi dit à Dennison qu'il avait vu le *Sea Urchin*. C'est pour ça que Brian se faisait du mouron. Il croyait que c'était *nous* qui déversions des substances toxiques dans la baie, mais il n'avait pas de preuves. Et maintenant, je ne vois vraiment pas comment il va pouvoir sauver la face. Un de ses hommes reconnu coupable de meurtre, l'autre d'avoir déversé du trichlo dans la flotte... Entre le battage des médias et ce qui se passera lorsque Marge Buzzard témoignera devant le grand jury, il est bel et bien foutu, le Dennison. Félicitations, madame le Maire !

Becky soupira en hochant la tête. Virginia les questionna sur Raymond. Elle avait déjà à peu près tout reconstitué d'après ce que Cantrell et Joseph lui avaient dit.

— Il avait mis le téléphone sur écoute, et avait lu son courrier et son journal, dit Jim.

Joseph baissa la tête. Ann était absente. Ann qui était le cœur de toute cette histoire.

— Et... ton suicide ? lui demanda Becky.

Joseph expliqua que la supercherie du suicide montée par Cantrell devait aboutir à faire clore l'enquête, après quoi il le laisserait partir librement, et vivre en acceptant que le meurtrier d'Ann reste en liberté.

Weir fut intrigué jusqu'au moment où il se rappela le témoignage de la vieille femme qui avait aperçu la voiture de Joseph.

— Tu savais que c'était Raymond, dit-il. Tu les as suivis jusque là-bas, cette nuit-là. Tu attendais dans les parages de la maison de Cantrell pour la voir, pendant que Raymond l'attendait lui aussi pour la faire monter dans sa voiture radio.

Pendant un instant, le regard de Joseph erra autour de la pièce, comme s'il suivait une mouche invisible. Il baissa les paupières et porta ses mains à ses tempes.

— Je ne pensais pas pouvoir aller trouver la police et leur dire ce que je savais. Et puis... eh bien, le lendemain de la mort d'Ann, je... je n'arrivais plus à me rappeler exactement ce que j'avais fait après être parti de Back Bay. Je... parfois les choses ne sont pas claires dans ma tête. J'ai pensé qu'il valait mieux parler à Mr Can... enfin, à mon père.

Bien entendu, Cantrell n'avait pas voulu prévenir la police à l'idée du scandale que soulèverait sa liaison avec Ann, sans parler du fait qu'il était le père d'un enfant illégitime qui avait été interné pour crime sexuel. Cantrell avait un témoin, mais il ne pouvait pas le faire paraître au tribunal. A part ça, Jim avait peine à croire qu'il ait été désespéré au point de tuer un jeune homme afin de le faire passer pour Horton Goins.

— C'est Dale qui s'est procuré le corps à la morgue, expliqua Joseph. Quelqu'un qui n'avait ni famille ni amis. Il était de ma taille. Mr Cantrell, mon père, je veux dire, assurait qu'on pouvait compter sur Brian Dennison pour influencer le rapport du coroner. C'est moi qui ai écrit la confession et qui l'ai signée. Elle était sincère, mais pas au sens où on l'a prise.

Weir lui demanda ce qu'il serait devenu ensuite.

— Il devait m'envoyer dans le Montana, dit Joseph. Il a une propriété, là-bas. J'aurais pu recommencer une nouvelle vie sous un autre nom. J'ai accepté d'écrire la confession pour Ann, pour protéger mon père des soupçons. Et puis l'idée d'une nouvelle vie me plaisait. Il comptait venir me voir souvent. On devait aller à la chasse et à la pêche, faire du cheval. Je crois qu'il m'aime bien.

Jim enregistra ces derniers mots, comprenant pleinement pour la première fois que le jeune homme qui lui faisait face avait franchi plus de trois mille kilomètres pour assister à la mort d'une mère qu'il n'avait jamais connue. Et il y avait autre chose : il lisait sur le visage de Joseph que celui-ci avait vécu des choses plus terribles encore.

Virginia se leva et déboutonna son coupe-vent. Une ombre planait toujours sur ses traits.

— Mon silence a été un mensonge, dit-elle. Mais je croyais, j'ai toujours cru bien faire.

— Ce sont des excuses ou une justification ?

— Les deux, mon fils.

— Si tu étais moins dure, tu serais pitoyable.

— Que suis-je, alors ?

— Une femme impitoyable. C'est tout ce que je vois.

Elle le regarda, lui tourna le dos et commença à monter l'escalier.

Weir était allongé sur son lit. Il n'était pas encore minuit. Un rai de lumière filtrait sous la porte de l'ancienne chambre d'Ann, où Joseph était en principe en train de dormir. Il se leva et alla frapper doucement. Joseph lui répondit d'entrer. Weir s'avança sans bruit. Joseph était assis sur son lit, tout habillé, et un journal relié de cuir était ouvert sur ses genoux. Ses yeux tournaient dans leurs orbites, comme si Weir était une lumière aveuglante. « Je ne suis pas dangereux », dit-il. C'était presque un murmure.

— J'avais envie de te regarder.

Joseph rougit, les yeux baissés. Il attendait. Jim eut le sentiment qu'il était habitué à l'attente.

— C'est son journal ?

Il acquiesça, lui décochant un bref regard avant de baisser de nouveau les yeux.

— Je l'ai regardée écrire, quelquefois, quand elle était rentrée du travail... Elle écrivait à la lumière de la bougie. C'était beau.

— Lis-moi quelque chose, dit Jim.

Joseph rougit et un petit sourire apparut sur son visage.

— Il y a un passage qui me réconforte toujours, quand je le lis. Il n'a pas été écrit pour moi, mais je fais comme si. C'est la dernière chose qu'elle a écrite.

— Lis-la-moi.

Joseph lissa la page devant lui et s'éclaircit la gorge.

— 15 mai, dit-il. Le jour où elle est morte.

« J'éprouve soudain un grand calme. Le cyclone est peut-être en train de s'éloigner. J'aime ce moment de la journée, ces fins d'après-midi où Ray est parti et où je dispose de quelques heures avant le travail. Aujourd'hui, j'ai pris du recul et je me suis observée un peu comme Dieu pourrait le faire d'en haut. J'ai commis des erreurs. Mais lorsque je me regarde, et que je regarde ma vie, je ne vois ni mensonge ni trahison ; je ne vois pas un mari distant, un amant auquel je dois dire adieu, une pauvre femme insensée réfugiée dans un vieux bateau pourrissant au bord d'une petite ville sans importance. Ce que je vois, c'est une femme qui a voulu donner sa chance à l'amour, qui a accepté les cartes qu'on lui a distribuées sans amertume ni envie, qui a toujours essayé de garder contact avec la réalité du monde qui l'entoure au lieu de ne penser qu'au petit univers tourmenté de son existence. Ce que je vois, c'est une femme qui mérite le pardon.

» Ce soir, je dirai adieu à David Cantrell, l'homme qui m'a irrésistiblement attirée depuis que j'ai commencé à être femme. Je vois aujourd'hui qu'il y avait une raison à cela, et je la porte au-dedans de moi. Je crois en la destinée. David m'a suppliée de venir le voir une dernière fois, et je le ferai. Je sais que ce n'est pas un adieu définitif. Il est ton père, Cher Ange, et je serai toujours liée à lui, j'aurai toujours une dette à son égard. Est-ce que nous nous sommes aimés ? Oui. Tu es le produit de l'amour. Vais-je donc revenir à Raymond en rampant et remplie de repentir ? Jamais de la vie. Je le rejoindrai d'un pas assuré, avec la claire conscience de tout ce que ma vie avec lui m'a apporté, et de ce qu'elle me réserve encore. Je dois jouer mon rôle, maintenant. J'ai un mensonge à accomplir. Ça ne marchera peut-être pas. Raymond me quittera peut-être un jour, si mon enfant ressemble à David et qu'il devine la vérité. Ou peut-être lui suffira-t-il de savoir que cet enfant est de moi pour continuer. Mais je retourne à Raymond corps et âme, je vais de nouveau m'offrir à lui pleinement, comme épouse, comme amie, comme mère. Que puis-je faire d'autre ? J'espère que nous nous retrouverons. »

Jim regardait Joseph, absorbé par sa lecture. Ses yeux baissés avaient la tristesse de ceux d'Ann. D'ailleurs, il suffisait de cligner des paupières pour retrouver Ann, sous les cheveux blonds de Joseph, sous son cou mince et ses épaules droites. Même sa voix avait quelque chose de celle de sa mère : cette douceur qui naît de la volonté de s'imposer à soi-même un calme qu'on est loin d'éprouver.

— « La nuit dernière, j'ai fait un rêve. Je quittais

la maison de David pour la dernière fois, et Raymond m'attendait dans la rue. Il tenait à la main un bouquet de roses pourpres, pareilles à celles que David m'a envoyées. Il me disait qu'il me pardonnait et qu'il m'aimait. Il prenait ma main dans la sienne et m'emmenait dans sa voiture de patrouille — les rêves sont si étranges ! — jusqu'à Back Bay, là où nous étions allés, David et moi. Et là, il me prenait dans ses bras, m'embrassait doucement, et je sentais à son tremblement combien il avait envie de moi, combien il m'aimait. Et dans mon rêve, j'ai eu le sentiment très fort — si fort qu'il ne m'avait pas quittée au réveil — que tout serait pardonné, que tout s'arrangerait, et que les souffrances que nous avions endurées viendraient au contraire renforcer notre nouveau bonheur. Il m'a dit qu'il me pardonnait. Ce mot sonnait merveilleusement dans mon rêve. On aurait dit qu'il ne venait pas seulement de Raymond, mais aussi du ciel, des flots tout proches, des plants de tabac sauvage qui nous entouraient. S'il est une chose que j'aimerais transmettre à mon Cher Ange, c'est la capacité de pardonner. La vie n'est pas possible sans ça. J'ai senti dans mon rêve que ce mot me faisait signe. Qu'il avait besoin de *moi* pour prendre tout son sens. Alors je l'ai dit, d'abord à moi-même, puis à Raymond. Je t'offre aussi mon pardon. Je t'en prie, accepte-le... »

Lorsque Jim, perdu dans ses propres visions, releva les yeux sur Joseph, il s'aperçut que le jeune homme ne lisait plus mais récitait de mémoire. Les yeux clos, il laissait Ann parler par sa bouche, il se laissait devenir ce qu'elle avait voulu qu'il soit : sa propre chair et son propre sang, son cadeau à elle pour le monde.

— « Cher Ange, tu ne sauras jamais tout cela, tu ne liras jamais ces lignes. Mais je me pose cette question : me pardonneras-tu ? Dans mon rêve, Raymond a fouillé dans la poche de son veston et en a tiré quelque chose qu'il a tenu un instant dans sa main avant de l'élever vers mon visage. J'étais debout devant lui et j'ai attendu qu'il me touche, qu'il me donne sa bénédiction. Il a tamponné mes yeux avec son mouchoir, puis les siens, et l'a remis dans sa poche. Le mot de "pardon" n'avait cessé de rôder autour de nous dans la nuit, pendant ce temps. »

Jim s'annonça par quelques coups à la porte, puis entra dans la chambre de Virginia. Elle était en robe de chambre, assise devant sa table de toilette. Elle avait l'air d'une vieille femme.

— Ça va ? lui demanda-t-il.

— Oui. Ça a donc une importance pour toi ?

— Bien sûr ! (Les paroles d'Ann occupaient toujours son esprit mais il lui fallut longtemps pour se résoudre à parler.) Je suis venu te dire que je te pardonne, dit-il.

— Pourquoi ?

— C'est la meilleure chose qui me reste.

— Je n'accepterai pas ce pardon. Il n'y a pas de pardon pour moi.

— Il fallait que ce soit dit.

— A quoi bon ? Que peut-on attendre des mots ?

— Peut-être que ça aide. Peut-être qu'il n'y a pas d'autre moyen de recommencer. Peut-être que je ne les ai dits que pour moi.

— Alors, il va falloir que tu vives sans eux, Jim. Moi, j'ai choisi depuis longtemps.

— Qu'est-ce qui t'a rendue si dure, m'man ? Il s'est passé quelque chose ? Je veux dire... c'est à cause de p'pa ? De Jake ? Ou... ?

Elle regarda le reflet de Jim dans le miroir.

— Il y a vingt-quatre ans de ça, je me suis regardée dans cette même glace, et je me suis juré de ne jamais me pardonner à moi-même. C'est ma version à moi de l'honneur. C'était longtemps après avoir abandonné à des parents adoptifs l'unique enfant de ma fille. Le temps ne passe pas sur de tels actes. On peut toujours transiger, mais les actes demeurent.

— N'y a-t-il donc rien qui puisse... ?

— Sais-tu ce que Poon m'a dit, quand nous avons

découvert qu'Annie était enceinte et qu'il était trop tard pour un avortement ? « David et Ann n'ont qu'à se marier, puisque c'est ce qu'ils veulent. Voilà ce qu'il m'a dit. Ou se marier après la naissance de l'enfant. Ou partir sur le *Sweetheart Deal* tous les trois, pour un grand voyage autour du monde. L'opinion des autres, je m'en fous », voilà ce qu'il m'a dit.

Jim sourit. Poon avait une façon bien à lui d'aller au cœur des choses. C'était un hors-la-loi dans l'âme. Bon sang ! Comme il lui manquait !

— J'imagine que ce n'était guère du goût de Blake Cantrell, dit-il.

— Au contraire, Blake Cantrell était du même avis, fit Virginia dans une flambée de colère. Et sa femme aussi.

Jim ne comprenait pas.

— Mais pourquoi t'es-tu obstinée à t'y opposer, alors ?

— Parce qu'on a ses convictions, Jim. Au fond, je croyais que ce qu'il avait fait à Annie était mal. Pour moi, aucun Cantrell ne pouvait être digne d'un Weir, et surtout pas de mon unique fille. Les Cantrell étaient des gens riches et corrompus. Je pensais que mon devoir était de protéger Ann contre eux, avant toute autre chose. J'aurais fait n'importe quoi pour Annie. J'aurais donné ma vie. C'est ma décision qui l'a emporté. Comme toujours.

Dans le silence qui suivit, Jim comprit pourquoi sa mère ne pourrait jamais accepter de pardon. Ce n'était pas tant le fait d'avoir enlevé à sa fille son unique enfant pour l'abandonner à des parents adoptifs. Virginia avait toujours su qu'elle avait tort. Elle avait sacrifié le bonheur de sa fille — et au bout du compte, sa fille même — au nom de principes. Des principes moins importants que les exigences de l'amour. Et elle le savait. Elle resterait avec sa culpabilité pour le restant de ses jours, sous la forme éternellement meurtrie de Joseph Weir. Ce serait son ultime confession.

Il se leva.

— Je t'aime, m'man.

— Moi aussi, je t'aime. Plus que tu ne le sauras jamais. Et j'essaierai de toutes mes forces d'apprendre à l'aimer lui aussi... Joseph. Pour Annie. Mais je n'accepterai jamais ton pardon. Ne me demande pas ça. Accorde-le à quelqu'un qui le mérite.

Weir éteignit la lumière dans sa chambre et descendit au rez-de-chaussée. Il se faufila silencieusement au-dehors et referma la porte derrière lui.

La nuit était claire et les étoiles à quelques encablures des toits. La baie était une piste de danse noire où valsaient les bateaux et les lumières. Ce spectacle l'émouvait toujours.

Il hâta le pas sur le trottoir, s'arrêta devant la haie, et regarda la maison. Tout était noir chez Becky. Il franchit la grille et la poussa sans bruit derrière lui, mais la petite clochette de cuivre tinta faiblement et trahit sa présence. Il resta un moment immobile, fondu dans l'ombre des lauriers-roses. Ton silence est un mensonge, songea-t-il. Il fit tinter la clochette deux fois, hardiment, faisant résonner dans l'air nocturne le timbre clair. Puis son cœur se mit à battre la chamade et il allongea le pas à travers le jardin. Becky avait allumé et la porte s'ouvrait déjà pour lui.

Épouvante

extrait du catalogue

Depuis Edgar Poe, il a toujours existé un genre littéraire qui cherche à susciter la peur, sinon la terreur, chez le lecteur. Il a permis la réalisation et le succès de nombreux films.

ANDREWS Virginia C.	***Ma douce Audrina*** 1578/**4**
BARKER Clive	***Cabale*** 3051/**4**
BLATTY William P.	***L'exorciste*** 630/**4**
CAMPBELL Ramsey	***Images anciennes*** 2919/**5** Inédit
CLEGG Douglas	***La danse du bouc*** 3093/**6** Inédit
	Gestation 3333/**5** Inédit (Novembre 92)
COLLINS Nancy A.	***La volupté du sang*** 3025/**4** Inédit
	Appelle-moi Templer 3183/**4** Inédit
COYNE John	***Fury*** 3245/**5** Inédit
DEVON Gary	***L'enfant du mal*** 3128/**5**
HERBERT James	***Le Sombre*** 2056/**4** Inédit
JAMES Peter	***Possession*** 2720/**5** Inédit
	Rêves mortels 3020/**6** Inédit
KING Stephen	*Voir page suivante*
KOONTZ Dean R.	***Spectres*** 1963/**6** Inédit
(voir aussi à Nichols)	***Le rideau de ténèbres*** 2057/**4** Inédit
	Le visage de la peur 2166/**4** Inédit
	L'heure des chauves-souris 2263/**5**
	Chasse à mort 2877/**5**
	Les yeux foudroyés 3072/**7**
	Le temps paralysé 3291/**6** (Septembre 92)
LANSDALE Joe. R.	***Le drive-in*** 2951/**2** Inédit
	Les enfants du rasoir 3206/**4** Inédit
LEVIN Ira	***Un bébé pour Rosemary*** 342/**3**
MICHAELS Philip	***Graal*** 2977/**5** Inédit
McCAMMON Rober R.	***Mary Terreur*** 3264/**7** Inédit
MONTELEONE Thomas	***Fantasma*** 2937/**4** Inédit
	Lyrica 3147/**5** Inédit
MORRELL David	***Totem*** 2737/**3**
NICHOLS Leigh	***L'antre du tonnerre*** 1966/**3** Inédit
QUENOT Katherine E.	***Blanc comme la nuit*** 3353/**4** (Décembre 92)
RHODES Daniel	***Le banquet de Lucifer*** 2837/**4** Inédit
SELTZER David	***La malédiction*** 796/**2** Inédit (voir aussi à Howard)
SLADE Michael	***Goule*** 3163/**6** Inédit
TESSIER Thomas	***La nuit du sang*** 2693/**3**
X	***Histoires de sexe et de sang*** 3225/**4** Inédit

Composition Interligne B-Liège
Achevé d'imprimer en Europe (France)
par Brodard et Taupin à la Flèche (Sarthe)
le 9 juin 1992. 6586F
Dépôt légal juin 1992. ISBN 2-277-23261-0

Éditions J'ai lu
27, rue Cassette, 75006 Paris
Diffusion France et étranger : Flammarion